W9-ALH-323

## Authors

## James F. Funston

## Alejandro Vargas Bonilla

### Consultants
Paul J. Hoff
Heidi Oshima
Keith Mason

**EMC**Paradigm Publishing, Saint Paul, Minnesota

# CREDITS

## Editorial Consultants
Lori Coleman
Belia Jiménez Lorente
Sharon O'Donnell
David Thorstad

## Illustrators
Kristen Copham
Len Ebert
Susan Jaekel
Nedo Kojic
Jane McCreary
D.J. Simison
Gay Undercuffler

## Photo Research
Jennifer Anderson

## Design
Interior Design: Tina Widzbor,
Monotype Composition.
Cover Design: Suzanne Montazer and
Ken Croghan, Monotype Composition.

## Cover Photo
Mónica Béjar Latonda

## Production
Design 5 Creatives

We have attempted to locate owners of
copyright materials used in this book.
If an error or omission has occurred,
EMC/Paradigm Publishing will acknowledge
the contribution in subsequent printings.

ISBN 0-8219-2864-3

© 2005 EMC Corporation

All rights reserved. No part of this publication may be adapted, reproduced, stored in a retrieval system or transmitted in any form or by any means, electronic, mechanical, photocopying, recording, or otherwise without permission from the publisher.

**Published by EMC/Paradigm Publishing**
875 Montreal Way
St. Paul, Minnesota 55102
800-328-1452
**www.emcp.com**
Email: educate@emcp.com

Printed in the United States of America
4 5 6 7 8 9 10 X X X 08 07

# ¡HOLA!

You should feel a great sense of accomplishment now that you have completed the first two levels of *Navegando.* In addition to having learned about life in Spain, Mexico, Central America, South America, the Caribbean and the Spanish-speaking parts of the United States, you have developed communication skills that now make you part of the ever-growing number of people throughout the world who are able to use Spanish for business, travel and leisure. Learning a language has always meant more than merely memorizing words and grammar rules and then putting them together, hoping to actually be able to communicate. Just as language is inseparable from culture, so is it inseparable from the authentic communication of thoughts and emotions. In *Navegando,* you have been navigating your way, learning about others while at the same time learning how to share your ideas and feelings. These real-life learning experiences introduce you to and expand your knowledge of language, geography, history and the arts.

The chapters of *Navegando 3* focus on a central theme such as family life, travel, food and your future life. This year you will improve your ability to communicate with others in Spanish in many different real-life situations. You will learn not only fascinating information, but also problem-solving, survival and employment skills that will be useful when you leave the classroom. In addition, you will have an opportunity to read literature that will help prepare you for the Advanced Placement examinations for college credit.

Are you ready to continue learning Spanish you can use in the real world? Experience the authentic: *Navegando.*

# Contents

La Avenida 9 de Julio en Buenos Aires, Argentina.

Una familia hispana.

Vista de Miami.

Un periódico de Galicia.

En la estación de tren.

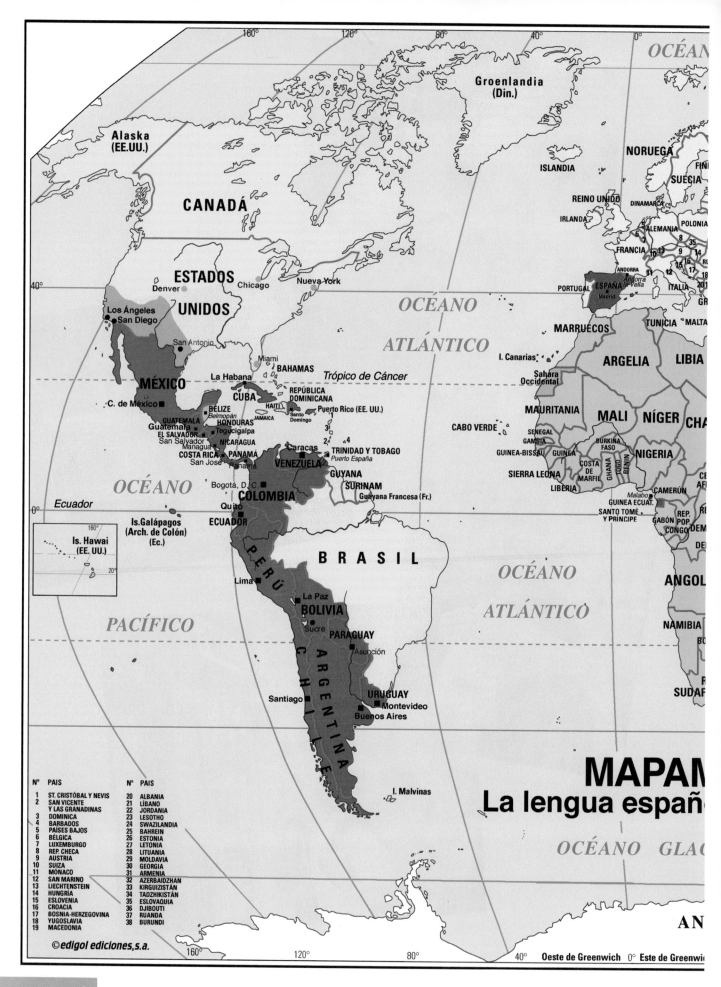

**Groenlandia (Din.)**

Alaska (EE.UU.)

CANADÁ

ESTADOS
UNIDOS

Denver · Chicago · Nueva York

OCÉANO

ATLÁNTICO

Los Ángeles
San Diego

San Antonio

Miami

MÉXICO

BAHAMAS

Trópico de Cáncer

C. de México

La Habana

CUBA

REPÚBLICA
DOMINICANA

Puerto Rico (EE. UU.)

BELIZE
Belmopán

HAITÍ
JAMAICA

Santo
Domingo

3

GUATEMALA
Guatemala
EL SALVADOR
San Salvador

HONDURAS
Tegucigalpa

NICARAGUA

Managua

2

4

TRINIDAD Y TOBAGO
Puerto España

COSTA RICA
San José

PANAMÁ
Panamá

Caracas

VENEZUELA

GUYANA
SURINAM
Guayana Francesa (Fr.)

OCÉANO

Bogotá, D. C.

COLOMBIA

Quito

Ecuador

ECUADOR

Is.Galápagos
(Arch. de Colón)
(Ec.)

BRASIL

OCÉANO

PERÚ

Lima

ATLÁNTICO

La Paz

BOLIVIA

Sucre

PARAGUAY

Asunción

PACÍFICO

A
R
G
E
N
T
I
N
A

C
H
I
L
E

Santiago

URUGUAY
Montevideo
Buenos Aires

I. Malvinas

**Is. Hawai (EE. UU.)**
160°
20°

NORUEGA

ISLANDIA

REINO UNIDO

FINL

SUECIA

IRLANDA

DINAMARCA

POLONIA

ALEMANIA

6
8
35

FRANCIA

13
10

7

14

ANDORRA

16

11

Andorra
la Vella

17

18

PORTUGAL

ESPAÑA
Madrid

12

ITALIA

20
21

GR

MARRUECOS

TUNICIA

MALTA

I. Canarias

ARGELIA

LIBIA

Sahara
Occidental

MAURITANIA

MALI

NÍGER

CHA

CABO VERDE

SENEGAL

BURKINA
FASO

GAMBIA

GUINEA-BISSAU

GUINEA

NIGERIA

SIERRA LEONA

COSTA
DE
MARFIL

G
H
A
N
A

T
O
G
O

B
E
N
I
N

CE
AF

LIBERIA

Malabo

CAMERÚN

GUINEA ECUAT.

SANTO TOMÉ
Y PRÍNCIPE

GABÓN

REP.
POP
CONGO

R
DEM

DE

ANGOL

NAMIBIA

BO

SUDAF

OCÉANO

ATLÁNTICO

**MAPAM**
## La lengua españ

OCÉANO   GLAC

AN

160°
120°
80°
40°
Oeste de Greenwich   0° Este de Greenwi

© edigol ediciones, s.a.

40°

0°

160°
120°
80°
40°

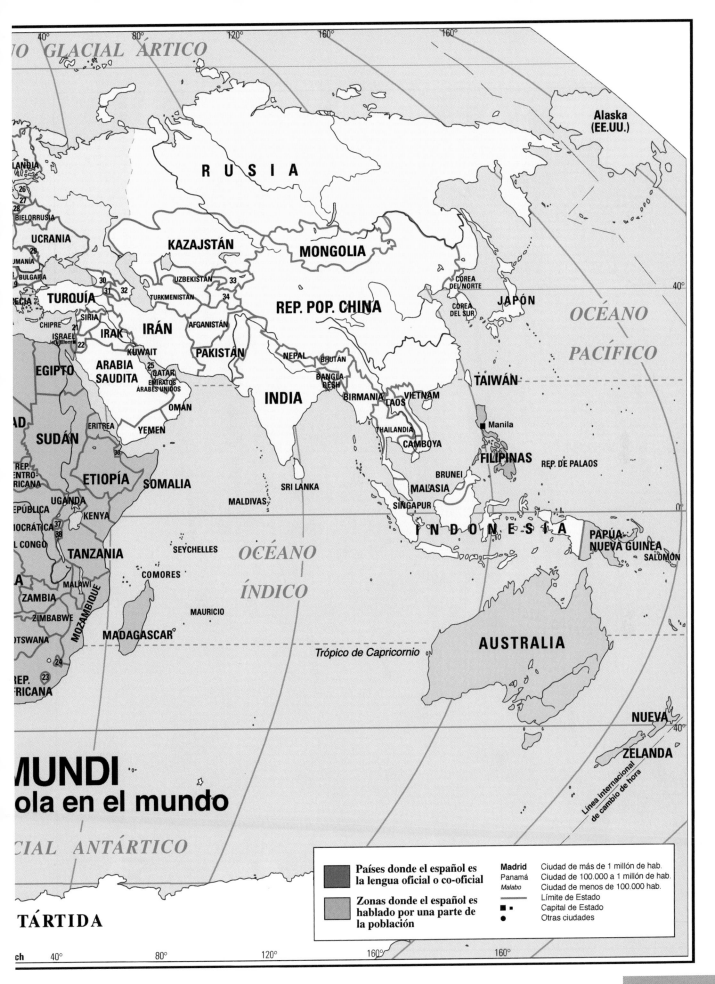

Alaska
(EE.UU.)

RUSIA

ISLANDIA
26
27
28
BIELORRUSIA

UCRANIA
29
RUMANIA
BULGARIA
GRECIA
TURQUÍA
CHIPRE
SIRIA
ISRAEL
Jerusalém
IRAK
EGIPTO
ARABIA
SAUDITA
IRÁN

KAZAJSTÁN
UZBEKISTÁN
TURKMENISTÁN
AFGANISTÁN
PAKISTÁN
KUWAIT
QATAR
EMIRATOS
ÁRABES UNIDOS
OMÁN
YEMEN

30
31 32
33
34
21
22
25

MONGOLIA

REP. POP. CHINA

COREA
DEL NORTE
COREA
DEL SUR
JAPÓN

OCÉANO

PACÍFICO

TAIWÁN

NEPAL
BHUTAN
BANGLA-
DESH
INDIA
BIRMANIA
LAOS
VIETNAM
THAILANDIA
CAMBOYA
Manila

SUDÁN
ERITREA
REP.
CENTRO-
AFRICANA
ETIOPÍA
SOMALIA
UGANDA
REPÚBLICA
DEMOCRÁTICA
DEL CONGO
KENYA
TANZANIA
37
38
MALAWI
ZAMBIA
ZIMBABWE
BOTSWANA
MOZAMBIQUE
24
23
REP.
AFRICANA

36

SRI LANKA
MALDIVAS

SEYCHELLES
COMORES

MAURICIO

MADAGASCAR

OCÉANO

ÍNDICO

FILIPINAS
REP. DE PALAOS
BRUNEI
MALASIA
SINGAPUR

INDONESIA

PAPÚA
NUEVA GUINEA
SALOMÓN

AUSTRALIA

*Trópico de Capricornio*

NUEVA

ZELANDA

MUNDI
ola en el mundo

CIAL ANTÁRTICO

TÁRTIDA

| | | |
|---|---|---|
| Países donde el español es la lengua oficial o co-oficial | **Madrid** | Ciudad de más de 1 millón de hab. |
| | Panamá | Ciudad de 100.000 a 1 millón de hab. |
| Zonas donde el español es hablado por una parte de la población | *Malabo* | Ciudad de menos de 100.000 hab. |
| | | Límite de Estado |
| | ■ | Capital de Estado |
| | ● | Otras ciudades |

Línea internacional
de cambio de hora

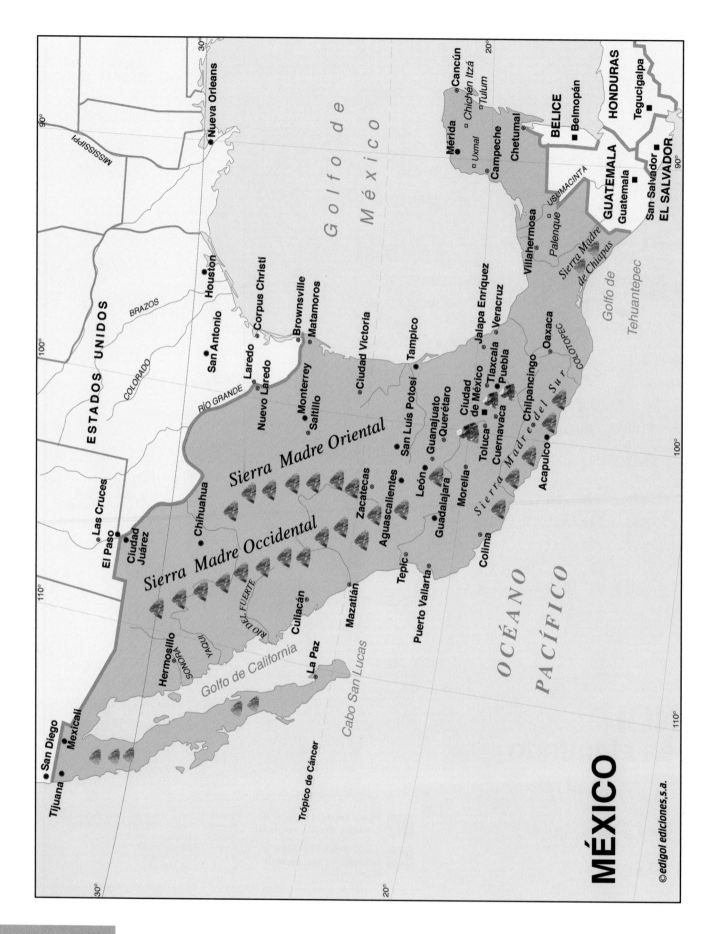

**MÉXICO**

Golfo de México

OCÉANO PACÍFICO

Golfo de California

Golfo de Tehuantepec

Cabo San Lucas

ESTADOS UNIDOS

BELICE

GUATEMALA

HONDURAS

EL SALVADOR

Sierra Madre Oriental

Sierra Madre Occidental

Sierra Madre del Sur

Sierra Madre de Chiapas

Trópico de Cáncer

MISSISSIPPI

BRAZOS

COLORADO

RÍO GRANDE

RÍO DEL FUERTE

YAQUI

SONORA

USUMACINTA

COLOTOPEC

Nueva Orleans
Houston
San Antonio
Corpus Christi
Brownsville
Matamoros
Laredo
Nuevo Laredo
Ciudad Victoria
Tampico
San Luis Potosí
Querétaro
Guanajuato
León
Aguascalientes
Zacatecas
Monterrey
Saltillo
Chihuahua
Ciudad Juárez
El Paso
Las Cruces
San Diego
Tijuana
Mexicali
Hermosillo
La Paz
Culiacán
Mazatlán
Tepic
Puerto Vallarta
Guadalajara
Morelia
Colima
Toluca
Ciudad de México
Cuernavaca
Tlaxcala
Puebla
Jalapa Enríquez
Veracruz
Oaxaca
Chilpancingo
Acapulco
Villahermosa
Palenque
Chetumal
Campeche
Mérida
Uxmal
Chichén Itzá
Tulum
Cancún
Belmopán
Guatemala
Tegucigalpa
San Salvador

© edigol ediciones, s.a.

xviii

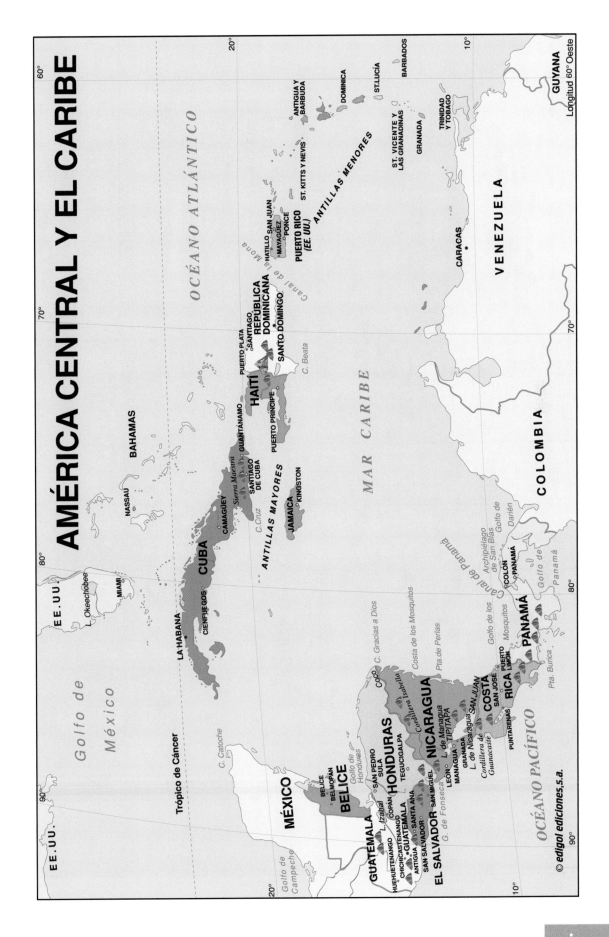

# AMÉRICA CENTRAL Y EL CARIBE

EE.UU.

Golfo de México

Golfo de Campeche

Trópico de Cáncer

L. Okeechobee

MIAMI

BAHAMAS

NASSAU

E.E.U.U.

CUBA

LA HABANA

CIENFUEGOS

C. Catoche

CAMAGÜEY

Sierra Maestra

SANTIAGO DE CUBA

C. Cruz

ANTILLAS MAYORES

JAMAICA

KINGSTON

OCÉANO ATLÁNTICO

PUERTO PLATA

SANTIAGO

HAITÍ

GUANTÁNAMO

PUERTO PRÍNCIPE

REPÚBLICA DOMINICANA

SANTO DOMINGO

C. Beata

Canal de la Mona

HATILLO

MAYAGÜEZ

PUERTO RICO
(EE. UU.)

SAN JUAN

PONCE

ST. KITTS Y NEVIS

ANTIGUA Y BARBUDA

DOMINICA

ST. LUCÍA

BARBADOS

ANTILLAS MENORES

ST. VICENTE Y LAS GRANADINAS

GRANADA

TRINIDAD Y TOBAGO

MAR CARIBE

MÉXICO

Golfo de Honduras

BELICE

BELICE
BELMOPÁN

L. Izabal

GUATEMALA

HUEHUETENANGO

CHICHICASTENANGO

ANTIGUA

COPÁN

SAN PEDRO SULA

HONDURAS

TEGUCIGALPA

GUATEMALA

SANTA ANA

SAN SALVADOR

SAN MIGUEL

EL SALVADOR

G. de Fonseca

LEÓN

MANAGUA

L. de Managua

NICARAGUA

TIPITAPA

GRANADA

Cordillera de Isabella

L. de Nicaragua

Cordillera de Guanacaste

Coco

C. Gracias a Dios

Costa de los Mosquitos

Pta. de Perlas

Golfo de los Mosquitos

SAN JUAN

PUNTARENAS

COSTA RICA

SAN JOSÉ

PUERTO LIMÓN

Pta. Burica

PANAMÁ

COLÓN

PANAMÁ

Canal de Panamá

Archipiélago de San Blas

Golfo de Panamá

Golfo de Darién

CARACAS

VENEZUELA

COLOMBIA

GUYANA

OCÉANO PACÍFICO

© edigol ediciones, s.a.

60°

70°

80°

90°

20°

10°

20°

10°

70°

80°

90°

Longitud 60° Oeste

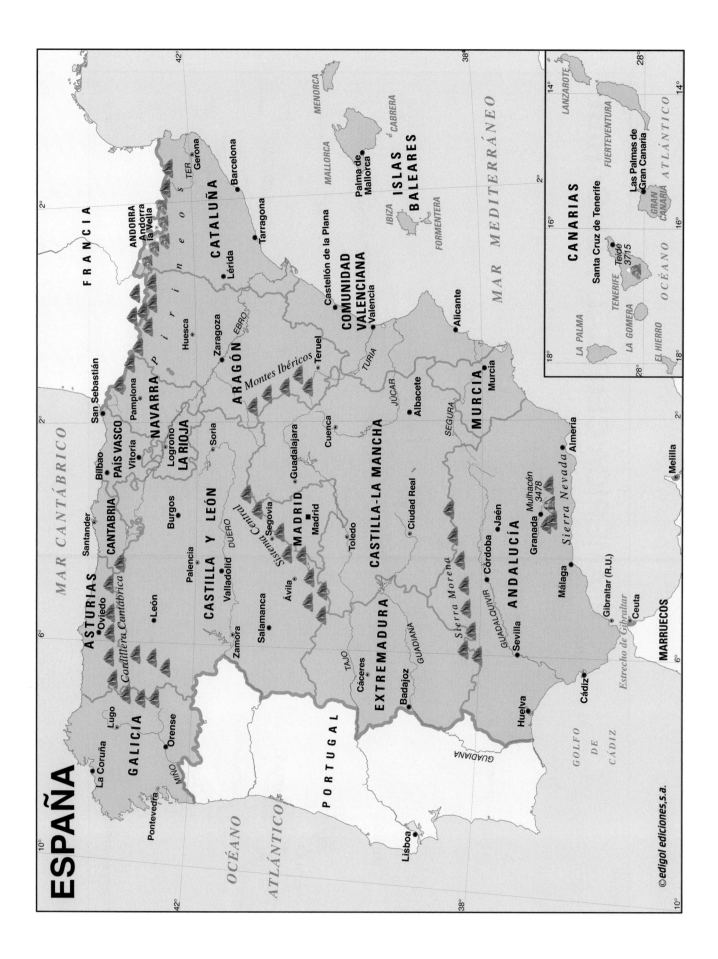

# ESPAÑA

FRANCIA

GALICIA
ASTURIAS
CANTABRIA
PAÍS VASCO
NAVARRA
LA RIOJA
CASTILLA Y LEÓN
ARAGÓN
CATALUÑA
ANDORRA
MADRID
COMUNIDAD VALENCIANA
EXTREMADURA
CASTILLA-LA MANCHA
MURCIA
ANDALUCÍA
PORTUGAL
MARRUECOS

ISLAS BALEARES
MENORCA
MALLORCA
CABRERA
IBIZA
FORMENTERA

MAR MEDITERRÁNEO

CANARIAS
LANZAROTE
FUERTEVENTURA
LA PALMA
TENERIFE
LA GOMERA
GRAN CANARIA
EL HIERRO
Las Palmas de Gran Canaria
Santa Cruz de Tenerife
Teide 3715
OCÉANO ATLÁNTICO

MAR CANTÁBRICO
OCÉANO ATLÁNTICO

La Coruña
Pontevedra
Lugo
Orense
Oviedo
Santander
Bilbao
San Sebastián
Vitoria
Pamplona
Logroño
Soria
León
Burgos
Palencia
Valladolid
Zamora
Salamanca
Ávila
Segovia
Madrid
Guadalajara
Cuenca
Huesca
Zaragoza
Teruel
Lérida
Gerona
Barcelona
Tarragona
Castellón de la Plana
Valencia
Alicante
Albacete
Murcia
Almería
Granada
Jaén
Córdoba
Ciudad Real
Toledo
Cáceres
Badajoz
Sevilla
Huelva
Cádiz
Málaga
Gibraltar (R.U.)
Ceuta
Melilla
Lisboa

Andorra la Vella

Pirineos
Cordillera Cantábrica
Montes Ibéricos
Sistema Central
Sierra Morena
Sierra Nevada
Mulhacén 3478

MIÑO
DUERO
TAJO
GUADIANA
GUADALQUIVIR
EBRO
TER
TURIA
JÚCAR
SEGURA

Palma de Mallorca

GOLFO DE CÁDIZ
Estrecho de Gibraltar

© edigol ediciones, s.a.

XX

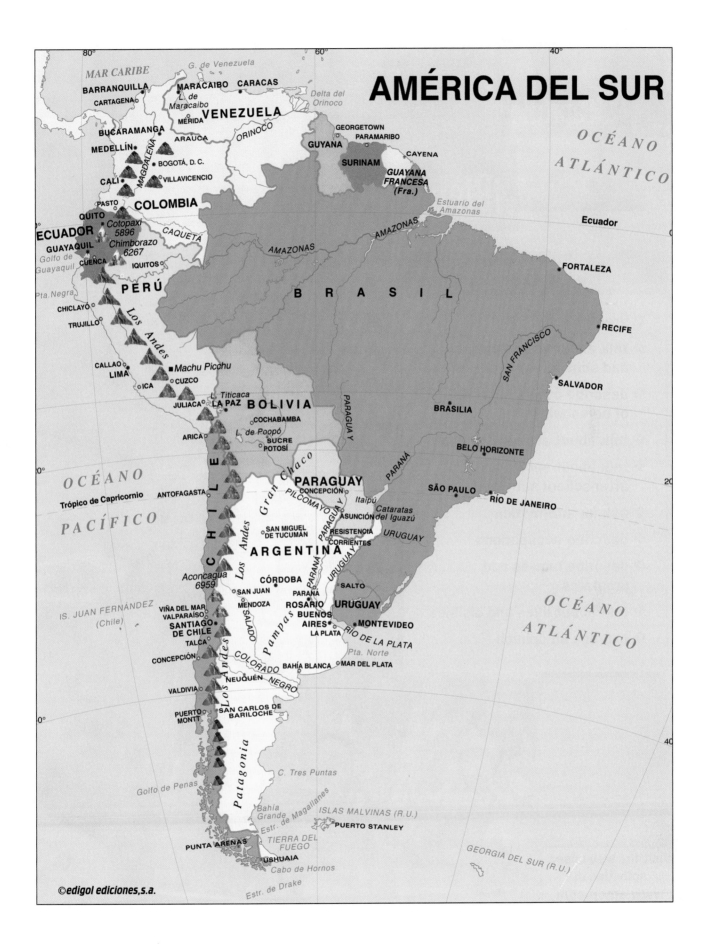

# AMÉRICA DEL SUR

MAR CARIBE

BARRANQUILLA
CARTAGENA
G. de Venezuela
MARACAIBO · CARACAS
L. de
Maracaibo
MÉRIDA · VENEZUELA
Delta del
Orinoco
GEORGETOWN
PARAMARIBO
GUYANA
SURINAM · CAYENA
GUAYANA
FRANCESA
(Fra.)

BUCARAMANGA
ARAUCA
ORINOCO
MEDELLÍN
BOGOTÁ, D. C.
CALI · VILLAVICENCIO
PASTO
COLOMBIA
QUITO
ECUADOR · Cotopaxi
5896
GUAYAQUIL · Chimborazo
6267
Golfo de · CUENCA
Guayaquil
IQUITOS
CAQUETA

Estuario del
Amazonas

Ecuador

AMAZONAS

AMAZONAS

OCÉANO
ATLÁNTICO

FORTALEZA

B R A S I L

Pta. Negra
PERÚ
CHICLAYÓ
Los Andes
TRUJILLO

CALLAO
LIMA · Machu Picchu
ICA · CUZCO

SAN FRANCISCO

RECIFE

SALVADOR

BRÁSILIA

BELO HORIZONTE

JULIACA
L. Titicaca
LA PAZ · BOLIVIA
COCHABAMBA
ARICA
L. de Poopó
SUCRE
POTOSÍ
Gran Chaco

PARAGUAY

PARANÁ

SÃO PAULO

RÍO DE JANEIRO

OCÉANO

PACÍFICO

Trópico de Capricornio
ANTOFAGASTA

PARAGUAY
CONCEPCIÓN
PILCOMAYO
Itaipú
Cataratas
del Iguazú
ASUNCIÓN
SAN MIGUEL · RESISTENCIA
DE TUCUMÁN · CORRIENTES
ARGENTINA
URUGUAY

Aconcagua
6959
CÓRDOBA
SAN JUAN
MENDOZA
IS. JUAN FERNÁNDEZ
(Chile)
SALADO
VIÑA DEL MAR
VALPARAÍSO
SANTIAGO
DE CHILE
TALCA
CONCEPCIÓN
COLORADO
VALDIVIA
NEUQUÉN · NEGRO
Pampas
PARANÁ
ROSARIO
BUENOS
AIRES
LA PLATA
SALTO
URUGUAY
MONTEVIDEO

RÍO DE LA PLATA
Pta. Norte
BAHÍA BLANCA · MAR DEL PLATA

OCÉANO

ATLÁNTICO

PUERTO
MONTT
SAN CARLOS DE
BARILOCHE

Patagonia

C. Tres Puntas

Golfo de Penas

Bahía
Grande
Estr. de Magallanes
ISLAS MALVINAS (R.U.)

PUERTO STANLEY

GEORGIA DEL SUR (R.U.)

PUNTA ARENAS
TIERRA DEL
FUEGO
USHUAIA
Cabo de Hornos

Estr. de Drake

©edigol ediciones,s.a.

# Capítulo 1

## ¡Bienvenidos!

### Objetivos

- ❖ greet friends
- ❖ talk about school classes and schedules
- ❖ describe others in terms of personality
- ❖ talk about after-school jobs
- ❖ talk about sports and after-school activities
- ❖ ask for information
- ❖ describe occupations
- ❖ describe movies and programs
- ❖ talk about likes and dislikes
- ❖ express an opinion

Visit the web-based activities at www.emcp.com

## 1 En la escuela

Indique la letra de la foto que corresponde con cada situación que oye.

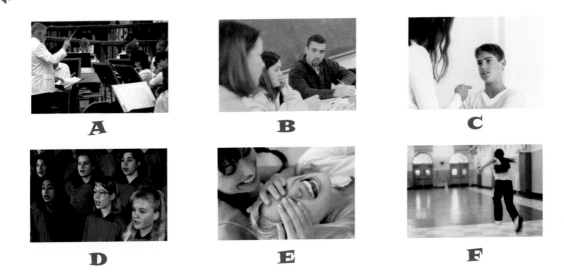

A

B

C

D

E

F

## 2 Diálogos

Complete los diálogos con las palabras de la caja.

| enseguida | obedecer | miembro |
|-----------|----------|---------|
| pasándola | prisa | igualmente |

1. **A:** Vamos, Anita, ya son las ocho. Date ___.

   **B:** Está bien, mamá, salgo ___.

2. **A:** Hola, Javier. ¿Cómo estás?

   **B:** ___, ¿y tú?

   **A:** ___.

3. **A:** Nicolás, ¿por qué no te haces ___ de algún club?

   **B:** Porque no me gusta ___ reglas.

# Diálogo I

## ¿Me reconoces?

RAMIRO: Ana, ¿eres tú? ¿Cómo estás?

ANA: ¿Ramiro? Estás cambiado. Casi no te reconozco.

RAMIRO: Soy el mismo, pero con el pelo más corto.

ANA: ¿Por qué desapareciste del colegio?

RAMIRO: Mi familia y yo nos mudamos a Cali.

ANA: ¿De veras? ¿Y cómo es tu vida allí?

RAMIRO: Colaboro en varias actividades del colegio y pertenezco a un club deportivo.

RAMIRO: ¿Cómo está Pablo?

ANA: Pasándola. Ahora es miembro del coro. Si quieres lo llamo enseguida para decirle que estás aquí.

RAMIRO: ¡Chévere!

ANA: Hola, ¿Pablo? ¿A que no sabes quién apareció por aquí?...

## 3 ¿Qué recuerda Ud.?

1. ¿Por qué Ana no reconoce enseguida a Ramiro?
2. ¿Por qué Ramiro ya no va al colegio de Ana?
3. ¿Qué actividades hace Ramiro?
4. ¿En qué actividad participa Pablo?
5. ¿Qué quiere hacer Ana enseguida?

## 4 Algo personal

1. ¿Se encuentra Ud. a menudo con amigos de la niñez?
2. ¿Qué dicen ellos cuando lo/la ven? ¿Lo/la reconocen?
3. ¿Le gusta vivir en su ciudad? ¿Por qué?
4. ¿Con qué grupos del colegio colabora?

Somos amigas desde niñas.

## 5 Situaciones

Escuche las siguientes situaciones. Escoja la letra de la conclusión más lógica para cada una.

1. A. Se me hace tarde.
   B. Pasándola.
2. A. ¿Cuándo lo van a establecer?
   B. ¿Por qué colaboran?
3. A. Es verdad, siempre se dan prisa.
   B. Es verdad, cantan muy bien.
4. A. No te reconozco.
   B. No lo encuentro.
5. A. Por eso participa en la orquesta.
   B. Por eso pertenece al consejo estudiantil.

## Colombia y los famosos

Son muchos los colombianos que se destacan hoy en día internacionalmente en diferentes actividades. Por ejemplo, en la música, se encuentra la famosa cantante Shakira, quien ha conquistado[1] el mercado estadounidense de la canción con un disco en inglés. Sigue sus pasos[2] el cantante Juanes, ganador de nueve Premios Grammy. Pero quien realmente dio a conocer al mundo un importante estilo[3] musical colombiano fue Carlos Vives. Este talentoso cantante y actor hizo resurgir[4] el *vallenato*, estilo musical del Valle de Upar, en el noroeste de Colombia, el cual combina ritmos y sonidos populares africanos, europeos y colombianos.

Entre los deportistas famosos encontramos al futbolista Carlos "El Pibe" Valderrama, símbolo mundial del fútbol colombiano, y al ciclista[5] Víctor Hugo Peña, líder del Tour de Francia y compañero de equipo del ciclista estadounidense Lance Armstrong.

Finalmente, en la cultura, debemos mencionar a dos de los personajes más importantes de Colombia. En las artes se encuentra Fernando Botero, uno de los grandes artistas latinoamericanos. Sus obras son conocidas en todo el mundo. Y, en la literatura, cabe destacar al famoso escritor Gabriel García Márquez, autor de muchas obras y ganador del Premio Nobel de Literatura en 1982.

Todas y cada una de estas personas llevan el buen nombre de Colombia a todos los lugares del mundo. Ellos expresan el orgullo[6], el amor y el dolor[7] de ser colombianos.

Shakira.

Gabriel García Márquez.

[1]has conquered  [2]follows her steps  [3]style  [4]revive  [5]cyclist  [6]pride  [7]pain

## 6 ¿Qué sabe sobre su vida?

**¿Conoce Ud. a alguno de los artistas o deportistas de la sección *Cultura viva*? Escoja a uno de ellos e investigue datos sobre su vida. Complete una tabla como la siguiente.**

| | |
|---|---|
| Artista / Deportista | |
| Actividad | |
| Obras o canciones famosas / Competencias | |
| Premios recibidos | |

**¡Extra!**

### En la internet

Puede encontrar la información que necesita sobre el artista o deportista elegido buscando en la internet. Otras fuentes de consulta incluyen revistas, libros, museos o bibliotecas.

# Idioma

## Repaso rápido: el presente del indicativo

You are already familiar with the form of the verbs in the present indicative.

**Verbos regulares:**
estudi**ar**: estudi**o**, estudi**as**, estudi**a**, estudi**amos**, estudi**áis**, estudi**an**
com**er**: com**o**, com**es**, com**e**, com**emos**, com**éis**, com**en**
recib**ir**: recib**o**, recib**es**, recib**e**, recib**imos**, recib**ís**, recib**en**

**Verbos con cambios en la raíz:**

**e → ie**   pensar: p**ie**nso, p**ie**nsas, p**ie**nsa, pensamos, pensáis, p**ie**nsan
querer: qu**ie**ro, qu**ie**res, qu**ie**re, queremos, queréis, qu**ie**ren
sentir: s**ie**nto, s**ie**ntes, s**ie**nte, sentimos, sentís, s**ie**nten

**e → i**   repetir: rep**i**to, rep**i**tes, rep**i**te, repetimos, repetís, rep**i**ten

**u → ue**   jugar: j**ue**go, j**ue**gas, j**ue**ga, jugamos, jugáis, j**ue**gan

**o → ue**   poder: p**ue**do, p**ue**des, p**ue**de, podemos, podéis, p**ue**den
volver: v**ue**lvo, v**ue**lves, v**ue**lve, volvemos, volvéis, v**ue**lven
dormir: d**ue**rmo, d**ue**rmes, d**ue**rme, dormimos, dormís, d**ue**rmen

**Verbos con formas irregulares en la primera persona:**

| | | |
|---|---|---|
| caber: **quepo** | dar: **doy** | poner: **pongo** |
| caer(se): **(me) caigo** | hacer: **hago** | saber: **sé** |
| conocer: **conozco** | ofrecer: **ofrezco** | salir: **salgo** |
| convencer: **convenzo** | parecer: **parezco** | traer: **traigo** |

**Verbos con cambios en la raíz y formas irregulares en la primera persona:**
tener: ten**go**, t**ie**nes, t**ie**ne, tenemos, tenéis, t**ie**nen
decir: **digo**, dices, dice, decimos, decís, dicen
venir: ven**go**, v**ie**nes, v**ie**ne, venimos, venís, v**ie**nen
estar: **estoy**, estás, está, estamos, estáis, están

**Verbos con más de una forma irregular:**
ser: **soy, eres, es, somos, sois, son**
ir: **voy, vas, va, vamos, vais, van**
oír: **oigo, oyes, oye**, oímos, oís, **oyen**
ver: **veo**, ves, ve, vemos, **veis**, ven

Yo estoy contento.

## 7 Actividades escolares

Unos estudiantes hablan sobre sus actividades. Escoja la forma correcta del verbo apropiado para completar su conversación.

¿Quieres estudiar con nosotras?

1. ¿Tú ___ a estudiar a la biblioteca por la tarde? (poner / ir)
2. No, yo no voy, pero ___ que Marina y Julián van. (pensar / traer)
3. Tú ___ ir con ellos, ¿no? (poder / venir)
4. ¿Uds. ___ la tarea en la escuela? (decir /hacer)
5. No, nosotras la ___ en casa. (hacer / salir)
6. ¿Tú ___ hacer la tarea con nosotras? (decir / querer)
7. ¡Chévere! Las ___ más tarde. ¡Hasta luego! (ver / venir)
8. ¡Un momento, por favor! Alicia, ¿dónde ___ tú? (vivir / traer)

## 8 Una encuesta

Copie la tabla y pregúnteles a cinco compañeros si hacen las actividades siguientes los fines de semana. Escriba *sí* o *no* en cada espacio en blanco. Después, escriba seis oraciones sobre los resultados.

MODELO  **A:** Carmen, ¿tú haces aeróbicos los fines de semana?
**B:** Sí, yo hago aeróbicos los fines de semana.
Resultados: Carmen y Raúl hacen aeróbicos los fines de semana.

|  | Carmen | Pablo | Ana | Raúl | Luisa |
|---|---|---|---|---|---|
| hacer aeróbicos | sí | no | no | sí | no |
| dormir hasta tarde |  |  |  |  |  |
| salir con amigos |  |  |  |  |  |
| ir al cine |  |  |  |  |  |
| ver televisión |  |  |  |  |  |
| oír música |  |  |  |  |  |
| leer revistas |  |  |  |  |  |
| jugar al básquetbol |  |  |  |  |  |

### Los verbos que terminan en *-cer, -cir*

Most verbs ending in *-cer* and *–cir*, such as *conocer* (to know) and *conducir* (to drive) have a change in the *yo* form of the present tense: the *c* changes to *zc*. The other present-tense forms of these verbs do not have this spelling change.

| | |
|---|---|
| *No es justo, Sra. López.* **Merezco** *una nota más alta.* | It's not fair, Mrs. López. **I deserve** a higher grade. |
| *¿Conoces a todos los estudiantes nuevos?* | Do you know all the new students? |
| *No, sólo* **conozco** *a Felipe Hernández.* | No, I only **know** Felipe Hernández. |

The following are some other verbs that follow this pattern.

| | | | |
|---|---|---|---|
| aparecer | *to appear, to turn up* | ofrecer | *to offer* |
| desaparecer | *to disappear* | parecer | *to seem, to appear* |
| establecer | *to establish* | parecerse | *to look like, to resemble* |
| merecer | *to deserve* | pertenecer | *to belong* |
| nacer | *to be born* | reconocer | *to recognize* |
| obedecer | *to obey* | traducir | *to translate* |

The verb *convencer* (to convince) does not follow this pattern; the *yo* form changes to *z* as in *convenzo*.

## Práctica

### 9 Preguntas y respuestas

**Con su compañero/a, háganse preguntas y contéstenlas. Pueden contestar en la forma afirmativa o en la negativa.**

MODELO conducir / carro de tus padres

    **A:** ¿Conduces el carro de tus padres?
    **B:** Sí, lo conduzco./ No, no lo conduzco.

1. conocer / a todos los profesores de la escuela
2. traducir / tareas en la clase de español
3. parecerse / a tu madre
4. obedecer /a tus padres
5. merecer una A / en la clase de español
6. pertenecer / a un club deportivo
7. convencer / fácilmente a otros
8. ofrecer / ayuda a tus compañeros

> ### Estrategia
>
> **Learning irregular verb forms**
> Keep track of new verb forms by making your own flash cards with the irregular form on one side and the infinitive on the other side. Test yourself often to make sure you have learned the irregular verb forms.

## 10  ¿Qué corresponde?

Mire las ilustraciones y complete las oraciones con la forma correcta del verbo apropiado. Luego, indique qué oración corresponde a cada ilustración.

1. Mi hermana siempre me *(ofrecer / establecer)* ayuda con la tarea.
2. Anita, ¿no me *(parecer / reconocer)*? Me parece que necesitas gafas.
3. Tomás *(traducir / nacer)* perfectamente del inglés al español.
4. Ella y él se *(pertenecer / parecer)* mucho. ¡Los dos son casi iguales!
5. Andrea, tú *(conducir / traducir)* muy bien el carro.
6. Rufo siempre me *(ofrecer / obedecer)*, pero Mimi no. Ella *(desaparecer / merecer)*.

## 11  Mini-diálogos

Complete cada diálogo con el verbo apropiado de la caja en la forma correspondiente. Puede usar cada verbo dos o tres veces.

| | | |
|---|---|---|
| conducir | parecer | traducir |
| reconocer | merecer | pertenecer |

1. **A:** ¿No me ___?
   **B:** Sí, ahora te ___. Eres Ángel, ¿no?
2. **A:** Tú te ___ mucho a tu hermana Carlota.
   **B:** No, yo me ___ a mi papá.
3. **A:** ¡Pare, por favor! Ud. ___ muy rápido.
   **B:** ¿Yo, rápido? No, siempre ___ con mucho cuidado.
4. **A:** ¿Piensas que yo ___ un premio por mi traducción?
   **B:** ¿Un premio? No, tú no ___ nada.
5. **A:** ¿Sabes si Álvaro ___ del inglés al español?
   **B:** No, él no ___, pero yo sí ___.
6. **A:** ¿Ud. ___ a algún club?
   **B:** ¡Claro! Yo ___ al club de tenis.

# Comunicación

## 12 Su mejor amigo/a

Ud. va a describir el tipo de persona que es su mejor amigo/a. Escoja tres o cuatro de los verbos de la caja para describir a su amigo/a. Luego, para cada verbo escriba dos palabras o frases que asocia con esa persona. Use esta información y escriba un párrafo que describa cómo es su amigo/a.

| ser | tener | conocer | merecer | obedecer |
| ofrecer | pertenecer | estar | ir | parecerse |

**MODELO**  ser: es simpático
parecerse: se parece a su tío

## 13 Diga la verdad

Conteste las siguientes preguntas. Luego, hágale las mismas preguntas a su compañero/a y comparen sus respuestas.

1. ¿A quién(es) se parece Ud.?
2. ¿Qué clases ofrecen en su escuela?
3. ¿A qué grupo o club pertenece Ud.?
4. ¿Obedece Ud. siempre a sus padres? ¿Y a sus profesores?
5. ¿Cree Ud. que se merece las notas que le dan sus profesores? Explique por qué.
6. ¿Quién establece las reglas en su casa? ¿Está Ud. de acuerdo con ellas?

## 14 En Bogotá

Ud. y sus compañeros están en Bogotá como estudiantes de intercambio. Deben presentarse a sus compañeros de clase colombianos y hacerles preguntas para saber más sobre sus actividades escolares. En grupos pequeños, representen a los estudiantes de intercambio y a los estudiantes colombianos. Pueden usar algunas de las ideas a continuación, pero traten de ser creativos/as.

Estudio en la escuela... de...

Me llamo... y soy de... Tengo... años.

¿Cuántas clases tienes tú?

Pertenezco al club de...

Mis profesores me parecen muy...

¿Qué te parecen tus profesores...?

¿Qué clases ofrecen...?

En mi escuela ofrecen clases de...

# Estructura

## Usos del presente

In Spanish you can use the present tense:

- to describe people's activities, abilities and routines

| | |
|---|---|
| *Salgo con mis amigos todos los fines de semana.* | I **go out** with my friends every weekend. |
| *Estamos en la escuela hasta las tres.* | We **stay** in school until three. |
| *Rosa siempre sabe todas las respuestas.* | Rosa always **knows** all the answers. |

- to express actions that are happening as you speak

| | |
|---|---|
| *Julián está en la biblioteca.* | Julián **is** in the library. |
| *¿Qué hace Adela?* | What **is** Adela **doing**? |
| *Hoy hace calor y hace sol.* | Today **it's** hot and **it's** sunny. |

- to express immediate future actions

| | |
|---|---|
| *¿Adónde vas el fin de semana?* | Where **are you going** this weekend? |
| *Mi madre vuelve de Bogotá esta noche.* | My mother **is coming back** from Bogotá tonight. |

- to ask whether to do something or not

| | |
|---|---|
| *¿Cierro la puerta?* | **Should I close** the door? |
| *¿Traducimos este párrafo primero?* | **Should we translate** this paragraph first? |

- to invite somebody to join you in an activity

| | |
|---|---|
| *¿Hacemos la tarea juntos?* | **Shall we do** our homework together? / **Let's do** our homework together. |
| *¿Vamos a nadar?* | **Shall we go** swimming? / **Let's go** swimming. |

## Práctica

### 15 ¿Cierto o falso?

**Forme oraciones completas según las indicaciones. Luego, diga *cierto* o *falso*, según su experiencia.**

**MODELO** mi hermano / siempre hacer sus tareas en casa
Mi hermano siempre hace sus tareas en casa. *Cierto.*

1. mi familia y yo / nunca salir juntos los domingos
2. mi gato / siempre venir a la escuela conmigo
3. yo / ir a la biblioteca todos los días
4. mi profesor(a) de español / siempre dar mucha tarea
5. mis amigos / no saber hablar español

Mi hermano siempre hace sus tareas en casa.

## 16 Preferencias

Haga una lista con cinco de sus actividades favoritas. Numere las actividades de la una a la cinco de acuerdo a sus preferencias. Intercambie *(Exchange)* su lista con un(a) compañero/a. Escoja una de las actividades de la lista de su compañero/a y pregúntele cuándo, cómo y con quién hace esta actividad. Puede representar el diálogo con su compañero/a frente a la clase.

**MODELO**

— ir al cine
— jugar videojuegos
— comprar ropa
— practicar deportes
— navegar por la Red

¿Con quién vas al cine?

## ✧ Comunicación

## 17 Un amigo de Barranquilla

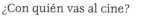
Con su compañero/a, lean este correo electrónico de Esteban Serrano y contesten las preguntas que siguen. Luego, escríbanle un mensaje dándole información sobre dónde viven, sus actividades favoritas y su colegio.

---

**E-Mail**

Archivo   Ver   Mensajes   Ayuda

A... | Amigos
Cc... |
Asunto: | Esteban

Hola amigos,
Me llamo Esteban Serrano y vivo en Barranquilla, una ciudad al noroeste de Colombia que está junto al río Magdalena y muy cerca del mar Caribe. Vivo en el barrio El Prado, que es un lugar bastante antiguo con casas muy bonitas. El fútbol es mi deporte favorito. A veces, mi padre me lleva al Estadio Metropolitano para ver los partidos. Voy al Colegio San José. Es un colegio mixto (chicos y chicas) y también bilingüe. Acabo de empezar el tercer año de bachillerato. Mi clase favorita es la de matemáticas y pertenezco al club de ajedrez. El próximo julio voy a participar en la Olimpiada Matemática que va a tener lugar en mi ciudad. Por favor, escríbanme pronto.
Saludos,
Esteban

---

1. ¿Dónde está Barranquilla?
2. ¿En qué barrio vive Esteban?
3. ¿Qué dice Esteban del fútbol?
4. ¿Qué es un colegio mixto?

5. ¿Aprende otras lenguas Esteban? Si es así, ¿cómo lo sabe Ud.?
6. ¿Piensa Ud. que Esteban es un buen candidato para la Olimpiada Matemática? Explique por qué.

## 18 ¿Qué hacemos?

Invite a su compañero/a a hacer una actividad después de clase. Usen los siguientes anuncios para decidir adónde van a ir, a qué hora, cómo van a ir, con quién van a ir, lo que van a hacer, cuánto van a gastar y cuándo van a regresar.

**MODELO** **A:** ¿Jugamos al tenis?

**B:** Sí, ¿dónde podemos jugar?

**A:** En el Club Deportivo La Red.

**B:** ¿A qué hora quieres ir?

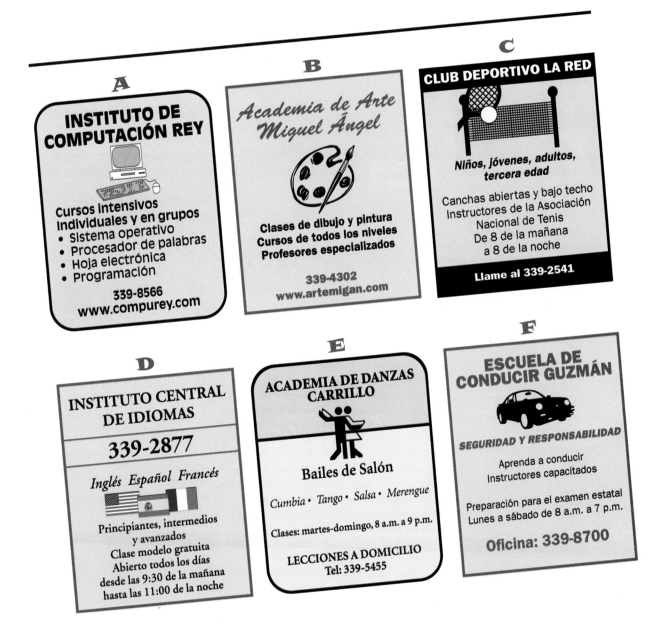

**A**

**INSTITUTO DE COMPUTACIÓN REY**

Cursos intensivos
Individuales y en grupos
- Sistema operativo
- Procesador de palabras
- Hoja electrónica
- Programación

339-8566
www.compurey.com

**B**

*Academia de Arte Miguel Ángel*

Clases de dibujo y pintura
Cursos de todos los niveles
Profesores especializados

339-4302
www.artemigan.com

**C**

**CLUB DEPORTIVO LA RED**

*Niños, jóvenes, adultos, tercera edad*

Canchas abiertas y bajo techo
Instructores de la Asociación
Nacional de Tenis
De 8 de la mañana
a 8 de la noche

Llame al 339-2541

**D**

**INSTITUTO CENTRAL DE IDIOMAS**

**339-2877**

*Inglés Español Francés*

Principiantes, intermedios
y avanzados
Clase modelo gratuita
Abierto todos los días
desde las 9:30 de la mañana
hasta las 11:00 de la noche

**E**

**ACADEMIA DE DANZAS CARRILLO**

Bailes de Salón

*Cumbia • Tango • Salsa • Merengue*

Clases: martes-domingo, 8 a.m. a 9 p.m.

LECCIONES A DOMICILIO
Tel: 339-5455

**F**

**ESCUELA DE CONDUCIR GUZMÁN**

*SEGURIDAD Y RESPONSABILIDAD*

Aprenda a conducir
Instructores capacitados

Preparación para el examen estatal
Lunes a sábado de 8 a.m. a 7 p.m.

Oficina: 339-8700

# Vocabulario II
## Clases y horarios

## 19 Roberto

Escuche las siguientes oraciones sobre cómo es Roberto. Seleccione la ilustración que corresponde con lo que oye.

**A**

**B**

**C**

**D**

**E**

**F**

## 20 En la clase de matemáticas

Complete las oraciones de acuerdo con la ilustración del Vocabulario II.

1. Los estudiantes deben prestar ___ en clase.
2. Hay que ___ tiempo a hacer la tarea.
3. Los estudiantes piensan que la profesora de matemáticas es muy ___.
4. Enrique está ___ de los profesores exigentes.
5. José es un ___ y se lleva mal con todo el mundo.
6. La profesora va a estar ___ de Mariana porque ella siempre sabe todas las respuestas.

## 21 ¿Cómo es Ud. en el colegio?

Haga una lista de cinco adjetivos que describen cómo es Ud. en el colegio.

En el colegio somos estudiosos.

**¡Extra!**

**Más descripciones**

| | |
|---|---|
| amable | *kind, nice* |
| chistoso, -a | *funny* |
| fascinante | *fascinating* |
| fenomenal | *great* |
| insoportable | *unbearable* |
| inteligente | *intelligent* |
| nervioso, -a | *nervous* |
| simpático, -a | *nice, pleasant* |

# Diálogo II

## ¡Uf! ¡Qué problema con mi horario!

**ANA:** La profesora de historia es bastante estricta.

**JOSÉ:** Sí, hay que dedicar mucho tiempo a su tarea... ¡Y de eso dependen las notas!

**ANA:** ¡Qué vago eres, José!

**JOSÉ:** No soy vago... Siempre presto atención a los profesores.

**CARLA:** Me dieron siete clases este semestre. ¡No es justo!

**ANA:** ¿Sólo siete clases? No es mucho. Yo tengo nueve.

**JOSÉ:** Ay, Ana, tú siempre tan estudiosa y responsable. No hay quien te aguante. Mejor me voy.

**ANA:** ¿Qué le pasa a José?

**CARLA:** No está motivado y no sabe lo que le gusta.

**ANA:** Es muy buen futbolista. ¿Por qué no está orgulloso de eso?

**CARLA:** Porque no tiene mucha confianza en sí mismo.

### 22 ¿Qué recuerda Ud.?

1. ¿Cómo es la profesora de historia?
2. ¿Qué dice José acerca de la tarea de historia?
3. ¿Qué no es justo, según Carla?
4. ¿Qué le pasa a José, según Carla?
5. ¿Qué deporte le interesa a José? ¿Cómo lo sabe Ud.?
6. ¿Qué le falta a José?

### 23 Algo personal

1. ¿Cómo es Ud. en el colegio?
2. ¿Cuánto tiempo le dedica a la tarea?
3. ¿Cuáles son las clases que le parecen más interesantes?
4. ¿Le gustan los deportes? ¿Cuál es su deporte preferido?
5. ¿Qué cree que se necesita para estar motivado/a por algo?

La profesora es amable.

### 24 ¿Qué contesta?

))) Escuche las siguientes situaciones y escoja la letra de la respuesta apropiada para cada una.

> A. ¡No hay quien la aguante!
> B. ¡No es justo!
> C. ¡Sí, a mí me tocó el mismo profesor!
> D. No, no me fijo en esas cosas.
> E. Debes prestarle más atención cuando habla.

# Cultura viva

## ¿Qué se puede hacer en Bogotá?

Si usted viaja a la ciudad de Bogotá, en Colombia, tiene muchas cosas por conocer. Aquí le presentamos diferentes opciones de lugares para visitar de acuerdo con lo que le gusta hacer.

Si está interesado/a en la historia, visite el centro histórico en los barrios de La Candelaria y La Catedral. Allí puede disfrutar de una gran variedad de edificios

Una calle en el centro histórico.

coloniales y su evolución durante casi cinco siglos de historia. Si le gustan los espectáculos, la ciudad cuenta con[1] una variedad de teatros, conciertos y hasta corridas de toros. En Bogotá existen plazas de toros que continúan ofreciendo espectáculos desde hace más de cien años. Si le interesan las iglesias, hay varias iglesias coloniales dignas de visitar[2]. Las más conocidas son la Iglesia de San Francisco, la Iglesia de Santa Clara, la Iglesia de San Ignacio y la Iglesia de San Agustín. Y no puede dejar de visitar los museos, entre los que se destacan el Museo del Oro, que reúne una colección de piezas precolombinas[3], el Museo Colonial, con su

colección de piezas jesuitas[4], el Museo de Arte Religioso, el Museo de Arte Moderno y la Quinta[5] Bolívar, en las afueras de la ciudad, en la cual hay muebles, papeles y otros objetos personales de Simón Bolívar, héroe venezolano conocido como El Libertador[6].

Además de las atracciones típicas de una ciudad, Bogotá tiene también muchos paisajes naturales para visitar. Por ejemplo, el cerro Monserrate ofrece una fantástica vista de la ciudad. En las carreteras de la Sabana, región donde se encuentra la ciudad, se pueden ver lagos, represas[7], saltos[8] y reservas forestales.

Existen cientos de posibilidades en Bogotá y Ud. puede descubrirlas.

El teleférico del cerro Monserrate.

[1]has  [2]worth visiting  [3]pre-Columbian  [4]Jesuit  [5]villa  [6]The Liberator  [7]dams  [8]waterfalls

## 25 Una visita a Bogotá

**Conteste las siguientes preguntas.**

1. ¿Qué puede visitar en Bogotá si está interesado/a en la historia?
2. ¿Adónde puede ir si le gustan los espectáculos?
3. ¿Cuánto tiempo hace que las plazas de toros ofrecen espectáculos?
4. ¿Cuáles son las iglesias más visitadas de Bogotá?
5. ¿Qué hay en la Quinta Bolívar?
6. ¿Qué paisajes naturales tiene Bogotá?

# Idioma

## Repaso rápido: número y género de los adjetivos

Most adjectives have a singular masculine form ending in -o and a singular feminine form ending in -a. To make them plural add an -s.

| | |
|---|---|
| *El profesor es estrict**o**.* | The teacher is strict. |
| *Los profesores son estrict**os**.* | The teachers are strict. |
| *Carolina es estudios**a**.* | Carolina is studious. |
| *Mis compañeras son estudios**as**.* | My classmates are studious. |

Some adjectives that end in -a, -e, or a consonant have only one form for both masculine and feminine singular, and one form for both masculine and feminine plural. Plural forms of adjectives that end in -e and -a add -s. Plural forms of adjectives that end in a consonant add -es.

| | |
|---|---|
| *Ramón no es **egoísta**.* | Ramón is not selfish. |
| *Mi hermana es muy **responsable**.* | My sister is very responsible. |
| *Tus amigas son muy **elegantes**.* | Your friends are very stylish. |
| *La clase de arte es muy **popular**.* | The art class is very popular. |
| *Estos problemas no son **fáciles**.* | These problems are not easy. |

Adjectives of nationality that end in a consonant add -a in the feminine form. The masculine plural form ends in -es.

| | |
|---|---|
| *Mariano es español,* | Mariano is Spanish, |
| *pero su prima Lola no es español**a**.* | but his cousin Lola is not Spanish. |
| *Los padres de José son español**es**.* | José's parents are Spanish. |

When there is more than one subject, the masculine form is used if at least one of the subjects is masculine.

| | |
|---|---|
| *Rita y Andrés son muy **simpáticos**.* | Rita and Andrés are very nice. |

## 26 ¡Qué diferencia!

Complete las oraciones con uno de los adjetivos siguientes de acuerdo al contexto.

| | | | | |
|---|---|---|---|---|
| estupendo/a | fatal | estudioso/a | exigente | justo/a |
| fantástico/a | mucho/a | talentoso/a | nervioso/a | contento/a |

¡Pobre Tomás! Él está muy (1). Él es (2), pero esta clase tiene un horario (3), profesores muy (4) y (5) tarea.

En cambio Alejandra está muy (6). Sí, ella es (7), pero además tiene un horario (8) y profesores (9). Tomás dice que no es (10).

### Usos de *ser* y *estar* con adjetivos

You have used *ser* with adjectives to indicate the inherent qualities of people and things.

| | |
|---|---|
| *Mis compañeros **son responsables**.* | My classmates **are responsible**. |
| *Mi hermanita **es talentosa**.* | My little sister **is talented**. |
| *Las rosas **son rojas**.* | Roses **are red**. |

You have used *estar* with adjectives to indicate temporary conditions or states of persons (how somebody feels physically or mentally) and things.

| | |
|---|---|
| *¡**Estoy harto** de ver ese programa!* | **I'm tired** of watching that program! |
| *Mi hermana mayor **está triste** porque su gato se escapó.* | My older sister **is sad** because her cat ran away. |
| ***Está nublado** pero no va a llover.* | **It's cloudy,** but it's not going to rain. |

Use *estar* with adjectives to express personal opinions; not everybody may agree with you.

| | |
|---|---|
| *Mmm... ¡Qué **rica está** la comida!* | Yum... the food **is delicious!** (It tastes delicious to me.) |
| *Cristina **está linda** hoy, ¿verdad?* | Cristina **looks pretty** today, doesn't she? (In my opinion she looks especially pretty today.) |
| *¡La obra **va a estar estupenda**!* | The play **is going to be wonderful!** |

Some adjectives have one meaning when used with *ser* and another meaning when used with *estar*. Observe the following examples.

| | |
|---|---|
| *Todos mis compañeros **son aburridos**.* | All my classmates **are boring**. |
| *Todos mis compañeros **están aburridos**.* | All my classmates **are bored**. |
| *Javier **es orgulloso**.* | Javier **is haughty**. |
| *Javier **está orgulloso** de su trabajo.* | Javier **is proud** of his work. |
| *Mis hermanos **son listos**.* | My brothers **are smart**. |
| *Mis hermanos **están listos**.* | My brothers **are ready**. |
| *La manzana **es verde**.* | The apple **is green**. |
| *La manzana **está verde**.* | The apple **is not ripe**. |

Él está guapo hoy.

# Práctica

### 27 Cambios y más cambios

Su compañero/a le habla de diferentes personas que Uds. conocen. Pero él/ella no sabe que esas personas han cambiado. Dígale cómo están esas personas ahora. Use los adjetivos de la lista.

| morena | grandes | antipáticos |
|--------|---------|-------------|
| triste | divertidas | alto |

¿Está Tito fuerte?

**MODELO** Néstor / delgado

   **A:** Néstor es delgado, ¿no?
   **B:** ¿Néstor? ¡No! Ahora está gordo.

1. tu amigo Luis / bajo
2. Carmen / rubia
3. las primas de Antonio / aburridas
4. tus hermanos / pequeños
5. Carlos y su hermana / simpáticos
6. tu abuelo / alegre

### 28 Hugo está harto

Hugo contesta el correo electrónico que le escribió su amiga Consuelo. Él no está muy contento con sus clases. Complete el correo electrónico que le envía a Consuelo con la forma apropiada de *ser* o *estar*.

```
E-Mail                                                          _ □ ×

Archivo   Ver   Mensajes   Ayuda

A...      Consuelo

Cc...

Asunto:   ¡Hola!

Querida Consuelo,
No tengo mucho tiempo para escribirte porque (1) muy ocupado. Este
año las clases (2) difíciles y mi horario (3) fatal. Los profesores
(4) muy estrictos y yo no (5) motivado para estudiar. Tú sabes que yo
(6) estudioso y trabajador, pero ahora (7) vago y no tengo ganas de
hacer nada. ¡(8) harto de la escuela y las clases sólo acaban de
empezar! Me parece que no (9) justo tener tanto trabajo. Tú (10) una
persona especial y me vas a ayudar, ¿no?
Hasta pronto.

Tu amigo,
Hugo
```

# ◈ Comunicación

### 29  ¿Quién es?

Escriba en una hoja la siguiente información personal. No escriba su nombre. Su profesor(a) va a recoger todos las hojas de la clase y las va a mezclar. Luego, un(a) estudiante va a escoger una y va a leer la información. El resto de la clase debe adivinar de quién se trata.

**MODELO**

> Soy alta, rubia y delgada.
> Soy estudiosa, inteligente y simpática.
> Mi clase favorita es la de español.
> Mi actividad favorita es dibujar.
> Mi profesor favorito es el Sr. Hernández.
> Mi actriz favorita es Penélope Cruz.
> ¿Quién soy?

1. Tres de sus características físicas.
2. Tres características de su personalidad.
3. Su clase favorita.
4. Su actividad favorita.
5. Su profesor(a) favorito/a.
6. Su actor/actriz favorito/a.

### 30  Por teléfono

Ud. debe llamar a uno de sus compañeros por teléfono para saber qué tarea hay para mañana. Como su compañero/a no lo/la reconoce, Ud. debe repetir su nombre, identificarse y describir su apariencia física. Usen el diálogo que sigue como modelo. Luego, creen su propio diálogo y represéntenlo frente a la clase.

**MODELO**

**A:** ¿Rosana?
**B:** Sí, soy Rosana.
**A:** ¡Hola Rosana! ¿Cómo estás?
**B:** Bien, gracias. ¿Quién es?
**A:** Soy Eduardo.
**B:** ¿Quién?
**A:** Eduardo.
**B:** ¿Quién eres?
**A:** Eduardo Cevallos. Somos compañeros en la clase de español.
**B:** ¿Y cómo eres, Eduardo?
**A:** Soy alto, delgado y moreno.
**B:** ¡Ah, Eduardo! ¿Cómo estás?

Hola, Eduardo. ¿Cómo estás?

# Lectura cultural

# El mundo de Botero

Fernando Botero, nacido en Medellín en 1932, es uno de los artistas colombianos más importantes de nuestro tiempo. Sus obras, entre las cuales se encuentran cuadros, dibujos y esculturas[1], tienen un estilo[2] único que combina la historia del arte, la vida burguesa[3], la cultura colombiana y los personajes históricos.

Botero usa una manera tradicional de pintar, transformada por su visión personal, única y original. Una característica común de los personajes que viven en su universo es la de ser obesos[4]. Sus personajes no son delgados sino gordos, sus cuerpos se encuentran exagerados, ensanchados[5]. Con esto, el artista quiere explorar el volumen y las figuras geométricas en el espacio.

Sus personajes masculinos y femeninos parecen estáticos[6], como preparados para una fotografía, y dirigen los ojos hacia la persona que mira el cuadro. La mujer, tema muy frecuente en sus obras, es representada de diferentes edades y en diferentes papeles, como madre, abuela, madrastra, esposa, hija, reina; mientras que el hombre es representado con boca y bigotes[7] pequeños, y brazos cortos.

[1]sculptures [2]style [3]bourgeois [4]obese [5]enlarged [6]static [7]moustache

*Una pareja,*
Fernando Botero, 1982.

*Forum,*
Fernando Botero, 1986.

## 31 ¿Qué recuerda Ud.?

1. ¿Dónde nació Fernando Botero?
2. ¿Qué tipo de obras hace Botero?
3. ¿Qué estilos combina en sus obras?
4. ¿Qué característica común tienen sus personajes?
5. ¿Qué quiere el artista explorar con sus obras?
6. ¿Cómo son sus personajes masculinos y femeninos?

## 32 Algo personal

1. Mire uno de los cuadros de Botero de esta página y describa lo que ve.
2. ¿Cree Ud. que los cuadros de Botero representan la vida real? Explique su respuesta.

- Escoja un cuadro de Botero e imagine una historia representada en el cuadro. Escriba un párrafo breve sobre la historia.

# ¿Qué aprendí?

**Visit the web-based activities at www.emcp.com**

## Autoevaluación
**Como repaso y autoevaluación, responda lo siguiente:**

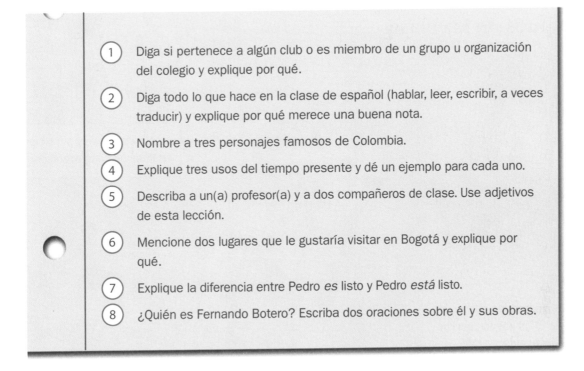

1. Diga si pertenece a algún club o es miembro de un grupo u organización del colegio y explique por qué.

2. Diga todo lo que hace en la clase de español (hablar, leer, escribir, a veces traducir) y explique por qué merece una buena nota.

3. Nombre a tres personajes famosos de Colombia.

4. Explique tres usos del tiempo presente y dé un ejemplo para cada uno.

5. Describa a un(a) profesor(a) y a dos compañeros de clase. Use adjetivos de esta lección.

6. Mencione dos lugares que le gustaría visitar en Bogotá y explique por qué.

7. Explique la diferencia entre Pedro *es* listo y Pedro *está* listo.

8. ¿Quién es Fernando Botero? Escriba dos oraciones sobre él y sus obras.

## Palabras y expresiones

**Actividades del colegio**
colaborar
el consejo estudiantil
el coro
hacerse miembro
la orquesta

**Descripciones**
estricto,-a
estudioso,-a
harto,-a
motivado,-a
organizado,-a
orgulloso,-a
responsable
talentoso,-a
trabajador,-a
vago, -a

**Verbos**
aparecer (zc)
convencer (z)
dedicar
depender
desaparecer (zc)
establecer (zc)
fijarse
merecer (zc)
obedecer (zc)
parecerse (zc)
pertenecer (zc)
prestar atención
reconocer (zc)
tener confianza
   (en sí/ti mismo/a)

**Otras palabras y expresiones**
A mí me tocó...
¡Chévere!
darse prisa
enseguida
Igualmente.
¡No es justo!
¡No hay quien
   lo/la aguante!
la nota
Pasándola.
rápido
Se me hace tarde.
tal vez

La orquesta del colegio.

## Vocabulario I
### Después de las clases

Mario es atleta y participa en muchas competencias.

A mis hermanos les gustan los animales. Ellos pasean perros y, por ahora, quieren ser entrenadores de animales.

Melisa trabaja de instructora de básquetbol. Es una instructora muy buena. Da clases a niños pequeños.

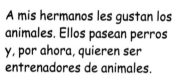

Sebastián es un ciclista excelente. Monta en bicicleta todos los días.

Daniela toca la guitarra. Es una música muy buena.

Tomás es beisbolista. Es un deportista muy activo y atlético. Se entrena todos los días.

Carlos es muy curioso y le gusta reparar cosas. Es un mecánico muy hábil.

¿Cuál es tu oficio favorito?

Estudiante sociable para atender a personas mayores.

Repartidor(a) para repartir periódicos.

Estudiante para dar clases e investigar temas de arte.

Niñera práctica para cuidar niños.

Hablar con Paola respecto a los anuncios.

## 1 ¿Cuál es su oficio?

Diga qué es cada persona, según lo que hace. Seleccione la letra de la foto que corresponde con lo que oye.

A

B

C

D

E

F

## 2 ¿Qué hace Ud.?

Piense en un oficio o actividad que le guste. Escriba una oración describiéndolo/la.

# Diálogo I

## ¿Qué es tu hermana?

**ROSA:** Ayer vi a tu hermana Eva en el parque. ¿Qué es ella?
**VÍCTOR:** Es entrenadora de un equipo de fútbol femenino. Es una entrenadora excelente.
**ROSA:** No sabía que el fútbol femenino era tan popular.

**ROSA:** ¿Y hay que ser muy atlética para jugar al fútbol?
**VÍCTOR:** Sí, y también muy activa. ¿Quieres hablar con Eva? Ella te puede dar clases.
**ROSA:** Sí, ¿cuándo la puedo ver?
**VÍCTOR:** Si quieres, vamos ahora.

**VÍCTOR:** Hola, Eva. Rosa dice que quiere jugar al fútbol.
**EVA:** ¡Chévere! Nos entrenamos todos los días en el parque. ¿Cuándo puedes comenzar?
**ROSA:** ¡Ahora mismo!

## 3 ¿Qué recuerda Ud.?

1. ¿Qué es la hermana de Víctor?
2. ¿Cómo hay que ser para jugar al fútbol?
3. ¿Qué le sugiere Víctor a Rosa?
4. ¿Dónde se entrenan las chicas?
5. ¿Cuándo puede comenzar Rosa?

## 4 Algo personal

1. ¿Se entrena Ud. en algún deporte? ¿Cuál?
2. ¿Tiene algún trabajo después de la escuela o los fines de semana? Si es así, ¿qué hace?
3. ¿Tiene algún pasatiempo? ¿Cuál?
4. ¿Qué adjetivos asocia Ud. con un(a) beisbolista? ¿Y con un(a) mecánico/a?
5. Según su opinión, ¿cuál es el mejor trabajo para un(a) estudiante?

Mi hermana es entrenadora de fútbol.

## 5 ¿Qué oficios tienen?

 Escuche lo que hacen las siguientes personas y escriba el oficio o profesión que asocia con esa persona.

1. Marisa
2. Ernesto
3. Raúl

4. Marta
5. Silvia
6. Andrés

## Béisbol en Venezuela

Andrés Galarraga.

El béisbol es el deporte más popular de Venezuela. Cientos de miles de personas en todo el país siguen de cerca a sus equipos y jugadores favoritos.

La historia del béisbol en Venezuela tiene más de un siglo. El primer equipo venezolano de béisbol se creó en 1895 y se llamaba "Caracas". Con los años, se fueron fundando nuevos equipos que crecieron al mismo tiempo que la popularidad de este deporte, el cual llega a su máxima efervescencia[1] en 1941 cuando Venezuela gana el título[2] internacional en La Habana. A partir de ese año, Venezuela comienza a destacarse a nivel internacional en campeonatos mundiales, y a nivel centroamericano y del Caribe en los Juegos Panamericanos.

Los equipos venezolanos no sólo se destacan por su técnica y solidez[3] de juego sino también por los excelentes jugadores que han nacido en Venezuela. Algunos jugadores que hoy se destacan a nivel mundial son los lanzadores[4] Daniel Canónico y Alejandro Carrasquel y el destacado inicialista[6] Andrés Galarraga. El primer venezolano en las Grandes Ligas, el torpedero[5] Luis Aparicio, es el único venezolano en el Salón de la Fama de Estados Unidos .

Si bien el fútbol y el básquetbol han tenido un impulso[7] en los últimos años y cada vez más aficionados siguen estos deportes, el béisbol continúa siendo el deporte elegido por la mayoría.

Un partido de béisbol en Caracas.

[1]effervescence   [2]title   [3]strength   [4]pitchers   [5]shortstop   [6]first baseman   [7]boost

## 6 Conexión con otras disciplinas: deporte

**Diga si las siguientes oraciones son ciertas o falsas. Si son falsas, corríjalas.**

1. El béisbol no es muy popular en Venezuela.
2. La historia del béisbol en Venezuela tiene casi un siglo.
3. El primer equipo venezolano de béisbol se llamaba "Caracas".
4. En 1941 Venezuela gana el título nacional.
5. El primer venezolano en las Grandes Ligas fue Daniel Canónico.
6. Luis Aparicio está en el Salón de la Fama de Estados Unidos.
7. El fútbol no es tan popular como el béisbol.

**¡Extra!**

**En la internet**

Puede encontrar más información sobre el béisbol en Venezuela en la internet. Otras fuentes de consulta incluyen revistas de deportes, libros y bibliotecas.

# Idioma

## Palabras interrogativas: *¿Qué es?* o *¿Cuál es?*

Both *¿qué?* and *¿cuál?* mean "what?" in English. However, there are differences in their usage.

Use *¿qué?* to ask the definition of something, or to ask about somebody's profession or nationality.

| | |
|---|---|
| *¿**Qué** es la amistad?* | **What** is friendship? |
| *¿**Qué** es Luisa, instructora de tenis o entrenadora de fútbol?* | **What** is Luisa, a tennis instructor or a soccer trainer? |
| *¿**Qué** es Ud., chileno o español?* | **What** are you, Chilean or Spanish? |

Use *¿cuál?* or *¿cuáles?* to request specific information from among a number of possibilities.

| | |
|---|---|
| *¿**Cuál** es tu deporte favorito?* | **What** is your favorite sport (among all the sports)? |

Here are other uses of *¿cuál?*

| | |
|---|---|
| *¿**Cuál** es el teléfono de la niñera?* | **What's** the baby sitter's phone number? |
| *¿**Cuál** es la capital de Colombia?* | **What** is the capital of Colombia? |

*¿Cuál?/¿cuáles?* also means "which?" or "which one/ones?" Use it when choosing between two or more persons or things.

| | |
|---|---|
| *¿**Cuál** de los empleados es de Caracas?* | **Which** employee is from Caracas? |
| *¿**Cuáles** son los nuevos empleados?* | **Which ones** are the new employees? |

## ❖ Práctica

### 7 ¿Cuál es la pregunta?

Complete las preguntas con *qué, cuál* o *cuáles*, según el contexto.

1. ¿___ es Caracas? Es la capital de Venezuela.
2. ¿___ son tus deportes favoritos? El tenis y el básquetbol.
3. ¿___ es Jorge? Es repartidor de periódicos.
4. ¿___ es el novio de tu hermana? Es el chico rubio que está allí.
5. ¿___ es tu dirección? Avenida Ribera 2048.
6. ¿___ eres tú? Soy ecuatoriano.
7. ¿___ son tus pasatiempos favoritos? Escuchar música y bailar.
8. ¿___ es una arepa? Es un plato típico de Venezuela.

**¡Extra!**

### Las palabras interrogativas

| | |
|---|---|
| ¿adónde? | (to) where? |
| ¿cómo? | how? |
| ¿cuándo? | when? |
| ¿cuánto/a? | how much? |
| ¿cuántos/as? | how many? |
| ¿de dónde? | from where? |
| ¿dónde? | where? |
| ¿para qué? | what for? |
| ¿por qué? | why? |
| ¿quién/quiénes? | who (whom)? |

## 8 Conexión con otras disciplinas: geografía

Estudie el mapa y los datos siguientes sobre Venezuela. Luego, haga un mínimo de ocho preguntas usando *qué*, *cuál*, *cuáles* u otras palabras interrogativas según corresponda.

**MODELO** ¿Qué es el Orinoco?

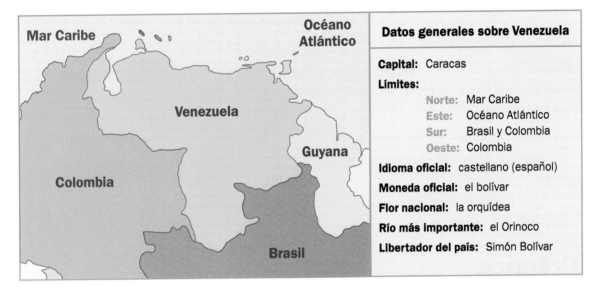

**Datos generales sobre Venezuela**

**Capital:** Caracas

**Límites:**

| | |
|---|---|
| Norte: | Mar Caribe |
| Este: | Océano Atlántico |
| Sur: | Brasil y Colombia |
| Oeste: | Colombia |

**Idioma oficial:** castellano (español)

**Moneda oficial:** el bolívar

**Flor nacional:** la orquídea

**Río más importante:** el Orinoco

**Libertador del país:** Simón Bolívar

## ❊ Comunicación

### 9 Entrevista de trabajo

Imagínese que Ud. busca trabajo en un campamento de verano para niños. Con su compañero/a, escriban un diálogo entre el/la director(a) del campamento y el/la candidato/a, basado en la solicitud de empleo. Usen *qué*, *cuál*, *cuáles* u otras palabras interrogativas según corresponda. Luego, presenten el diálogo frente a la clase.

**MODELO** **A:** ¿Cuál es su nombre?
**B:** Me llamo Amanda Ríos.

**CAMPAMENTO SOL Y MAR**

**DATOS PERSONALES:**

Nombre:

| Dirección: | Ciudad: |
|---|---|
| Número de teléfono: | Dirección de correo electrónico: |

**EDUCACIÓN:**

**EXPERIENCIA:**

en campamentos:

en otros trabajos:

**HABILIDADES:**

actividades favoritas:

deportes:

otras:

**REFERENCIAS:**

### 10 Gente famosa

Trabaje con otros cuatro estudiantes. Un miembro del grupo piensa en una persona famosa o familiar pero no le dice el nombre a nadie. Los otros estudiantes deben adivinar el nombre haciéndole un máximo de diez preguntas. Incluyan *qué*, *cuál*, *cuáles* u otras palabras interrogativas en sus preguntas.

### El verbo *ser* para describir ocupaciones o profesiones

To describe a person's occupation, use the verb *ser* without the indefinite article (*un, una*).

| | |
|---|---|
| *Mi hermano **es** músico.* | My brother is a musician. |
| *Tú **eres** futbolista, ¿no?* | You're a soccer player, right? |
| *La Sra. Torres **es** artista.* | Mrs. Torres is an artist. |

However, if an adjective is used to describe someone's profession or occupation, you must use the indefinite article. Compare the examples that follow with the ones above.

| | |
|---|---|
| *Mi hermano **es un** músico excelente.* | My brother is an excellent musician. |
| *Tú **eres un** futbolista muy conocido, ¿no?* | You are a well-known soccer player, right? |
| *La Sra. Torres **es una** artista ecuatoriana.* | Mrs. Torres is an Ecuadorean artist. |

### ❖ Práctica

#### 11 Fotos de familia

**Complete esta descripción de la familia de Ernesto, un estudiante colombiano, con la forma apropiada del verbo *ser* y el artículo indefinido, si corresponde.**

Mi familia (1) __ bastante grande. Aquí en estas fotos vemos a mi papá, mi hermano y mis primas. Mi papá (2) __ pianista. Tiene su propia banda y (3) __ músico bastante conocido. Julia y Beatriz, mis primas, (4) __ las dos chicas que están al lado de papá. Julia (5) __ programadora. Todos dicen que (6) __ programadora muy talentosa. Beatriz (7) __ escritora muy famosa. Escribe cuentos para niños. Mi hermano Tomás (8) __ estudiante. Yo creo que (9) __ estudiante bastante vago, pero no todos lo creen. Papá dice que no está motivado porque sus profesores no (10) __ estrictos. ¡Qué familia!

---

**¡Extra!**

**Familias de palabras: adjetivos que terminan en *–oso/a***

Muchos adjetivos se forman agregando la terminación *-oso* u *-osa* al sustantivo. Recuerde que antes de agregar la terminación debe quitar la última vocal. Observe estos ejemplos:

| sustantivo | adjetivo |
|---|---|
| la fama *(fame)* | famoso, -a |
| el orgullo *(pride)* | orgulloso, -a |
| el estudio *(study)* | estudioso, -a |

¿Puede Ud. formar los adjetivos de los siguientes sustantivos: talento, chisme, mentira?

Mi papá es músico.

## 12 ¿Qué son?

Con su compañero/a, identifiquen la ocupación de cada persona en las ilustraciones y describan cómo es esa persona.

**MODELO**

Marisa / excelente

**A:** Marisa es niñera, ¿verdad?
**B:** Sí, es una niñera excelente.

1. Roberto / muy curioso

2. Eva y Raquel / bastante conocidas

3. Gabriela / hábil

4. Rubén / muy talentoso

5. Sra. Vélez / bastante estricta

6. Ana / muy simpática

## ◈ Comunicación

### 13 ¿Qué son? ¿Cómo son?

Describa a cinco personas que Ud. conoce según su oficio o profesión, y diga cómo son.

**MODELO** Mi mejor amiga es reportera. Es una reportera muy curiosa.

### 14 ¿Quiénes son? ¿Cómo son?

Con su compañero/a, piensen en una persona famosa para cada una de las siguientes profesiones. Identifíquenla y escriban detalles sobre él/ella.

**MODELO** actriz
Salma Hayek es una actriz mexicana muy talentosa.

1. escritor(a)   2. cantante   3. deportista   4. actor/actriz

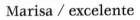

**¡Extra!**

**Más oficios y profesiones**

| | |
|---|---|
| el banquero, la banquera | banker |
| el científico, la científica | scientist |
| el consejero, la consejera | counselor |
| el contador, la contadora | accountant |
| el diseñador, la diseñadora | designer |
| el pianista, la pianista | pianist |
| el pintor, la pintora | painter |
| el químico, la química | chemist |
| el violinista, la violinista | violinist |

película policiaca

Hoy hay un documental sobre el actor Mario Fuentes en el Canal 7.

De su vida y de las películas en las que actuó.

¿De qué se trata?

Para serte sincero, no lo aguanto. Me cae mal. Esta película es más interesante.

## 15 ¿Qué película o programa es?

Seleccione la foto que corresponde con lo que oye.

A

B

C

D

E

F

## 16 Películas favoritas

Haga una lista de cinco tipos de películas y nombre una película de cada uno. Puede incluir películas extranjeras, dobladas o con subtítulos. Luego, compare su lista con las de sus compañeros.

# Diálogo II

## ¡Me fascina ese programa!

ROSA: Me fascina este programa de dibujos animados.
VÍCTOR: Sí, además el guión es excelente.
ROSA: También me gustan las películas del Canal 20. ¿Y a ti?
VÍCTOR: A mí también, especialmente las policiacas.

ROSA: Me encanta la ciencia ficción. Para serte sincera, me encantaría aprender a hacer efectos especiales.
VÍCTOR: Pues aquí en el periódico hay un anuncio de una escuela de cine en Caracas.

VÍCTOR: Fíjate, hay clases muy interesantes: de actuación, de efectos especiales...
ROSA: ¡Quiero ir ahora mismo!
VÍCTOR: ¿Invito a Juan?
ROSA: ¡No, no lo aguanto! No entiende nada de cine.
VÍCTOR: Entonces vamos solos.

## 17 ¿Qué recuerda Ud.?

1. ¿Qué programa le fascina a Rosa?
2. Según Víctor, ¿qué es excelente?
3. ¿Qué películas mira Víctor?
4. ¿Qué le encanta a Rosa? ¿Qué quiere aprender?
5. ¿Qué clases ofrecen en la escuela de cine de Caracas?
6. ¿Qué opina Rosa de Juan?

## 18 Algo personal

1. ¿Qué tipo de películas le gustan a Ud.?
2. ¿Qué programas de televisión prefiere?
3. ¿Cuál es su película favorita? ¿Y su programa favorito?
4. ¿De qué se trata su película favorita? ¿Y su programa favorito?
5. ¿Prefiere las películas extranjeras con subtítulos o dobladas? ¿Por qué?

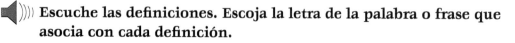
Me gustan las películas de vaqueros.

## 19 ¿Qué es?

Escuche las definiciones. Escoja la letra de la palabra o frase que asocia con cada definición.

1. A. dibujo animado    B. musical    C. drama
2. A. romántica    B. drama    C. comedia
3. A. subtítulos    B. guiones    C. escenas románticas
4. A. documentales    B. dramas    C. dibujos animados
5. A. vaqueros    B. ciencia ficción    C. documentales

# Cultura Viva

## Venezuela y la industria de la telenovela

Tanto en las pequeñas casas de montaña como en los mejores barrios, los venezolanos se sientan frente a la televisión para gozar y sufrir[1] con los personajes de sus telenovelas favoritas.

La industria[2] de la telenovela es una de las más importantes en Venezuela. Desde sus comienzos ha crecido a un ritmo muy rápido. No sólo el público venezolano goza de las telenovelas, sino

Coraima Torres de la telenovela *Kassandra*.

también los públicos de otros países de América Latina, Europa y Estados Unidos.

Gracias a sus historias basadas en la realidad y su lenguaje popular, las telenovelas venezolanas baten récords[3] de audiencia[4]. Una

Alba Roversi, actriz venezolana.

de las telenovelas de más éxito ha sido *Cristal*, producción[5] que ganó el corazón de latinoamericanos, italianos y españoles.

Las raíces[6] de la telenovela están en Cuba, donde se adaptó por primera vez la novela de radio a la televisión. Esto, junto con la llegada desde Cuba de personas que trabajaban en tecnología, así como también de directores y actores, hicieron posible las primeras productoras de imágenes[7] de televisión en Venezuela.

Por varios años, la televisión venezolana fue un espectáculo indefinido de teleteatros, noticieros, programas deportivos y programas cómicos. Pero, poco a poco, la telenovela se fue haciendo parte de la vida cotidiana[8], convirtiéndose[9] en el género más característico de la televisión de ese país.

[1]enjoy and suffer  [2]industry  [3]break records  [4]audience  [5]production  [6]roots  [7]images  [8]everyday  [9]becoming

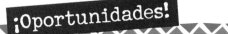

## 20 Las telenovelas venezolanas

**Conteste las siguientes preguntas sobre las telenovelas venezolanas.**

1. ¿Quiénes miran telenovelas en Venezuela?
2. ¿Qué otros públicos gozan de las telenovelas venezolanas, además del público venezolano?
3. ¿Por qué las telenovelas venezolanas baten récords de audiencia?
4. ¿Qué telenovela venezolana tuvo mucho éxito?
5. ¿Dónde están las raíces de la telenovela?
6. ¿Qué sucedió poco a poco en la televisión venezolana?

### ¡Oportunidades!

**Aprenda español por telenovela**

Una buena manera de practicar el español es mirar las telenovelas de México y Venezuela que pasan en los canales hispanos. Muchas de ellas se filman hoy en día en Estados Unidos, particularmente en Miami, y vienen con subtítulos en inglés. Cuando vea una telenovela, trate de no leer los subtítulos. Si no entiende lo que pasa, no se desanime *(don't get discouraged)*. Con el tiempo, se va a dar cuenta que puede reconocer más y más palabras. Una buena idea es grabar un episodio y volver a verlo varias veces.

# Idioma

## Para hablar de gustos y preferencias: el verbo *gustar*

Spanish uses the verb *gustar* (to please, to be pleasing) to express liking someone or something. Usually two forms of *gustar* are used in the present tense: *gusta* and *gustan*.

**Me gusta** *ese programa.*

**I like** that program.
(Literally: That program is pleasing to me.)

**No me gustan** *las películas de ciencia ficción.*

**I don't like** science-fiction movies.
(Literally: Science-fiction movies are not pleasing to me.)

To express who is doing the liking, use the verb *gustar* with indirect object pronouns.

| pronombres indirectos + *gustar* | |
|---|---|
| me gusta/n | *I like* |
| te gusta/n | *you (informal) like* |
| le gusta/n | *you (formal) / he / she likes* |
| nos gusta/n | *we like* |
| os gusta/n | *you (plural) like* |
| les gusta/n | *you (plural) / they like* |

Use *gusta* to refer to a singular noun and one or more infinitives.

*¿**Te gusta** esa actriz?*

**Do you like** that actress?

***Nos gusta** actuar y cantar.*

**We like** to act and sing.

Use *gustan* before a plural noun.

*Juana, ¿**te gustan** los documentales?*

Juana, **do you like** documentaries?

To clarify to whom you are referring or to add emphasis, add *a* plus a name, pronoun or noun.

***A Daniel le gusta** escribir guiones.*

**Daniel likes** to write scripts.

***A mí me gustan** las películas de aventuras, pero **a mis amigos les gustan** las películas musicales.*

**I like** action movies, but **my friends like** musicals.

Remember that pronouns that follow the preposition *a* are identical to the personal pronouns (*él, ella, Ud., Uds., ellos, ellas*), with exception of *mí* and *ti*.

***A él** le gustan las películas dobladas, pero **a mí** no.*

***A ti** te gustan los programas cómicos, ¿verdad?*

A Daniel le gusta escribir guiones.

 **Práctica**

**21** **Es decir…**

Diga qué les gusta a las siguientes personas según las actividades que hacen. Use el verbo *gustar* y la lista de palabras.

| | | |
|---|---|---|
| los deportes | el circo | la geografía |
| los libros | la playa | las lenguas extranjeras |

**MODELO**  Voy al cine o alquilo videos todos los días, es decir *(in other words)*, me gustan las películas.

1. Usted habla alemán, francés y español, es decir…
2. Siempre juegas al fútbol, al tenis y al básquetbol, es decir…
3. Uds. se divierten con los acróbatas y payasos, es decir…
4. Cuando vamos a la biblioteca leemos novelas, cuentos, poesía, es decir…
5. Mi hermano se pasa todo el día estudiando ríos y montañas, es decir…
6. Mis actividades favoritas son nadar y surfear, es decir…

 **Comunicación**

**22** **¿Por qué te gusta?**

 Ud. y su compañero/a van a escribir una lista de cinco lugares y una actividad que relacionan con cada lugar. Luego, van a intercambiarse *(exchange)* las listas para hacerse preguntas según las indicaciones y agregar más detalles.

**MODELO**  la playa: nadar / el parque: correr

    **A:** ¿Por qué te gusta la playa?

    **B:** Porque me gusta nadar. Me gustan el mar y el sol.

    **A:** Y a ti, ¿por qué te gusta el parque?

    **B:** Porque me gusta correr. Me gustan las actividades al aire libre.

Nos gusta la playa.

**23** **¿Qué le gusta a la clase?**

Hágale una encuesta a cuatro de sus compañeros para decidir lo siguiente:

- la actividad más popular en la clase de español
- las clases más populares
- el tipo de película más popular
- la comida más popular
- el tipo de música más popular

Luego, escriba un breve resumen de los resultados.

## Estructura

### Para expresar su opinión: otros verbos como *gustar*

Several verbs follow the pattern of *gustar* and are used with indirect object pronouns. The most common are: *encantar* (to like very much, to love), *fascinar* (to be fascinated), *importar* (to mind), *interesar* (to be interested), *molestar* (to matter, to bother) and *parecer* (to seem).

| | |
|---|---|
| *Me encanta el cine español.* | **I love** Spanish cinema. |
| *A mis hermanas les fascinan las comedias románticas.* | My sisters **are fascinated by** romantic comedies. |
| *A mí no me interesan.* | They **don't interest me.** |
| *¿Te importa si cambio de canal?* | **Do you mind** if I change the channel? |
| *A papá le molesta cuando haces tanto ruido.* | **It bothers** Dad when you make so much noise. |
| *Los dibujos animados me parecen tontos.* | Cartoons **seem** silly **to me.** |

## Práctica

### 24 Películas con subtítulos

**Complete el diálogo entre Jairo y Belén usando la forma correcta de los verbos entre paréntesis y el pronombre de complemento indirecto apropiado.**

**Jairo:** ¿Te gustan las películas francesas?

**Belén:** Sí, *(1. encantar)*, pero para serte sincera, a veces no entiendo de qué se tratan.

**Jairo:** Pero, ¿no lees los subtítulos?

**Belén:** Sí, pero *(2. molestar)* leer y ver la película al mismo tiempo. A mi hermano Dani, sin embargo, *(3. fascinar)* los subtítulos porque dice que lo ayudan a aprender francés.

**Jairo:** Yo estoy de acuerdo con Dani. No *(4. importar)* si no puedo entender todas las palabras. A mí lo que más *(5. fascinar)* son la actuación y los efectos especiales.

**Belén:** ¡Ah, a Uds., los chicos, siempre *(6. fascinar)* los famosos efectos especiales!

**Jairo:** *(7. molestar)* que digas eso, Belén. Los efectos especiales son una parte esencial del cine moderno.

**Belén:** Pues a mí no *(8. interesar)*. No los aguanto, ¡ni en francés!

### ¡Extra!

**Un dicho sobre gustos**

Un amigo le recomienda *(recommends)* un disco compacto que a Ud. le parece horrible. ¿Qué le puede contestar? Hay un dicho en español que lo resume todo: Sobre gustos no hay nada escrito. *(There's nothing on paper about likes and dislikes.)* Quiere decir que cada persona tiene sus gustos, aunque a veces nos sorprendan. Y también es una manera sutil de decir ¡Qué horror!

# Comunicación

## 25 Club Digital Jóvenes Caribeños

El Club Digital Jóvenes Caribeños puso en la Red los siguientes anuncios personales. Lea los anuncios y diga qué tipo de actividades cree que les gustan a las personas que contestan cada anuncio.

**MODELO** Estela contesta el anuncio del Club Los Chistosos.
A Estela le encantan los chistes.

1. Yo contesto el anuncio del Club Sherlock Holmes.
2. Jorge y David contestan el anuncio de Cuidemos nuestro ambiente.
3. Tú y yo contestamos el anuncio de Caraqueños musicales.
4. Tú contestas el anuncio del Joven artista.
5. María Isabel contesta el anuncio de Amigas del cine romántico.

---

**¡Bienvenidos al Club Digital Jóvenes Caribeños!**

Dirección http://www.cdjc@juventud.org ▲ Archivo Edición Ver Favoritos Herramientas Ayuda

# Anuncios Personales

**Club Los Chistosos:** ¿Te encanta reír y pasarlo bien con tus amigos? ¿Sabes contar chistes buenos? Si responds que sí, escríbenos a la dirección de correo eléctrico de arriba.

**Cuidemos nuestro ambiente.** Soy un chico de 15 años y me importa mucho la naturaleza. Me molesta cuando la gente no cuida las plantas y los animales que viven en los parques. Busco jóvenes para ir a caminar por el parque y observar los animales que viven allí. ¿Te interesa? Entonces, escríbeme a la dirección de arriba.

**Amigas del cine romántico.** Somos un grupo de chicas entre 14 y 17 años. Nos fascinan las películas románticas porque nos hacen llorar. Nos encontramos en el Cine Regio todos los sábados por la tarde. Si te interesa venir a llorar con nosotras, contáctanos escribiendo a la dirección electrónica del Club Digital.

**Club Sherlock Holmes.** Buscamos nuevos miembros para nuestro club de misterio. Si te fascinan los libros, películas y programas del famoso detective Sherlock Holmes, escríbenos al Club Digital Jóvenes Caribeños. ¡Te esperamos!

**Caraqueños musicales.** Dicen que nuestra pequeña banda de rock fascina a todos los jóvenes caraqueños. Ahora que somos "casi" conocidos, necesitamos más músicos para nuestra banda. Si te interesa, por favor escríbenos a la dirección electrónica de arriba.

**Joven artista.** Me encanta pintar y dibujar. Me fascina la obra del pintor colombiano Fernando Botero. Busco jóvenes artistas que quieran compartir mi estudio. Es grande y tiene mucha luz. Respondan, escribiendo a la dirección de arriba.

---

## 26 ¿Qué opinan los demás?

**Hágales preguntas a tres compañeros sobre los siguientes temas.**

- programas que les fascinan
- lugares que les encantan
- lo que más les molesta y por qué
- actividades que les interesan
- temas que les importan
- cosas que les parecen tontas

**Luego, use la información que obtuvo para compartir con el resto de la clase las opiniones de su grupo.**

# Lectura personal

**E-Mail**

Archivo  Ver  Mensajes  Ayuda

A...  | mamá y papá
Cc...  |
Asunto: | Venezuela

### Ruta Quetzal: recuerdos de Venezuela

Queridos mamá y papá,
Les escribo desde Venezuela. El 14 de julio nos levantamos muy temprano.
Recogimos el campamento[1] y partimos hacia Puerto La Cruz.
Fue un viaje largo pero finalmente nos embarcamos[2] en el ferry con destino a
la Isla Margarita.
Pasamos toda la noche navegando por el mar Caribe. Al amanecer ya estábamos en
la "perla del Caribe". Hicimos el campamento en la playa de Guayacán. La Isla
Margarita tiene selva tropical, saltos[3], ríos, médanos[4] y espacios verdes con
una gran variedad de flora y fauna. Es un lugar con una belleza extraordinaria.
Todos estamos aprendiendo cosas importantes. Cada momento especial que vivimos
en la Ruta Quetzal quedará siempre en nuestras memorias.

Hasta pronto,
Mariana

[1] broke camp  [2] boarded  [3] waterfalls  [4] sand dunes

## 27  ¿Qué recuerda Ud.?

1. ¿Qué hizo Mariana el 14 de julio?
2. ¿Con qué otro nombre se conoce a la Isla Margarita?
3. ¿Cómo es la Isla Margarita?
4. ¿Qué es la Ruta Quetzal?

## 28  Algo personal

1. ¿Viaja Ud. a otros países o estados? ¿Cuáles?
2. ¿Conoce algún viaje de estudios similar a la Ruta Quetzal?
3. ¿Le gustaría participar en la Ruta Quetzal? ¿Qué países le gustaría visitar?

### ¿Qué es la Ruta Quetzal?

La Ruta Quetzal-BBVA es un viaje de estudios para jóvenes de 16 a 17 años que, cada año, recorren España y algún país americano durante dos meses. Los jóvenes aprenden la historia y geografía de los países visitados al mismo tiempo que visitan lugares históricos y participan en talleres (workshops) prácticos.

# ¿Qué aprendí?

**Visit the web-based activities at www.emcp.com**

## Autoevaluación
**Como repaso y autoevaluación, responda lo siguiente:**

1. Mencione a dos amigos o compañeros y diga cómo son y qué trabajos tienen.

2. ¿Cómo se llamaba el primer equipo de béisbol venezolano? Nombre a dos beisbolistas venezolanos que se destacan a nivel mundial.

3. Explique la diferencia entre *¿Qué es?* y *¿Cuál es?* Dé dos ejemplos para cada uno.

4. Nombre tres tipos de películas, diga cuál es su favorita y por qué.

5. ¿A qué se debe el éxito de las telenovelas venezolanas?

6. Mencione tres verbos como *gustar* y dé un ejemplo para cada uno.

7. Nombre dos cosas que los jóvenes de la Ruta Quetzal vieron en la Isla Margarita.

## Palabras y expresiones

**Actividades**
atender
dar clases (de)...
entrenarse
investigar
montar en bicicleta
pasear
reparar
repartir
trabajar de

**Oficios/Deportistas**
el atleta, la atleta
el beisbolista, la
  beisbolista
el ciclista, la ciclista
el entrenador,
  la entrenadora
el instructor,
  la instructora
el músico, la música
el niñero, la niñera
el repartidor,
  la repartidora

**Adjetivos**
activo,-a
atlético,-a
curioso,-a
hábil
práctico,-a
sociable

**Tipos de
películas/programas**
de aventuras
de ciencia ficción
cómica
de dibujos animados
doblada
el documental
el drama
policiaca
romántica
de terror
de vaqueros

**Expresar opiniones**
Me cae bien/mal
No lo/la aguanto
Para serte sincero/a

**Para hablar del cine y
del teatro**
la actuación
los efectos especiales
el guión, *pl.* los
  guiones
los subtítulos

**Otras palabras y
expresiones**
actuar
con respecto a
¿De qué se trata?
entender (ie)
por ahora
el oficio

Nos gusta montar en bicicleta.

# ¡Viento en popa!

## Ud. lee

### Estrategia

**Rhythm and rhyme**

It will be easier for you to appreciate Spanish poetry if you understand its rhyming and rhythm conventions. Read the first stanza of the poem out loud. Now, read the stanza again, and clap every time you have a stressed syllable. Read the stanza once more. By now, you will have a very good sense of the poem's rhythm. Look at the first stanza again, what can you say about the words *palma* and *alma*? Now, look at the words *enero* and *sincero*. Notice how the words rhyme. In Spanish, words with similar ending vowels and consonants after the last stressed vowel are considered rhyming words. When only the vowels are similar the rhyme is known as *rima asonante*. This combination of four eight-syllable lines is known as *redondilla*.

### Preparación

**Lea lo siguiente y después diga si las oraciones que siguen son ciertas o falsas.**

José Martí fue, además de poeta, un gran patriota. Nació en La Habana, Cuba, en 1853, cuando la isla era todavía una colonia española. Martí luchó desde muy joven y durante toda su vida por la independencia de su patria. Por su actividad política, a los 18 años fue desterrado[1] a España, donde asistió a la universidad. También viajó a México, Guatemala, Venezuela y más tarde residió[2] en Estados Unidos. Martí siempre soñó con una América Latina libre y unida. En Nueva York, ocupó varios cargos, como cónsul de distintos países latinoamericanos, escribió para periódicos del mundo hispano y editó *La Edad de Oro*, una revista mensual para niños.

Durante todos los años que vivió fuera de Cuba, Martí continuó organizando y dirigiendo el movimiento de liberación de su país. Finalmente, en 1895, pudo desembarcar en Cuba. Murió ese mismo año luchando por la independencia de la isla. Sus poemas más conocidos pertenecen al libro *Versos sencillos*.

[1]exiled   [2]lived

1. José Martí fue desterrado a España.
2. José Martí fue cónsul de Estados Unidos en Alemania, Uruguay y Paraguay.
3. Al mismo tiempo que organizaba y dirigía el movimiento de liberación de Cuba, escribía para varios periódicos del mundo hispano.
4. Puesto que José Martí fue desterrado a España y luego vivió en Estados Unidos, nunca pudo regresar a Cuba.

Monumento a José Martí.

# Versos sencillos (selección)

Yo soy un hombre sincero,
de donde crece la palma,
y antes de morirme quiero
echar mis versos del alma[3].

Yo vengo de todas partes,
y hacia todas partes voy:
arte soy entre las artes,
en los montes, monte soy.

Yo sé los nombres extraños
de las yerbas[4] y las flores,
y de mortales engaños[5],
y de sublimes dolores.

Mi verso es de un verde claro
y de un carmín[6] encendido.
Mi verso es un ciervo herido[7]
que busca en el monte amparo[8].

Todo es hermoso y constante.
Todo es música y razón.
Y todo, como el diamante,
antes que luz, fue carbón.

Yo he visto al águila herida
volar al azul sereno,
y morir en su guarida[9]
la víbora del veneno.

"Cultivo una rosa blanca."

Con los pobres de la tierra
quiero yo mi suerte echar:
el arroyo de la sierra
me complace[10] más que el mar.

Cultivo una rosa blanca
en junio como en enero
para el amigo sincero
que me da su mano franca.

Y para el cruel que me arranca[11]
el corazón con que vivo
cardo[12] ni ortiga[13] cultivo:
cultivo una rosa blanca.

[3]soul  [4]weeds, grasses  [5]deceptions  [6]red  [7]wounded deer  [8]protection  [9]snake's nest, hiding place
[10]pleases  [11]tears out  [12]thistle  [13]nettle

## A ¿Qué recuerda Ud.?

1. ¿Qué quiere hacer Martí antes de morir?
2. Martí primero dice que viene "de donde crece la palma". Después dice que pertenece a muchos lugares. ¿Cómo expresa este pensamiento en la segunda estrofa?
3. ¿Qué elementos de la tercera y cuarta estrofa pueden relacionarse?
4. ¿Por qué la víbora muere en su guarida?
5. En las dos últimas estrofas, Martí dice que cultiva una rosa blanca. ¿Para quiénes lo hace? ¿Por qué?

## B Algo personal

1. José Martí quería una América libre y unida, y luchó por ella toda su vida. En América Latina la política continúa siendo hoy muy importante para los jóvenes. ¿Es importante para Ud.?
2. ¿Está de acuerdo con Martí en cultivar una rosa blanca para sus enemigos? Explique la posición de Martí y compárela con la suya.

# Ud. escribe

## Estrategia

### Organize the main ideas

To describe someone you know, whether real or fictitious, you will find it useful to organize your ideas with the help of a word web. Think of the categories that you'll want to include in your description. For example, physical characteristics, personality, likes and dislikes, favorite activities, and so on. Then, for each category, add as many details as you can. Adding details makes the writing more interesting. For instance, if you write *"Marisa es una persona interesante,"* the reader may want to find out why Marisa is an interesting person. But if you write: *"Marisa es una persona interesante. Es una profesora de arte excelente y también es una gran entrenadora de fútbol,"* your reader will have a better idea of the kind of person that Marisa is.

Escriba un "retrato con palabras" de una persona importante en su vida. Puede ser un(a) amigo/a, un familiar, un(a) profesor(a), o alguien famoso (de la vida real o ficticia). Primero, copie la red de palabras de abajo y úsela para organizar sus ideas. Si es necesario, añada más categorías. Luego, escriba su primer borrador *(draft)*. Trate de incluir el vocabulario y la gramática de este capítulo. Comparta su borrador con otro/a estudiante y pídale sus recomendaciones o correcciones. Después, revise su trabajo para incluir las recomendaciones de su compañero/a y corregir los errores de ortografía. Por último, escriba la versión final para presentarla ante la clase. Si quiere, puede acompañarla con fotografías de la persona que describió.

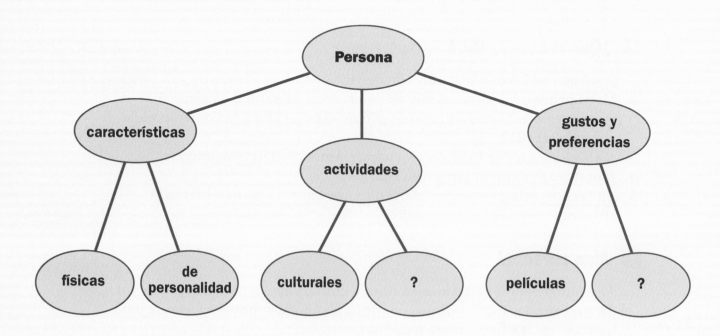

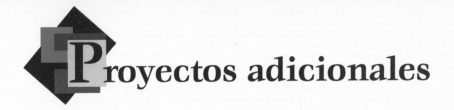

# Proyectos adicionales

## A Conexión con otras disciplinas: geografía

Imagine que va a dar una clase de geografía sobre Venezuela y las características más importantes de ese país. Busque en la internet o la biblioteca información sobre lo siguiente:

- límites *(borders)* del país
- paisajes
- temperatura
- ciudades importantes
- lugares de interés
- población
- productos del país
- moneda
- flor del país
- costumbres *(customs)*

Escriba un resumen en forma de cuadro e incluya *(include)* un mapa y fotos del país.

## B Conexión con la tecnología

Todos los estudiantes tienen que hacer una exposición *(exhibition)* de arte para el salón de clase. Busque en la internet información sobre algún artista colombiano o venezolano de hoy día o de otra época. Imprima *(Print)* fotos de sus cuadros y la información sobre su vida. Haga un cartel sobre el artista. Incluya una pequeña biografía *(biography)* y las fotos de sus obras. Muestre el cartel junto con los carteles de sus compañeros en la exposición de la clase.

## C Comparación

Compare las telenovelas hispanas con las telenovelas estadounidenses. Escoja una telenovela de algún canal en español. Analice cuáles son sus personajes, cuáles son las diferentes historias de la telenovela y dónde ocurren. Haga lo mismo con una telenovela estadounidense en inglés. Complete una tabla como la siguiente con la información que obtenga. Escriba luego un párrafo explicando en qué se parecen y en qué se diferencian las dos telenovelas.

| Telenovela | | |
|---|---|---|
| País de origen | | |
| Personajes | | |
| Historias | | |
| Lugar | | |

# Repaso

**Now that I have completed this chapter, I can...**

**Go to these pages for help:**

| | |
|---|---|
| greet friends. | 2 |
| talk about school classes and schedules. | 14 |
| describe others in terms of personality. | 14, 19 |
| talk about after-school jobs. | 24 |
| talk about sports and after-school activities. | 24 |
| ask for information. | 28 |
| describe occupations. | 30 |
| describe movies and programs. | 32, 33 |
| talk about likes and dislikes. | 36 |
| express an opinion. | 38 |

**I can also...**

| | |
|---|---|
| identify famous people of Colombia. | 5 |
| talk about places to visit in Bogotá. | 17 |
| read about a famous Colombian painter. | 22 |
| talk about baseball in Venezuela. | 27 |
| talk about the geography of Venezuela. | 29 |
| discuss the benefits of watching soap operas in Spanish. | 35 |
| read a poem in Spanish. | 43 |

# Trabalenguas

Me han dicho que has dicho un dicho, un dicho que han dicho que he dicho yo, el que lo ha dicho mintió, y en caso que hubiese dicho ese dicho que tú has dicho que han dicho que he dicho yo, dicho y redicho quedó y estará muy bien dicho, siempre que yo hubiera dicho ese dicho que tú has dicho que han dicho que he dicho yo.

# Vocabulario

**A mí me tocó...** I got... *1A*
**activo,-a** active *1B*
la **actuación** performance *1B*
**actuar** to act *1B*
**aparecer (zc)** to appear, to turn up *1A*
**atender (ie) (a la gente)** to take care of people *1B*
el **atleta,** la **atleta** athlete *1B*
**atlético,-a** athletic *1B*
la **aventura** action (film) *1B*
el **beisbolista,** la **beisbolista** baseball player *1B*
**¡Chévere!** Great! *1A*
el **ciclista,** la **ciclista** cyclist *1B*
la **ciencia ficción** science fiction *1B*
**colaborar** to collaborate *1A*
**cómico-a** comedy (film) *1B*
**con respecto a** regarding *1B*
el **consejo estudiantil** student council *1A*
**convencer (z)** to convince *1A*
el **coro** choir *1A*
**curioso,-a** curious *1B*
**dar clases (de)...** to give... classes *1B*
**darse prisa** to hurry *1A*
**¿De qué se trata?** What is it about? *1B*
**dedicar** to devote (time) *1A*
**depender** to depend on *1A*
**desaparecer (zc)** to disappear *1A*
los **dibujos animados** cartoons *1B*
**doblado,-a** dubbed *1B*
el **documental** documentary *1B*
el **drama** drama *1B*
los **efectos especiales** special effects *1B*

**enseguida** right away, immediately *1A*
**entender (ie)** to understand *1B*
el **entrenador,** la **entrenadora** trainer, coach *1B*
**entrenarse** to train *1B*
**establecer (zc)** to establish *1A*
**estar motivado,-a** to be motivated *1A*
**estricto,-a** strict *1A*
**estudioso,-a** studious *1A*
**fijarse** to notice *1A*
el **guión,** *pl.* los **guiones** script/scripts *1B*
**hábil** skillful *1B*
**hacerse miembro** to become a member *1A*
**harto,-a (de)** tired of *1A*
**Igualmente.** Me, too. *1A*
el **instructor,** la **instructora** instructor *1B*
**investigar** to investigate *1B*
**Me cae bien/mal.** I like/don't like (someone). *1B*
**merecer (zc)** to deserve *1A*
**montar en bicicleta** to ride a bicycle *1B*
el **músico,** la **música** musician *1B*
el **niñero,** la **niñera** baby sitter *1B*
**¡No es justo!** It's not fair! *1A*
**¡No hay quien lo/la aguante!** Nobody can stand him/her! *1A*
**No lo/la aguanto.** I can't stand him/her. *1B*
la **nota** note, grade *1A*
**obedecer (zc)** to obey *1A*
el **oficio** trade, job *1B*

**organizado,-a** organized *1A*
**orgulloso,-a** proud *1A*
la **orquesta** orchestra *1A*
**Para serte sincero,-a...** To be honest... *1B*
**parecerse (zc)** to resemble, to look like *1A*
**Pasándola.** Getting by. *1A*
**pasear** to walk, to take a walk *1B*
**pertenecer (zc)** to belong *1A*
**policiaca** detective (film) *1B*
**por ahora** right now *1B*
**práctico,-a** practical *1B*
**prestar atención** to pay attention *1A*
**rápido** quickly *1A*
**reconocer (zc)** to recognize *1A*
**reparar** to repair *1B*
el **repartidor,** la **repartidora** delivery person *1B*
**repartir** to deliver *1B*
**responsable** responsible *1A*
**romántico,-a** romantic *1B*
**Se me hace tarde.** It's getting late. *1A*
**sociable** sociable, friendly *1B*
los **subtítulos** subtitles *1B*
**tal vez** maybe *1A*
**talentoso,-a** talented, gifted *1A*
**tener confianza (en sí/ti mismo)** to have self confidence *1A*
el **terror** horror (film) *1B*
**trabajador,-a** hard working *1A*
**trabajar de...** to work as *1B*
**vago,-a** lazy, idle *1A*
los **vaqueros** western, cowboy (film) *1B*

Un beisbolista.

Una película de ciencia ficción.

# Capítulo 2

## En familia

### Objetivos

- ❖ **describe family members**
- ❖ **express negation and disagreement**
- ❖ **name different areas of a house and household items**
- ❖ **talk about activities in progress**
- ❖ **make generalized statements**
- ❖ **talk about daily routine**
- ❖ **describe emotions and relationships**
- ❖ **talk about house chores**
- ❖ **tell others what to do**

**Visit the web-based activities at www.emcp.com**

**Rubén y Sara**

**FELIZ CUMPLEAÑOS**

**Mirta y Carlos**

¿Alicia está casada?

No, es soltera.

**Alicia**

**don Alberto y doña Inés**

Mirta y Sara son cuñadas. Están casadas con los hijos de don Alberto y doña Inés. Don Alberto y doña Inés son sus suegros.

## 1 ¿Cómo son estas personas?

Indique la letra de la foto que corresponde con cada oración que oye.

**A**

**B**

**C**

**D**

**E**

**F**

## 2 Identifique a los parientes

Escoja la palabra que identifica a cada pariente.

| | |
|---|---|
| nuera | cuñado |
| yerno | suegra |

1. el hermano de mi esposa
2. la madre de mi esposo
3. la esposa de mi hijo
4. el esposo de mi hija

### ¡Extra!

**Los padrinos**

En Latinoamérica y España, al hablar de los parientes, la gente incluye a los padrinos. El padrino y la madrina de un niño o niña son los responsables de cuidarlo/la en caso de que los padres no puedan hacerlo. Generalmente los padrinos son parientes o amigos muy íntimos, escogidos por los padres del niño o de la niña, que es el ahijado o la ahijada (godson or goddaughter).

# Diálogo I

## ¿Conoces a algún chico guapo?

**NATALIA:** No sé qué ponerme para la fiesta de mi cuñada.

**ROMINA:** ¿Por qué no te pones algún vestido?

**NATALIA:** No tengo ninguno. Creo que me voy a poner unos pantalones y una camisa.

**ROMINA:** Buena idea.

**NATALIA:** ¿Quiénes van a la fiesta? ¿Conoces a algún chico guapo?

**ROMINA:** Sí, conozco a varios chicos guapísimos. A mí me cae bien uno que se llama Mario. Tiene el pelo castaño rizado y usa lentes.

**ROMINA:** Creo que a ti te va a caer bien Julio. ¿Lo conoces?

**NATALIA:** ¡Claro! Es el hijo de mi padrino, pero tiene un amigo que me encanta. ¿Conoces a Fabián?

**ROMINA:** Sí, él va a la fiesta.

**NATALIA:** ¡Qué bien!

## 3 ¿Qué recuerda Ud.?

1. ¿Qué le pasa a Natalia?
2. ¿Por qué Natalia no se pone algún vestido?
3. ¿Conoce Romina a algún chico guapo?
4. ¿Cómo es Mario?
5. ¿Quién es Julio?
6. ¿Cómo se llama el chico que le encanta a Natalia?

## 4 Algo personal

1. ¿Le gusta a Ud. ir a fiestas con sus amigos?
2. ¿Conoce a algún chico o alguna chica guapa? ¿Cómo es él o ella?
3. ¿Cómo es su familia? ¿Tiene muchos parientes?
4. ¿Se reúne Ud. con toda su familia? ¿Cuándo?
5. ¿Quién es su pariente favorito/a? Descríbalo/la.

A mí me gusta ir a fiestas con mis amigos.

## 5 Los parientes

))) Escuche las siguientes oraciones y escoja la letra de la respuesta correcta.

1. **A.** la abuela   **B.** la cuñada   **C.** la suegra
2. **A.** el cuñado   **B.** el yerno   **C.** el padrino
3. **A.** el suegro   **B.** el nieto   **C.** el yerno
4. **A.** la suegra   **B.** la sobrina   **C.** la nuera
5. **A.** el tío   **B.** el suegro   **C.** el cuñado

En este café venden donas.

## El *Spanglish* en Estados Unidos

En una animada reunión familiar, la conversación es fluida y todos tienen algo que decir. Parece que se habla español pero cuando prestamos más atención, oímos de pronto algunas palabras en inglés. Cuando escuchamos más atentamente todavía, observamos que María y su madre alternan palabras de origen inglés con oraciones enteras en español. "Quiero que vayas a la *marketa* para *grocear* porque no tengo nada para el *lonche*", dice la mamá. "Pero, mami. No tengo tiempo", le contesta María. "Les dije a mis amigas que iba a *hangear* con ellas para ir de *chopin* al *mol*." Esa mezcla[1] del español y el inglés, propia de muchos hispanos que viven en Estados Unidos, se llama *Spanglish*. El *Spanglish* no es

La Avenida Loisaida, en Nueva York.

un nuevo idioma pero sí una forma de comunicación con la que se identifican millones de personas en Estados Unidos.

Un muchacho mexicano de Los Ángeles le pide un *cuora*[2] a un amigo para *llamar para atrás*[3] a su novia. El catálogo de palabras alteradas es interminable. Ellos le dicen *tiquete* a la multa[4], *emilio* al e-mail, *carpeta* a la alfombra y *boila* a la caldera[5]. Además, usan expresiones como "¿Tú sabes?", después de cada frase, y "Te veo", para despedirse. En barrios como *Loisaida*[6] de Nueva York o la *Sagüesera*[7] de Miami el *Spanglish* es un puente que la gente usa para vivir entre dos culturas.

Algunos piensan que el *Spanglish* es una corrupción del español, una invasión del inglés en el español. Para ellos, las personas que hablan *Spanglish* no saben hablar bien ni el español ni el inglés. Otros, sin embargo, dicen que el *Spanglish* es algo bueno, pues es la mejor forma de comunicación que tienen las personas que viven en una cultura bilingüe.

Por esa razón, *Latina*, una revista para la mujer hispana de Estados Unidos que se publica en inglés y en español, le pone títulos en *Spanglish* a muchos de sus artículos. Y algunos poetas y escritores de las grandes ciudades estadounidenses escriben también con esa peculiar manera de unir el español y el inglés.

[1]blend  [2]quarter  [3]call back  [4]ticket  [5]boiler  [6]Lower East Side  [7]South West

## 6 ¿Qué es el *Spanglish*?

**Conteste las siguientes preguntas.**

1. ¿Qué es el *Spanglish*? ¿Quiénes lo hablan?
2. ¿En qué ciudades de Estados Unidos se habla más *Spanglish*?
3. ¿Qué opina la gente sobre el *Spanglish*?
4. ¿Por qué cree Ud. que tantas personas usan el *Spanglish*?
5. ¿Conoce otro país o lugar en que la gente habla una mezcla de dos idiomas?
6. ¿Qué piensa Ud. del *Spanglish*?

# Idioma

## Repaso rápido: palabras afirmativas y negativas

Here is a review of common affirmative words and their negative counterparts.

**algo** *(something)*
¿Quieres beber **algo?**

**nada** *(nothing)*
No, gracias, no quiero beber **nada.**

**alguien** *(someone, anyone)*
¿Hay **alguien** en la sala?

**nadie** *(no one, nobody)*
No, no hay **nadie.**

**algún** *(some, any)*
¿Conoces a **algún** chico guapo?

**ninguno** *(none, not any)*
No, no conozco a **ninguno.**

**siempre** *(always)*
¿Julio **siempre** se va temprano?

**nunca** *(never)*
No, **nunca** se va temprano.

**también** *(also, too)*
¿Viene tu cuñada **también?**

**tampoco** *(neither, either)*
No, y **tampoco** viene mi cuñado.

**todavía** *(still)*
¿**Todavía** vives en Miami?

**ya no** *(not anymore, no longer)*
No, **ya no.** Ahora vivo en El Paso.

**ya** *(already)*
¿**Ya** invitaste a tus padrinos?

**todavía** *(not yet)*
No, **todavía** no.

## 7 En la fiesta de cumpleaños

**Un grupo de amigos de Miami conversa en una fiesta de cumpleaños. Escoja la palabra negativa apropiada para completar los siguientes mini-diálogos.**

1. **A:** ¿Quieres helado con el pastel?
   **B:** No, y ___ quiero pastel. *(todavía / tampoco)*
2. **A:** ¿Saben algo de béisbol tus amigos?
   **B:** No, no saben ___. *(ninguna / nada)*
3. **A:** ¿Vives todavía en la Pequeña Habana?
   **B:** No, ___. Ahora vivo en Coral Gables.
   *(todavía no / ya no)*
4. **A:** ¿Conoces a alguien en tu nuevo edificio?
   **B:** No, todavía no conozco a ___. *(nada / nadie)*
5. **A:** ¿Trajiste algún disco compacto de música cubana?
   **B:** No, no traje ___. *(ninguno / ningún)*
6. **A:** Siempre veo las telenovelas. ¿Y tú?
   **B:** No, casi ___ las veo. Prefiero leer novelas románticas. *(tampoco / nunca)*
7. **A:** ¿Ya terminaste de leer el último libro de Cristina García?
   **B:** No, ___ no. *(ya / todavía)*

Una fiesta de cumpleaños.

### Más sobre expresiones afirmativas y negativas

Negative expressions often precede the verb. However, when they follow the verb you must use *no* before the verb.

| | |
|---|---|
| ***Nadie*** *lo sabe.* | **No one** knows it. |
| **No** *lo sabe* ***nadie.*** | |
| *Ella* ***nunca*** *baila.* | She **never** dances. |
| *Ella* **no** *baila* ***nunca.*** | |

*Alguno* and *ninguno* become shortened to *algún* and *ningún* when they precede a masculine singular noun.

| | |
|---|---|
| *¿Tienes* ***algún*** *pariente cubano?* | Do you have **any** Cuban relatives? |
| *No, no tengo* ***ningún*** *pariente cubano.* | No, I don't have **any** Cuban relatives. |

*Ninguno/a* is used only in the singular form.

| | |
|---|---|
| *¿Conoces* ***algunas*** *canciones cubanas?* | Do you know **any** Cuban songs? |
| *No, no conozco* ***ninguna*** *canción cubana.* | No, I don't know **any** Cuban songs. |

Constructions with *ni... ni* (neither... nor) require plural verb forms.

| | |
|---|---|
| ***Ni*** *mi papá* **ni** *mi mamá usan lentes.* | **Neither** my father **nor** my mother **use** glasses. |

*Unos/as* (a few) and *algunos/as* (some) are synonyms.

| | |
|---|---|
| *En Orlando viven* ***unos*** *parientes míos y* ***algunos*** *buenos amigos también.* | **A few** relatives of mine, live in Orlando aas well as **some** good friends. |

The word *cuantos/as* is often added right after *unos/as,* but without the written accent.

| | |
|---|---|
| *Quiero invitar a la fiesta a* ***unos cuantos*** *vecinos.* | I want to invite **a few** neighbors to the party. |

### ¡Oportunidades!

**De compras por un barrio hispano**

La presencia hispana en Estados Unidos es muy numerosa. Posiblemente, en su ciudad hay un barrio o una comunidad hispana con lugares interesantes para visitar. Una buena idea para practicar español es ir de compras por las tiendas hispanas. Puede leer los carteles de la tienda e intentar comprender lo que dicen. También puede hablar con el vendedor o vendedora y preguntar los precios en español, o pedir información de algún producto típicamente hispano. Un paseo por las tiendas hispanas no sólo le va a permitir usar el español que usted ya sabe, sino que también le va a ayudar a conocer productos de otros países.

De compras por un barrio hispano.

# Práctica

### 8 Encuesta

Escoja la palabra afirmativa o negativa apropiada para completar la siguiente encuesta a la que respondió Viviana, una chica que vive en Miami.

Estudio con algunos amigos.

1. **A:** ¿Le gusta estudiar con *(alguna / ninguna)* amiga?
   **B:** Sí, tengo *(unos / unas)* amigas con quienes me gusta estudiar.

2. **A:** ¿Comparte Ud. su cuarto con *(alguien / nadie)*?
   **B:** No, no lo comparto con *(alguna / nadie)*.

3. **A:** ¿Tiene Ud. en su cuarto *(algún / ningún)* estéreo?
   **B:** No, no tengo *(ninguno / algún)*.

4. **A:** ¿No hay *(ni / ningún)* estéreo en su casa?
   **B:** Sí, pero *(nadie / nunca)* lo tiene en su cuarto.

5. **A:** ¿Escucha Ud. *(siempre / nunca)* música mientras estudia?
   **B:** No, *(ninguna / nunca)* escucho música mientras estudio.

6. **A:** ¿Le gustan a Ud. *(algunas / algún)* canciones en particular?
   **B:** Sí, me gustan *(unas cuantas / ningunas)* canciones.

7. **A:** ¿Qué tipos de discos tiene Ud.?
   **B:** Tengo *(algunos / algún)* discos de música rock y de música pop, y también *(algún / unos cuantos)* de música clásica.

8. **A:** ¿Le gusta la salsa o el rap?
   **B:** No, no me gusta *(ninguna / ni)* la salsa *(ni / nunca)* el rap.

9. **A:** ¿Le gusta *(también / tampoco)* la música country?
   **B:** No, *(también / tampoco)* me gusta la música country.

10. **A:** ¿Conoce a *(algunos / algún)* cantante o grupo musical en su escuela?
    **B:** No, no conozco *(ningún / ninguno)*.

### 9 Dime la verdad

Con su compañero/a, sigan el modelo para crear oraciones negativas. Las respuestas tienen que empezar siempre con *no*.

**MODELO**   **A:** Dime si tienes algún pariente cubano.
        **B:** No, no tengo ningún pariente cubano.

Dime si...

1. siempre estás de buen humor.
2. ya tienes coche.
3. tu papá o tu tío tienen barba.
4. todavía duermes con un oso de peluche.
5. tienes cuñados.
6. conoces a alguien famoso.
7. también te gusta bailar.

 **Comunicación**

## 10 Mi familia

Conteste las siguientes preguntas. Luego, hágale las mismas preguntas a su compañero/a y comparen sus respuestas.

1. ¿Hacen algunas actividades juntos en su familia? ¿Cuáles?
2. ¿Qué actividades no hacen nunca? ¿Por qué?
3. ¿Tiene Ud. algún hermano soltero o alguna hermana soltera?
4. ¿Alguno/a de sus hermanos/as ya no vive en casa?
5. ¿Ya tiene Ud. sobrinos?
6. ¿Alguno/a de sus abuelos/as es viudo/a?
7. ¿Su madre o su padre habla otra lengua? Si es así, ¿cuál?
8. ¿Siempre celebran los cumpleaños en casa?

Un almuerzo en familia.

## 11 En La Pequeña Habana

Imagine que Uds. visitarán La Pequeña Habana, en Miami. Usen la siguiente información sobre este barrio tan conocido para preparar un diálogo con su compañero/a. Hablen de los lugares que quieren visitar y usen algunas de las palabras afirmativas y negativas de esta lección. Pueden usar las siguientes preguntas como guía.

- ¿Visitaste ya el...?
- ¿Adónde quieres ir ahora, a... o a la...?
- ¿Todavía quieres ir...?
- ¿Quieres hacer algo en...?

## Qué hacer en La Pequeña Habana

**Parque del Dominó,** entre las 15 y 16 Ave. Se juega dominó, cartas y ajedrez. Abierto diariamente de 9 a.m. a 6 p.m.

**Tower Theatre,** 1508 SW 8 St. Películas en español o con subtítulos en español.

**Paseo de la Fama de la Calle Ocho,** en la 16 Ave. Destaca a varios artistas hispanos como Gloria Estefan, Thalía, María Conchita Alonso, Raphael y Julio Iglesias.

La Pequeña Habana en Miami.

**Versailles,** 3555 SW 8 St. El restaurante preferido de la comunidad cubana. Abierto diariamente de 8 a.m. a 2 a.m.

**Museo Cubano de América,** 1300 SW 12 Ave. Muestra las obras de artistas cubanos exiliados. Abierto de martes a viernes de 10 a.m. a 3 p.m.

# Vocabulario II
## Una mudanza

Rosa está decorando la habitación.

el pasillo

las cajas

Laura tiene un estéreo nuevo. Lo está enchufando.

Laura no tiene su propia habitación. La comparte con su hermana.

El padre está clavando un clavo para colgar un cuadro.

el detector de humo

el martillo

el extinguidor de incendios

La abuela está regando las plantas.

los clavos

el destornillador

los tornillos

La madre está vaciando el basurero.

la terraza

Nicolás está desarmando su tren eléctrico porque no funciona.

## 12 ¿Qué están haciendo estas personas?

Seleccione la foto que corresponde con lo que oye.

A

B

C

D

E

F

## 13 ¿Qué está pasando?

Complete las oraciones con las palabras de la caja.

| conectan | propio | martillo | construyen |

1. Se __ computadoras y otros aparatos eléctricos.
2. Marcos está usando el __ para clavar el clavo en la pared.
3. Se __ casas muy modernas.
4. Melisa no quiere compartir más su habitación. Quiere tener su __ cuarto.

# Diálogo II

## ¿Qué estás haciendo?

**NATALIA:** ¿Qué estás haciendo, Romina?

**ROMINA:** Estoy reparando la aspiradora.

**NATALIA:** ¿Ya la desarmaste?

**ROMINA:** Sí. La conecté pero todavía no funciona.

**NATALIA:** ¿Por qué no la llevas a reparar a algún lugar?

**ROMINA:** No conozco ninguno.

**NATALIA:** En este anuncio dicen que se reparan aspiradoras.

**ROMINA:** ¿Y las reparan en casa?

**NATALIA:** No.

**ROMINA:** Buenas tardes. Mi aspiradora no funciona.

**DEPENDIENTE:** La voy a tener que desarmar. ¿Para cuándo la necesita?

**ROMINA:** Lo más pronto posible. Mi madre siempre está usándola para limpiar la casa.

## 14 ¿Qué recuerda Ud.?

1. ¿Qué está haciendo Romina?
2. ¿Por qué no lleva Romina la aspiradora a algún lugar?
3. ¿Qué dice el anuncio?
4. ¿Se reparan aspiradoras en casa?
5. ¿Por qué Romina necesita la aspiradora lo más pronto posible?

## 15 Algo personal

1. ¿Cuántas habitaciones hay en su casa? Descríbalas.
2. ¿Qué hace Ud. cuando algo no funciona?
3. ¿Le gusta construir o reparar cosas? ¿Qué puede Ud. construir o reparar?
4. ¿Tiene su propia habitación?

## 16 ¿Para qué se usa?

 Escoja la letra del objeto que se usa en cada situación.

**A**     **B**     **C**     **D**     **E**

## La Fiesta de San Antonio

Un desfile de la Fiesta de San Antonio.

En algunas ciudades de Estados Unidos, los hispanos son una parte importante de la población. En San Antonio, Texas, el 55.75% de los habitantes son hispanos, un hecho poco común en el resto del país. Muchos de ellos son descendientes de gente que vivía en la ciudad cuando pertenecía a México.

Los hispanos tienen un importante papel en la vida política, cultural y económica de esta ciudad. Aunque no está en la frontera[1], San Antonio es una ciudad que vive entre los Estados Unidos y México.

Esta mezcla[2] cultural es evidente durante la Fiesta de San Antonio, que se celebra cada primavera. Algunos la llaman "*el Mardi Gras* en español". Durante 10 días se recuerdan las batallas[3] de El Álamo y San Jacinto, y se celebra la diversidad cultural de la ciudad.

En esos días, las organizaciones locales presentan más de 150 eventos culturales por toda la ciudad. Hay música, comidas típicas, orquestas, competencias deportivas y varios desfiles. Uno de los desfiles más bellos es el de la Batalla de las Flores, en el que participan diferentes carrozas[4] que celebran importantes hechos de la historia de Texas. En el Desfile del Río, en lugar de carrozas, barcos adornados de flores y luces desfilan en la noche por el río San Antonio, que pasa por el centro de la ciudad.

La Fiesta del Mercado se celebra en la plaza del mercado de la ciudad. Participan muchos grupos de mariachis. Allí se pueden comprar desde joyas y artesanías[5] hasta las bellas piñatas mexicanas. ¡Ah!, y es famosa por la sabrosa comida *Tex-Mex* que se vende en la fiesta.

Durante la Fiesta de San Antonio hay más de 150 eventos.

[1]border  [2]blend  [3]battles  [4]floats  [5]crafts

## 17 San Antonio

**Conteste las siguientes preguntas.**

1. ¿En qué se diferencia la población de San Antonio de otras poblaciones de Estados Unidos?
2. ¿Cuándo se ve mejor la mezcla cultural de San Antonio?
3. ¿Qué batallas se recuerdan durante la Fiesta de San Antonio?
4. ¿Qué cosas hay en la fiesta?
5. ¿Quiénes participan en la Fiesta del Mercado?
6. ¿Conoce otra ciudad de Estados Unidos que celebre alguna fiesta hispana de una forma especial? Si es así, descríbala.

# Idioma

## Repaso rápido: los complementos

Sometimes nouns are replaced with pronouns to avoid unnecessary repetition. For example, there is no need to repeat the word *flores* in the second sentence of the following pair. The direct object pronoun *las* replaces it.

*Mi padre riega las flores todos los días.* **Las** *riega por la mañana.*

My father waters the flowers every day. He waters **them** in the morning.

Pronouns can refer to people or things; direct object pronouns (*me, te, lo, la, nos, os, los, las*) answer the questions "what?" or "whom?"

*Necesito el martillo.* **Lo** *tengo que usar ahora mismo.*

I need the hammer. I have to use **it** right now.

Indirect object pronouns (*me, te, le, nos, os, les*) answer the question "to whom?" or "for whom?"

*Elena quiere decorar su cuarto.* **Le** *voy a comprar un cuadro para su cumpleaños.*

Elena wants to decorate her room. I am going to buy **her** a painting for her birthday.

## 18 Quehaceres

Con un(a) compañero/a, pregunten y contesten según el modelo. Usen los complementos apropiados en las respuestas.

MODELO ¿Pasas la aspiradora todos los días?
Sí, la paso todos los días. (No, no la paso todos los días.)

1. ¿Decoras las paredes de tu cuarto?
2. ¿Ayudas a tu mamá?
3. ¿Le das de comer a tu perro o a tu gato?
4. ¿Les prestas cosas a tus vecinos?
5. ¿Te ayudan tus hermanos/as con los quehaceres?
6. ¿Vacías los basureros todos los días?
7. ¿Sus padres les enseñan a Uds. a cocinar?

¿El coche? Lo lavamos todos los días.

## El presente progresivo

When you talk about actions that are taking place as you speak, you can use the simple present tense or the present progressive. The present progressive is formed by conjugating the verb *estar* + the present participle of the verb.

| | |
|---|---|
| Yo **estoy barriendo** la terraza. | I **am sweeping** the terrace. |
| Tú **estás lavando** el piso. | You **are washing** the floor. |

The present participle, or *gerundio* in Spanish, is formed by adding *-ando* to the stem of *-ar* verbs and *-iendo* to both *-er* and *-ir* verbs. The *gerundio* is often equivalent to the English *–ing* ending of verbs. Verbs that have a stem change in the third person of the preterite tense have the same change in the present participle.

| | | | | | |
|---|---|---|---|---|---|
| clavar | → | clav**ando** | decir (dijo) | → | **dic**iendo |
| poner | → | pon**iendo** | dormir (durmió) | → | **durm**iendo |
| cumplir | → | cumpl**iendo** | pedir (pidió) | → | **pid**iendo |

Verbs that end in *-aer, -eer* and *-uir* form the present participle with *-yendo*. The same applies to the verbs *ir* and *oír*.

| | | |
|---|---|---|
| caer | → | ca**yendo** |
| traer | → | tra**yendo** |
| leer | → | le**yendo** |
| construir | → | constru**yendo** |
| ir | → | **yendo** |
| oír | → | o**yendo** |

You may either place object pronouns before the conjugated verb or attach them to the present participle. Notice in the last example below that you must add an accent mark to keep the stress on the vowel.

| | |
|---|---|
| Estoy construyendo una casa de campo. | I am building a country home. |
| **La estoy construyendo** cerca del lago. | |
| **Estoy construyéndola** cerca del lago. | **I am building it** near the lake. |

In addition to *estar*, several other verbs can be used to form the progressive tense. The most common of these are *andar, continuar* and *seguir*.

| | |
|---|---|
| Margarita **anda limpiando** la casa. | Margarita is **going around cleaning** the house. |
| Los vecinos **continúan trabajando.** | The neighbors **continue working.** |
| Mi abuelo **sigue reparando** su coche. | My grandfather **keeps on repairing** his car. |

 **Práctica**

## 19 Nuevos vecinos

Celia Ramos, una joven que vive en Los Ángeles, tiene nuevos vecinos. Forme oraciones completas con los elementos dados para decir lo que Celia y su familia están haciendo para ayudar a sus vecinos.

MODELO  yo / cortar / el césped
Yo estoy cortando el césped.

1. tú / vaciar / las cajas
2. mi hermano / enchufar / la computadora
3. mis primas / decorar / los cuartos
4. mi cuñada / poner / cuadros en las paredes
5. nosotros / conectar / la radio y el televisor
6. mi cuñado / pintar / la cocina
7. mi papá / encender / las luces
8. mis hermanitas / regar / el jardín

## 20 Querido Diario

Ahora Celia está en su casa, pero sigue viendo a sus vecinos por la ventana. Ellos siguen trabajando y ella describe en su diario todo lo que ve. Complete el párrafo usando el presente progresivo de los verbos entre paréntesis.

MODELO  Mis nuevos vecinos (continuar / sacar) las cajas del camión.
Mis nuevos vecinos continúan sacando las cajas del camión.

En el jardín, el perro de los vecinos (1. seguir / dormir). La nuera de los vecinos (2. andar / pedir) permiso para decorar el jardín con unas plantas nuevas. El yerno les (3. estar / decir) cómo funciona el cortacésped. El cuñado (4. estar / buscar) el martillo y veo que la sobrina (5. seguir / venir) a pedirme el destornillador. Es una familia unida y es bueno ver cómo todos (6. continuar / trabajar) juntos.

## 21 ¿Puedo ayudar un poco más?

Ahora Ud. está de regreso con los vecinos y quiere ayudar un poco más. Túrnese con su compañero/a para preguntar si puede ayudar. Usen el presente progresivo y los pronombres para contestar las preguntas. Sigan el modelo.

MODELO  vaciar las cajas / yo
A: Señor(a), ¿vacío las cajas?
B: No, gracias, yo las estoy vaciando. / Yo estoy vaciándolas.

1. colocar el extinguidor de incendios / mi hijo
2. sacar el basurero / mi esposo
3. revisar la calefacción / mi yerno
4. lavarle las cortinas / mi nuera
5. barrer la terraza / mi nieto
6. encender el radio / mi hija
7. conectar las lámparas / nosotros

# Comunicación

## 22 ¿Por qué?

Muchas veces no podemos hacer lo que queremos porque otras personas están haciendo algo que lo impide. Complete las siguientes frases de una manera original explicando por qué Ud. o sus amigos no pueden hacer algo. Use el presente progresivo. Luego, compare sus oraciones con las de sus compañeros. Decidan cuáles son las oraciones más originales.

**MODELO** No puedo dormir porque...
No puedo dormir porque mi vecino está cantando ópera.

1. No voy a salir hoy porque...
2. Mi amiga no contesta el teléfono porque...
3. Carlos no te puede oír porque...
4. Martita no puede salir a jugar ahora porque...
5. Es imposible estudiar en la biblioteca porque...
6. No podemos visitarla ahora porque...

No puedo dormir.

## 23 ¿Qué están haciendo?

Trabaje en un grupo de tres. Cada uno/a piensa en tres actividades que puede hacer. Luego, túrnense para hacer una pantomima de esa actividad. Sus compañeros tienen que adivinar lo que está haciendo y dónde lo está haciendo.

**MODELO** (nadar)
Estás nadando en la piscina.

## 24 Y en la clase, ¿qué está pasando?

Con un(a) compañero/a, describan lo que están haciendo varias personas de su clase en este momento. Usen el presente progresivo.

**MODELO** Jorge está escribiendo en su cuaderno.

¿Qué está pasando en la clase?

### El uso de *se* en expresiones impersonales

To make a generalized statement in Spanish, use *se* and the *Ud./él/ella* or the *Uds./ellos/ellas* form of the verb. This is equivalent to using "one does," "they do," "you do," "people do" in English.

| | |
|---|---|
| *En mi casa **se come** muy bien.* | In my house **one eats** very well. |
| *En esa tienda **se venden** martillos.* | In that store **they sell** hammers. |

Notice in the second example that if the subject of the sentence (*martillos*) is plural, the verb must be plural as well.

*Se* is also commonly used in signs and in giving warnings.

| | |
|---|---|
| ***Se vende** cortacésped.* | Lawn mower for sale. |
| ***Se habla** español.* | Spanish spoken here. |
| *No **se permite** entrar sin zapatos.* | Entering without shoes is forbidden. |

Se busca carpintero para construir estantes.

Contactar TODOMADERA Collins Ave. 3312.

Se vende casa con patio interior.

Llamar al 555-3292.

Se prohíbe caminar por el césped.

Se habla inglés.

### Práctica

**25 Aquí se toma el sol**

Con su compañero/a, hablen de lo que se hace en cada habitación de una casa. Usen la forma impersonal de *se*.

**MODELO** A: ¿Qué se hace en el cuarto?
B: Se duerme.

1. el ático
2. la cocina
3. el comedor
4. el garaje
5. el jardín
6. el patio
7. la sala
8. el sótano
9. la terraza

## 26 Bueno, bonito y barato

 Ud. trabaja en la sección de anuncios de un periódico. Ayude a los clientes a escribir los anuncios. Use los elementos dados y el *se* impersonal. Termine de escribir el anuncio con otra oración.

**MODELO** construir / muebles
Se construyen muebles. Tenemos además cajas y tornillos para vender.

1. vender / casa de dos pisos
2. limpiar / ventanas
3. reparar / televisores
4. instalar / calefacciones
5. conectar / aparatos eléctricos
6. decorar / terrazas

## ❖ Comunicación

## 27 Se busca...

 Con su compañero/a, lean los anuncios del periódico y decidan cuál es la mejor opción para estas personas.

1. El Sr. y la Sra. Ramos buscan una casa. Tienen cuatro hijos y la suegra de la Sra. Ramos vive con ellos.
2. La señorita Pérez vive sola.
3. Juanita y Miguel tienen dos perros grandes.
4. Patricia y María son estudiantes.
5. Alfonso es pintor y necesita un espacio con mucha luz.
6. Armando, Luis y Guillermo quieren abrir un restaurante.

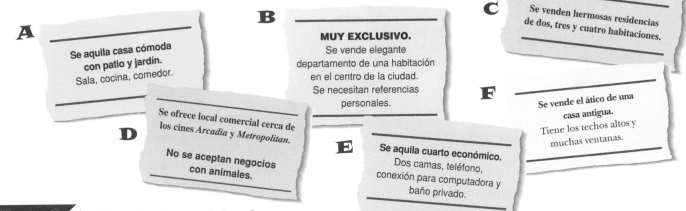

**A** Se aquila casa cómoda con patio y jardín. Sala, cocina, comedor.

**B** MUY EXCLUSIVO. Se vende elegante departamento de una habitación en el centro de la ciudad. Se necesitan referencias personales.

**C** Se venden hermosas residencias de dos, tres y cuatro habitaciones.

**D** Se ofrece local comercial cerca de los cines *Arcadia* y *Metropolitan*. No se aceptan negocios con animales.

**E** Se aquila cuarto económico. Dos camas, teléfono, conexión para computadora y baño privado.

**F** Se vende el ático de una casa antigua. Tiene los techos altos y muchas ventanas.

## 28 ¿Qué se celebra?

 Descríbale a su compañero/a algunas costumbres *(customs)* que Ud. conoce de las comunidades hispanas en Estados Unidos usando el *se* impersonal. Si es necesario, consulte la internet para obtener más información. Puede usar los verbos de la caja como guía.

| celebrar | comer | vender |
|----------|-------|--------|
| ver | construir | hablar |

**MODELO** En Los Ángeles se celebra el Cinco de Mayo.

# Lectura cultural

## CARMEN LOMAS GARZA:
### RETRATOS DE LA COMUNIDAD MEXICOAMERICANA

Carmen Lomas Garza nació en Kingsville, Texas, en 1948. A los 13 años decidió que quería ser pintora. Ella dice que, con la inspiración del Movimiento de Chicago de los años sesenta, decidió dedicar[1] su creatividad a describir los sucesos de la vida cotidiana[2] de los mexicoamericanos. Su objetivo era pintar esos sucesos de una forma que tanto los adultos como los niños pudieran disfrutar[3]. Además, las personas que no conocen la cultura mexicoamericana pueden aprender sobre las costumbres, las comidas, las creencias[4] y las tradiciones de este grupo étnico a través de sus cuadros.

*Camas para sueños.*

*Sandía*, por ejemplo, es uno de sus cuadros más conocidos. Nos muestra una familia que se reúne para comer sandía. El estilo naif de su pintura, donde la perspectiva y las proporciones nunca son perfectas, nos presenta la vida de los mexicoamericanos a través de la mirada inocente de los niños.

[1] dedicate  [2] everyday life  [3] could enjoy  [4] beliefs

*Sandía/Watermelon.*

## 29 ¿Qué recuerda Ud.?

1. ¿Dónde nació Carmen Lomas Garza?
2. ¿Cuándo decidió ser pintora? ¿Por qué?
3. ¿Cómo es el estilo de las pinturas de esta artista?
4. ¿Quiénes son los personajes de sus cuadros?
5. ¿Por qué la pintora pinta en este estilo?
6. ¿Qué visión de la vida nos presenta la artista?

## 30 Algo personal

1. Observe uno de los cuadros de Lomas Garza y describa lo que siente al mirarlo.
2. Al mirar sus cuadros, ¿qué puede decir de la vida cotidiana de los mexicoamericanos?
3. ¿Qué otras características observa en sus cuadros?

### Estrategia

**Reading for content and information**
Before you begin to read a selection, look at the title, subheads and illustrations to get an idea of what the topic is about. Skim the reading to get a better sense of it and then read it again, concentrating on the main message and information. Don't look up every word you don't know. Rely on the context to help you understand.

# ¿Qué aprendí?

**Visit the web-based activities at www.emcp.com**

## Autoevaluación

**Como repaso y autoevaluación, responda lo siguiente:**

1. Mencione a dos miembros de su familia y describa cómo son físicamente.

2. Explique la relación (real o imaginaria) entre Ud. y las siguientes personas: *suegro, nuera, cuñado.*

3. Nombre cuatro expresiones negativas que ha aprendido en esta lección y dé un ejemplo para cada una.

4. ¿Cuál es el gerundio de los siguientes verbos?: *construir, dormir, decir, oír, traer.*

5. ¿Qué es el *Spanglish?* Dé dos ejemplos.

6. Diga tres actividades que se hacen en una casa después de mudarse. Use el *se* impersonal.

7. Mencione dos cosas típicas de la Fiesta de San Antonio.

## Palabras y expresiones

**Miembros de la familia**
el cuñado, la cuñada
los gemelos, las gemelas
la madrina
la nuera
el padrino
el suegro, la suegra
el yerno

**Descripciones físicas**
la barba
el bigote
castaño,-a
lacio
rizado,-a

**Estado civil**
casado,-a
soltero,-a
viudo,-a

**Partes de la casa**
el pasillo
el suelo
la terraza

**Verbos**
clavar
conectar
construir (y)
decorar
desarmar
enchufar
funcionar
regar (ie)
vaciar

**Cosas que se necesitan en una casa**
el basurero
la caja
la calefacción
el cortacésped
el detector de humo
el extinguidor de incendios

**Herramientas**
el clavo
el destornillador
el martillo
el tornillo

**Otras palabras y expresiones**
a diferencia de
los lentes
propio,-a
sacar fotos

Me gusta sacar fotos.

# Vocabulario I
## La rutina de las mañanas

# 1 Situaciones

Escuche los diálogos y diga a qué foto se refieren.

**A**

**B**

**C**

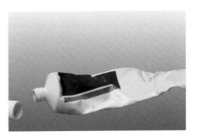

**D**

**E**

**F**

## 2 ¿Con qué se lava el pelo?

Diga qué usaría para hacer lo siguiente. Escriba una oración sobre lo que hace en cada caso.

**MODELO** lavarse el pelo
Yo me lavo el pelo con champú.

1. pintarse las uñas
2. lavarse los dientes
3. secarse el pelo
4. secarse las manos
5. pintarse los labios

**¡Extra!**

**Rutina diaria**

| | |
|---|---|
| acostarse | to go to bed |
| bañarse | to bathe |
| cepillarse los dientes | to brush one's teeth |
| despertarse | to wake up |
| ducharse | to shower |
| lavarse las manos | to wash one's hands |
| levantarse | to get up |
| pintarse los labios | to put on lipstick |
| pintarse las uñas | to polish one's nails |
| secarse | to dry oneself |
| vestirse | to get dressed |

# Diálogo I

## ¿Por qué se pelean?

**MARÍA:** ¿Dónde está mi lápiz de labios rosado?

**ANALÍA:** No sé, yo no me pinto con él.

**MARÍA:** ¿Estás segura? Tú siempre usas mis cosas.

**ANALÍA:** ¡Sí, estoy segura! Eres una mandona.

**RICARDO:** Chicas, ¿por qué se pelean?

**MARÍA:** No encuentro mi lápiz de labios y creo que lo tiene Analía.

**ANALÍA:** Siempre que te falta algo, te enojas conmigo.

**RICARDO:** ¿Lo buscaste en tu bolso?

**MARÍA:** No me fijé allí... Déjame ver... Ah, aquí está... Analía, te pido perdón...

**ANALÍA:** Está bien, pero tienes que hacer algo con este desorden.

## 3 ¿Qué recuerda Ud.?

1. ¿Qué está buscando María?
2. ¿Por qué María cree que Analía tiene el lápiz de labios?
3. ¿Qué hace María siempre que le falta algo?
4. ¿Dónde está el lápiz de labios?
5. ¿Qué le dice Analía a María al final?

## 4 Algo personal

1. ¿Qué hace Ud. cuando no encuentra algo?
2. ¿Se pelea con sus parientes a veces? ¿Por qué?
3. ¿Usa las cosas de sus hermanos o de sus amigos? ¿Qué cosas?
4. ¿Hay una persona mandona en su familia? ¿Quién es?
5. ¿Es su familia numerosa?

Mi familia es numerosa.

## 5 Conclusiones lógicas

Escuche las siguientes oraciones. Escoja la letra de la conclusión lógica para cada una.

A. ¡Qué mandona es tu hermana!
B. A Cristina siempre le falta algo.
C. El suelo del baño está mojado.
D. Chicos, ¿por qué se pelean?
E. ¡Qué impaciente eres!

# Cultura viva

## Anuncios comerciales para los hispanos

Según el último censo, en Estados Unidos viven más de 32 millones de hispanos. Son la minoría más grande del país. Además, según el censo, el 40 por ciento de los hispanos de este país son menores de 20 años. Las grandes empresas no pueden ignorar a un grupo tan grande y tan joven.

Sin embargo, los expertos en mercadeo pensaron que no era tan fácil hacer anuncios comerciales para esos jóvenes. ¿Por qué? Muchos jóvenes hispanos, dicen ellos, hablan inglés y se visten como los muchachos anglos de su edad, pero muchas veces no se identifican con las personas o las situaciones de la televisión en inglés.

Muchos anuncios en la televisión usan también el español.

La solución que encontró una compañía de publicidad de California fue hacer una serie de comerciales con artistas hispanos como la cantante Shakira, en dos versiones iguales: una en inglés y otra en español. Así pudieron poner los mismos anuncios en los canales de televisión de Estados Unidos en esos dos idiomas.

Fue así como los expertos se encontraron con otra sorpresa. Los anuncios con temas que le gustan a la población hispana *(la familia y el humor)*, y hechos con artistas hispanos, también les gustaban a los jóvenes que hablan inglés. Esto hizo crecer el mercado y demostró[1] que el público joven de Estados Unidos se puede identificar también con los elementos de la cultura de los hispanos.

[1]showed

## 6 Anuncios para la población hispana

**Conteste las siguientes preguntas.**

1. ¿Por qué las grandes empresas no pueden ignorar a la población hispana de Estados Unidos?
2. ¿Por qué es difícil hacer anuncios comerciales para los hispanos de Estados Unidos?
3. ¿Qué solución buscó una compañía publicitaria?
4. ¿Recuerda algún anuncio comercial en español o en el que aparece un artista hispano? Si es así, descríbalo.
5. ¿Por qué cree que los jóvenes hispanos se pueden identificar con ese comercial?
6. ¿Cree que les puede gustar también a otros jóvenes estadounidenses? ¿Por qué?

## Idioma

### Las construcciones reflexivas para hablar de la rutina diaria

A reflexive construction is a verb form that refers back to the subject of the sentence. Many of these verbs describe daily routine actions.

| | |
|---|---|
| *Seco la ropa.* | **I am drying** the clothes. |
| *Me seco.* | **I am drying myself.** |

Reflexive constructions have two parts, a reflexive pronoun *(me, te, se nos, os)* and a verb form.

| levantarse | |
|---|---|
| yo **me** levanto | nosotros/as **nos** levantamos |
| tú **te** levantas | vosotros/as **os** levantáis |
| él, ella, Ud. **se** levanta | ellos, ellas, Uds. **se** levantan |

When you use reflexive pronouns with a gerund or an infinitive, you may attach the pronoun to the gerund or infinitive or place it before the conjugated verb.

| | |
|---|---|
| *Él está vistiéndose.* | *Él se está vistiendo.* |
| *Voy a levantarme.* | *Me voy a levantar.* |
| *Tienes que peinarte.* | *Te tienes que peinar.* |

## Práctica

**7** **Todos se preparan**

Ud. y su familia se preparan para asistir a un festival en la calle Olvera, en Los Ángeles. Diga lo que hacen usando los verbos indicados.

1. Mi hermano ___ la chaqueta nueva. (ponerse)
2. Tú ___ los dientes. (cepillarse)
3. Mis hermanas ___ las uñas de rojo. (pintarse)
4. Yo ___ antes que todos. (bañarse)
5. Mi papá ___ con cuidado. (afeitarse)
6. Mi abuela ___ muy elegante. (vestirse)

Calle Olvera, en Los Ángeles.

## 8 ¿Qué están haciendo?

Con un(a) compañero/a, describan lo que están haciendo los miembros de la familia Olivera, según las ilustraciones.

Verónica

MODELO **A:** Verónica está pintándose las uñas.
**B:** Es verdad, se está pintando las uñas.

**1.** Carlos

**2.** la Sra. Olivera

**3.** los primos

**4.** Lisa y Ana

**5.** yo

**6.** el Sr. Olivera

## ✿ Comunicación

## 9 En el campamento de verano

Ud. y su compañero/a van a trabajar en un campamento de verano para niños. Preparen una lista de seis recomendaciones. Comiencen las oraciones con: *tienen que, deben, es importante, van a,* y usen contrucciones reflexivas.

MODELO Deben ducharse antes de entrar a la piscina.
Es importante lavarse las manos antes de comer.
Tienen que acostarse a las ocho.

## 10 La rutina diaria

Use las siguientes preguntas para hacerles una encuesta a cinco compañeros. Tome notas de sus respuestas y presente los resultados frente a la clase.

**1.** ¿Te gusta levantarte tarde o temprano?
**2.** ¿Prefieres bañarte o ducharte?
**3.** ¿Cuánto tiempo tardas en vestirte?
**4.** ¿Sueles cepillarte los dientes antes o después de desayunar?
**5.** ¿Vas a lavarte el pelo hoy?

### Otros usos de las construcciones reflexivas

Many reflexive verbs in Spanish carry the English meaning of "to become" or "to get," and are often used to express a physical or emotional change. Verbs of this type include *aburrirse* (to get bored), *enojarse* (to get angry), *lastimarse* (to get hurt), *ponerse* (to become).

| | |
|---|---|
| *Nos **aburrimos** cuando hace mal tiempo.* | **We get bored** when the weather is bad. |
| *Mamá **se enoja** cuando no la llamo.* | Mom **gets angry** when I don't call her. |
| *Muchos chicos **se lastiman** cuando empiezan a patinar.* | Many children **get hurt** when they start skating. |
| *Andrea **se pone nerviosa** antes de un examen.* | Andrea **becomes nervous** before an exam. |

Some verbs have a different meaning when used as a reflexive.

| dormir | *to sleep* | dormirse | *to fall asleep* |
|---|---|---|---|
| ir | *to go* | irse | *to go away, to leave* |
| levantar | *to raise, to lift* | levantarse | *to get up* |
| parecer | *to seem* | parecerse a | *to look like* |
| reír | *to laugh* | reírse de | *to laugh at* |

The verbs *tocar* (to be someone's turn) and *faltar* (to need or to be missing) are two verbs that when used reflexively follow the same construction as *gustar*.

| | |
|---|---|
| *Le **toca a él** lavar las toallas.* | **It's his turn** to wash the towels. |
| *Me **falta** el lápiz de labios.* | **I'm missing** my lipstick. |
| *Nos **faltan** cinco minutos para terminar.* | **We need** five minutes to finish. |

 **Práctica**

**11 Reacciones**

**Complete las siguientes oraciones con el verbo apropiado.**

MODELO Yo *me pongo* nerviosa cuando salgo con un chico por primera vez. (aburrirse / ponerse)

Me pongo nerviosa cuando salgo con un chico.

1. Mis hermanos y yo ___ cuando no hay nada que hacer. (aburrirse / acordarse)
2. Si llego tarde a una cita, mis amigos ___. (enojarse / divertirse)
3. Mi profesora ___ furiosa cuando llego tarde a clase. (ponerse / irse)
4. Tú siempre ___ el cepillo de dientes. (aburrirse / olvidarse)
5. Mi mejor amiga ___ muy contenta cuando recibe una buena nota. (dormirse / sentirse)
6. No puedo abrir la puerta porque ___ las llaves. (parecer / faltar)

## 12 Muchas excusas

Complete este diálogo entre Julián y su mamá usando la forma apropiada de los verbos de la caja.

| | | | | | |
|---|---|---|---|---|---|
| sentirse | levantarse | vestirse | irse | reírse | imaginarse |
| ponerse | equivocarse | enojarse | parecer | olvidarse | |

**Mamá:**     Rápido, Julián, tienes que (1) ahora mismo.

**Julián:**    Pero, mamá, no (2) bien. Creo que estoy enfermo.

**Mamá:**     No te creo. Me (3) que no tienes ganas de ir al colegio.

**Julián:**    No, mamá, (4). De veras estoy enfermo.

**Mamá:**     No es así. Lo que yo creo es que tú siempre (5) de hacer la tarea y después (6) nervioso porque no la hiciste.

**Julián:**    Ay, ¿pero por qué (7), mamá? Tú siempre (8) lo peor.

**Mamá:**     ¿Entonces, por qué (9) de esa manera tan nerviosa?

**Julián:**    Está bien, mamá, (10) en cinco minutos y (11) para la escuela.

## ❖ Comunicación

## 13 Psicólogo de animales

Los animales también tienen emociones y a veces necesitan la ayuda de un especialista para sentirse mejor. Imagine que su perro o su gato está un poco deprimido *(feels depressed)* últimamente. Ud. decide ver a un psicólogo de animales para ver lo que le pasa. Con su compañero/a, inventen un diálogo entre el/la dueño/a *(owner)* del animal y el/la psicólogo/a. Pueden usar los siguientes verbos o expresiones o agregar otros. Luego, presenten su diálogo frente a la clase.

| | | |
|---|---|---|
| alegrarse | olvidarse | sentirse bien/mal/triste/contento/cansado |
| ponerse nervioso/furioso | enojarse | acordarse |
| divertirse | aburrirse | quedarse |
| irse | faltar | |

**MODELO**   **Dueño/a:**    Mi perro se siente muy triste.

        **Psicólogo/a:**  ¿Ud. lo saca a pasear a menudo?

        **Dueño/a:**    Bueno... A veces me olvido.

        **Psicólogo/a:**  Ajá. Ése es el problema. A nadie le gusta quedarse en casa, y a su perro tampoco.

Mi perro se siente muy contento.

## 14 Me aburro cuando...

Haga una encuesta con cinco estudiantes pidiéndoles que completen las siguientes oraciones. Luego, comparen sus respuestas.

1. Me pongo furioso/a cuando...
2. Me enojo cuando...
3. A veces me peleo con... cuando...
4. Me siento triste cuando...
5. Me aburro cuando...
6. Me alegro mucho cuando...
7. Me río mucho cuando...
8. Me duermo cuando...

## Estructura

### Acciones recíprocas

The plural reflexive pronouns *nos* and *se* can be used to express what two people do for each other or to one another. These are called reciprocal actions.

*Marta y yo **nos escribimos** todas las semanas.*　　Marta and I **write each other** every week.

*Pedro y su hermano **se ayudan.***　　Pedro and his brother **help one another.**

The following verbs can be used reciprocally.

| | | | |
|---|---|---|---|
| abrazarse | *to hug each other* | llamarse | *to call each other* |
| ayudarse | *to help each other* | llevarse | *to get along* |
| besarse | *to kiss each other* | pelearse | *to fight with each other* |
| conocerse | *to know each other* | quererse | *to love each other* |
| darse | *to give each other* | saludarse | *to greet each other* |
| escribirse | *to write each other* | verse | *to see each other* |

## ❖ Práctica

## 15 Relaciones entre amigos

Complete las siguientes oraciones con la forma recíproca de los verbos.

1. Tomás y yo *(quererse)* mucho y nunca *(pelearse)*.
2. A veces, cuando los chicos *(saludarse)*, se dan la mano. Las chicas generalmente *(besarse)* o *(abrazarse)*.
3. Mis primos y yo no *(llevarse)* bien. Nunca *(verse)* ni *(llamarse)*.
4. Julieta y Rebeca *(conocerse)* desde hace años. Son muy buenas amigas y *(verse)* todos los días.
5. Mi hermano y yo *(ayudarse)* mucho, pero a veces *(pelearse)*.
6. ¿Por qué *(llamarse)* Ud. todos los días si *(verse)* en la escuela?

Nos abrazamos.

## 16 Acciones recíprocas

Con su compañero/a, describan las siguientes relaciones familiares o entre amigos formando oraciones con palabras de cada columna y la forma recíproca del verbo.

**MODELO** Mis padres y yo nos llevamos muy bien.

| I | II | III |
|---|---|---|
| mi hermano y su novia | escribirse | a menudo |
| los profesores y los estudiantes | pelearse | casi nunca |
| tú y yo | llevarse | a veces |
| mis abuelos | quererse | mucho / poco |
| mis hermanos y yo | verse | bien / mal |
| mi hermana y su suegra | ayudarse | todos los días |
| mi mejor amigo y yo | llamarse | |

Mis padres y yo nos llevamos bien.

## ◈ Comunicación

## 17 ¿Cómo es su vida?

Describa un día típico de su vida. Use verbos reflexivos para explicar su rutina diaria y verbos recíprocos para describir sus relaciones con otras personas. Luego, compare su descripción con la de su compañero/a.

## 18 Una historia de amor

Con su compañero/a, inventen una historia de amor. Incluyan acciones recíprocas. Pueden usar los verbos de la caja como guía y agregar otros más.

| | | | |
|---|---|---|---|
| abrazarse | ayudarse | besarse | darse |
| escribirse | hablarse | llamarse | llevarse bien/mal |
| mirarse | pelearse | saludarse | verse |

**MODELO** Armando y Lucía se ven en la clase de historia. Se miran...
Se saludan... Se llaman por teléfono...

Ahora, presenten su historia frente a la clase. Entre todos, decidan cuál es la historia más original.

Armando y Lucía se quieren.

## Los quehaceres en la casa

## 19 ¡Guarda las cosas!

🔊 Escuche los siguientes mandatos. Seleccione la foto que corresponde con lo que oye.

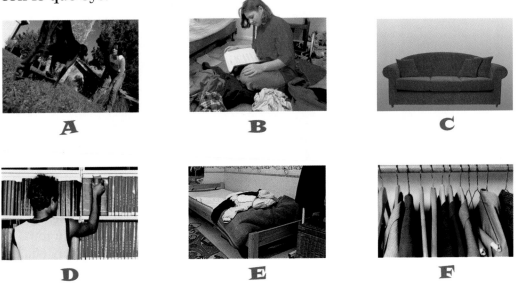

A     B     C

D     E     F

## 20 ¿Cuál es la correcta?

Escoja la palabra que completa correctamente cada oración.

1. Carlos es muy *(desordenado / ordenado)*: nunca guarda las cosas en su lugar.
2. Cubre la cama con una *(colcha / almohada)*.
3. Cuelga la ropa en *(los estantes / las perchas)*.
4. Guarda las camisetas dentro de la *(mesa de noche / cómoda)*.
5. Mi madre va a comprar un *(colchón / sofá)* nuevo para mi cama.

## 21 ¡A ordenar!

Imagine que tiene que ordenar su habitación y le pide ayuda a un(a) amigo/a. Escriba cinco oraciones con las cosas que le pide a su amigo/a que haga.

**MODELO** Haz la cama. Guarda los zapatos...

---

**¡Extra!**

**Otros quehaceres**

| | |
|---|---|
| barrer | to sweep |
| cambiar (las sábanas) | to change (the sheets) |
| cocinar | to cook |
| colgar | to hang |
| encerar | to polish (floor) |
| limpiar | to clean |
| lustrar | to polish (shoes, silver) |
| planchar | to iron |
| poner la mesa | to set the table |
| recoger la mesa | to clear the table |
| sacar la basura | to take out the garbage |

# Diálogo II

## ¡Pon tus cosas en orden!

**MARÍA:** ¿Por qué está tan desordenado el escritorio?

**ANALÍA:** No tengo ningún estante para poner mis cosas.

**MARÍA:** Pero puedes guardarlas en la cómoda.

**ANALÍA:** No hay lugar. Toda tu ropa está allí.

**MARÍA:** La saco ahora mismo.

**ANALÍA:** ¿Y dónde la pones?

**MARÍA:** Dentro del armario.

**ANALÍA:** Eres muy ordenada, María.

**MARÍA:** Ayúdame un poco y tráeme esas perchas…

**MARÍA:** Si cuelgas la ropa en las perchas, tienes más espacio.

**ANALÍA:** ¿Qué hago ahora?

**MARÍA:** Cuelga tu ropa.

**ANALÍA:** Eres muy eficiente, María.

**MARÍA:** No hables tanto, y date prisa, Analía.

## 22 ¿Qué recuerda Ud.?

1. ¿Por qué está tan desordenado el escritorio de María y Analía?
2. ¿Por qué no hay lugar en la cómoda?
3. ¿Dónde pone María su ropa ahora?
4. ¿Qué hacen con la ropa? ¿Para qué?

## 23 Algo personal

1. ¿Comparte Ud. su cuarto con alguien?
2. ¿Está ordenado su cuarto?
3. ¿Dónde guarda Ud. su ropa?
4. ¿Qué quehaceres de la casa hace Ud.?
5. ¿Qué ventajas tiene ser ordenado/a?

## 24 ¡Ordena tu cuarto!

Mi cuarto siempre está ordenado.

Escoja la letra de lo que le dice a Orlando su madre en cada situación.

A. Ordena el escritorio.

B. Cuelga tu ropa en perchas dentro del armario.

C. Cambia las sábanas.

D. Pon los libros en los estantes.

E. Guarda los zapatos dentro de las cajas.

el **MUSEO** del barrio

El Museo del Barrio, en Nueva York.

## La Gran Manzana

¿Sabe Ud. cuál es el apellido más repetido en la guía telefónica de Nueva York? ¡Rodríguez! Ese apellido aparece más de 22.000 veces en la guía. El 26.4 por ciento de los 8.651.600 habitantes de Nueva York son hispanos y la comunidad puertorriqueña no es la más grande. Hace unos años, los mexicanos y los dominicanos superaron[1] a los puertorriqueños de la Gran Manzana.

La estación de radio y el noticiero de televisión más populares de Nueva York son en español. Desde las estrellas de los Yankees

Jorge Posada y Alfonso Soriano, o los artistas Jennifer López y Marc Anthony, hasta instituciones como El Museo del Barrio y el Nuyorican Poets Café, la comunidad hispana de Nueva York hace un aporte[2] fundamental a la vida de la ciudad.

Sin embargo, en Nueva York los hispanos no tienen ni un gran poder político ni económico. La mayoría son inmigrantes recientes[3], que no hablan inglés ni son ciudadanos de Estados Unidos. Pero también es cierto que un día no muy lejano[4] los Rodríguez van a estar entre los políticos y los hombres y mujeres de negocios más importantes de la ciudad.

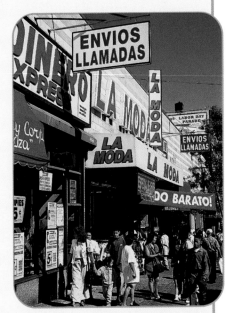

"La Pequeña Colombia", Queens, Nueva York.

[1]surpassed  [2]contribution  [3]new  [4]distant

## 25 La presencia hispana en Nueva York

**Conteste las siguientes preguntas.**

1. ¿Cuáles son las comunidades hispanas más grandes de Nueva York?
2. ¿Cuáles son algunas de las personas e instituciones hispanas más conocidas de la ciudad?
3. ¿Cuál es el principal problema de los hispanos de Nueva York, según el artículo?
4. Haga una investigación. ¿Cuál es el apellido más repetido en la guía telefónica de su ciudad? ¿Cuál es el apellido hispano que se repite más? Compare los resultados con lo que dice el artículo.
5. ¿Hay una comunidad hispana en su ciudad? Si es así, mencione algunas de sus figuras, grupos o instituciones.

# Idioma

## Los mandatos informales afirmativos

Use informal commands to tell people you address as *tú* to do something. These commands have the same form as the *él/ella/Ud.* form of verbs in the present tense. Verbs that have a spelling change and stem-changing verbs in the present tense usually have the same change in the informal affirmative command.

| | |
|---|---|
| *Guarda la ropa en la cómoda.* | **Keep** the clothes in the dresser. |
| *Cubre las camas.* | **Cover** the beds. |
| *Cuelga las cortinas.* | **Hang** the curtains. |
| *Riega el jardín.* | **Water** the garden. |
| *Construye un estante más alto.* | **Build** a higher shelf. |

The following verbs have irregular *tú* command forms.

| decir | → | di | **Di** la verdad. | salir | → | sal | **Sal** a jugar. |
|---|---|---|---|---|---|---|---|
| hacer | → | haz | **Haz** las camas. | ser | → | sé | **Sé** bueno. |
| ir | → | ve | **Ve** al mercado. | tener | → | ten | **Ten** cuidado. |
| poner | → | pon | **Pon** la mesa. | venir | → | ven | **Ven** a mi casa. |

Direct and indirect object pronouns as well as reflexive pronouns are attached to affirmative *tú* commands. When attaching pronouns to a command form of more than one syllable, you must add an accent mark over the stressed syllable.

| | |
|---|---|
| *Dame el martillo.* | **Give me** the hammer. |
| *¿Los clavos? Colócalos en la caja.* | The nails? **Place them** in the box. |
| *Siéntate en la terraza.* | **Sit** in the terrace. |

## Práctica

### 26 Lista de quehaceres

La mamá de Isabel le dejó una lista de los quehaceres que tiene que hacer. Escriba mandatos con *tú*, según la lista.

MODELO limpiar el piso
Limpia el piso.

> Querida Isabel,
> Tengo que salir al centro. Aquí te dejo la lista de los quehaceres que quedan por hacer:
> 1. lavar las sábanas
> 2. colgar la ropa en las perchas
> 3. hacer las camas
> 4. guardar los juguetes
> 5. poner el pollo en el horno
> 6. ir al supermercado
> 7. barrer la terraza
> 8. ¡y no te olvides de regar las flores!
> Muchas gracias,
> Mamá

## 27 ¿Qué hago?

Un(a) amigo/a no puede tomar decisiones y le pide consejos.
Con su compañero/a, creen diálogos según las indicaciones.

**MODELO** ponerse la chaqueta azul

**A:** ¿Me pongo la chaqueta azul?

**B:** Sí, ponte la chaqueta azul.

1. cortarse las uñas
2. secarse el pelo
3. lavarse las manos
4. acostarse temprano

5. cepillarse los dientes
6. probarse los zapatos nuevos
7. quitarse los calcetines
8. irse ahora

## 28 Vamos a ordenar el cuarto

Complete este diálogo entre Carlos y José. Use mandatos
informales y el complemento de objeto directo que corresponda
a las palabras en cursiva.

**Carlos:** José, no encuentro *las sábanas.*

**José:** *(1. buscar)* en el armario. Deben
estar ahí.

**Carlos:** ¿Saco también *la cobija?*

**José:** Sí, *(2. sacar)* también porque la
voy a necesitar.

**Carlos:** ¿Cubro *la almohada* con la funda
amarilla?

**José:** No, *(3. cubrir)* con la funda
blanca.

**Carlos:** ¿Y dónde pongo *los cubrecamas?*

**José:** ¡*(4. poner)* en las camas, tonto!

**Carlos:** ¿Y ahora qué hago? ¿Cuelgo *el
cuadro?*

**José:** Sí, *(5. colgar)* encima de la
cama.

**Carlos:** Entonces necesito *unos clavos.*
¿Sabes dónde están?

**José:** *(6. buscar)* en la caja. Deben
estar ahí.

**Carlos:** ¿Puedo usar *el martillo?*

**José:** Sí, *(7. usar)*, pero con cuidado.

Colguémoslo encima de la cama.

## 29 Una ocasión importante

Su amigo/a quiere ser presidente del consejo estudiantil y tiene que dar un discurso *(give a speech)* a todos los estudiantes de la escuela. Como Ud. es su amigo/a, quiere darle algunos consejos sobre lo que debe decir. Use mandatos con *tú* y las frases siguientes. Luego, añada dos consejos más.

1. prepararse bien para dar el discurso
2. hacer una lista de objetivos
3. vestirse bien para esa ocasión
4. hablarles de tu experiencia
5. ser amable con todos
6. decirles tus planes para la escuela
7. darles las gracias
8. despedirse

# ❖ Comunicación

## 30 Una receta Tex-Mex

Ud. es el/la cocinero/a de un restaurante Tex-Mex. Dígale a su ayudante cómo preparar la siguiente receta. Reemplace *(Replace)* los verbos en infinitivo con mandatos informales. Su ayudante debe representar con pantomima los mandatos que Ud. le da.

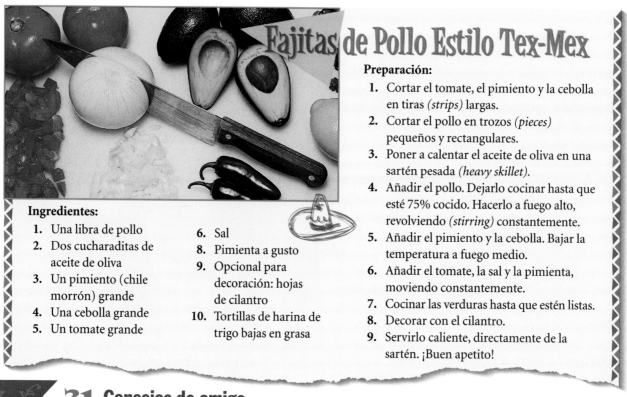

Fajitas de Pollo Estilo Tex-Mex

**Ingredientes:**

1. Una libra de pollo
2. Dos cucharaditas de aceite de oliva
3. Un pimiento (chile morrón) grande
4. Una cebolla grande
5. Un tomate grande
6. Sal
8. Pimienta a gusto
9. Opcional para decoración: hojas de cilantro
10. Tortillas de harina de trigo bajas en grasa

**Preparación:**

1. Cortar el tomate, el pimiento y la cebolla en tiras *(strips)* largas.
2. Cortar el pollo en trozos *(pieces)* pequeños y rectangulares.
3. Poner a calentar el aceite de oliva en una sartén pesada *(heavy skillet)*.
4. Añadir el pollo. Dejarlo cocinar hasta que esté 75% cocido. Hacerlo a fuego alto, revolviendo *(stirring)* constantemente.
5. Añadir el pimiento y la cebolla. Bajar la temperatura a fuego medio.
6. Añadir el tomate, la sal y la pimienta, moviendo constantemente.
7. Cocinar las verduras hasta que estén listas.
8. Decorar con el cilantro.
9. Servirlo caliente, directamente de la sartén. ¡Buen apetito!

## 31 Consejos de amigo

Con su compañero/a, inventen dos consejos para cada una de las siguientes situaciones, usando mandatos con *tú*.

1. una chica va a salir con alguien por primera vez
2. un compañero tiene un examen al día siguiente
3. un chico tiene que preparar la cena
4. una amiga se siente un poco triste

# Repaso rápido: las preposiciones de lugar

To answer the question *¿Dónde?* you can use the following prepositions of place.

| | | | | | |
|---|---|---|---|---|---|
| cerca | *close* | aquí | *here* | allí/ahí | *over there* |
| allá | *there* | acá | *over here* | | |

Other prepositions of place are more specific:

| | | | |
|---|---|---|---|
| a la derecha de | *to the right of* | delante de | *in front of* |
| a la izquierda de | *to the left of* | dentro de | *inside* |
| al lado de | *next to* | encima de | *on top of* |
| alrededor de | *around* | enfrente de | *across, facing* |
| atrás / detrás de | *behind* | entre | *between* |
| cerca de | *near, close to* | fuera de | *outside* |
| debajo de | *under* | lejos de | *far from* |

## 32 ¿Dónde están?

**Describa el cuarto usando preposiciones de lugar.**

MODELO   La mesa de noche está entre las dos camas.

# Lectura personal

**E-Mail**

Archivo    Ver    Mensajes    Ayuda

A...    mamá y papá

Cc...

Asunto:    Santa Fe

## Ruta Quetzal: recuerdos de Santa Fe

Queridos mamá y papá,

¡Estoy en el Viejo Oeste! El primer destino de la Ruta Quetzal en Estados Unidos fue un rancho cercano a la ciudad de Santa Fe. Aquí todavía es posible conocer de cerca el modo de vida[1] de los ranchos[2] españoles del siglo XVII.

Este rancho fue restaurado[3] en 1971. Ahora es un museo abierto al público. Parece un lugar sacado de las películas del Oeste. Hay una herrería[4], una iglesia, un jardín y un antiguo cementerio[5] indígena. Todos los edificios están construidos alrededor de una plaza central.

Un hombre vestido como un cazador[6] de búfalos del siglo XVII nos explicó cómo se curtían[7] las pieles[8] de los búfalos para hacer ropa, cinturones y otras cosas. También nos enseñaron cómo se hacen los cestos y cómo se prepara el pan en un horno de barro[9]. Lo mejor es que nos dejaron cocinar unas galletas hechas con mantequilla, huevos y azúcar. ¡Son las galletas más deliciosas que comí en mi vida!

Hoy fue un día maravilloso. Me parece que tomé la máquina del tiempo[10] y me fui al siglo XVII. ¡Estoy encantada!

Besos, Mariana

[1]lifestyle   [2]ranches   [3]restored   [4]smithy   [5]cemetery   [6]hunter
[7]tanned   [8]hides   [9]clay oven   [10]time machine

La vida en el rancho es fascinante.

## 33 ¿Qué recuerda Ud.?

1. ¿Cuál fue el primer destino de Mariana en Estados Unidos?
2. ¿Qué pudo conocer Mariana en el rancho? ¿Qué es el rancho hoy en día?
3. ¿Qué edificios hay en el rancho?
4. ¿Qué fue lo mejor para Mariana? ¿Por qué?
5. ¿Con qué compara Mariana su visita al rancho?

## 34 Algo personal

1. ¿Visitó alguna vez un rancho o una finca? Describa su experiencia.
2. ¿Conoce algún museo o lugar donde se puede aprender cómo era la vida en otros siglos?
3. Imagine que viaja por la Ruta Quetzal. ¿A qué lugar quiere ir? ¿Por qué?

# ¿Qué aprendí?

**Visit the web-based activities at www.emcp.com**

## Autoevaluación

**Como repaso y autoevaluación, responda lo siguiente:**

1. Diga cinco cosas que hace en la mañana cuando se prepara para salir.

2. Diga tres oraciones para expresar cómo se siente, usando los verbos *enojarse*, *aburrirse* y *ponerse* (*nervioso/a*, *furioso/a*).

3. Diga dos oraciones usando los verbos *faltar* y *tocar*.

4. ¿Qué temas aparecen con frecuencia en los anuncios hispanos?

5. ¿Cuáles son las dos comunidades hispanas más grandes de Nueva York?

6. Escriba los mandatos informales afirmativos de los siguientes verbos: *ser*, *ir*, *salir*, *hacer* y *decir*.

7. Diga qué hay delante de su casa, detrás de su escuela, dentro de su cómoda.

## Palabras y expresiones

**Objetos del baño**
- el cepillo de dientes
- el esmalte de uñas
- el lápiz de labios
- la pasta de dientes
- el secador

**Adjetivos**
- desordenado,-a
- furioso,-a
- impaciente
- mandón, mandona
- mojado,-a
- numeroso,-a
- ordenado,-a
- paciente

**Verbos**
- abrazarse
- besarse
- enojarse
- faltar
- guardar
- pelearse
- pintarse
- ponerse
- prepararse
- secarse
- tocar

**Muebles y otras cosas**
- la cómoda
- el estante
- la mesa de noche
- la percha
- el sofá

**Para hacer la cama**
- la almohada
- la cobija
- el colchón
- el cubrecamas
- la funda
- la sábana

**Preposiciones de lugar**
- acá
- delante de
- dentro de
- detrás de
- enfrente de
- fuera de

**Otras palabras y expresiones**
- el desorden
- la desventaja
- la ventaja

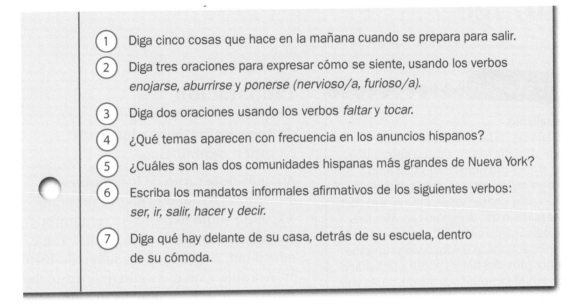

La percha.

El cepillo de dientes.

Las sábanas.

# ¡Viento en popa!

## Ud. lee

### Estrategia

**Visualizing**

Visualizing is the process of creating a mental image from a written description. The author provides details that help readers represent in their minds the setting, the characters and the events that take place in the story. You can visualize the personalities of the characters as well as their actions. In the following story, the author provides details about a father and his son's life throughout the dialog. As you read, write down the details that help you visualize the setting, the characters, and the events that take place in their journey.

## Preparación

**Después de leer la biografía de Juan Rulfo, ponga los datos en orden cronológico.**

Además de ser uno de los grandes escritores latinoamericanos del siglo XX, Juan Rulfo exploró[1] la fotografía y la creación de obras para radio, cine y televisión. Nació el 16 de mayo de 1918 en Acapulco, en el estado mexicano de Jalisco. Aunque su familia era rica, durante la Revolución Mexicana lo perdió todo. Cuando Rulfo tenía seis años, su padre fue asesinado. Ya adolescente, se interesó por la filosofía y el derecho[2]. Más tarde, trabajó como viajante[3] vendiendo neumáticos[4] para automóviles. Al viajar por todo el país pudo observar[5] la vida de la gente en los pueblos[6] de México. Más adelante, estas observaciones fueron muy importantes para la escritura de sus obras. El trabajo literario de Rulfo pertenece[7] al movimiento[8] llamado realismo mágico, en el que los elementos de la fantasía se mezclan con la realidad de los personajes. Rulfo recibió muchos premios; uno de los más importantes fue el Premio Nacional de Literatura en 1970. Murió en Ciudad de México en 1986.

[1]explored  [2]law  [3]traveling salesman  [4]tires  [5]observe  [6]villages  [7]belongs  [8]movement

1. En sus obras, el autor utiliza sus observaciones sobre la gente de los pueblos pequeños de México.
2. Rulfo gana el Premio Nacional de Literatura.
3. La familia del autor pierde todo durante la Revolución y su padre es asesinado.
4. Rulfo trabaja como viajante.
5. Rulfo se interesa por la filosofía y el derecho.

Juan Rulfo.

# ¿No oyes ladrar los perros?

—Tú que vas allá arriba, Ignacio, dime si no oyes alguna señal de algo o si ves alguna luz en alguna parte.

—No se ve nada.

—Ya debemos estar cerca.

—Sí, pero no se oye nada.

—Mira bien.

—No se ve nada.

—Pobre de ti, Ignacio.

La sombra[9] larga y negra de los hombres siguió moviéndose de arriba abajo, trepándose[10] a las piedras, disminuyendo[11] y creciendo según avanzaba por la orilla del arroyo[12]. Era una sola sombra, tambaleante[13].

La luna venía saliendo de la tierra, como una llamarada[14] redonda.

—Ya debemos estar llegando a ese pueblo, Ignacio. Tú que llevas las orejas de fuera, fíjate a ver si no oyes ladrar los perros. Acuérdate que nos dijeron que Tonaya estaba detrasito del monte. Y desde qué horas que hemos dejado el monte. Acuérdate, Ignacio.

—Sí, pero no veo rastro[15] de nada.

—Me estoy cansando.

—Bájame.

El viejo se fue reculando[16] hasta encontrarse con el paredón y se recargó[17] allí, sin soltar la carga de sus hombros. Aunque se le doblaban las piernas, no quería sentarse, porque después no hubiera podido levantar el cuerpo de su hijo, al que allá atrás, horas antes, le habían ayudado a echárselo[18] a la espalda. Y así lo había traído desde entonces.

—¿Cómo te sientes?

—Mal.

Hablaba poco. Cada vez menos. En ratos parecía dormir. En ratos parecía tener frío. Temblaba[19]. Sabía cuándo le agarraba a su hijo el temblor por las sacudidas[20] que le daba, y porque los pies se le encajaban en los ijares[21] como espuelas[22]. Luego las manos del hijo, que traía trabadas en su pescuezo, le zarandeaban[23] la cabeza como si fuera

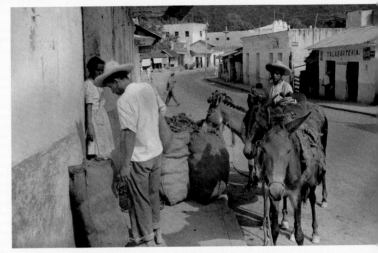

Un pueblito mexicano.

una sonaja[24]. Él apretaba los dientes para no morderse la lengua y cuando acababa aquello le preguntaba:

—¿Te duele mucho?

—Algo —contestaba él.

Primero le había dicho: "Apéame[25] aquí... Déjame aquí... Vete tú solo. Yo te alcanzaré mañana o en cuanto me reponga[26] un poco". Se lo había dicho como cincuenta veces. Ahora ni siquiera eso decía. Allí estaba la luna. Enfrente de ellos. Una luna grande y colorada que les llenaba de luz los ojos y que estiraba y oscurecía más su sombra sobre la tierra.

—No veo ya por dónde voy —decía él. Pero nadie le contestaba.
El otro iba allá arriba, todo iluminado por la luna, con su cara descolorida, sin sangre, reflejando una luz opaca. Y él acá abajo.

—¿Me oíste, Ignacio? Te digo que no veo bien. Y el otro se quedaba callado[27].

Siguió caminando, a tropezones[28]. Encogía el cuerpo y luego se enderezaba[29] para volver a tropezar de nuevo.

[9]shadow  [10]creeping  [11]shrinking  [12]shore of a stream  [13]tottering  [14]flare  [15]trail  [16]backed up  [17]leaned against  [18]throw him  [19]He trembled  [20]shakings  [21]wedged in the flanks  [22]spurs  [23]shook  [24]rattle  [25]Put me down  [26]recover  [27]silent  [28]by fits and starts  [29]straightened

—Éste no es ningún camino. Nos dijeron que detrás del cerro estaba Tonaya. Ya hemos pasado el cerro. Y Tonaya no se ve, ni se oye ningún ruido que nos diga que está cerca. ¿Por qué no quieres decirme qué ves, tú que vas allá arriba, Ignacio?

—Bájame, padre.

—¿Te sientes mal?

—Sí.

—Te llevaré a Tonaya a como dé lugar. Allí encontraré quien te cuide. Dicen que allí hay un doctor. Yo te llevaré con él. Te he traído cargando desde hace horas y no te dejaré tirado aquí para que acaben contigo quienes sean.

Se tambaleó un poco. Dio dos o tres pasos de lado y volvió a enderezarse.

—Te llevaré a Tonaya.

—Bájame.

Su voz se hizo quedita[30], apenas murmurada:

—Quiero acostarme un rato.

—Duérmete allí arriba. Al cabo te llevo bien agarrado[31].

La luna iba subiendo, casi azul, sobre un cielo claro. La cara del viejo, mojada en sudor, se llenó de luz. Escondió los ojos para no mirar de frente, ya que no podía agachar[32] la cabeza agarrotada[33] entre las manos de su hijo.

—Todo esto que hago, no lo hago por usted. Lo hago por su difunta[34] madre. Porque usted fue su hijo. Por eso lo hago. Ella me reconvendría[35] si yo lo hubiera dejado tirado allí, donde lo encontré, y no lo hubiera recogido para llevarlo a que lo curen, como estoy haciéndolo. Es ella la que me da ánimos, no usted. Comenzando porque a usted no le debo más que puras dificultades, puras mortificaciones[36], puras vergüenzas[37].

Sudaba[38] al hablar. Pero el viento de la noche le secaba el sudor. Y sobre el sudor seco, volvía a sudar.

—Me derrengaré[39], pero llegaré con usted a Tonaya, para que le alivien[40] esas heridas[41] que le han hecho. Y estoy seguro de que, en cuanto se sienta usted bien, volverá a sus malos pasos. Eso ya no me importa. Con tal que se vaya lejos, donde yo no vuelva a saber de usted. Con tal de eso... Porque para mí usted ya no es mi hijo. He maldecido[42] la sangre que usted tiene de mí. La parte que a mí me tocaba la he maldecido. He dicho: "¡Qué se le pudra[43] en los riñones[44] la sangre que yo le di!". Lo dije desde que supe que usted andaba trajinando[45] por los caminos, viviendo del robo y matando gente... Y gente buena. Y si no, allí está mi compadre Tranquilino. El que lo bautizó[46] a usted. El que le dio su nombre. A él también le tocó la mala suerte de encontrarse con usted. Desde entonces dije: "Ése no puede ser mi hijo".

—Mira a ver si ya ves algo. O si oyes algo. Tú que puedes hacerlo desde allá arriba, porque yo me siento sordo[47].

—No veo nada.

—Peor para ti, Ignacio.

—Tengo sed.

—¡Aguántate[48]! Ya debemos estar cerca. Lo que pasa es que ya es muy noche y han de haber apagado la luz en el pueblo. Pero al menos debías de oír si ladran los perros. Haz por oír.

—Dame agua.

—Aquí no hay agua. No hay más que piedras. Aguántate. Y aunque la hubiera, no te bajaría a tomar agua. Nadie me ayudaría a subirte otra vez y yo solo no puedo.

—Tengo mucha sed y mucho sueño.

—Me acuerdo cuando naciste. Así eras entonces. Despertabas con hambre y comías para volver a dormirte. Y tu madre te daba agua, porque ya te habías acabado la leche de ella. No tenías llenadero[49]. Y eras muy rabioso[50]. Nunca pensé que con el tiempo se te fuera a subir aquella rabia a la cabeza... Pero así fue. Tu madre, que descanse en paz, quería que te criaras[51]

[30]quiet   [31]tight   [32]to lower   [33]clutched   [34]deceased
[35]would reproach me   [36]mortifications   [37]shame
[38]He perspired   [39]go lame   [40]relieve   [41]wounds
[42]cursed   [43]rot   [44]kidneys   [45]rushing about
[46]baptized   [47]deaf   [48]Hang on!   [49]You were insatiable   [50]angry   [51]grow up

fuerte. Creía que cuando tú crecieras irías a ser su sostén. No te tuvo más que a ti. El otro hijo que iba a tener la mató. Y tú la hubieras matado otra vez si ella estuviera viva a estas alturas.

Sintió que el hombre aquel que llevaba sobre sus hombros dejó de apretar[52] las rodillas y comenzó a soltar los pies, balanceándolos[53] de un lado para otro.
Y le pareció que la cabeza, allá arriba, se sacudía como si sollozara[54].

Sobre su cabello sintió que caían gruesas gotas[55], como de lágrimas.

—¿Lloras, Ignacio? Lo hace llorar a usted el recuerdo de su madre, ¿verdad? Pero nunca hizo usted nada por ella. Nos pagó siempre mal. Parece que en lugar de cariño, le hubiéramos retacado[56] el cuerpo de maldad. ¿Y ya ve? Ahora lo han herido. ¿Qué pasó con sus amigos? Los mataron a todos. Pero ellos no tenían a nadie. Ellos bien hubieran podido decir: "No tenemos a quién darle nuestra lástima". ¿Pero usted, Ignacio?

Allí estaba ya el pueblo. Vio brillar los tejados bajo la luz de la luna. Tuvo la impresión de que lo aplastaba el peso de su hijo al sentir que las corvas[57] se le doblaban en el último esfuerzo. Al llegar al primer tejaván[58], se recostó sobre el pretil de la acera[59] y soltó el cuerpo, flojo, como si lo hubieran descoyuntado[60].

Destrabó[61] difícilmente los dedos con que su hijo había venido sosteniéndose de su cuello y, al quedar libre, oyó cómo por todas partes ladraban los perros.

—¿Y tú no los oías, Ignacio? —dijo—. No me ayudaste ni siquiera con esta esperanza.

[52]to press   [53]shifting him   [54]sobbing   [55]drops   [56]hit you   [57]backs of the knees   [58]shed   [59]base of a wall   [60]disjointed   [61]He untangled

# A ¿Qué recuerda Ud.?

1. ¿Por qué el viejo lleva a su hijo cargado en la espalda?
2. ¿Qué ayuda espera el viejo encontrar en Tonaya?
3. ¿Por qué el viejo no quiere bajar a su hijo hasta llegar al pueblo?
4. ¿Qué cosas malas hizo el hijo?
5. ¿Por qué los dos hombres quieren oír ladrar los perros?
6. ¿Qué le pasó a la madre, según lo que cuenta el viejo?
7. ¿Qué le dice el viejo al hijo cuando éste le dice que quiere acostarse un rato?

Hombre de pueblo.

# B Algo personal

1. ¿Está de acuerdo con el comportamiento del viejo con respecto a su hijo?
2. ¿Qué haría Ud. en esa misma situación? ¿Por qué?
3. ¿Cree que el viejo ayuda al hijo sólo por respeto a la memoria de la madre muerta? Explique su respuesta.
4. ¿Cree que todavía existe el mundo que describe la historia?
5. ¿Le gusta el estilo literario de Juan Rulfo? Explique por qué.

# Ud. escribe

**Combining sentences**

In order to make your writing more fluid and less repetitious, you can combine two or more simple sentences into one. To combine sentences, you can use coordinating conjunctions such as *y, pero, que, al mismo tiempo*. You can also use words and expressions commonly used to connect ideas, such as *entonces, porque, también, mientras*. For example, rather than writing *Gloria está sentada en el sofá. Ella está mirando la televisión*, you can eliminate unnecessary words and combine the two sentences: *Gloria está sentada en el sofá porque está mirando la televisión*. Here is a valuable list of connecting words.

| | |
|---|---|
| *también* | also |
| *y* | and |
| *pero* | but |
| *porque* | because |
| *mientras* | while |
| *al mismo tiempo* | at the same time |
| *además* | besides, furthermore |

Imagine que va a filmar *(film)* una escena de una película sobre cómo colaboran en la casa los miembros de una familia. En un párrafo, escriba las instrucciones para la escena. Puede escribir sobre su propia familia u otra imaginaria. Primero, organice sus ideas en una tabla como la de abajo. Esta tabla debe identificar a cada miembro de la familia, decir dónde está, y describir lo que está haciendo. Puede hacer más interesantes sus instrucciones agregando una cuarta columna con más detalles sobre cada persona. Luego, use la información de su tabla para escribir el párrafo. Puede usar la lista de arriba para combinar oraciones.

| Los quehaceres del sábado | | |
|---|---|---|
| **miembro de la famila** | **lugar** | **quehacer** |
| Mamá | el jardín | cortar flores |
| Papá | delante de la casa | lavar el coche |
| Timoteo | el jardín | cortar el césped |

# Proyectos adicionales

## A Conexión con otras disciplinas: literatura

Hay una gran variedad de premios de literatura en los países de habla hispana. Imagine que escribió un cuento en español y que quiere participar en un concurso literario. Busque en la internet información sobre los premios que se dan en los concursos de literatura en los países de habla hispana. Incluya información como la siguiente:

- nombre del premio
- país que da el premio
- escritores que ya han ganado el premio
- títulos de las obras que han ganado el premio

Organice en una tabla la información que halló y úsela para hacer una presentación oral sobre los premios de literatura que conoce.

## B Conexión con la tecnología

La ciudad de Sacramento, capital del estado de California, con su gran comunidad de habla hispana, tiene una historia muy interesante y una gran variedad de atracciones para los turistas. Busque en la internet información sobre esta ciudad y úsela para crear un cartel sobre Sacramento. Incluya detalles sobre su historia, su gente, su cocina, su arquitectura y sus atracciones turísticas, como el Museo de la Wells Fargo o el Fuerte de Sutter. Agregue fotos de Sacramento. Pegue el cartel junto con los de sus compañeros en la exposición de la clase.

## C Comparaciones

Compare un mural de la muralista norteamericana Marion Greenwood con el de un muralista mexicano como, por ejemplo, José Clemente Orozco o David Alfaro Siqueiros. Busque en la internet las imágenes y la información que necesita para hacer su comparación. Preste atención a las semejanzas (similarities) y diferencias entre los elementos de los murales, tales como el lugar donde se encuentran, sus temas, sus colores, sus estilos, y otros elementos importantes. Organice sus ideas en una tabla como la de abajo. Luego, escriba un párrafo con la información de la tabla sobre las dos obras.

| título del mural de Marion Greenwood | título del mural de un muralista mexicano |
| --- | --- |
| lugar | lugar |
| tema | tema |
| colores | colores |
| estilo | estilo |
| otros elementos importantes | otros elementos importantes |

# Repaso

| Now that I have completed this chapter, I can... | Go to these pages for help: |
|---|---|
| describe family members. | 50, 51 |
| express negation and disagreement. | 54, 55 |
| name different areas of a house and household items | 58, 59 |
| talk about activities in progress. | 63 |
| make generalized statements. | 66 |
| talk about daily routine. | 70, 74 |
| describe emotions and relationships. | 76 |
| talk about house chores. | 80 |
| tell others what to do. | 84 |

**I can also...**

| | |
|---|---|
| Explain why so many people use "Spanglish." | 53 |
| identify some things to do in La Pequeña Habana. | 57 |
| talk about a popular festival in San Antonio. | 61 |
| read about a well-known Mexican-American artist. | 68 |
| discuss marketing strategies that appeal to Hispanic communities in the U.S. | 73 |
| read about Hispanic communities in New York. | 83 |
| describe life in a Spanish ranch in Santa Fe. | 88 |
| read a short story by a Mexican writer. | 91 |

# Trabalenguas

No me mires que nos miran,
nos miran que nos miramos,
miremos que no nos miren
y cuando no nos miren
nos miraremos,
porque si nos miramos
descubrir pueden
que nos amamos.

# Vocabulario

**abrazarse** to hug each other *2B*
**acá** here *2B*
la **almohada** pillow *2B*
la **barba** beard *2A*
el **basurero** garbage can *2A*
**besarse** to kiss each other *2B*
el **bigote** mustache *2A*
la **caja** box *2A*
la **calefacción** heating *2A*
**casado,-a** married *2A*
**castaño,-a** brown or hazel *2A*
el **cepillo de dientes** toothbrush *2B*
**clavar** to nail *2A*
el **clavo** nail *2A*
la **cobija** blanket *2B*
el **colchón** mattress *2B*
la **cómoda** chest of drawers, bureau *2B*
**conectar** to connect *2A*
**construir (y)** to build *2A*
el **cortacésped** lawnmower *2A*
el **cubrecamas** bedcover *2B*
la **cuñada** sister-in-law *2A*
el **cuñado** brother-in-law *2A*
**decorar** to decorate *2A*
**delante de** in front of *2A*
**dentro de** inside of *2B*
**desarmar** to take apart *2A*
el **desorden** disorder *2B*
**desordenado,-a** messy *2B*
el **destornillador** screwdriver *2A*
la **desventaja** disadvantage *2B*

el **detector de humo** smoke detector *2A*
**a diferencia de** unlike, contrary to *2A*
**enchufar** to plug in *2A*
**enfrente de** facing, in front of *2B*
**enojarse** to get angry *2B*
el **esmalte de uñas** nail polish *2B*
el **estante** shelving, bookcase *2B*
el **extinguidor de incendios** fire extinguisher *2A*
**faltar** to be missing *2B*
**fuera de** out of *2B*
**funcionar** to function, to work *2A*
la **funda** pillow case *2B*
**furioso,-a** furious *2B*
los **gemelos,** las **gemelas** twins *2A*
**guardar** to put away, to keep *2B*
**impaciente** impatient *2B*
**lacio** straight (hair) *2A*
el **lápiz de labios** lipstick *2B*
los **lentes** glasses *2A*
la **madrina** godmother *2A*
**mandón, mandona** bossy *2A*
el **martillo** hammer *2A*
la **mesa de noche** night table *2B*
**mojado,-a** wet *2B*
la **nuera** daughter-in-law *2A*
**numeroso,-a** large *(in numbers) 2B*

**ordenado,-a** neat *2B*
**paciente** patient *2B*
el **padrino** godfather *2A*
el **pasillo** hall, corridor *2A*
la **pasta de dientes** toothpaste *2B*
**pelearse** to fight *2B*
la **percha** hanger *2B*
**pintarse los labios** to put on lipstick *2B*
**ponerse** to become, to get *2B*
**prepararse** to prepare, to get ready *2B*
**propio,-a** one's own *2A*
**regar (ie)** to water *2A*
**rizado,-a** curly *2A*
la **sábana** sheet *2B*
**sacar fotos** to take pictures *2A*
el **secador de pelo** hair dryer *2B*
**secarse** to dry *(oneself) 2B*
el **sofá** sofa *2B*
**soltero,-a** single *2A*
la **suegra** mother-in-law *2A*
el **suegro** father-in-law *2A*
el **suelo** floor *2A*
la **terraza** terrace *2A*
**tocar** to be someone's turn *2B*
el **tornillo** screw *2A*
**vaciar** to empty *2A*
la **ventaja** advantage *2B*
**viudo,-a** widower, widow, widowed *2A*
el **yerno** son-in-law *2A*

Las gemelas.

Una cómoda.

# Capítulo 3

## ¿Qué pasa en el mundo?

### Objetivos

- ❖ classify news in corresponding sections
- ❖ talk about activities of the media
- ❖ talk about how long something has been going on
- ❖ comment on news and events in the media
- ❖ recall and talk about events in the past
- ❖ react to news events
- ❖ link parts of sentences

**Visit the web-based activities at www.emcp.com**

España

# Vocabulario I

## ¿Qué dicen los titulares?

## 1 ¿Qué sección del periódico?

¿En qué secciones aparecieron estas noticias? Indique la letra de la ilustración de la sección que corresponde a cada noticia que escucha.

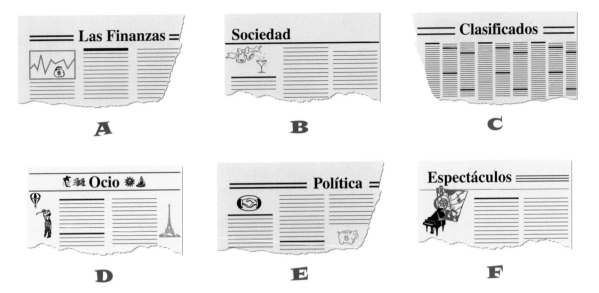

A          B          C

D          E          F

## 2 ¿Qué palabra es?

Complete las oraciones con las palabras de la caja.

| | | |
|---|---|---|
| crucigrama | tuvo lugar | clasificados |
| averiguar | sucedió | suplemento dominical |

1. El discurso ___ en el Palacio de la Moncloa.
2. Todos los domingos mi familia y yo leemos el ___.
3. No pude encontrar la última palabra del ___.
4. El accidente ___ en una calle cerca de mi casa.
5. No pudimos ___ qué sucedió ese día en la casa de Elena.
6. Encontré un trabajo fantástico en la sección de ___.

### Estrategia

**Identify words by their grammatical function**
When you're asked to fill in sentences with words from a list, try to figure out the grammatical function of the missing word: Is it a noun?, a verb?, an adjective? Then, go back to the word list and find a word that fits into that category. You'll see how much easier it will be to identify the missing word.

Un periódico de Galicia.

# Diálogo I

## ¿Qué pasó?

JOSÉ: ¿Leíste la sección de deportes de hoy, Carlos?
CARLOS: No, ¿qué sucedió?
JOSÉ: Enrique, el mejor jugador de baloncesto del Barcelona, se fue del equipo.
CARLOS: ¿Estás seguro?

JOSÉ: Sí, lo leí aquí... mira.
CARLOS: No lo puedo creer. Pero, ¿por qué?
JOSÉ: Se peleó con el presidente del equipo.
CARLOS: ¿Por qué?
JOSÉ: El presidente dio un discurso que a Enrique no le gustó.

CARLOS: ¿Jugó Enrique el partido de anoche?
JOSÉ: No, pero según la programación de televisión, va a jugar esta noche y van a dar el partido por TV1.
CARLOS: ¿Lo vemos?
JOSÉ: Bueno.

## 3 ¿Qué recuerda Ud.?

1. ¿Qué leyó José en la sección de deportes?
2. ¿Por qué se fue el jugador del equipo?
3. ¿Sobre qué fue la pelea?

4. ¿Qué dice la programación de televisión?
5. ¿En qué canal van a dar el partido?

## 4 Algo personal

1. ¿Qué sección del periódico lee Ud. con más frecuencia? ¿Por qué?
2. ¿Lee Ud. el suplemento dominical? ¿Qué sección le gusta más?
3. ¿Leyó Ud. alguna noticia importante esta semana? ¿Sobre qué?
4. ¿Cómo se entera Ud. mejor de las noticias, por el periódico, por la radio, por la televisión o por la internet?

## 5 ¿En qué sección está?

))) Escuche las siguientes noticias correspondientes a cada foto y las secciones en que pueden aparecer. Escoja la letra de la sección correcta.

**1**

**2**

**3**

**4**

## Un *Aula*[1] muy especial

En 1999, los editores del periódico *El Mundo*, de España, tuvieron una idea magnífica: crearon un suplemento diario dedicado a los jóvenes estudiantes. El suplemento se llama *Aula* y se publica junto con el periódico. Cada día de la semana, *Aula* tiene un tema distinto: lunes didáctico, con artículos educativos, martes deportivo, miércoles solidaridad, con artículos sobre temas sociales como los derechos de los estudiantes, jueves científico y viernes cultural.

*Aula* tiene además una sección llamada Dazibao, en la cual los estudiantes expresan sus opiniones sobre temas de actualidad[2], intercambian puntos de vista[3], hacen preguntas o piden cualquier información que necesitan.

Los profesores también son parte de la familia de *Aula*. Ellos usan en sus clases muchos de los materiales que se publican en el suplemento y dan sugerencias[4] sobre los artículos que necesitan.

Una de las ideas más populares de *Aula* ha sido la creación de concursos de pintura, cuentos y poesía. Cada año, cientos de estudiantes envían sus trabajos artísticos y tienen oportunidad de leer y disfrutar[5] el trabajo de otros jóvenes de su misma edad. Hace poco, *Aula* creó un concurso de fotoperiodismo[6], donde los estudiantes pueden enviar sus propias fotos de algún suceso importante, curioso o simplemente cómico.

*Aula* ofrece concursos de pintura para los jóvenes.

[1]Classroom    [2]current events    [3]exchange points of view    [4]suggestions    [5]enjoy    [6]photojournalism

## 6 *Aula*, para los jóvenes

**Conteste las siguientes preguntas.**

1. ¿Qué es *Aula*?
2. ¿Qué tipo de artículos se publican en *Aula*?
3. ¿Qué objetivo tiene la sección Dazibao?
4. ¿Cómo participan los profesores en *Aula*?
5. ¿Cuál fue una de las ideas más populares de *Aula*?
6. ¿Cree que es una buena idea tener un suplemento como *Aula*? ¿Por qué?

### ¡Oportunidades!

**Siga la actualidad informativa en español**
Leer habitualmente periódicos en español es una excelente manera de practicar el idioma. En Estados Unidos es fácil encontrar ediciones de diarios escritos en español. Algunos, como *El Nuevo Herald*, de Miami, o el diario *Hoy*, de Nueva York, tienen una gran tirada *(print run)*. Otra fuente inagotable de periódicos en español es la internet, donde puede encontrar una amplia selección de diarios de cualquier país de habla hispana. Vale la pena analizar cómo están escritos esos periódicos, ver qué secciones tienen y qué temas interesan en cada país.

# Idioma

## Repaso rápido: el pretérito

You are already familiar with the use of the preterite tense to talk about past activities and events. Now, review how the preterite of regular verbs is formed.

| hablar | |
|---|---|
| hablé | hablamos |
| hablaste | hablasteis |
| habló | hablaron |

| comer | |
|---|---|
| comí | comimos |
| comiste | comisteis |
| comió | comieron |

| escribir | |
|---|---|
| escribí | escribimos |
| escribiste | escribisteis |
| escribió | escribieron |

Verbs that end in -car, -gar and -zar have a spelling change in the *yo* form of the preterite.

| $c \rightarrow qu$ | $g \rightarrow gu$ | $z \rightarrow c$ |
|---|---|---|
| bus**car** → bus**qué** | ju**gar** → ju**gué** | comen**zar** → comen**cé** |
| sa**car** → sa**qué** | lle**gar** → lle**gué** | cru**zar** → cru**cé** |

## 7 Una noche como todas

**Enrique le cuenta a un amigo lo que hizo ayer después de la escuela. Complete lo que dice con el pretérito de los verbos en paréntesis.**

MODELO Anoche no (suceder) nada especial.
Anoche no sucedió nada especial.

1. Yo (llegar) a casa a las cinco.
2. Después (buscar) la sección de ocio del periódico.
3. Luego, mi hermano y yo (tratar) de hacer el crucigrama.
4. A las seis mi papá (regresar) del trabajo.
5. Él (subir) a su cuarto y (comenzar) a leer el periódico.
6. Mi papá, mi hermano y yo (comer) juntos.
7. Mi mamá (llegar) tarde y no (comer).
8. Después de comer nosotros (mirar) las noticias por televisión.

**¡Extra!**

### Expresiones de tiempo

Estas expresiones de tiempo se usan a menudo con el pretérito.

| | |
|---|---|
| anoche | last night |
| anteanoche | night before last |
| anteayer | the day before yesterday |
| ayer | yesterday |
| de repente | suddenly |
| desde que | since |
| después | after |
| el año/mes pasado | last year/month |
| el otro día | the other day |
| la semana pasada | last week |

## 8 Comparación de actividades

Primero, compare sus actividades y las actividades de su familia ayer por la noche con las de Enrique en la actividad anterior. Luego, pregúntele a su compañero/a si a él o ella le sucedió lo mismo.

**MODELO**  **A:** Anoche Enrique llegó a casa a las cinco.
Yo también llegué a casa a las cinco.
Y tú, ¿a qué hora llegaste a tu casa?
**B:** Yo lleguéé a casa a las siete.

Yo llegué a casa a las cinco. ¿Y tú?

## Estructura

### Verbos irregulares en el pretérito I

There are several groups of irregular verbs in the preterite. Verbs that end in *-ir* and have an *e → ie* or *e → i* stem change in the present tense, also have a stem change in the preterite. The stem vowel changes from *e* to *i* only in the third person singular *(él, ella, Ud.)* and plural *(ellos, ellas, Uds.)* forms.

| sentirse | |
|---|---|
| me sentí | nos sentimos |
| te sentiste | os sentisteis |
| se s**i**ntió | se s**i**ntieron |

| dormir | |
|---|---|
| dormí | dormimos |
| dormiste | dormisteis |
| d**u**rmió | d**u**rmieron |

Other verbs like *sentirse: pedir, mentir, reírse, divertirse, vestirse, seguir, conseguir, preferir* and *repetir*.

The verbs *dormir* and *morir* have a stem change from *o* to *u* in the third person singular and plural forms.

The verbs *dar, ser* and *ir* are irregular in the preterite. *Ser* and *ir* have the same forms in the preterite. *Ver (vi, viste, vio...)* is conjugated like *dar (di, diste, dio...).*

| dar | |
|---|---|
| di | dimos |
| diste | disteis |
| dio | dieron |

| ser / ir | |
|---|---|
| fui | fui |
| fuiste | fuisteis |
| fue | fueron |

The verb *haber* has a single form, *hubo,* to express "there was"/"there were."

**Hubo** *un incendio en el barrio de Salamanca.*     **There was** a fire in the Salamanca neighborhood.

¿Qué dicen los periódicos?

### 9 Los titulares de ayer

Cree oraciones usando el pretérito según las indicaciones.

**MODELO** nosotros lo / leer en el periódico de ayer
Nosotros lo leímos en el periódico de ayer.

1. ayer el gobernador / dormirse durante una reunión de prensa
2. el director del museo / dar un discurso sobre el arte de Velázquez
3. los obreros de la empresa Vidal / conseguir el aumento
4. los estudiantes del Instituto Cervantes / pedir más días de vacaciones
5. la reina Sofía / ir a un concierto en el Auditorio Nacional
6. dos mujeres y un niño / morir en un accidente de tráfico
7. muchas personas / sentirse mal después de cenar en un restaurante del centro
8. la gente del barrio de Salamanca / ver con sorpresa llegar al presidente
9. haber / un accidente terrible en la Gran Vía

### 10 Mini-diálogos

Complete cada diálogo con el verbo adecuado de la caja en la forma correspondiente del pretérito. Puede usar algunos verbos más de una vez.

| conseguir | ser | pedir | ir |
|-----------|-----|-------|-----|
| divertirse | ver | dar | sentirse |

1. **A:** ¿Sabes que el presidente __ un discurso ayer?
   **B:** No. ¿ __ tú a verlo?
   **A:** No, lo __ por televisión.
2. **A:** ¿ __ tú en la sección de sociedad que Margarita se casó?
   **B:** ¡Claro! Mis padres __ a su boda y __ muchísimo.
   **A:** Y Margarita, ¿cómo __ ella?
   **B:** Muy emocionada.
3. **A:** ¿ __ Uds. la información en la internet?
   **B:** No, nosotros __ a la biblioteca y le __ ayuda a la bibliotecaria.
4. **A:** ¿Sabes que ayer __ un programa en inglés por el canal TV2?
   **B:** ¿Te gustó?
   **A:** Sí, __ estupendo.

Leí en la sección de sociedad que Margarita se casó.

# Comunicación

## 11 Una boda

Imagínese que usted es reportero/a y tiene que escribir un artículo sobre una boda para la sección de sociedad del periódico. Con un(a) compañero/a, usen las siguientes preguntas como guía para escribir su artículo. Luego, presenten su artículo frente a la clase. La clase va a decidir cuál es el artículo más creativo.

- ¿Quién se casó?
- ¿Quiénes fueron a la boda?
- ¿Qué regalos les dieron a los novios?
- ¿Cómo se sintió la novia? ¿y el novio?
- ¿Alguien dio un discurso?

- ¿Dónde fue la boda?
- ¿Qué comida sirvieron?
- ¿Se divirtieron todos? ¿Qué hicieron?
- ¿Cómo fue la boda?
- ¿Cómo fue el discurso?

## Estructura

### Verbos irregulares en el pretérito II

Verbs that end in *-aer, -eer, -uir,* as well as the verb *oír,* change the *i* to *y* in the third person singular and plural forms. With the exception of verbs ending in *-uir,* these verbs have a written accent on the *i* of all the preterite forms.

| leer | |
|---|---|
| leí | leímos |
| leíste | leísteis |
| le**y**ó | le**y**eron |

| contribuir | |
|---|---|
| contribuí | contribuimos |
| contribuiste | contribuisteis |
| contribu**y**ó | contribu**y**eron |

Other verbs like *leer* (to read) and *contribuir* (to contribute) are *oír* (to listen), *caerse* (to fall down), *destruir* (to destroy) and *construir* (to build).

The following verbs share the same endings in the preterite and have irregular preterite stems.

| verb | stem | ending | verb | stem | ending |
|---|---|---|---|---|---|
| estar: | **estuv-** | | conducir: | **conduj-** | -e |
| poder: | **pud-** | -e | decir: | **dij-** | -iste |
| poner: | **pus-** | -iste | traer: | **traj-** | -o |
| saber: | **sup-** | -o | | | -imos |
| querer: | **quis-** | -imos | | | -isteis |
| saber: | **sup-** | -isteis | | | -eron |
| tener: | **tuv-** | -ieron | | | |
| venir: | **vin-** | | | | |

# Práctica

## 12 Hablando de noticias

**Diga lo que hicieron estos jóvenes usando los elementos dados.**

**MODELO** tú / no poder / oír el discurso que dio el rey
Tú no pudiste oír el discurso que dio el rey.

1. Esteban / leer / un artículo sobre la economía del país
2. Antonio / oír en la radio / una entrevista con el presidente
3. Laura y Marta / hacer / una encuesta acerca de las revistas que leen los jóvenes
4. Pablo y yo / traer / varias fotos para poner en nuestro artículo
5. yo / poner / un anuncio en la sección de clasificados
6. mis amigos / contribuir / con varios artículos sobre el concierto de anoche

El rey Juan Carlos de España.

## 13 Excusas

**Use la forma del pretérito de los verbos para completar las excusas siguientes.**

1. Perdón, yo *(estar)* enferma y por eso no *(poder)* hacer la tarea.
2. ¡Pobre Laura! Ella no *(saber)* la respuesta porque no *(tener)* tiempo para estudiar.
3. Carlos no *(leer)* la novela porque no la *(conseguir)* en la biblioteca.
4. ¡Qué pena! Nadie me *(decir)* ayer que mi abuela *(venir)* a visitarnos.
5. ¡Ay! Nadie *(traer)* la tarea a la clase hoy, por eso la profesora no *(querer)* explicar nada nuevo y *(irse)* sin saludarnos.
6. Mis hermanos *(caerse)* y yo *(tener)* que cuidarlos.
7. Nosotros *(oír)* que el partido no *(tener)* lugar porque el huracán *(destruir)* el estadio.

# Comunicación

## 14 Entrevista

**Entreviste a un(a) compañero/a sobre sus actividades el fin de semana pasado. Puede usar la siguiente información y añadir otras ideas. Luego, comparen sus respuestas.**

- qué hizo el fin de semana pasado
- adónde fue
- cómo fue
- con quién o quiénes salió
- si practicó algún deporte
- si fue a una fiesta
- qué ropa se puso
- si se divirtió o no

## 15 Un paseo por Madrid

Ud. está de vacaciones en Madrid y quiere obtener más información sobre la parte antigua de la ciudad. Lea el siguiente artículo que un reportero escribió sobre sus experiencias en la ciudad y conteste las preguntas.

**Turismo**

# Un paseo por el antiguo Madrid

Comenzamos el paseo en la Plaza Mayor. Nos dijeron que hasta el siglo pasado, la Plaza Mayor fue escenario de muchos eventos públicos, como corridas de toros, ejecuciones[1] y fiestas con bailes y teatro. Bajo sus arcadas[2] vimos tiendas de paños[3], joyerías y pastelerías. Seguimos por la Calle Mayor hasta llegar a la Casa de la Villa, donde se encuentra el Ayuntamiento[4]. Quisimos entrar allí pero no pudimos porque estaba cerrado. Continuamos por la Cava Baja, una calle donde hay muchos restaurantes con el sabor del viejo Madrid. Entramos en uno de ellos y nos trajeron unas tapas deliciosas. Estuvimos allí más de dos horas. El dueño[5] del restaurante vino a saludarnos y luego nos sirvió unas natillas[6] exquisitas de postre. Regresamos al hotel cansados pero felices. Fue una experiencia maravillosa.

[1]executions  [2]arcades  [3]fabric  [4]town hall  [5]owner  [6]cream custard

1. ¿Dónde comenzaron el paseo?
2. ¿Qué les dijeron acerca de la Plaza Mayor?
3. ¿Qué vieron allí?
4. ¿Por dónde siguieron?
5. ¿Dónde quisieron entrar? ¿Pudieron hacerlo?
6. ¿Adónde fueron después?
7. ¿Qué les trajeron en el restaurante?
8. ¿Quién vino a saludarlos allí?
9. ¿Qué les sirvieron de postre?
10. ¿Cómo se sintieron cuando regresaron al hotel?
11. ¿Cómo fue la experiencia?

La Plaza Mayor, Madrid.

## 16 Un paseo por mi ciudad

Con su compañero/a, escriban un artículo sobre un paseo por su pueblo o ciudad usando el pretérito de los verbos que aprendieron. Luego, presenten su artículo a la clase.

Un pueblo.

Los actores agradecían a su público.

Por supuesto, había muchas ruedas de prensa con los actores.

Algunos reporteros escribían los reportajes en sus ordenadores.

## 17 ¿Qué sucedía en el festival?

Escuche las siguientes situaciones. Seleccione la letra de la foto que corresponde con lo que oye.

A    B    C

D    E    F

## 18 Definiciones

Indique a qué palabra se refiere cada definición. Luego, escriba oraciones con tres de las palabras.

1. decir gracias por algo
2. cuando una película se pasa por primera vez
3. hacer preguntas a alguien sobre algo
4. aparato que se usa para sacar fotos digitales
5. grabar escenas con una videocámara digital
6. aparato que se usa para escribir y usar la internet
7. lo que una persona piensa sobre un tema
8. cuando se le da algo a alguien

A. agradecer
B. cámara digital
C. entrega
D. entrevistar
E. estreno
F. filmar
G. opinión
H. ordenador

# Diálogo II

## La entrevista

JOSÉ: ¿Hace cuánto tiempo que trabaja como reportera?

REPORTERA: Empecé a trabajar como reportera hace veinte años.

CARLOS: ¿Qué hacía al principio de su carrera?

REPORTERA: Iba con otros reporteros a hacer entrevistas.

JOSÉ: ¿Cómo se hacían los reportajes antes?

REPORTERA: Escribíamos las preguntas y respuestas en papel y sacábamos fotos.

JOSÉ: ¿Usaba el ordenador para escribir los artículos?

REPORTERA: No, porque no había ordenadores.

JOSÉ: ¿Le gustaba ir a las ruedas de prensa?

REPORTERA: Sí, pero prefería entrevistar yo sola.

CARLOS: ¿Era más difícil o más fácil entrevistar a gente famosa?

REPORTERA: Era más fácil porque había menos reporteros.

## 19 ¿Qué recuerda Ud.?

1. ¿Hace cuánto tiempo que empezó a trabajar la reportera?
2. ¿Qué hacía la reportera al principio?
3. ¿Cómo se hacían los reportajes antes?
4. ¿Por qué no usaba la reportera el ordenador para escribir los artículos?
5. ¿Por qué era más fácil antes entrevistar a personas famosas?

**¡Extra!**

**En otras palabras**
En España se dice el ordenador en vez de la computadora.

## 20 Algo personal

1. ¿Fue Ud. alguna vez a un festival de cine? ¿Qué películas vio?
2. ¿Qué piensa del trabajo de un(a) reportero/a? ¿Le gustaría hacer ese trabajo?
3. ¿Qué usaba antes de los ordenadores para enviar mensajes a sus amigos/as?
4. ¿Cuáles eran sus actividades favoritas hace cinco años?

## 21 Reportaje a un director

))) Escuche la siguiente entrevista a un famoso director de cine de los años sesenta. Luego, conteste las preguntas. Puede tomar apuntes *(take notes)* mientras escucha.

1. ¿Qué tipo de películas hacía al principio de su carrera?
2. ¿Le gustaba participar en los festivales de cine?
3. ¿Asistía a las ceremonias de entrega de premios?
4. ¿Iba a los estrenos de sus películas?
5. ¿Por qué no usaba videocámaras digitales para grabar?

## El Festival Internacional de Cine de San Sebastián

San Sebastián es una hermosa ciudad del norte de España, cerca de Francia. Desde hace tiempo, esta ciudad, famosa por su hermosa playa de La Concha, se ha convertido[1] en uno de los centros culturales más populares de Europa. Una de las razones es que aquí se celebra todos los años el Festival Internacional de Cine de San Sebastián.

La playa de La Concha.

En 1953, diez hombres de negocios decidieron organizar un festival de cine. El primero fue muy modesto. Participaron muy pocas películas y no hubo un premio oficial. Sin embargo, al año siguiente todo cambió.

La Asociación Internacional de Productores de Films incluyó[2] al festival de San Sebastián entre sus

Emmanuelle Beart y Jerzy Radziwilowicz en el Festival.

eventos oficiales. Ese año, la estrella del festival fue la actriz estadounidense Gloria Swanson, una de las mujeres más famosas del mundo del cine. Con ella, Hollywood entró en San Sebastián.

En 1958 el festival era tan importante que el legendario director Alfred Hitchcock participó con su película *Vértigo*, un verdadero clásico de la historia del cine. A partir de ese momento, San Sebastián fue uno de los festivales de cine más importantes del mundo. Cada septiembre desfilan[3] por su alfombra roja no sólo las figuras más conocidas del cine europeo sino también las más grandes estrellas de Hollywood.

[1]has become    [2]included    [3]parade

## 22 El Festival Internacional de Cine de San Sebastián

**Conteste las siguientes preguntas.**

1. ¿Por qué era famosa San Sebastián antes de tener su festival de cine?
2. ¿Cuándo fue el primer Festival de Cine de San Sebastián? ¿Quiénes lo organizaron?
3. ¿Por qué dice el artículo que "al año siguiente todo cambió"?
4. ¿Por qué fue importante la actriz Gloria Swanson para el festival?
5. ¿A partir de qué evento se convirtió San Sebastián en uno de los festivales de cine más importantes del mundo?

#  Idioma

## Repaso rápido: expresiones de tiempo con *hace*

To talk about how long something has been going on, use *hace* followed by an expression of time plus *que* and the present tense of the verb.

| | |
|---|---|
| *¿Cuánto tiempo **hace que** lees periódicos en español?* | How long have you been reading newspapers in Spanish? |
| ***Hace** dos años **que** leo periódicos en español.* | I've been reading newspapers in Spanish for two years. |

To talk about how long ago an event took place, use *hace* followed by an expression of time plus *que* and the preterite tense of the verb.

| | |
|---|---|
| *¿Cuánto tiempo **hace que** empezaste el crucigrama?* | How long ago did you start the crossword puzzle? |
| *Lo empecé **hace dos horas**.* | I started it two hours ago. |

### 23 ¿Cuánto tiempo hace?

Pregúntele a su compañero/a cuánto tiempo hace que hizo las actividades siguientes. Después, pueden agregar otras actividades más.

MODELO llegar al colegio

**A:** ¿Cuánto tiempo hace que llegaste al colegio?
**B:** Llegué hace una hora.

1. levantarse
2. terminar de hacer la tarea
3. hacer un crucigrama
4. ver una película cómica
5. ir a una fiesta
6. leer el suplemento dominical

### 24 Fechas importantes

Lea con su compañero/a esta lista de fechas importantes. Luego, túrnense para decir cuánto tiempo hace que tuvieron lugar esos sucesos. Pueden agregar otros sucesos más.

1. Cervantes escribió *Don Quijote* (1605)
2. Estados Unidos obtuvo la independencia (1776)
3. Murió Federico García Lorca (1936)
4. Se construyó el museo Guggenheim de Bilbao (1997)
5. El hombre llegó a la Luna (1969)
6. Tuvo lugar la Guerra Civil (1861–1865)

El Museo Guggenheim de Bilbao.

### El imperfecto

You are already familiar with the use of the imperfect tense to talk about actions in the past. To form the imperfect, remove the *-ar, -er* or *-ir* ending of the infinitive form and add the endings listed below.

| hablar | comer | vivir |
|---|---|---|
| hablaba | comía | vivía |
| hablabas | comías | vivías |
| hablaba | comía | vivía |
| hablábamos | comíamos | vivíamos |
| hablabais | comíais | vivíais |
| hablaban | comían | vivían |

There are three irregular verbs in the imperfect.

| ir | ser | ver |
|---|---|---|
| iba | era | veía |
| ibas | eras | veías |
| iba | era | veía |
| íbamos | éramos | veíamos |
| ibais | erais | veíais |
| iban | eran | veían |

Una entrega de premios.

The imperfect has many uses when one is talking about the past. Use the imperfect to describe ongoing, habitual or repetitive past actions and routines.

*Cuando **era** pequeño **me gustaba** escribir cuentos.*

When **I was** little **I liked** to write stories.

*Mi padre **trabajaba** para un periódico.*

My father **used to work** for a newspaper.

Use the imperfect to set the scene and describe the background in a narration in the past.

***Eran** las dos de la tarde.*

**It was** two o'clock in the afternoon.

***Había** mucha gente en la entrega de premios.*

**There were** a lot of people at the awards ceremony.

Use the imperfect to describe moods, feelings, intentions or thoughts when talking about the past.

***Tenía** muchas ganas de entrevistar a alguien famoso.*

I really **wanted** to interview somebody famous.

# Práctica

## 25 Vida de periodista

María Antonia trabajaba de periodista para *La Vanguardia*, un periódico de Barcelona. Escriba lo que ella y sus colegas hacían usando el imperfecto.

1. María Antonia / entrevistar a mucha gente conocida
2. ella y los otros reporteros / compartir el trabajo con los fotógrafos
3. los fotógrafos / ir a las ruedas de prensa
4. ellos / sacar muchas fotos durante las sesiones fotográficas
5. a veces / María Antonia / asistir a los estrenos de películas
6. en el teatro / todos los reporteros / ver a artistas muy famosos
7. durante la ceremonia de entrega de premios / los artistas / agradecer al público
8. para María Antonia / los festivales de cine / ser /una experiencia maravillosa

## 26 Un sábado por la mañana

Complete el siguiente párrafo con el imperfecto del verbo entre paréntesis.

*(1. ser)* un sábado por la tarde. *(2. hacer)* mucho frío y no *(3. haber)* mucha gente en la calle. El cielo *(4. estar)* nublado. Yo *(5. caminar)* por el barrio cuando vi en una esquina a un grupo de chicas que *(6. hablar)* con un hombre. Ellas *(7. parecer)* muy contentas. El hombre *(8. ser)* Alejandro Sanz, el famoso cantante español. Las chicas y yo *(9. querer)* pedirle un autógrafo pero Alejandro no *(10. poder)* porque ya *(11. ser)* las seis de la tarde y él *(12. tener)* que regresar al hotel. ¡Qué lástima!

## 27 Cuando éramos pequeños

Daniel y sus amigos hablan de cuando eran pequeños. Describe lo que hacían usando palabras o expresiones de cada columna. Complete las oraciones de una manera original.

MODELO A veces, Beatriz se peleaba con su hermana mayor.

| I | II | III |
|---|---|---|
| a menudo | Beatriz | ir |
| a veces | Jorge y yo | leer |
| de vez en cuando | yo | compartir |
| todos los días/meses | Uds. | vestirse |
| por lo general | Laura y Rosa | construir |
| | tú | pelearse |
| | | romper |
| | | caerse |
| | | dibujar |
| | | ver |

### ¡Extra!

**Expresiones de tiempo**

Estas expresiones de tiempo se usan a menudo con el imperfecto.

| | |
|---|---|
| a menudo | often |
| a veces | at times |
| antes | before |
| cada año/semana | every year/week |
| de vez en cuando | from time to time |
| en aquella época | in that time |
| por aquel entonces | at that time |
| por lo general | in general |
| todos los días/meses | every day/month |

# ◈ Comunicación

### 28 ¿Cómo eras?

Conteste las siguientes preguntas sobre cómo era su vida a los doce años. Luego, use las mismas preguntas para entrevistar a un(a) compañero/a. Si quiere, puede inventar más preguntas. Después, comparen sus respuestas.

1. ¿Cómo eras? ¿A quién te parecías?
2. ¿Dónde vivías? ¿Cómo era tu casa o apartamento?
3. ¿Tenías tu propio cuarto? ¿Qué había allí?
4. ¿A qué escuela ibas?
5. ¿Quién era tu mejor amigo o amiga? ¿Cómo era?
6. ¿Tenías un ordenador? ¿Lo sabías usar?
7. ¿Qué hacías para divertirte?
8. ¿Qué cosas te molestaban?
9. ¿Qué puedes hacer ahora que no podías hacer antes?

### 29 Reportero/a por un día

Imagine que es reportero/a y que tiene que escribir artículos sobre los siguientes sucesos. Con su compañero/a, escriban por lo menos tres oraciones en el imperfecto para describir cada uno. Incluyan *(Include)* el lugar, el tiempo, la hora, lo que hacían las personas y cómo se sentían. Presenten sus artículos a la clase.

1. un incendio
2. una protesta
3. un estreno de una película
4. una boda
5. un huracán

El reportero trabajaba mucho.

### 30 Hace cincuenta años

Trabaje con cuatro estudiantes para escribir un informe sobre cómo era la vida en su pueblo o ciudad hace cincuenta años. Usen los temas siguientes como guía. Si quieren pueden acompañar su informe con fotos o

los trabajos    la ropa

las casas    los aparatos electrónicos

los pasatiempos    la comida

ilustraciones

de esa época.

En los 60 había menos canales.

**Capítulo 3**

# Lectura cultural

## Los jóvenes españoles y la lectura

Según la encuesta, las muchachas leen más que los muchachos.

Para conocer mejor los hábitos[1] de lectura de los jóvenes españoles, el Centro de Investigación y Documentación Educativa (CIDE) hizo una encuesta a 3.581 estudiantes de secundaria entre 15 y 16 años de edad. Según la encuesta, el 36% de los jóvenes lee algún libro en su tiempo libre más de una vez a la semana. El 38% lee un libro más de una vez cada tres meses; y el 26% no lee un libro nunca o casi nunca.

Según la encuesta, el 44% de los jóvenes lee más ahora que hace dos años; el 29% lee lo mismo y el 27% lee menos que hace dos años. Es decir, en general, leen más ahora que cuando eran más jóvenes.

La encuesta tuvo muchos resultados[2] interesantes. Por ejemplo, los hijos de padres con educación universitaria[3] leen más que los hijos de padres con un nivel de educación inferior. Se encontró también que las muchachas españolas leen mucho más que los muchachos. Y mientras los muchachos prefieren los libros de aventuras y humor, a las muchachas les gustan más los libros de horror o románticos.

Pero quizás el resultado más importante de la encuesta es que, en general, los jóvenes que más leen tienen mejores resultados en sus estudios. Eso no es una sorpresa, ¿verdad?

[1]habits  [2]results  [3]college education

## 31 ¿Qué recuerda Ud.?

1. ¿Por qué el CIDE hizo esta encuesta?
2. ¿Qué porcentaje de los jóvenes españoles no lee nunca o casi nunca?
3. ¿Los jóvenes de la encuesta leen más o menos que hace dos años? ¿Por qué?
4. ¿Qué relación hay entre el nivel de educación de los padres y los hábitos de lectura de los hijos?
5. ¿Quiénes leen más, los muchachos o las muchachas españolas?
6. ¿Cuál fue el resultado más importante de la encuesta?

- Haga una encuesta entre cuatro estudiantes de su clase sobre sus hábitos de lectura. Compare los resultados con la encuesta del artículo.

- En la encuesta pregunte cuántos libros hay en la biblioteca de su casa. ¿Qué relación hay entre la cantidad de libros que hay en la casa de los estudiantes y sus hábitos de lectura?

## 32 Algo personal

1. ¿Qué opina de los resultados de la encuesta?
2. ¿Por qué cree que el 26% de los encuestados no lee nunca o casi nunca?

# ¿Qué aprendí?

**Visit the web-based activities at www.emcp.com**

## Autoevaluación

**Como repaso y evaluación, responda lo siguiente:**

1. Mencione tres secciones de un periódico.

2. Explique el cambio que ocurre en el pretérito de los verbos *sentir* y *dormir*.

3. Dé dos ejemplos de verbos irregulares en el pretérito y escriba una oración con cada uno.

4. Explique el cambio que ocurre en la raíz de los verbos *poder, querer, traer* en pretérito.

5. Mencione tres actividades que ocurren durante un festival de cine.

6. Mencione tres usos del imperfecto y dé un ejemplo para cada uno.

7. ¿Qué es *Aula*? ¿Qué periódico lo publica?

8. ¿En qué año tuvo lugar el primer festival de San Sebastián?

## Palabras y expresiones

**Secciones del periódico**
- los clasificados
- el crucigrama
- las finanzas
- el ocio
- la programación de televisión
- la sociedad
- el suplemento dominical

**En el festival de cine**
- la cámara digital
- la ceremonia
- la entrega
- el estreno
- el festival
- el reportaje
- la rueda de prensa
- la sesión fotográfica
- la videocámara digital

**Verbos**
- aceptar
- agradecer
- averiguar
- casarse
- contribuir
- destruir
- entrevistar
- suceder

**Otras palabras y expresiones**
- al principio
- dar un discurso
- ¡No lo puedo creer!
- la opinión
- el ordenador
- el periodismo
- por supuesto
- el recuerdo
- la prensa
- tener lugar

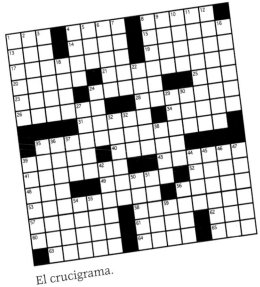

El crucigrama.

La sesión fotográfica.

SE NECESITAN modelos para sesión fotográfica. Llamar al 555-739-4551

# ◆ Vocabulario I

## Las noticias

Anunciaron que una bomba explotó
en un edificio de Madrid. Eran las cuatro
de la mañana cuando sucedió la explosión.
No hubo víctimas.

Hoy terminó
el juicio del abogado Luis Torrijo Molina.
El acusado del crimen se declaraba inocente,
pero el jurado lo encontró culpable. El acusado
sigue en la cárcel y espera su sentencia.

La tormenta causó una terrible
inundación en un barrio de Barcelona.
La policía y los bomberos lograron
salvar a todos los vecinos.

Dos ladrones asaltaron
un banco de Santander y mataron a
un cajero. La policía los arrestó cuando
trataban de escaparse.

## 1 El noticiero

Escuche las siguientes noticias y diga la letra de la foto a la que se refiere cada una.

A    B    C

D    E    F

## 2 Robo en el banco

Complete la siguiente noticia con las palabras del globo.

explotar

bomba    sentencia    arrestarlos

asaltaron    culpables

Dos ladrones (1) ayer un banco de San Sebastián. Los empleados y las personas que estaban en el banco se pusieron muy nerviosos. Muchos comenzaron a gritar mientras los ladrones les pedían silencio. Uno de ellos sacó una (2) y dijo que podía (3). Después de robar todo el dinero, los ladrones salieron del banco por la puerta de atrás. La policía logró (4) cuando trataban de escapar. Los ladrones se declararon (5) y los enviaron a la cárcel. Ellos esperan ahora su (6).

**¡Extra!**

**Otras noticias**

| | |
|---|---|
| el accidente | accident |
| la catástrofe | catastrophe |
| la contaminación | pollution |
| la guerra | war |
| la huelga | strike |
| el huracán | hurricane |
| el incendio | fire |
| el pronóstico | forecast |
| el temblor | tremor |

# Diálogo I

## ¿Qué sucedió?

**PEDRO:** ¿Viste el juicio de Diego Pérez Díaz por la televisión?
**SILVIA:** No, ¿qué sucedió?
**PEDRO:** Lo declararon inocente.
**SILVIA:** ¡No lo puedo creer!
**PEDRO:** Yo tampoco lo podía creer cuando me enteré.

**PEDRO:** La gente no estaba de acuerdo con el jurado. Todos creían que él era culpable.
**SILVIA:** Por supuesto... Pero, ¿por qué lo declararon inocente?
**PEDRO:** Nadie lo vio en el lugar del crimen.

**SILVIA:** Pero si estaba claro que él robó el banco y mató a dos personas.
**PEDRO:** Sí, pero el jurado no estaba de acuerdo.
**SILVIA:** Estoy segura que él se merecía ir a la cárcel.
**PEDRO:** Yo también.

## 3 ¿Qué recuerda Ud.?

1. ¿De qué estaban hablando Pedro y Silvia?
2. ¿Cómo declararon a *Diego Pérez Díaz?*
3. ¿Cómo estaba la gente con la noticia? ¿Por qué?
4. ¿Por qué lo declararon inocente?
5. ¿Qué estaba claro acerca de Diego Pérez Díaz, según Silvia?

## 4 Algo personal

1. ¿Qué tipo de noticias prefiere ver Ud. por la televisión?
2. Describa un juicio que vio por televisión. ¿Quién era el/la acusado/a? ¿Cuál era el crimen? ¿Cómo declararon al/a la acusado/a?
3. ¿Cómo reacciona Ud. cuando se entera de un acto violento como la explosión de una bomba o el asalto de un banco?

## 5 ¿Qué ocurrió hoy?

 Escuche los comentarios de las siguientes personas sobre las noticias del día. Escoja la letra de la noticia a la que se refiere cada uno.

1. **A.** bomba    **B.** crimen    **C.** inundación
2. **A.** juicio    **B.** crimen    **C.** bomba
3. **A.** incendio    **B.** tormenta    **C.** robo
4. **A.** crimen    **B.** ladrón    **C.** huracán
5. **A.** víctima    **B.** tormenta    **C.** explosión
6. **A.** festival    **B.** ceremonia    **C.** robo

## Almería, el Hollywood español

Cuando en 1951 se filmaron escenas de la película *La llamada de África* en el puerto de Almería, una ciudad española del Mediterráneo, muchos comenzaron a darse cuenta[1] de que el clima de la provincia, también llamada Almería, y la variedad de paisajes, eran perfectos para filmar películas.

En los primeros años de la década de los cincuenta, algunos directores españoles comenzaron a filmar películas allí. En 1956, el director francés André Cayatte llegó a Almería para hacer su película *Ojo por ojo.* Éste fue el comienzo de una larga lista de películas extranjeras que se hicieron en esa región. La historia podía tener lugar en el Viejo Oeste de Estados Unidos, en Francia o en el Medio Oriente: Almería siempre tenía un paisaje perfecto para cada escena.

Pero su época de oro[2], fueron los años sesenta. En 1962 se filmó la primera película de vaqueros, *Tierra brutal,* y escenas de *Lawrence de Arabia.* A partir de ese momento, estrellas como Charles Bronson, Brigitte Bardot, Sean Connery, Clint Eastwood, Burt Reynolds y Raquel Welch, filmaron allí sus películas. Hasta el músico John Lennon viajó a Almería en 1967 para hacer su película *Cómo gané la guerra.*

Durante la década de los setenta, la filmación de películas de grandes productoras internacionales comenzó a disminuir[3]. Almería se convirtió entonces en el centro del cine independiente español. Aún hoy, la ciudad es un paraíso para los amantes del cine, con sus numerosos eventos de cine independiente y festivales de cine.

Brigitte Bardot en un rodaje en Almería.

[1]realize  [2]golden age  [3]decrease

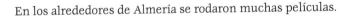

En los alrededores de Almería se rodaron muchas películas.

### 6  Almería y el cine

**Conteste las siguientes preguntas.**

1. ¿Cuál fue la primera película importante que se hizo en Almería? ¿En qué año se filmó?
2. ¿Qué características de Almería eran buenas para filmar películas?
3. ¿Cuál fue la época de oro de Almería?
4. ¿Qué actores famosos filmaron películas allí?
5. ¿Cuándo terminó la época de oro del cine en Almería? ¿Por qué?
6. ¿Qué es hoy Almería?

# Idioma

### Usos del pretérito y del imperfecto

You have learned to use the imperfect and the preterite tenses to talk about the past. Here is a review of the uses of these two tenses.

Use the imperfect...

- to describe habitual past actions and routines.

| | |
|---|---|
| *Cuando tenía diez años,* **me gustaba** *hacer crucigramas.* | When I was ten years old, **I liked** to do crossword puzzles. |
| *Mi papá* **trabajaba** *para un periódico.* | My dad **used to work** for a newspaper. |

- to talk about moods, feelings, desires and intentions.

| | |
|---|---|
| **Estaba** *nervioso.* | **I was** nervous. |
| **Tenía** *miedo de las tormentas.* | **I was** afraid of storms. |
| **Quería** *quedarme en casa.* | **I wanted** to stay at home. |

- to set the scene or provide background information.

| | |
|---|---|
| **Era** *un festival famoso.* | **It was** a famous festival. |
| **Había** *muchos reporteros en el teatro.* | **There were** many reporters at the theatre. |

Tenía miedo de las tormentas.

Use the preterite...

- to talk about actions completed in the past at a specific time.

| | |
|---|---|
| *Ayer* **hubo** *un incendio. Los bomberos* **llegaron** *y* **salvaron** *a todos.* | There **was** a fire yesterday. The firemen **arrived** and **saved** everyone. |

Use the preterite and imperfect in the same sentence...

- to indicate that one action occurred (preterite) while another was in progress (imperfect).

| | |
|---|---|
| *Todos* **estábamos** *en la calle, cuando de repente* **oímos** *una explosión.* | We **were** all in the street when all of a sudden we **heard** an explosion. |

Los bomberos salvaron a todos.

- to report an action (preterite) that took place because of a condition (imperfect) that was in progress.

| | |
|---|---|
| *El acusado no* **dijo** *nada porque* **estaba** *cansado.* | The accused **didn't say** anything because he **was** tired. |

- to present an event where the preterite describes the action and the imperfect sets the stage or background for that action.

| | |
|---|---|
| *Ya* **era** *de noche cuando* **anunciaron** *la tormenta.* | It **was** already nighttime when they **announced** the storm. |

# Práctica

### 7 ¿Por qué lo hicieron?

Diga por qué estas personas hicieron lo siguiente. Use el pretérito y el imperfecto.

**MODELO** la reportera / quitarse la chaqueta / tener calor
La reportera se quitó la chaqueta porque tenía calor.

La reportera no se puso chaqueta porque hacía calor.

1. tres ladrones / asaltar un banco / necesitar dinero
2. dos osos / robar comida de un camping / tener hambre
3. el presidente / despedirse de todos / ya ser las doce
4. dos niños / esconderse en el ático / tener miedo de la tormenta
5. la acusada / ir a la cárcel / ser culpable
6. la policía / arrestar a los estudiantes / hacer mucho ruido

### 8 Recuerdos de una fiesta

Complete esta conversación entre Fernando y Carlos, usando el pretérito o el imperfecto de los verbos, según corresponda.

**Carlos:** Fernando, ¿dónde *(1. conocer)* tú a tu novia?
**Fernando:** *(2. Ser)* durante nuestro primer año en la universidad. En poco tiempo nos *(3. hacer)* buenos amigos.
**Carlos:** ¿Cómo *(4. ser)* ella? ¿Qué le *(5. gustar)* hacer?
**Fernando:** María *(6. tener)* muchos amigos y a veces *(7. organizar)* fiestas en su casa.
**Carlos:** ¿Qué *(8. hacer)* Uds. en las fiestas? ¿Cómo *(9. divertirse)*?
**Fernando:** *(10. Haber)* mucha comida y la gente *(11. bailar)* y *(12. cantar)* hasta tarde.
**Carlos:** ¿Y los vecinos no *(13. enojarse)* cuando hacían fiestas?
**Fernando:** Sí, una noche ellos *(14. llamar)* a la policía y le *(15. decir)* que nosotros *(16. hacer)* mucho ruido.
**Carlos:** Entonces, ¿qué *(17. hacer)* Uds.?
**Fernando:** ¡*(18. Invitar)* a nuestros vecinos, por supuesto!

### 9 ¡Robo en un banco de Bilbao!

El siguiente artículo apareció en varios periódicos de Bilbao. Cambie los verbos al pasado. Use el pretérito o el imperfecto, según corresponda.

*(1. Es)* un viernes por la tarde y las calles *(2. están)* llenas de gente. En el banco sólo *(3. hay)* dos dependientes trabajando y una cliente. De repente, un coche *(4. se para)* delante del banco. Un hombre *(5. sale)* del coche. *(6. Es)* bajo y calvo. *(7. Lleva)* una maleta grande en la mano. El hombre *(8. entra)* en el banco. Uno de los dependientes le *(9. pregunta)* al hombre si *(10. quiere)* algo. El hombre le *(11. dice)*: "Sí, déme todo el dinero que está en sus cajas". El hombre no *(12. es)* un cliente. ¡*(13. Es)* un ladrón que *(14. viene)* a robar el banco!

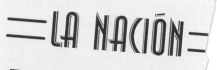

## =LA NACIÓN=

¡Tres ladrones asaltan un banco en Bilbao en pleno día!

## 10 Una escena de desastre

Imagine que Ud. y su compañero/a vieron una película donde ocurre un desastre. Puede ser un incendio, una explosión o un terremoto. Con su compañero/a escriban un párrafo describiendo lo que veían o escuchaban que pasaba en la película. Usen las preguntas siguientes como guía y el pretérito o el imperfecto según el contexto. Luego, presenten su descripción a la clase.

- ¿Qué desastre ocurrió?
- ¿Cuándo ocurrió?
- ¿Dónde tuvo lugar?
- ¿Quiénes eran los personajes principales?
- ¿Qué ropa llevaban?
- ¿Cómo era la música?
- ¿Qué pasó al final?
- ¿Les gustó la película? Explique por qué.

Hubo un tornado.

## 11 Recuerdos de un actor

Este artículo apareció en la revista del periódico *El Mundo* de Madrid. Relata los recuerdos de un actor madrileño cuando era niño. Después de leer el artículo, conteste las preguntas que siguen.

1. ¿Dónde vivía el chico?
2. ¿Qué deporte practicaba?
3. ¿Cómo eran las hermanas del chico?
4. ¿Para qué las elegían?
5. ¿Le gustaba al chico ser portero? ¿Cómo lo sabe?
6. ¿Cómo jugaba?
7. ¿Qué decidió ser entonces?
8. ¿Por qué se escuchaba flamenco en los bares?
9. ¿Cómo pasaban el día los chicos?
10. ¿Qué es lo que no había en esa época?

Ése es mi barrio, cerca de la Casa de Campo. Como todos los madrileños, y españoles, practicaba el fútbol y el campo era uno de los puntos sociales donde se reunía la gente para divertirse y celebrar competiciones. Mis hermanas, como eran monas[1], eran las elegidas para dar los premios. Nunca me llevé una de esas copas[2]; era el portero de reserva, siempre esperando mi oportunidad. Como me aburría, me cambié después a jugador, pero no era muy bueno. Entonces decidí ser actor. En mi zona había mucha gente de origen andaluz[3] y se escuchaba flamenco en todos los bares. Pasábamos todo el día en la calle jugando. En esa época no había ordenadores.

[1]pretty  [2]trophy cups  [3]from Andalucía

Nos gustaba jugar al fútbol.

## 12  Un juicio en la clase

En grupos, inventen una escena de un juicio para actuar frente a la clase. Los miembros del grupo van a representar los siguientes papeles: el/la juez *(judge)*, el/la acusado/a, el/la abogado/a defensor(a), el/la fiscal *(prosecutor)*, los miembros del jurado. El/la abogado/a y el/la fiscal van a describir las circunstancias del crimen usando el pretérito o el imperfecto, según corresponda. Los miembros del jurado van a dar su veredicto *(culpable o inocente)* y el/la juez va a decidir la sentencia. Incluyan la siguiente información.

- quién era el/la acusado/a
- cuál fue su crimen
- dónde tuvo lugar
- si hubo víctimas
- lo que declaró el/la acusado/a
- lo que realmente ocurrió

Estos jóvenes participan en una escena de un juicio.

## Estructura

### Cambios de significado en el pretérito y el imperfecto

A few verbs change meaning depending on whether they are used in the imperfect or the preterite.

| | imperfecto | pretérito |
|---|---|---|
| conocer | Lo **conocía** bien.<br>I **knew** him well. | Lo **conocí** en el festival.<br>I **met** him at the festival. |
| poder | **Podía** hacer los crucigramas.<br>I **was able to** do crossword puzzles. | **Pude** salvar a mi perro.<br>I **was able (managed) to** save my dog. |
| saber | ¿**Sabías** usar la cámara digital?<br>**Did** you **know how** to use the digital camera? | ¿**Supiste** lo que pasó?<br>**Did** you **find out** what happened? |
| querer | **Querían** arrestar al ladrón.<br>They **wanted** to arrest the thief. | **Quisieron** arrestarlo anoche.<br>They **tried to** arrest him last night. |
| no querer | No **queríamos** ver el noticiero.<br>We **didn't want** to watch the news. | **No quisimos** hablar con ella.<br>We **refused** to speak to her. |

# ❖ Práctica

## 13 Mini-diálogos

**Complete los diálogos con la forma correcta del pretérito o del imperfecto del verbo indicado.**

**saber**

**A:** ¿Sabes que Andrés estuvo en Torremolinos durante la tormenta?
**B:** No, no lo (1). Y tú, ¿cuándo lo (2)?
**A:** Lo (3) ayer, cuando leí una noticia sobre la tormenta en el diario.
**B:** Pues yo hablé ayer con sus padres y ellos me dijeron que no (4) nada de él.
**A:** No entiendo cómo yo no lo (5) antes porque él siempre me cuenta todo.

**querer**

**A:** Ayer yo te (6) llamar, pero tu teléfono no funcionaba. ¿Qué hiciste?
**B:** Fui al teatro con mis padres. Ellos (7) ir a ver *Bodas de sangre*, de Federico García Lorca.
**A:** Yo también (8) verla, pero ya no había boletos.

**poder**

**A:** ¿Fuiste ayer a ver el juicio?
**B:** No, no (9) ir. ¿Tú estabas en el jurado, verdad?
**A:** Sí. Fue muy interesante porque nadie (10) decidir si el acusado era inocente o no.
**B:** ¿Y qué pasó entonces? ¿(11) Uds. llegar a un acuerdo?
**A:** No, (nosotros) no (12) porque no teníamos suficiente información.

**conocer**

**A:** ¿Dónde (13) a Margarita Salcedo?
**B:** La (14) en una rueda de prensa. Ella vino a saludarme y me dijo que ya me (15).
**A:** ¡Qué interesante! Entonces tú sí la (16).
**B:** Bueno... yo no me acuerdo de ella, pero (17) muy bien a su familia.

## 14 Nuevos amigos

**Lea lo que le pasó a este muchacho y complete el párrafo con el pretérito o el imperfecto de los verbos entre paréntesis.**

Yo no *(1. conocer)* bien a Esteban. Recuerdo que lo *(2. conocer)* el año pasado en una clase de música. Él *(3. querer)* aprender a cantar. Yo le pregunté si *(4. saber)* leer las notas. Él me dijo que no. Entonces, yo lo ayudé y en poco tiempo *(5. poder)* aprenderlas. Un día, Esteban me dijo que *(6. querer)* presentarme a una chica. Él la *(7. conocer)* muy bien porque era compañera de su hermana. Cuando yo la *(8. conocer)* me pareció muy simpática. Esa noche la invité al cine, pero ella me dijo que no *(9. poder)* ir porque ya tenía una cita con Esteban.

Esteban quería aprender a cantar.

# ◈ Comunicación

## ◀ 15 Quise pero no pude

**Primero, conteste las siguientes preguntas. Luego, hágale estas preguntas a un(a) compañero/a y comparen sus respuestas.**

1. ¿Conoció a alguien famoso alguna vez? Si es así, ¿a quién conoció?
2. ¿Conocía Ud. ya a muchos de sus compañeros cuando empezó esta clase? Si es así, a quién(es) conocía Ud.?
3. ¿Quiso Ud. hacer algo alguna vez pero no pudo? ¿Qué fue?
4. ¿Hay algo que Ud. nunca pudo hacer bien? ¿Por qué no podía hacerlo?
5. Piense en un momento en que se enteró de una noticia muy importante. ¿Cómo lo supo? ¿Quién más lo sabía?

## ◀ 16 Incidente durante la Bienal de Flamenco

**Lea este artículo sobre lo que sucedió durante un festival de flamenco en Sevilla. Escriba un mínimo de cinco preguntas sobre la información que contiene para hacérselas a su compañero/a.**

**¿Cómo cree Ud. que terminó este incidente? Con su compañero/a, escriban cuatro oraciones más para terminar la noticia. Traten de incluir el pretérito o imperfecto de los verbos *querer*, *poder*, *conocer* y *saber*.**

> **MODELO** ¿Qué se supo hoy?

## Sevilla, España

Hoy se supo que la conocida cantante sevillana Macarena está en el hospital. La artista se desmayó en un concierto que se celebró durante la Bienal de Flamenco y tuvo que abandonar el escenario. Aunque muchos reporteros querían entrevistarla, no pudieron hacerlo porque la cantante necesitaba descansar. Esta mañana hubo una protesta delante del hospital porque cientos de aficionados querían verla en persona.

# Vocabulario II
## Un accidente en la carretera

## 17 ¿Qué había sucedido?

 Escuche las entrevistas a los testigos de diferentes accidentes. Seleccione la foto que corresponde con lo que oye.

**A**  **B**  **C**

**D**  **E**  **F**

## 18 ¿Cuál es la correcta?

Escoja la palabra que completa correctamente cada oración.

1. Los paramédicos habían llegado en la *(ambulancia / camioneta)* después del accidente.
2. La reportera entrevistó al *(acusado / conductor)* del coche.
3. Los bomberos habían *(rescatado / desmayado)* a todas las personas que vivían en el edificio.
4. El accidente había sido muy *(divertido / violento)*. Había muchos heridos.
5. Cuando hay poca *(visibilidad / gente)*, significa que no se puede ver bien en la carretera a causa de la neblina.
6. Cuando una persona necesita ayuda grita *(¡Presten atención! / ¡Socorro!)*.
7. Todos los amigos estaban alrededor de Ricardo. Lo habían *(rodeado / chocado)*.
8. El conductor no había visto el otro coche en la carretera y *(corrió / chocó)* contra él.

Hubo un accidente.

# Diálogo II

## ¿Qué había pasado?

**PEDRO:** ¿Qué le había pasado a Teresa?
**SILVIA:** Se había desmayado en la calle.
**PEDRO:** ¿Por qué?
**SILVIA:** Ese día ya se había sentido enferma cuando salió de su casa.

**PEDRO:** ¿Quién la había rescatado?
**SILVIA:** Una persona que caminaba por la calle ya la había ayudado a sentarse cuando los paramédicos llegaron al lugar.

**PEDRO:** ¿Y qué sucedió luego?
**SILVIA:** Los paramédicos la llevaron en una ambulancia al hospital. Ella ya estaba bien pero tuvo que ir a ver a un doctor.

## 19 ¿Qué recuerda Ud.?

1. ¿Qué le había pasado a Teresa?
2. ¿Cómo se había sentido ese día cuando salió de su casa?
3. ¿Qué había sucedido cuando llegaron los paramédicos?
4. ¿Adónde la llevaron los paramédicos?

## 20 Algo personal

1. ¿Fue Ud. testigo de un accidente alguna vez? ¿Qué pasó?
2. ¿Hubo heridos graves? ¿Quiénes vinieron para rescatar a los heridos?
3. ¿Se desmayó Ud. alguna vez? ¿Qué le pasó?

## 21 ¿Cuál había sido la situación?

 **Indique la letra de la foto que corresponde con lo que oye.**

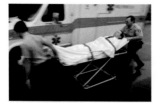

**A**      **B**      **C**      **D**

# Cultura viva

## Sevilla: 3.000 años de historia

Pocas ciudades del mundo tienen una historia tan rica como Sevilla, capital de la región de Andalucía, en España. La ciudad fue fundada hace 3.000 años. Durante seis siglos fue parte del Imperio Romano. En esa época[1] la llamaban "Hispalis". Más tarde, durante 800 años, fue una de las ciudades más importantes del reino[2] musulmán de Al-Andalus, donde se construyó el edificio más alto del mundo en su época: La Giralda, que mide casi 100 pies de altura.

Sin embargo, la época de mayor esplendor de Sevilla comienza en 1492, con la llegada de los españoles a América. Gracias a su puerto en el río Guadalquivir, Sevilla se convirtió en la puerta de acceso al nuevo continente. Con la caída del imperio español en 1898, la ciudad perdió su posición privilegiada. Sin embargo, Sevilla volvió a resurgir[3] en 1929 cuando se realizó allí la Exposición Iberoamericana.

Sevilla es hoy una ciudad donde se funden las tradiciones más antiguas con la vida moderna. Es famosa por la Feria de Abril, que se celebra desde hace 400 años. Durante la feria, hay numerosas "casetas[4]" donde se baila y se canta hasta el amanecer. Más de un millón de personas van cada año a esta feria.

Pero el gran acontecimiento que dio a Sevilla una fama internacional durante estas últimas décadas fue la Exposición Universal de 1992. La Expo 92, como se conocía también, coincidió con la conmemoración del 500 aniversario de la llegada de Cristóbal Colón a América y tenía como objetivo reunir en la Isla de la Cartuja el mayor número posible de culturas que existen en el mundo. Millones de personas visitaron Sevilla ese año y la Expo fue todo un éxito.

Una plaza de Sevilla.

[1]period  [2]kingdom  [3]emerge  [4]dance floors

## 22  Sevilla ayer y hoy

**Conteste las siguientes preguntas.**

1. ¿Cómo llamaban los romanos a Sevilla? ¿Cuántos siglos fue la ciudad parte del reino musulmán?
2. ¿Cuál es el símbolo más conocido de Sevilla?
3. ¿Cuándo comienza la época de mayor esplendor de Sevilla? ¿Por qué?
4. ¿Qué es la Feria de Abril?
5. ¿Qué evento le dio a Sevilla fama internacional?
6. ¿Está de acuerdo con que "pocas ciudades del mundo tienen una historia tan rica como Sevilla"? Explique por qué.

## Estructura

### El participio pasado y el pretérito pluscuamperfecto

The past participle is an adjective formed from a verb. To form the past participle of most -ar verbs, add -ado to the stem: rescat**ado,** mencion**ado.** To form the past participle of most -er and -ir verbs, add -ido to the stem: agradec**ido,** recib**ido.** The following verbs have irregular participles.

| | | | |
|---|---|---|---|
| abrir | → | abierto | (opened) |
| cubrir | → | cubierto | (covered) |
| decir | → | dicho | (said) |
| describir | → | descrito | (described) |
| escribir | → | escrito | (written) |
| hacer | → | hecho | (made, done) |
| morir | → | muerto | (died) |
| poner | → | puesto | (put, placed) |
| resolver | → | resuelto | (solved) |
| romper | → | roto | (broken) |
| ver | → | visto | (seen) |
| volver | → | vuelto | (returned) |

The pluperfect tense (also called past perfect) is formed by combining the imperfect form of *haber* and a past participle.

| Pretérito pluscuamperfecto | |
|---|---|
| había llegado | habíamos llegado |
| habías llegado | habíais llegado |
| había llegado | habían llegado |

The pluperfect tense is often used to describe an action that had occurred before another action took place.

*Los bomberos ya **habían rescatado** a las víctimas cuando **llegó** la ambulancia.*

The firemen **had** already **rescued** the victims when the ambulance **arrived.**

Object and reflexive pronouns always precede the conjugated form of *haber.*

*Ellos **se habían acostado** cuando **empezó** el temblor.*

They **had gone to bed** when the tremor **started.**

*Nadie **lo había visto** después que **ocurrió** el accidente.*

No one **had seen him** after the accident **occurred.**

# Práctica

## 23 Un mal día

Parece que fue un mal día para todos. Diga qué le pasó a estas personas usando el pluscuamperfecto de los verbos entre paréntesis.

1. Teresa quería ir al estreno de la última película de Almodóvar con Julián, pero él ya la *(ver)*.
2. Yo iba a usar mi nueva cámara digital, pero cuando quise sacar una foto me di cuenta que mi hermanito la *(romper)*.
3. Nere fue a la tienda de videos pero cuando llegó ellos ya la *(cerrar)*.
4. Hoy me invitaron a ver la entrega de premios pero yo ya *(hacer)* planes para hacer otra cosa.
5. El policía trató de arrestar a los ladrones pero ellos ya *(escaparse)*.
6. Usted fue a visitar a su amiga pero ella ya *(salir)*.

## 24 Noticias de Sevilla

Complete el siguiente mensaje electrónico que Estela envió desde Sevilla, usando el pluscuamperfecto de los verbos entre paréntesis.

E-Mail

Archivo   Ver   Mensajes   Ayuda

A...   Pedro

Cc...

Asunto:   Estela

Querido Pedro,

¡Saludos desde Sevilla! Yo (1. pensar) escribirte antes pero (2. estar) muy ocupada visitando la ciudad. Como tú tampoco me (3. escribir) decidí mandarte este correo. Quería contarte lo que mi familia y yo (4. hacer) desde que llegamos aquí. Mis tíos ya me (5. decir) que es una ciudad maravillosa, y tenían razón. Ayer fuimos a pasear por el Barrio de Santa Cruz, que es donde está la Giralda. Mi tío nos explicó que los árabes (6. construir) la torre de la Giralda en el siglo XII. Quisimos entrar en la Sacristía mayor porque mis padres (7. estar) allí antes y (8. ver) unos cuadros magníficos de Murillo. Pero no pudimos hacerlo porque ya era tarde y (ellos) la (9. cerrar). Cuando regresamos al hotel nos encontramos con mis hermanas que ya (10. volver) de su excursión a Granada. Bueno, te cuento más en mi próximo correo electrónico. A ver si me escribes pronto.

Cariños,
Estela

La Giralda de Sevilla.

# ◈ Comunicación

**25 Testigos de un accidente**

Imagine que Ud. fue testigo de un accidente y que un(a) reportero/a lo/la entrevista sobre lo que sucedió. Con su compañero/a, hagan los papeles de testigo y reportero/a usando el pluscuamperfecto o el pretérito según corresponda.

MODELO  **A:** ¿Qué vio usted?
**B:** Vi que un toro había lastimado a uno de los toreros.

¿Qué sucedió?

## Estructura

### Los pronombres relativos *que, quien(es)*

A relative pronoun is a word that links, or relates, two parts of a sentence. The most common relative pronoun in Spanish is *que* (that, which, who, whom), and it may refer to both people and things.

| | |
|---|---|
| *Jorge es el chico **que** fue testigo del accidente.* | Jorge is the boy **who** was the witness to the accident. |
| *No vi al conductor del coche **que** explotó ayer.* | I didn't see the driver of the car **that** exploded yesterday. |

After a preposition (*a, con, de, en*), use *que* to refer to things and *quien(es)* to refer to people.

| | |
|---|---|
| *Ésa es la calle **en que** ocurrió el accidente.* | That is the street **where** the accident occurred. |
| *Ella no es la chica **a quien** viste en el festival.* | She is not the girl **(whom)** you saw in the festival. |
| *¿Son ellos los reporteros **con quienes** fuiste al juicio?* | Are they the reporters **with whom** you went to the trial? |

Use *el que, la que, los que, las que* when you want to distinguish one subject from a group.

| | |
|---|---|
| *De todos los reporteros, Jorge es **el que** entrevista mejor.* | Of all the reporters, Jorge is **the one who** interviews the best. |
| *Mientras guardaba las fotos, encontré **las que** saqué de la inundación.* | While I was putting away photos, I found **the ones** I took of the flooding. |

Use *lo que* to refer to a situation, action or object not yet identified.

| | |
|---|---|
| *Ella no entendió **lo que** le explicaron.* | She didn't understand **what** they explained to her. |

# Práctica

## 26 ¿Quiénes son?

Ud. fue testigo de un accidente e hizo una lista de las personas que estuvieron allí. Un policía quiere saber quiénes son. Con su compañero/a, hagan los papeles de testigo y policía. Usen *el que, la que, los que, las que.*

**MODELO** ese hombre con barba / chocó contra el autobús

    **A:** ¿Quién es ese hombre con barba?

    **B:** Es el que chocó contra el autobús.

1. esa señora / se desmayó
2. los chicos que están en la esquina / llamaron a la ambulancia
3. esas chicas / trajeron agua para las víctimas
4. ese reportero / entrevistó a los heridos
5. esa chica con lentes / rescató al niño

## 27 Una fiesta

Imagine que va a dar una fiesta a la cual va a invitar a mucha gente. Use las preposiciones *a, con, en* y *de* junto con *que, quien/quienes* para completar las oraciones. Luego, termínelas de una manera original.

**MODELO** La chica ___ te presenté…

    La chica a quien te presenté es paramédica.

1. Las chicas ___ yo te vi anoche…
2. El actor ___ te hablé…
3. Ésa es la cámara ___ saqué…
4. El cantante ___ yo saludé…
5. El chico ___ tú viniste a la fiesta…
6. El actor ___ yo le pedí un autógrafo…
7. Ésta es la mesa ___ puse…

# Comunicación

Ésos son los chicos que conocí en la fiesta.

## 28 ¿Qué es lo que le gusta?

Conteste las siguientes preguntas y luego hágaselas a su compañero/a. Después, comparen sus respuestas.

1. De las noticias que vio Ud. ayer en la televisión, ¿cuál fue la que más le interesó? ¿Por qué?
2. De todos los libros que Ud. leyó este año, ¿cuáles son los que le gustaron más? ¿Cuáles son los que le gustaría leer otra vez? ¿Por qué? ¿Quién es el autor o la autora que más le gusta?
3. ¿Le importa mucho a Ud. lo que dicen en los noticieros? Explique por qué.
4. ¿Le interesan los festivales de cine? Si es así, ¿qué es lo que más le interesa? ¿Por qué?

# Lectura personal

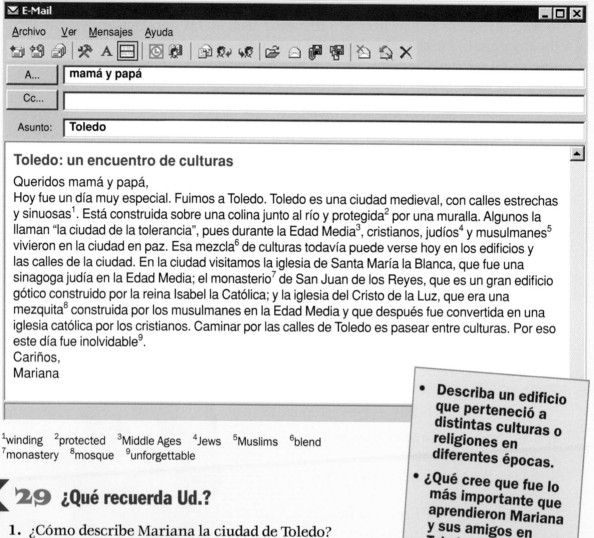

**E-Mail**

Archivo   Ver   Mensajes   Ayuda

A...   **mamá y papá**

Cc...

Asunto:   **Toledo**

**Toledo: un encuentro de culturas**

Queridos mamá y papá,
Hoy fue un día muy especial. Fuimos a Toledo. Toledo es una ciudad medieval, con calles estrechas y sinuosas[1]. Está construida sobre una colina junto al río y protegida[2] por una muralla. Algunos la llaman "la ciudad de la tolerancia", pues durante la Edad Media[3], cristianos, judíos[4] y musulmanes[5] vivieron en la ciudad en paz. Esa mezcla[6] de culturas todavía puede verse hoy en los edificios y las calles de la ciudad. En la ciudad visitamos la iglesia de Santa María la Blanca, que fue una sinagoga judía en la Edad Media; el monasterio[7] de San Juan de los Reyes, que es un gran edificio gótico construido por la reina Isabel la Católica; y la iglesia del Cristo de la Luz, que era una mezquita[8] construida por los musulmanes en la Edad Media y que después fue convertida en una iglesia católica por los cristianos. Caminar por las calles de Toledo es pasear entre culturas. Por eso este día fue inolvidable[9].
Cariños,
Mariana

[1]winding   [2]protected   [3]Middle Ages   [4]Jews   [5]Muslims   [6]blend
[7]monastery   [8]mosque   [9]unforgettable

- Describa un edificio que perteneció a distintas culturas o religiones en diferentes épocas.

- ¿Qué cree que fue lo más importante que aprendieron Mariana y sus amigos en Toledo? ¿Por qué?

## 29 ¿Qué recuerda Ud.?

1. ¿Cómo describe Mariana la ciudad de Toledo?
2. ¿Qué lugares visitó Mariana en esa ciudad?
3. ¿Por qué a Toledo la llaman "la ciudad de la tolerancia"?
4. ¿Qué quiere decir Mariana cuando escribe que "caminar por Toledo es pasear entre culturas"?

## 30 Algo personal

1. ¿Visitó alguna vez una ciudad en que se pueda ver la influencia de otras culturas? Describa su experiencia.
2. ¿Hay algún lugar en su ciudad donde pueda aprender sobre distintas culturas?
3. Imagine que va a Toledo, ¿qué lugar le gustaría visitar? ¿Por qué?

Vista de Toledo.

## ¿Qué aprendí?

**Visit the web-based activities at www.emcp.com**

### Autoevaluación
**Como repaso y autoevaluación, responda lo siguiente:**

1. Mencione tres tipos de desastres o catástrofes que se anuncian a veces en las noticias.

2. Diga una oración con *saber* en el pretérito y otra con *saber* en el imperfecto.

3. Termine la oración: *Estábamos en un restaurante cuando...*

4. ¿Por qué se filmaron tantas películas en Almería?

5. Explique qué es *una camioneta*.

6. ¿Cómo se forma el pluscuamperfecto?

7. Describa a dos de sus amigos usando pronombres relativos.

8. ¿Qué es la Feria de Abril?

## Palabras y expresiones

**Las noticias**
- la bomba
- el crimen
- la explosión
- la inundación
- el juicio
- el ladrón, la ladrona
- la tormenta
- la víctima

**Para hablar de un juicio**
- el acusado, la acusada
- la cárcel
- culpable
- inocente
- el jurado
- la sentencia

**En un accidente**
- la ambulancia
- el conductor, la conductora
- grave
- el paramédico, la paramédica
- los primeros auxilios
- la visibilidad

**Verbos**
- anunciar
- arrestar
- asaltar
- causar
- chocar
- declarar
- desmayarse
- explotar
- lograr
- matar
- mencionar
- rescatar
- rodear
- salvar

**Otras palabras y expresiones**
- la camioneta
- contra
- por suerte
- preocupado,-a
- ¡Socorro!
- terrible
- violento,-a

El jurado.

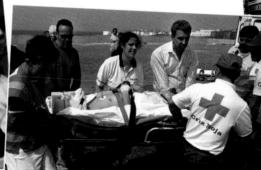

Rescatar.

La camioneta.

# Ud. lee

## Estrategia

**Use prior knowledge**

Chances are you have already heard of the character don Quijote de la Mancha. The name has held an important place in literature and the arts since the 17th century, when Miguel de Cervantes Saavedra wrote his famous novel *El ingenioso hidalgo don Quijote de La Mancha*. Don Quijote has been the subject of a series of paintings by the French artist Honoré Daumier and of a lithograph by Pablo Picasso. The character has also been the inspiration for a 19th-century Russian ballet and a 1965 Broadway musical ("Man of La Mancha") and its follow-up movie. In 2002 another film about him, "Don Quixote, Knight Errant" (*El Caballero don Quijote*) was produced in Spain. Have you seen any of these representations of don Quijote? Before you read, share with your classmates what you know about the story of don Quijote or the author Cervantes.

## Preparación

**Lea la siguiente información sobre Miguel de Cervantes Saavedra y luego indique si las oraciones que siguen son ciertas (C) o falsas (F). Si son falsas, corríjalas.**

Miguel de Cervantes Saavedra (1547–1616) publicó su famosa novela *El ingenioso hidalgo don Quijote de La Mancha* en 1605. Este escritor español, considerado el creador de la novela moderna, se encontró en diferentes situaciones a lo largo de su vida. En 1575, cuando regresaba a España después de pelear en la batalla de Lepanto, donde fue herido[1] y perdió el uso del brazo izquierdo, fue acusado injustamente de no haber pagado sus impuestos[2] y encarcelado[3] durante cinco años en Argel[4]. Fue allí donde empezó a escribir su novela sobre don Quijote. El personaje principal de la novela, que es un hombre mayor, idealista y desilusionado[5] del mundo en que vive, decide recorrer España tratando de revivir[6] la época de la caballería[7], ya desaparecida hacia siglos. En sus aventuras, don Quijote trata de curar males, defender a los indefensos e imponer justicia en un mundo imperfecto, una misión que a veces lo pone en ridículo. A través del personaje de don Quijote y sus muchas derrotas[8], Cervantes intenta narrar la invencibilidad del espíritu humano.

[1]injured  [2]taxes  [3]imprisoned  [4]Algiers  [5]disappointed
[6]to revive  [7]age of chivalry  [8]defeats

Miguel de Cervantes Saavedra.

1. Cervantes publicó *El ingenioso hidalgo don Quijote de La Mancha* cuando tenía 58 años.
2. Cervantes perdió el uso de su brazo en un accidente.
3. El autor empezó a escribir la novela de don Quijote en la cárcel.
4. El personaje de don Quijote vivió durante la época de la caballería.
5. Don Quijote es un personaje malo e injusto.
6. En su novela, Cervantes intenta retratar *(portray)* la fuerza del espíritu humano.

# De la segunda salida de don Quijote

Quince días estuvo don Quijote en casa muy sosegado[9]. Sin embargo, en este tiempo solicitó a un labrador[10] vecino suyo, hombre de bien, pero poco inteligente, que le sirviese de escudero[11]. Tanto le dijo, tanto le prometió, que el pobre determinó seguirle.

Decíale, entre otras cosas, don Quijote, que se dispusiese[12] a ir con él de buena gana, porque tal vez le podía suceder alguna aventura en que ganase alguna ínsula[13] y le dejase a él por gobernador de ella. Con estas promesas y otras tales, Sancho Panza, que así se llamaba el labrador, dejó a su mujer y a sus hijos y se fue como escudero de su vecino.

Iba Sancho Panza sobre su asno[14] con sus alforjas[15] y su bota[16], con mucho deseo de verse gobernador de la ínsula que su amo[17] le había prometido. Acertó[18] don Quijote a tomar el mismo camino que había tomado en su primer viaje, por el campo de Montiel, y caminaba con menos pena que la vez pasada porque, por ser la hora de la mañana, los rayos del sol no le fatigaban.

[9]calm, relaxed  [10]farmworker  [11]squire  [12]he should get ready  [13]island  [14]donkey  [15]saddlebags  [16]wineskin  [17]master  [18]He managed to take

*Don Quijote y Sancho Panza* por Honoré Daumier.

*Don Quijote y Sancho Panza* por Alexandre Gabriel Decamps.

—Has de saber, amigo Sancho Panza, que fue costumbre muy usada de los caballeros andantes[19] antiguos hacer gobernadores a sus escuderos de las ínsulas o reinos[20] que ganaban, y yo tengo determinado de que por mí no falte tan agradecida costumbre; antes pienso llevar ventaja en ella: porque ellos, algunas veces, esperaban a que sus escuderos fuesen viejos para darles algún título de conde[21] de algún valle; pero, si tú vives y yo vivo, bien podría ser que antes de seis días ganase yo tal reino, que tuviese otros a él unidos, para coronarte[22] rey de uno de ellos.

En esto, descubrieron treinta o cuarenta molinos de viento[23] que hay en aquel campo, y así como don Quijote los vio, dijo a su escudero:

—La suerte va guiando nuestras cosas mejor de lo que acertáramos a desear[24]; porque ves allí, amigo Sancho Panza, donde se descubren treinta, o pocos más, gigantes[25] con quienes pienso hacer batalla y quitarles a todos las vidas, con cuyos despojos[26] comenzaremos a ser ricos; que ésta es buena guerra, y es gran servicio de Dios quitar tan mala gente de sobre la tierra.

—¿Qué gigantes? —dijo Sancho Panza.

—Aquellos que ves allí —respondió su amo— de los brazos largos, que los suelen tener algunos de casi dos leguas[27].

—Mire vuestra merced[28] —respondió Sancho— que aquellos no son gigantes, sino molinos de viento, y lo que en ellos parecen brazos son las aspas[29], que movidas por el viento, hacen andar la piedra del molino.

—Bien parece —respondió don Quijote— que no estás ejercitado en esto de las aventuras: ellos son gigantes; y si tienes miedo, quítate de ahí, y ponte en oración[30] mientras yo voy a entrar con ellos en terrible y desigual batalla.

Y diciendo esto, dio de espuelas[31] a su caballo Rocinante, sin atender a las voces que su escudero Sancho le daba, advirtiéndole[32] que, sin duda alguna, eran molinos de viento, y no gigantes, aquellos que iba a acometer[33]. Pero él iba tan convencido de que eran gigantes que ni oía las voces:

[19]knights-errant  [20]kingdoms  [21]count (title of nobility)  [22]to crown you  [23]windmills  [24]more than we could wish for  [25]giants  [26]spoils of war

[27]leagues  [28]your grace  [29]blades of a windmill  [30]pray  [31]spurred  [32]warning him  [33]attack

—No huyáis[34], cobardes[35] y viles criaturas; que un solo caballero es el que os acomete.

Levantóse en esto un poco de viento, y las grandes aspas comenzaron a moverse; visto lo cual por don Quijote, dijo:

—Pues aunque mováis más brazos que los del gigante Briareo, me lo habéis de pagar.

Y diciendo esto, y encomendándose[36] de todo corazón a su señora Dulcinea[37],

pidiéndole que en tal aventura le socorriese[38], bien cubierto con su rodela[39], arremetió con la lanza[40] a todo correr de Rocinante y se lanzó[41] contra el primer molino que estaba delante, dándole una lanzada en el aspa. La volvió el viento con tanta fuerza que hizo la lanza pedazos, llevándose tras sí al caballo y al caballero, que fue rodando por el campo. Acudió Sancho Panza a socorrerle a todo el correr de su asno, y cuando llegó le halló que no se podía mover: tal fue el golpe que dio con él Rocinante.

—¡Válgame Dios! —dijo Sancho.

[34]Don't flee   [35]cowards   [36]entrusting himself
[37]Character in the novel. Dulcinea is a woman of questionable morals whom don Quijote believes to be the epitome of feminine virtue.

[38]helped him   [39]shield   [40]lance   [41]lunged forward

*Don Quijote y los molinos de viento* por Francisco J. Torrome.

## A ¿Qué recuerda Ud.?

1. ¿Quién es Sancho Panza?
2. ¿Qué le promete don Quijote a Sancho Panza?
3. ¿En qué va montado Sancho Panza?
4. ¿Qué son en realidad los gigantes que ve don Quijote?
5. ¿Qué piensa don Quijote que son las aspas de los molinos?
6. ¿Qué hace don Quijote con el primer molino?

## B Algo personal

1. ¿Por qué cree Ud. que don Quijote vio enemigos donde no los había?
2. ¿Conoce Ud. a alguna persona con muchos ideales? ¿Le trae problemas a esa persona tener esos ideales? Dé un ejemplo.
3. ¿A Ud. le gustaría corregir algunos de los problemas de la sociedad? ¿Cuáles? ¿Cree que es fácil corregirlos?

# Ud. escribe

## Estrategia

**Use snappy introductions**

In order to get your reader involved in your essay immediately, it is important to use an interesting introduction. One way to begin your introduction is to give readers an idea of where you plan to take them, without telling them the whole story. For example, if you are writing about an event that happened in the past, give your readers an idea of why the event is worth their attention, but refrain from explaining exactly what happened. Save that for later, in the body of your writing. For example, *Ayer tuve una conversación que va a cambiar mi vida para siempre* attracts attention and makes readers wish to read more, while *Estoy triste porque ayer mi novia me dijo que no quería verme más* gives so much away that readers may not want to go further.

Escriba un artículo sobre un evento que ocurrió en el pasado. Incluya detalles que contesten las preguntas *¿Qué?, ¿Quién?, ¿Dónde?, ¿Cuándo?, ¿Cómo?* y *¿Por qué?* Primero, organice sus ideas en una gráfica como la de abajo. Use la gráfica para escribir el borrador. En una primera revisión del borrador, preste atención a su introducción, asegurándose de que atraiga *(attract)* la atención de los lectores. Recuerde usar lo que ha aprendido en este capítulo sobre el uso del pretérito y el imperfecto para hablar de los eventos en el pasado. Después, comparta su borrador con otro/a estudiante y pídale sus sugerencias o correcciones. Por último, escriba la versión final para incluir las sugerencias de su compañero/a y corregir los errores en los tiempos de los verbos y la ortografía.

**Título** *(title)*

**Ambiente** *(setting)*

**Personajes** *(characters)*

**Problema** *(problem)*

**Eventos** *(events)*

**Solución** *(solution)*

Es importante crear un buen ambiente al escribir.

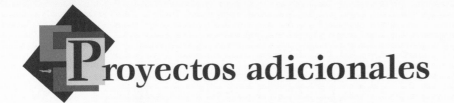

# Proyectos adicionales

## A Conexión con otras disciplinas: las ciencias

Trabaje en grupos pequeños para investigar el clima mediterráneo. Puede usar la biblioteca y la internet para su investigación. Busque datos sobre las características de este tipo de clima, por ejemplo: temperaturas, lluvias, flora, fauna y lugares donde se encuentra. Su grupo debe hacer una presentación para la clase con la información que encuentre, acompañarla con mapas, tablas y fotografías.

Los olivos son típicos del Mediterráneo.

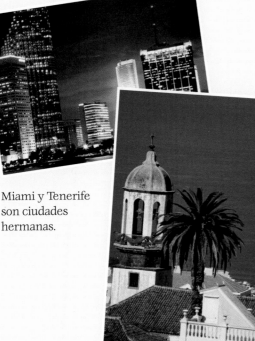

Miami y Tenerife son ciudades hermanas.

## B Conexión con la tecnología

Se dice que muchas ciudades de países distintos son "hermanas" porque tienen características similares y entre ellas se producen intercambios *(exchanges)* culturales y comerciales. Varias ciudades estadounidenses tienen sus ciudades hermanas en España, tales como Kansas City y Sevilla; Toledo, Ohio y Toledo; Miami y Tenerife (Islas Canarias) y San Diego y Alcalá de Henares (donde nació Cervantes). Busque en la internet la información que necesita para hacer un cartel sobre una ciudad estadounidense y su hermana española. ¿Qué conexiones hay entre las dos ciudades? ¿Por qué son hermanas? Pegue su cartel en el salón de clases.

## C Comparaciones

La influencia de España en la historia de Estados Unidos se puede ver hoy en día a través de la arquitectura. En muchos lugares de nuestro país, como California, Texas, Arizona, Nuevo México y Florida, existen casas y edificios con características de la arquitectura española. Haga una comparación entre uno o más edificios estadounidenses y españoles. Observe las características españolas, como torres, arcos *(arches)*, tejados de barro *(clay roof tiles)*, mosaicos *(mosaics)*, patios interiores *(interior courtyards)* y balcones de hierro forjado *(wrought iron)*. Piense si hay alguna casa o edificio en su comunidad para usar como ejemplo de estas influencias. Escriba un informe con la información que encuentre en la internet o en la biblioteca.

# Repaso

**Now that I have completed this chapter, I can...**    **Go to these pages for help:**

classify news in corresponding sections.    100

talk about activities of the media.    110

talk about how long something has been
    going on.    114

comment on news and events in the media.    120

recall and talk about events in the past.    124, 127

react to news events.    130

link parts of sentences.    136

**I can also...**

talk about a newspaper supplement dedicated
    to young people in Spain.    103

identify some places of interest in Madrid.    109

talk about the San Sebastián Film Festival.    113

talk about the reading habits of young people
    in Spain.    118

discuss the benefits of shooting a movie
    in Almería.    123

talk about Sevilla's past and present history.    133

discuss the mixture of three cultures in Toledo.    139

read an excerpt from don Quijote.    140

# Trabalenguas

En un juncal de Junqueira, juncos juntaba Julián.
Juntóse Juan a juntarlos y juntos juncos juntaron.

# Vocabulario

**aceptar** to accept *3A*

el **acusado,** la **acusada** accused person *3B*

**agradecer** to thank *3A*

la **ambulancia** ambulance *3B*

**anunciar** to announce *3B*

**arrestar** to arrest *3B*

**asaltar** to assault *3B*

**averiguar** to find out *3A*

la **bomba** bomb *3B*

la **cámara digital** digital camera *3A*

la **camioneta** station wagon *3B*

la **cárcel** jail *3B*

**causar** to cause *3B*

la **ceremonia** ceremony *3A*

**chocar** to crash *3B*

los **clasificados** classified *3A*

el **conductor** driver *3B*

**contra** against *3B*

**contribuir (y)** contribute *3A*

el **crimen** crime *3B*

el **crucigrama** crossword puzzle *3A*

**culpable** guilty *3B*

**dar un discurso** give a speech *3A*

**declarar** to declare *3B*

**desmayarse** to faint *3B*

**destruir (y)** to destroy *3A*

la **entrega de premios** awards ceremony *3B*

**entrevistar** to interview *3A*

el **estreno** premiere *3A*

la **explosión** explosion *3B*

**explotar** to explode *3B*

el **festival** festival *3A*

las **finanzas** finances *3A*

**grave** serious, grave *3B*

**inocente** innocent *3B*

la **inundación** flood *3B*

el **juicio** trial *3B*

el **jurado** jury *3B*

el **ladrón,** la **ladrona** thief *3B*

**lograr** to achieve, to obtain *3B*

**matar** to kill *3B*

**mencionar** to mention *3B*

el **ocio** free time *3A*

la **opinión** opinion *3A*

el **ordenador** computer *3A*

el **paramédico,** la **paramédica** paramedic *3B*

el **periodismo** journalism *3A*

**por suerte** luckily *3B*

**por supuesto** of course *3A*

la **prensa** press *3A*

**preocupado,-a** worried *3B*

los **primeros auxilios** first aid *3B*

al **principio** at the beginning, *3A*

la **programación de televisión** TV guide *3A*

el **recuerdo** memory *3A*

el **reportaje** interview *3A*

**rescatar** to rescue *3B*

**rodear** to surround *3B*

la **rueda de prensa** press conference *3A*

**salvar** to save *3B*

la **sentencia** sentencing *3B*

la **sesión fotográfica** photo session *3A*

la **sociedad** society *3A*

**¡Socorro!** Help! *3B*

**suceder** to happen *3A*

el **suplemento dominical** Sunday supplement *3A*

**tener lugar** to take place *3A*

**terrible** terrible *3B*

la **tormenta** storm *3B*

la **víctima** victim *3B*

la **videocámara digital** digital videocamera *3A*

**violento,-a** violent *3B*

la **visibilidad** visibility *3B*

La rueda de prensa.

Un ordenador.

# Capítulo 4

# Entre amigos

## Objetivos

- ❖ describe your personality and that of your friends
- ❖ talk about personal relationships
- ❖ make apologies
- ❖ express events in the past
- ❖ describe people and things
- ❖ talk about family relationships
- ❖ give recommendations and advice
- ❖ receive and place phone calls
- ❖ talk about actions that lasted for an extended time

Visit the web-based activities at www.emcp.com

# Vocabulario I
## La amistad

No sé si puedo creerte.

Laura y tu novio no tienen nada en común. ¿No te das cuenta de que él te quiere a ti?

¿Por qué eres tan celosa? No debes tener celos de Laura. Es sólo una amiga.

Eres tan considerada, Elena... Gracias por apoyarme.

Marcos, debes pensar en ti mismo y olvidar a Julieta.

## 1 ¡Qué entrometido!

Indique la letra de la ilustración que corresponde con lo que oye.

**A**

**B**

**C**

**D**

**E**

**F**

## 2 ¿Cómo es su amigo/a?

Escriba una descripción de un(a) amigo/a. Use como mínimo cuatro palabras o frases de la caja.

| | |
|---|---|
| celoso/a | honesto/a |
| confiar | increíble |
| considerado/a | pensar en sí mismo/a |
| chismear | tener celos |
| chismoso/a | tener en común |
| entrometido/a | |

**¡Extra!**

**Más descripciones**

| | |
|---|---|
| cortés | polite |
| descortés | rude |
| estupendo,-a | wonderful |
| insoportable | unbearable |
| presumido,-a | conceited |
| tímido,-a | shy |
| tolerante | tolerant |

# Diálogo I

## Te voy a contar un secreto

DIEGO: Te voy a contar un secreto pero no puedes decírselo a nadie.
RITA: ¿Qué es?
DIEGO: Miguel y Laura se reconciliaron.
RITA: ¿Estás seguro?

DIEGO: Sí, Laura lo perdonó. Por fin se dio cuenta de que Miguel es un chico sincero y honesto.
RITA: Sí, pero el problema de Laura es que es muy celosa y no confía en ningún chico.

DIEGO: Laura tiene que ser más considerada y aceptar a las amigas de Miguel.
RITA: Sí, pero Miguel no debe pensar tanto en sí mismo y comprenderla. No es fácil para ella. ¡Miguel tiene demasiadas amigas!

## 3 ¿Qué recuerda Ud.?

1. ¿Cuál es el secreto que le cuenta Diego a Rita?
2. ¿De qué se dio cuenta Laura, según Diego?
3. ¿Cuál es el problema de Laura, según Rita?
4. ¿Cómo tiene que ser Laura, según Diego?
5. ¿Por qué no es fácil para Laura salir con Miguel?

## 4 Algo personal

1. ¿Le contaron alguna vez un secreto que no podía decir a nadie?
2. ¿Pudo guardar ese secreto?
3. ¿Piensa Ud. en las otras personas más que en Ud. mismo/a?
4. ¿Qué tiene en común con su mejor amigo/a?
5. ¿Cómo se describe a sí mismo/a?

## 5 ¿Cuál es su personalidad?

Escuche lo que dicen estas personas. Escoja la letra de la palabra que describe la personalidad de cada una.

1. A. honesta       B. celosa        C. increíble
2. A. considerado   B. entrometido   C. egoísta
3. A. estricto      B. chismoso      C. honesto
4. A. chismosa      B. nerviosa      C. ocupada
5. A. increíble     B. sincero       C. entrometido
6. A. sincero       B. estudioso     C. celoso

## La herencia taína

Los taínos eran la cultura más extendida[1] en Puerto Rico en los tiempos en que Cristóbal Colón llegó al continente americano. El propio Colón los describió en su diario como un pueblo hospitalario, que hablaba un idioma agradable, "el más dulce del mundo". Aunque el impacto de la conquista provocó la casi total desaparición de los taínos, todavía quedan huellas[2] de su cultura en los pueblos del Caribe. Muchos creen que el carácter amistoso[3] del pueblo puertorriqueño es parte de la bella herencia[4] de los primeros habitantes de la isla.

Muchas palabras de la lengua de los taínos fueron adoptadas por el español. En el campo, podemos ver los *bohíos*, unas casas pequeñas de madera, y las *ceibas*, unos árboles inmensos que todavía hoy se cree que son sagrados[5]. Por la noche siempre se puede dormir en una *hamaca*.

Y si uno va a Puerto Rico, hay que probar sus frutas más sabrosas: la guanábana, el caimito y el mamey. Como los españoles no conocían esas frutas, les dieron el mismo nombre que los taínos usaban.

Además de su influencia en la lengua, los taínos contribuyeron con sus juegos. Este pueblo practicaba un juego ceremonial llamado *batey*, en el que se usaba una bola hecha de plantas de caucho[6]. Se formaban dos equipos y jugaban en una plaza rectangular rodeada de pilares[7] con grabados artísticos[8].

Las ceibas son unos árboles muy grandes.

[1]extended  [2]traces  [3]friendly  [4]inheritance  [5]sacred  [6]rubber  [7]pillars  [8]engravings

## 6 La cultura taína

**Conteste las siguientes preguntas.**

1. ¿Cómo definió Colón la cultura taína?
2. ¿Qué huellas de la cultura taína se encuentran hoy en Puerto Rico?
3. Diga algunas palabras taínas que han pasado al español.
4. ¿Por qué hay tantas frutas del Caribe que tienen nombres taínos?
5. ¿Qué árbol piensan algunas personas que es sagrado?
6. ¿Conoce usted algunas palabras taínas que son parte del idioma inglés? ¿Qué significan?

# Idioma

## Repaso rápido: más sobre verbos y pronombres

Indirect and direct object pronouns as well as reflexive pronouns precede conjugated verbs, that is, verbs with personal endings.

| | |
|---|---|
| *Borré tu correo electrónico, pero* **lo** *recuerdo.* | I erased your e-mail, but I remember **it.** |
| **Les** *escribo pronto.* | I'll write **to you** soon. |

However, in affirmative command forms, pronouns are attached to the commands.

| | |
|---|---|
| *Lláma***lo** *ahora mismo.* | Call **him** right now. |
| *Perdóna***me.** | Forgive **me.** |

When used with present participles and infinitives, pronouns may either precede the conjugated verb or be attached to the participle or infinitive.

| | |
|---|---|
| **Te** *voy a apoyar.* | |
| *Voy a apoyar***te.** | I'm going to support **you.** |
| **Me** *estás mintiendo.* | |
| *Estás mintiéndo***me.** | You are lying to **me.** |

## 7 Preparativos para la fiesta

**Imagine que Ud. y su compañero/a están preparando una fiesta. Tienen muchas cosas por hacer. Decidan quién va a hacer cada cosa. Sigan el modelo.**

**MODELO** hacer la lista de invitados
> **A:** Hay que hacer la lista de invitados. ¿La hago yo?
> **B:** Sí, hazla tú. (No, compra las decoraciones.)

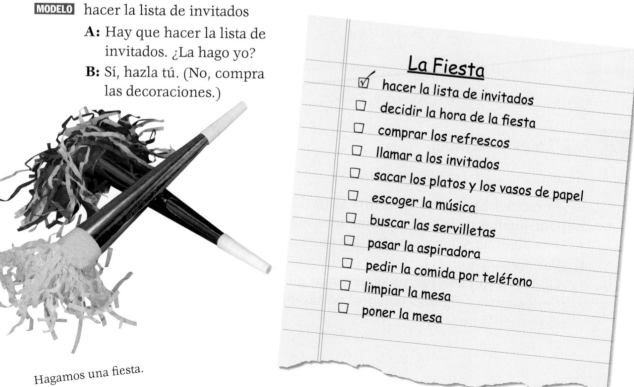

**La Fiesta**
- ☑ hacer la lista de invitados
- ☐ decidir la hora de la fiesta
- ☐ comprar los refrescos
- ☐ llamar a los invitados
- ☐ sacar los platos y los vasos de papel
- ☐ escoger la música
- ☐ buscar las servilletas
- ☐ pasar la aspiradora
- ☐ pedir la comida por teléfono
- ☐ limpiar la mesa
- ☐ poner la mesa

Hagamos una fiesta.

### Los complementos directos e indirectos en una misma oración

Sometimes both an indirect object pronoun and a direct object pronoun are used in a sentence. Note the object pronouns in these sentences.

Gloria me contó un chiste.

*Gloria **me** contó un chiste.*     Gloria told **me** a joke.

***Me lo** contó ayer en el parque.*     She told **it to me** in the park yesterday.

Notice that the indirect object pronoun (*me* = to whom?) comes before the direct object pronoun (*lo* = what?).

The indirect object pronouns *le* and *les* become *se* when followed by the direct object pronouns *lo, la, los, las.*

*Gloria también **le** contó el chiste **a Hugo.***     Gloria also told the joke **to Hugo.**

***Se lo** contó hoy en el colegio.*     She told **it to him** at school today.

Since the indirect object pronouns *le, les,* and *se* can refer to different people (to him, to her, to them, to you), it is often necessary to provide additional information (*a* + name) to avoid confusion.

***Le** pido favores **a mi hermano,** pero **le** hago favores **a mi hermana.***     I ask **my brother** for favors, but I do favors for **my sister.**

Direct and indirect object pronouns can precede conjugated verbs. They may also be attached to infinitives and present participles.

***Lo** voy a invitar más tarde.*
*Voy a invitar**lo** más tarde.*     I'm going to invite **him** later.

***Las** estoy buscando, pero no **las** encuentro.*
*Estoy buscándo**las**, pero no **las** encuentro.*     I'm looking for **them** but I can't find **them.**

In affirmative commands the object pronouns are attached to the command forms. Note that if the command form is three syllables or longer it requires an accent mark.

***Diles** lo que piensas.*     **Tell them** what you think.
***Escúchala,** va a apoyarte.*     **Listen to her,** she's going to support you.
***Préstamelas.***     **Lend them to me.**

## 8 Los discos compactos de José

¿A quién le va a prestar sus discos compactos José? Escoja el pronombre o los pronombres adecuados para completar la conversación entre ellos.

**MODELO** Yo siempre ___ digo la verdad a mis amigos. (la / se la / les)
Yo siempre <u>les</u> digo la verdad a mis amigos.

1. José, ¿___ prestaste tú los CD a Andrés ?
(los / le / me los)
2. No, ___ presté a Carolina. (te los / se la / se los)
3. Ella no ___ dio todavía. (me los / me lo / te los)
4. ¿Cuándo ___ prestaste a ella?
(te los / se los / me los)
5. La semana pasada. Ella va a traér___ mañana.
(melas / selas / melos)
6. ¿___ puedes prestar a mí mañana?
(Me las / Me los / Te los)
7. Lo siento. ___ puedo prestar a ti.
(No te los / No se los / No me las)
8. ___ prometí a mi hermano. (Se los / Te las / Se la)
9. ___ quiero dar a él primero. ¡Primero están los hermanos! (me los / se las / se los)

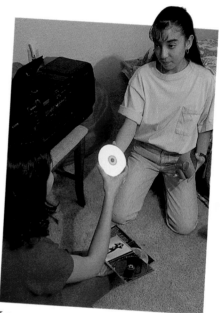

Le presto mi CD a mi hermana.

## 9 Una nueva estudiante

Ha llegado una nueva estudiante a su colegio. Su compañero/a y Ud. están encargados de darle la información que necesita. Túrnese con su compañero/a para saber qué hizo cada uno.

**MODELO** explicarle el horario de la biblioteca
**A:** ¿Le explicaste el horario de la biblioteca?
**B:** Sí, se lo expliqué. / No, no se lo expliqué.

1. mostrarle el colegio
2. presentarle al director
3. llevarla al gimnasio
4. contestar sus preguntas
5. darle los números de teléfono
6. enseñarle la sala de computadoras
7. indicarle el camino a la cafetería

HORARIO:
DE LUNES A VIERNES
·· DE 8:30 AM. A 12:30 AM.
·· DE 2:30 PM. A 6:30 PM.

Le expliqué el horario.

## 10 ¿A quién se lo vas a dar?

Imagine que tiene mucho dinero y puede comprar cosas nuevas. Haga una lista de las cosas que ya no quiere y otra lista de los amigos o parientes a quienes se las puede dar. Su compañero/a va a preguntarle a quién le va a dar cada cosa y por qué.

mi primo Agustín
mi hermano
mi hermana
mis amigos
mi amiga Margarita
mi prima Marisa
mi tío

**MODELO** la computadora

**A:** ¿A quién le vas a dar la computadora?

**B:** Se la voy a dar a mi primo Agustín.

**A:** ¿Por qué a Agustín?

**B:** Porque su computadora no funciona bien.

## 11 La sala de fiestas

Ud. organizó una fiesta con sus compañeros/as en una nueva sala de fiestas de la ciudad donde viven. El gerente los entrevista para saber si están contentos con el servicio. Trabaje en grupo. Túrnese con sus compañeros/as para representar al gerente y a los clientes. Usen algunas de las ideas que siguen y sus propias ideas. Tomen nota de los comentarios. Después de contestar las preguntas del gerente, pueden escribir los comentarios que tienen sobre la sala de fiestas y compartirlos con la clase.

- comida / bebida / postres que pidieron
- comida / bebida / postres que les sirvieron
- calidad de la comida / bebida / postres
- hora a la que Uds. los pidieron
- hora a la que se los trajeron
- atención de los camareros
- música que ustedes pidieron
- música que ofrecieron
- calidad del servicio en general

## Ha sido un mal día

Gracias por posponer la reunión para la semana próxima. Eres un chico muy comprensivo.

¡No faltaba más!

¡No fue mi culpa! ¿Por qué no le echas la culpa a Roberto? Él es el que tiene la culpa de esto.

No quise acusarte a ti. Cometí un error pero... tú nunca me devuelves lo que te presto.

Enrique

Marta

Roberto

Marta desconfía de Enrique.

## 12 ¡Qué va!

Escuche las siguientes oraciones. Escoja la letra de la respuesta correcta.

1. A. Chévere.
   B. Discúlpame.
   C. ¡No faltaba más!

2. A. Lo hice sin querer.
   B. ¡Qué raro!
   C. ¡Qué va!

3. A. Lo hice sin querer.
   B. ¡Qué raro!
   C. ¡Chévere!

4. A. ¡No faltaba más!
   B. ¡Qué bueno!
   C. No fue mi culpa.

5. A. ¡Qué va!
   B. No fue mi culpa.
   C. ¡Qué raro!

6. A. ¡No faltaba más!
   B. Discúlpame.
   C. Chévere.

## 13 Definiciones

Lea las siguientes definiciones y escoja la palabra a la que corresponde cada una.

1. acción de discutir
2. lo que cae al llorar
3. dejar de hacer algo, con idea de hacerlo más tarde
4. aceptar
5. enterarse de algo
6. decir que alguien tiene la culpa de algo

A. acusar
B. descubrir
C. discusión
D. lágrimas
E. posponer
F. admitir

# Diálogo II
## No ha sido mi culpa

**DIEGO:** ¿Por qué estás llorando, Rita?

**RITA:** He descubierto que saliste con Clara el viernes pasado.

**DIEGO:** ¿Quién te ha dicho eso?

**RITA:** Elena.

**DIEGO:** Yo no salí con ella. Clara me llamó porque tenía un problema y quería hablar con alguien.

**RITA:** Pero, ¿por qué no me lo contaste?

**DIEGO:** Porque me olvidé. Discúlpame, pero no ha sido mi culpa.

**RITA:** ¡Qué va! Tú siempre cometes esos errores. Estoy perdiendo la paciencia contigo.

**DIEGO:** Créeme. Lo hice sin querer. No puedes desconfiar así de mí.

**RITA:** No lo sé, Diego. Esta vez necesito pensarlo. Te llamo mañana.

## 14 ¿Qué recuerda Ud.?

1. ¿Por qué está llorando Rita?
2. ¿Quién ha visto a Diego con Clara?
3. ¿Por qué llamó Clara a Diego?
4. ¿Por qué no le avisó Diego a Rita que iba a ver a Clara?
5. ¿Por qué está perdiendo Rita la paciencia con Diego?

## 15 Algo personal

1. ¿Ha tenido Ud. una pelea con alguien? ¿Sobre qué?
2. ¿Reconoce cuando Ud. tiene la culpa o ha cometido un error?
3. ¿Pierde la paciencia con facilidad?
4. ¿Alguna vez le ha echado la culpa de algo a otra persona?

## 16 ¿Qué ha sucedido?

Escuche los siguientes diálogos. Diga a qué foto corresponde cada uno.

**A**

**B**

**C**

**D**

## Los jóvenes y la salsa

Todo el mundo sabe que la salsa se usa para dar sabor a la comida. Pero, ¿qué es entonces la música "salsa"?

Tanto los cubanos como los puertorriqueños piensan que son los creadores de la música salsa. Y tienen razón. En realidad, la salsa es la renovación del son[1] cubano que los músicos puertorriqueños y cubanos de Nueva York hicieron durante los años 60 y 70. En esa época surgen[2] en Nueva York las descargas[3] de música latina en las que los músicos cubanos comienzan a colaborar con sus amigos puertorriqueños. Al principio, la salsa recibe duras críticas[4]. Se dice que es una música marginal, poco original, de gente poco educada.

Celia Cruz.

Sin embargo, músicos como Celia Cruz, Willie Colón, Johnny Pacheco y Héctor Lavoe hicieron este ritmo cada vez más popular. Muchos de estos músicos se unieron en la compañía Fania, que en 1973 organizó un concierto en el Yankee Stadium de Nueva York con todas sus grandes estrellas. El concierto fue un fracaso, pero le dio a la salsa su nacimiento oficial.

Hoy en día la salsa es un fenómeno internacional: en Nueva York o en La Habana, en ciudad del Cabo o en Madrid, la gente disfruta[5] esa música con sabor al Caribe. Si no cree que la salsa es ya un fenómeno mundial, sólo tiene que escuchar a los Tokyo Cuba Boys: una orquesta de salsa con músicos y cantantes japoneses que desde hace años hace bailar a todo Japón.

Jóvenes bailando salsa.

[1]mixture of Arfican and European rhythms    [2]emerge    [3]jam sessions    [4]harsh criticisms    [5]enjoys

## 17 ¿Qué sabe de la salsa?

**Conteste las siguientes preguntas.**

1. ¿Quiénes crearon la salsa?
2. ¿Cómo y cuándo comienza la salsa?
3. ¿Por qué la salsa recibió duras críticas?
4. Según el artículo, ¿cuándo nace oficialmente la salsa?
5. ¿Qué ejemplo se da en el artículo de que la salsa es un fenómeno mundial?

### ¡Oportunidades!

**El español y la salsa**
El ritmo contagioso (*contagious*) de la salsa es tan popular en Estados Unidos como el rock and roll o la música funk. Una manera divertida de practicar español es aprender la letra (*lyrics*) de las canciones. Si va a una tienda de discos puede conseguir discos de salsa con las letras de las canciones. Escuche las canciones y lea la letra al mismo tiempo. Poco a poco va a poder reconocer el sonido de las palabras y lo que quieren decir.

# Idioma

### Los participios pasados y el pretérito perfecto

You are already familiar with the forms of the past participle in Spanish. For *-ar* verbs, the past participle ends in *-ado (llorado)*; for *-er* and *-ir* verbs, the past participle ends in *-ido (perdido, discutido)*. You learned some irregular past participles in Chapter 3.

The past participle is frequently used with the verb *haber* to describe what you have or have not done. This tense is called the present perfect and it is formed with a conjugated form of *haber* + past participle.

| haber | participio pasado |
|-------|-------------------|
| he<br>has<br>ha<br>hemos<br>habéis<br>han | llorado<br>perdido<br>discutido |

**¡Extra!**

**Participios pasados irregulares**

| | |
|---|---|
| abrir: | abierto |
| decir: | dicho |
| escribir: | escrito |
| hacer: | hecho |
| poner: | puesto |
| romper: | roto |
| ver: | visto |

*Pedro **ha chismeado** mucho.*
*Todos **hemos ido** a la fiesta.*

Pedro **has gossiped** a lot.
Everybody **has gone** to the party.

Notice that when the past participle is used to form the present perfect tense, it is only used in its masculine singular *(-o)* form.

Direct object, indirect object and reflexive pronouns precede the form of *haber*.

*Rita **nos ha contado** un secreto.*
*¿**Te lo ha dicho** a ti?*

Rita **has told us** a secret.
**Has she told it** to you?

## Práctica

### 18 Diálogos breves

**Complete estos breves diálogos con la forma correcta del pretérito perfecto de los verbos entre paréntesis.**

1. **A:** Raúl, tú no me *(decir)* la verdad. ¿Por qué no *(ser)* honesto conmigo?
   **B:** Perdóname, Cristina, lo *(hacer)* sin querer. No *(querer)* ofenderte.
2. **A:** Yo *(enterarse)* que *(ver)* a tu antiguo novio.
   **B:** ¿A Nicolás? ¡Qué va! ¿Quién te *(contar)* ese chisme?
3. **A:** Jorge, ¿tú *(tener)* algún problema con Silvia?
   **B:** Ella es una irresponsable. Me *(dejar)* plantado y no me *(dar)* ninguna explicación.

## 19 Carta de Alejandra

Complete la carta que Alejandra le escribió a Tere, una amiga de San Juan, con la forma correcta del pretérito perfecto de los verbos de la caja.

perder · ser · pelear · estar · romper · pasar · discutir · salir · darse cuenta · llorar

Querida Tere,

No sabes lo que me (1). Yo (2) la relación con Pedro. Nosotros (3) y nos (4). Anoche yo (5) toda la noche. No sé qué hacer. Yo pensaba que Pedro era muy amable y comprensivo, pero me (6) de que sólo piensa en sí mismo. Yo no (7) con nadie más desde que lo conocí a él, y (8) con él mucho tiempo, casi dos años. Ahora siento que por su culpa estoy sola y que (9) a todos mis amigos. ¡(10) muy tonta! Perdóname esta carta triste. Espero verte pronto. Llámame.

Alejandra

## ◈ Comunicación

## 20 ¿Lo has hecho o no?

Con su compañero/a, hablen sobre lo que ha hecho esta última semana. Usen el pretérito perfecto y la lista de actividades que sigue.

**MODELO** leer algún libro interesante

**A:** ¿Has leído algún libro interesante?

**B:** Sí, he leído... ¿Quieres leerlo tú?

**A:** No gracias, ya lo he leído.

1. estudiar algo interesante
2. hacer la tarea para todas las clases
3. ir al cine
4. ver un programa bueno por televisión
5. discutir con amigos o con tus hermanos/as
6. descubrir algo interesante
7. decir alguna mentira
8. salir con tus amigos

## 21 ¿Lo han hecho alguna vez?

Pregúnteles a tres compañeros si han hecho las siguientes cosas. Anote sus respuestas. Comparta los resultados con la clase.

| ¿Alguna vez has...? | | |
|---|---|---|
| echarle la culpa a otra persona | Sí, varias veces. | No, nunca. |
| decirle una mentira a tu mejor amigo/a | | |
| dejar plantado/a a alguien | | |
| hacerle un cumplido a un(a) profesor(a) | | |
| tener celos de tus hermanos/as | | |
| llorar durante una película | | |

## Estructura

### La posición del adjetivo y su significado

The following common adjectives have two meanings, depending on whether they precede or follow the noun. Observe the following differences.

| | |
|---|---|
| Es una *familia pobre*. | It's a **poor family.** (in poverty) |
| *¡Pobre chico!* Su novia lo dejó plantado. | The **poor guy!** (unfortunate) His girlfriend stood him up. |
| Es una *hombre viejo*. | He is an **old man.** (elderly) |
| Es un *viejo amigo* mío. | He is an **old friend** of mine. (longtime) |
| Estos *libros* son muy *antiguos*. | These **books** are **ancient.** (very old) |
| Mi *antigua estudiante* se mudó a Ponce. | My **old student** moved to Ponce. (former) |
| La *casa* es *nueva*. | The **house is new.** (brand new) |
| Necesito una *nueva grabadora*. | I need a **new tape recorder.** (another one) |
| Es una *gran ciudad*. | It is a **great city.** |
| Es una *ciudad grande*. | It is a **large city.** |
| Es un *buen profesor*. | He is a **good teacher.** (talented) |
| Es un *hombre bueno*. | He is a **kind man.** |
| Es el *único mapa* de San Juan que tenemos. | It's the **only map** of San Juan we have. |
| Es un *mapa único*. | It's a **unique map.** (There's no other like it.) |
| Es un *estilo diferente*. | It is a **different style.** |
| Hay *diferentes estilos*. | There are **various styles.** |

 **Práctica**

Son viejos amigos.

**22** ¡Son viejos amigos!

Escoja la oración que mejor explique el significado de la primera.

1. Mi abuelo tiene *amigos viejos*.
   A. Se conocen desde que eran niños.
   B. Todos tienen más de 65 años.

2. *¡Pobre hombre!*
   A. No tiene dinero.
   B. Tiene problemas.

3. Isabel todavía quiere a su *antiguo novio*.
   A. Es un hombre mayor.
   B. Ahora ella tiene otro novio.

4. El equipo necesita *jugadores grandes*.
   A. Necesitan jugadores buenos.
   B. Necesitan jugadores muy altos.

5. Nuestra escuela es *única*.
   A. Es muy especial y diferente.
   B. No hay otras escuelas en la ciudad.

**164** *ciento sesenta y cuatro* **Lección A**

## 23 En El Yunque

El Yunque es un parque nacional que está cerca de San Juan. Decida con un(a) compañero/a si los adjetivos entre paréntesis que se usan para describir las palabras en cursiva deben ir antes o después de ellas. Recuerde que algunos adjetivos cambian de significado según su posición. Compartan sus respuestas con la clase.

Parque nacional El Yunque.

**MODELO**  El Yunque tiene ___ *animales* ___ que no existen en otros países. (únicos)
El Yunque tiene animales únicos que no existen en otros países.

1. El Yunque es un ___ *parque* muy ___ que tiene 28,000 acres. (grande)
2. Es el ___ *bosque lluvioso* ___ del sistema forestal de Estados Unidos. (único)
3. Es también la ___ *reserva forestal* más ___ del Hemisferio Occidental. (vieja)
4. Tiene una torre de observación que ofrece una ___ *vista* ___ del noreste de la isla. (grande)
5. En las partes bajas de la reserva se encuentran especies de ___ *plantas* ___ que aparecieron hace cientos de años. (antiguas)
6. Uno de los animales más conocidos de El Yunque es la cotorra puertorriqueña. Dicen que después del huracán Hugo la ___ *cotorra puertorriqueña* ___ estaba en peligro de extinción. (pobre)
7. Pero gracias al ___ *interés* ___ que despertó la posible desaparición de esta ave, el número de cotorras ha crecido. (nuevo)

La cotorra puertorriqueña.

## ❖ Comunicación

## 24 Descríbanlo

Trabaje con tres estudiantes para escribir una breve descripción de cada uno de los temas siguientes. Luego, presenten sus descripciones a la clase.

- un mal día
- una película muy mala
- un edificio muy antiguo
- un(a) viejo/a amigo/a
- una gran experiencia
- un lugar muy grande
- un estilo de ropa diferente

# Lectura cultural

## En el Viejo San Juan

En 1521, los españoles fundaron la ciudad de San Juan de Puerto Rico. Desde el principio[1], llegaban a la ciudad barcos cargados con los tesoros[2] que los españoles llevaban de América a España. Por esa razón, San Juan era atacada[3] frecuentemente por piratas[4]. Para defenderla, los españoles construyeron[5] una muralla alrededor de la ciudad.

Cuenta la leyenda[6] que una noche, uno de los soldados que cuidaban la muralla desapareció[7]. Muchos pensaron que los piratas eran responsables de su desaparición. Al día siguiente, sin embargo, se supo la verdad: el soldado se había ido con su novia. Nunca regresó a la muralla. Parece que ese muro, construido para separar[8] a la gente, quería reunirlas.

Hoy en día, San Juan es una de las ciudades coloniales mejor conservadas[9] del Caribe. Cada domingo, la vieja muralla une a gente de diferentes países y culturas que vienen a San Juan en busca de un tesoro más precioso[10] que el oro: la amistad.

Una calle en el Viejo San Juan.

El Paseo de la Princesa en el Viejo San Juan.

[1]beginning  [2]treasures  [3]attacked  [4]pirates  [5]built  [6]legend  [7]disappeared  [8]separate  [9]preserved  [10]precious

## 25 ¿Qué recuerda Ud.?

1. ¿Cuándo se fundó San Juan de Puerto Rico? ¿Quiénes fundaron la ciudad?
2. ¿Por qué atacaban los piratas la ciudad de San Juan?
3. ¿Qué hicieron los españoles para defender la ciudad?
4. ¿Qué leyenda se cuenta sobre la muralla de San Juan?
5. ¿Está de acuerdo con que "ese muro, construido para separar a la gente, quería reunirlas"? ¿Por qué?

## 26 Algo personal

1. Observe una de las fotos de San Juan que aparece en el artículo y descríbala.
2. ¿Existen en su ciudad murallas o edificios antiguos?

## ¿Qué aprendí?

**Visit the web-based activities at www.emcp.com**

### Autoevaluación

**Como repaso y autoevaluación, responda lo siguiente:**

1. Escriba una definición de cada una de las siguientes palabras: *comprensivo, celoso, entrometido, chismoso*.

2. Escriba dos palabras de origen taíno.

3. Escriba una oración con dos pronombres de complemento. ¿Qué pronombre de complemento va primero, el directo o el indirecto?

4. ¿Cuándo reemplaza *se* a los complementos *le* y *les*?

5. Explique cómo se forma el pretérito perfecto y dé un ejemplo.

6. Explique la diferencia entre *un viejo amigo* y *un amigo viejo*.

7. Diga dos cosas que ha aprendido sobre San Juan.

## Palabras y expresiones

**Descripciones**
celoso,-a
chismoso,-a
comprensivo,-a
considerado,-a
entrometido,-a
honesto,-a
increíble

**En las peleas**
la culpa
la discusión
el error
las lágrimas
la pelea

**Verbos**
acusar
admitir
apoyar
confiar
contar con
chismear
darse cuenta
desconfiar
descubrir
devolver (ue)
llorar
perdonar
posponer
reconciliarse

**Otras palabras y expresiones**
cometer un error
dejar plantado/a a alguien
Discúlpame.
echar la culpa a alguien
hacer un cumplido
Lo hice sin querer.
¡No faltaba más!
pensar en sí mismo,-a
perder la paciencia
¡Qué raro!
¡Qué va!
tener celos
tener en común
tener la culpa

Ellas chismean.

Las lágrimas.

## Vocabulario I
### La relación con los padres

¡Estás equivocada, Adela! ¡No tengo obligación de avisarte adónde voy cada vez que salgo!

Hazme caso. Soy tu hermana mayor.

Es muy importante mantener buenas relaciones en la familia.

¡No se peleen! Resuelvan el conflicto y hagan las paces.

¿Por qué no te peinas mejor, Tomás?

¡No me critiques! ¡A mí me gusta así! ¡Acéptame tal como soy!

reaccionar mal

No levantes la voz. No me gusta ese comportamiento. Respeta a los adultos.

Muchas veces hay diferencias de opinión entre padres e hijos.

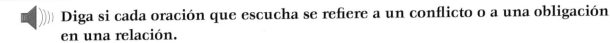

# 1 ¿Conflicto u obligación?

Diga si cada oración que escucha se refiere a un conflicto o a una obligación en una relación.

# 2 Conflicto en la familia

Complete el siguiente diálogo con las palabras de la caja.

| aceptar | obligación | paces |
|---------|-----------|-------|
| caso | equivocado | reacciona |

**Padre:** Tienes que hacer las (1) con tu hermano. No pueden pelearse así.

**Hija:** Él siempre (2) mal cuando le pido ayuda para ordenar el cuarto.

**Padre:** Pero es su (3) mantener el cuarto ordenado.

**Hija:** Sí, pero a él no le importa. Dice que él no es un chico ordenado y que lo debo (4) como es.

**Padre:** Está (5). Tengo que hablar con él.

**Hija:** Él tiene que hacerte (6) a ti.

### ¡Extra!

**En las relaciones**

| alabar | to praise |
|--------|-----------|
| comentar | to comment |
| criticar | to criticize |
| dañar | to hurt |
| disculpar(se) | to excuse |
| entrometerse | to meddle |
| felicitar | to congratulate |
| ofender | to offend |

### Estrategia

**Using cognates and context clues**
Try to figure out the meaning of unknown words by looking for cognates or by seeing how other words are used in the sentence. Can you guess the meanings of *aceptar, obligación* and *reaccionar* in the word box of activity 2?

Tienes que ordenar tu cuarto.

# Diálogo I

## ¡No vuelvas tarde a casa!

**JUAN:** Mamá, me voy a una fiesta.
**MADRE:** ¿Adónde?
**JUAN:** A una fiesta en la casa de Sebastián.
**MADRE:** Yo no sabía nada de esta fiesta. ¿Por qué no me avisaste antes?
**JUAN:** Me olvidé.

**MADRE:** No me gusta ese comportamiento. Respétame un poco.
**JUAN:** Pero, mamá, ¿por qué reaccionas así?
**MADRE:** No me levantes la voz, Juan.
**JUAN:** Pero si estamos hablando...

**MADRE:** Estoy muy enojada.
**JUAN:** Discúlpame, por favor. ¿Hacemos las paces?
**MADRE:** Tu única obligación es avisarme adónde vas.
**JUAN:** Lo sé... ¿Pero puedo ir a la fiesta?
**MADRE:** Bueno, puedes ir, ¡pero no vuelvas tarde a casa!

## 3 ¿Qué recuerda Ud.?

1. ¿Adónde quiere ir Juan?
2. ¿Por qué no le avisó Juan a su mamá que iba a la fiesta?
3. ¿Por qué reacciona mal la mamá de Juan?
4. ¿Cuál es la obligación de Juan?

## 4 Algo personal

1. ¿Cómo es su relación con sus padres?
2. ¿Qué obligaciones tiene en su casa con sus padres?
3. ¿Cómo reaccionan sus padres cuando no les avisa algo?

## 5 ¿Qué dice cada diálogo?

))) Escuche los siguientes diálogos y escoja la palabra que complete las oraciones sobre cada uno.

1. Rodolfo y Mario han hecho
   **A.** las obligaciones.  **B.** las paces.  **C.** las relaciones.
2. Paola está levantando
   **A.** la voz.  **B.** la mano.  **C.** las paces.
3. Tomás no quiere
   **A.** hacerle caso a sus padres.  **B.** estar equivocado.  **C.** hacer las paces.
4. Eugenia y su madre tienen
   **A.** una obligación.  **B.** una diferencia de opinión.  **C.** un comportamiento.

## Juan Luis Guerra, un canto de esperanza

El músico dominicano Juan Luis Guerra es uno de los artistas latinos más universales. Pero como le pasa a la mayoría de las grandes estrellas, el camino hacia la fama no le fue fácil. En 1986, Juan Luis y su grupo, 4-40, eran poco conocidos. La música y las letras de sus canciones eran mucho más complejas[1] que las del merengue tradicional. Algunos decían que, después de vivir varios años en Estados Unidos, Guerra había perdido el contacto con la gente sencilla de su país.

Ese año, 4-40 sacó un disco con varias canciones que tuvieron gran éxito en América Latina y Estados Unidos. Su fama comenzó a crecer y poco después sus canciones "Ojalá que llueva café[2]" y "La bilirrubina"

dieron la vuelta al mundo. Pero todavía había gente que pensaba que Juan Luis Guerra no era un artista del pueblo.

En diciembre de 1991, después de una larga gira[3] por Estados Unidos, 4-40 dio un concierto en el Estadio Olímpico de Santo Domingo ante una multitud de 70.000 personas. Muy emocionado, Guerra dijo a su gente: "Estoy encantado de estar de regreso en casa. Por primera vez desde hace tiempo no me siento un extraño[4]". La gente aplaudía y no paraba de cantar y bailar sus canciones. Poco después de tocar su canción más popular, "Ojalá que llueva café", comenzó a llover en el estadio, pero había tanta emoción que nadie se movió hasta que terminó el concierto.

Juan Luis Guerra.

[1]complex  [2]I Wish It Would Rain Coffee  [3]tour  [4]stranger

### 6 Un canto de esperanza

**Conteste las siguientes preguntas.**

1. ¿Por qué a algunos no les gustaba la música de Juan Luis Guerra?
2. ¿Qué canciones hicieron famoso a Guerra?
3. ¿Qué sucedió en diciembre de 1991?
4. ¿Por qué dijo el artista que ya no se sentía "un extraño"?
5. ¿Qué sucedió en el concierto cuando cantó su canción más popular?

Un CD de Juan Luis Guerra.

## Estructura

### Los mandatos negativos informales

Negative informal commands are used to tell someone you address as *tú* not to do something. To form an informal negative command, take the *yo* form of the verb and remove the *-o*. Add *-es* to *-ar* verbs, and *-as* to *-er* and *-ir* verbs.

| reaccionar | ¡No reacciones así! | *Don't react like that!* |
| comer | No comas tantos dulces. | *Don't eat so much candy.* |
| subir | No subas a ese árbol. | *Don't climb that tree.* |

Stem-changing verbs and verbs that have irregular *yo* forms also follow this pattern.

| contar | No cuentes chismes. | *Don't spread gossip.* |
| hacer | No hagas preguntas tontas. | *Don't ask silly questions.* |
| decir | No digas mentiras. | *Don't tell lies.* |

Verbs that end in *-car, -gar, -zar* and *-ger* have a spelling change to preserve the consonant sound of the infinitive.

| -gar: llegar | No llegues tarde. | *Don't arrive late.* |
| -car: criticar | No critiques a tus profesores. | *Don't criticize your teachers.* |
| -zar: empezar | ¡No empieces a discutir! | *Don't start arguing!* |
| -ger: recoger | No recojas la mesa ahora. | *Don't clear the table now.* |

The following verbs have irregular negative *tú* commands.

| ir | → | No **vayas** a la fiesta. Quédate aquí. *Don't go to the party. Stay here.* | dar | → | No me **des** más consejos. *Don't give me more advice.* |
| ser | → | ¡No **seas** aburrido! *Don't be boring!* | estar | → | No **estés** triste. *Don't be sad.* |

Note that object pronouns and reflexive pronouns in negative *tú* commands must be placed between *no* and the command. Remember that if you use two object pronouns together the indirect object pronoun comes first.

| *Vete ahora.* | Leave now. | *Dáselo a Carmen.* | Give it to Carmen. |
| *No te vayas.* | Don't leave. | *No se lo des.* | Don't give it to her. |

## Práctica

### 7 Consejos de mamá

Mario es de Santo Domingo. Hoy su madre le está dando consejos. Escoja la forma correcta del verbo apropiado para completar lo que ella dice.

1. Contéstame bien. No __ con la boca llena. (comer / hablar)
2. Sé bueno con tu hermana. No __ malo. (ser / saber)
3. Vete a estudiar. No __ al cine. (venir / ir)
4. Quédate en casa. No __. (hacer / salir)
5. Estudia para el examen. No __ música. (escuchar / comenzar)
6. Practica béisbol. No __ al fútbol. (correr / jugar)
7. Acuéstate temprano. No __ tarde. (reírse / acostarse)
8. Duérmete pronto. No __ leyendo hasta tarde. (quedarse / ir)

### 8 ¡No molestes!

Es el primer día de clase de su hermano menor. Túrnese con su compañero/a para decirle lo que no debe hacer en clase. Pueden agregar dos o tres consejos más.

MODELO  hablar en clase sin permiso
No hables en clase sin permiso.

1. llegar tarde
2. comer en clase
3. dormir en clase
4. discutir con los otros chicos
5. gritar en la escuela
6. hacerle preguntas a tu compañero
7. levantar la voz
8. criticar a los otros estudiantes

### 9 ¡No lo hagas!

Después de la escuela, Marisol cuida niños. Entre ellos está Clarita, una niña imposible. Complete las órdenes informales que le da Marisol a Clarita con la forma correcta del verbo indicado. Agregue los pronombres correspondientes cuando sea necesario.

¡No molestes al perro!

MODELO  Clarita, no debes sacar los libros de los estantes.
¡No los saques!

1. Por favor, Clarita, hace calor, ¿por qué *cierras* la ventana? ¡No __!
2. Clarita, ¿vas a cocinar ahora? ¿Para qué *enciendes* el horno? ¡No __!
3. No debes *abrir* el armario del dormitorio. Por favor, ¡no __!
4. Ya te he dicho que no puedes *ponerte* la ropa de tu mamá. ¡No __!
5. No debes *molestar* a Moni, ¿no ves que está durmiendo? ¡No __!
6. No, ahora no es hora de *darle* comida al perro. ¡No __ comida!
7. Y tú ya *has comido* muchos dulces. ¡No __ más!
8. ¿No ves que está lloviendo? No puedes *ir* al jardín ahora. ¡No __ al jardín!

## 10 Eso no se permite

Observe los dibujos siguientes. Con su compañero/a, diga a cuál de las siguientes situaciones corresponde cada dibujo. Luego, escriban el mandato negativo informal que la madre o el padre le da a cada uno de los jóvenes.

1. A Toni su papá no le permite usar aretes.
2. A Mayra su mamá no la deja ponerse maquillaje.
3. A Juan Luis su mamá no le permite mirar televisión mientras come.
4. A Angelina su madre no le permite subirse al árbol.
5. A Sixto su papá no le permite tocar las maracas por la noche.

**A** **B** **C**

**D** **E**

## 11 ¡No hagas eso!

Piense en las cosas que le molestan todos los días. ¿Qué puede decirle a las personas que las hacen? Prepare con su compañero/a cinco carteles (signs). Si quieren, pueden usar los verbos de la caja. Escojan el mejor cartel y compártanlo con sus compañeros/as.

| entrar | cerrar | usar | sacar | tocar |
|--------|--------|------|-------|-------|
| saltar | abrir | poner | subir | |

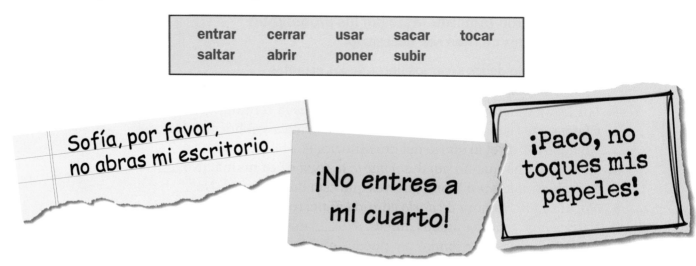

Sofía, por favor, no abras mi escritorio.

¡No entres a mi cuarto!

¡Paco, no toques mis papeles!

## 12 Haz una cosa, no hagas la otra

Llega un(a) nuevo/a estudiante al colegio. Túrnese con su compañero/a para indicarle qué debe y qué no debe hacer en cada uno de los lugares siguientes.

**MODELO** en la biblioteca
Pídele los libros a la bibliotecaria.
No los saques sin permiso.

en la clase de español

en la cafetería

en la biblioteca

en la clase de inglés

en la clase de...

en el gimnasio

en el auditorio

en el patio

## 13 Consejos útiles

En grupos de cuatro, piensen en tres consejos para cada una de las situaciones siguientes. Después, compárenlos con los consejos de otros grupos.

| ¿Qué hago para...? | Oscar | Tania | César |
|---|---|---|---|
| tener buenas notas en en todas las clases | Haz las tareas todos los días. | No salgas con tus amigos durante la semana. | No hables con tus compañeros en la clase. |
| no tener problemas con mis padres | | | |
| resolver un conflicto con mi mejor amigo/a | | | |
| no pelearme con mis amigos o hermanos/as | | | |
| mantener buenas relaciones con mi familia | | | |

## Estructura

### Los usos de la preposición *a*

The preposition *a* has five main uses:

¿Vamos al parque?

- to express motion or destination

| | |
|---|---|
| *¿Por qué no vamos **a la catedral?*** | Why don't we go to the cathedral? |
| *Cuando llegamos **al parque,** salió el sol.* | When we arrived at the park, the sun came out. |

- to express location or proximity in certain circumstances

| | |
|---|---|
| *La universidad está **a tres cuadras** de aquí.* | The university is three blocks from here. |
| *¿La ves? Está **a la izquierda.*** | Do you see it? It's on the left. |

- to introduce the direct object, when the direct object is a person (personal *a*)

| | |
|---|---|
| *Debes respetar **a** tus padres.* | You must respect your parents. |
| *No veo **a** nadie aquí.* | I don't see anyone here. |

- to introduce rates and proportions

| | |
|---|---|
| ***¿A cuánto** están las bananas hoy?* | How much are the bananas today? |
| *Toni conduce muy rápido, él va **a** **80 millas por hora.*** | Toni drives very fast, he goes 80 miles an hour. |

- to introduce an infinitive after certain common verbs, such as *ir a, venir a, aprender a, empezar a,* and *comenzar a.*

| | |
|---|---|
| ***Voy a** avisarte más tarde.* | I'll let you know later. |
| *Mi amiga **viene a** visitarnos.* | My friend is coming to visit us. |
| *Él ha **aprendido a** resolver sus problemas.* | He has learned to solve his problems. |
| *Si **empiezas a** criticarme, me voy.* | If you start to criticize me, I'll leave. |

## Práctica

### 14  Mini-diálogos

**Complete los siguientes diálogos con la preposición *a* sólo cuando sea necesario. Luego, lea los diálogos en voz alta con su compañero/a.**

**A:** ¿Quieres venir (1)__ la casa de Mauricio? Vamos (2)__ estudiar para el examen.

**B:** Lo (3)__ siento, pero los jueves no puedo. Tengo que ir (4)__ clase. Estoy aprendiendo (5)__ conducir.

**A:** Hace mucho tiempo que no veo (6)__ Joaquín. ¿Sabes (7)__ algo de él?

**B:** Sí, hoy he visto (8)__ su prima. Me ha dicho que él se ha ido (9)__ la piscina. Está (10)__ unas cuatro cuadras de aquí.

**A:** ¿Conoces (11)__ la hermana de Valentín?

**B:** No, no (12)__ la conozco, pero dicen que se parece mucho (13)__ su hermano.

**A:** ¡Ay! Ha empezado (14)__ llover y tengo que volver (15)__ casa caminando.

**B:** ¿Cómo? ¿No viene (16)__ buscarte tu mamá?

# Comunicación

## 15 ¿Qué ha hecho últimamente?

**Conteste las siguientes preguntas según su experiencia, usando la preposición *a*. Luego, hágale las mismas preguntas a su compañero/a y comparen sus respuestas.**

1. ¿Ha conocido a alguien famoso últimamente? ¿A quién?
2. ¿Adónde va generalmente después del colegio? ¿Qué hace allí?
3. ¿A cuántas millas de su casa está el centro comercial más cercano? ¿Ha ido Ud. allí esta semana?
4. ¿Ha visto Ud. a otra persona hacer algo peligroso esta semana? ¿A quién? ¿Qué hizo?
5. ¿Ha ido Ud. al supermercado esta semana? ¿Se ha fijado en los precios de la fruta? ¿A cuánto está la libra de manzanas?
6. ¿A quiénes respeta Ud. más? ¿Por qué?

## 16 El comportamiento de los jóvenes

**Una revista para jóvenes hace una encuesta entre sus lectores. Conteste las preguntas usando la preposición *a* cuando sea necesario. Luego, compare sus respuestas con las de sus compañeros.**

# Encuesta

1. ¿Cuántas veces por semana discutes con tus padres o con los adultos de tu familia? ¿Y con tus hermanos/as?
2. ¿Cuáles son las causas principales de esos conflictos? ¿Tu comportamiento? ¿Una diferencia de opiniones? Explícalo en una o dos oraciones.
3. ¿Respetas las opiniones de tus padres? Explica por qué sí o por qué no.
4. ¿Y las de tus hermanos o hermanas mayores? ¿Y las de otros adultos de tu familia? Explica por qué sí o por qué no.
5. ¿Piensas que tus padres te respetan a ti? ¿Por qué?
6. ¿Te critican tus padres o te aceptan tal como eres? Explica tu respuesta.

## Por teléfono

cargar la batería

José estaba marcando un número cuando el teléfono celular se quedó sin batería.

¿Aló? ¿Quién habla?

¿Con el 555-7878?

La línea estaba ocupada cuando te llamé. ¿Con quién estabas hablando?

No, tiene el número equivocado.

el teléfono inalámbrico

Con la operadora. Estaba haciendo una llamada de larga distancia y no sabía cuál era el código del país.

Ella consulta la guía telefónica

la tarjeta telefónica

Usted tiene 3 mensajes.

el contestador automático

## 17 Sobre el teléfono

Escuche las oraciones y diga a qué foto corresponde cada una.

A   B   C

D   E   F

## 18 ¿Qué palabra no está relacionada con las otras?

Diga qué palabra no está relacionada con las demás. Luego, escoja un grupo de tres palabras y escriba una oración con ellas.

1. **A.** mensaje    **B.** grabar    **C.** cargar    **D.** contestador
2. **A.** marcar    **B.** número    **C.** avisar    **D.** teléfono
3. **A.** mensaje    **B.** batería    **C.** cargar    **D.** teléfono celular
4. **A.** ¿Aló?    **B.** ¿Quién habla?    **C.** ¡Qué va!    **D.** Diga.
5. **A.** llamada local    **B.** tarjeta telefónica    **C.** llamada de cobro revertido    **D.** llamada de larga distancia

# Diálogo II

## ¿Qué estabas haciendo?

MADRE: ¿Por qué no contestabas el teléfono, Juan? Te dejé dos mensajes en el contestador automático. ¿Qué estabas haciendo?

JUAN: Estaba hablando con Pedro por mi teléfono celular.

MADRE: ¡Pedro! ¡Ay, no! Pero si él vive en Caracas. ¿Él te llamó?

JUAN: No, yo lo llamé. Necesitaba hablar con él.

MADRE: ¡Pero estabas haciendo una llamada de larga distancia!

JUAN: Usé una tarjeta telefónica. Es mucho más barato.

MADRE: ¿Y puedes hacer llamadas locales con esa tarjeta?

JUAN: Creo que sí. Si quieres, le preguntamos a la operadora...

MADRE: Buena idea... así ahorramos dinero.

## 19 ¿Qué recuerda Ud.?

1. ¿Qué estaba haciendo Juan cuando lo llamó su madre?
2. ¿Dónde vive Pedro?
3. ¿Qué tipo de llamada estaba haciendo Juan?
4. ¿Qué usó Juan para hacer la llamada? ¿Por qué?

## 20 Algo personal

1. ¿Hace llamadas de larga distancia? ¿A quién?
2. ¿Usa alguna vez tarjetas telefónicas? ¿Cuánto cuestan?
3. ¿Tiene en su casa un contestador automático?
4. Si necesita alguna información para hacer una llamada, ¿consulta la guía telefónica o llama a la operadora?
5. ¿Hace llamadas de cobro revertido? ¿Por qué?

Consultamos la guía telefónica.

## 21 ¿Cuál es la palabra?

))) Escuche las definiciones y escoja la letra de la palabra a la que se refiere cada una.

1. A. sonar       B. colgar       C. consultar
2. A. código      B. año          C. día
3. A. diccionario B. revista      C. guía telefónica
4. A. moverse     B. sonar        C. cargar
5. A. escribir    B. indicar      C. marcar
6. A. recepción   B. sonido       C. batería

A los jóvenes dominicanos les gusta pasarla bien.

## Los jóvenes dominicanos de hoy

Aunque viven en otro país, en el trópico, rodeados de playas y disfrutando de un clima siempre cálido, los jóvenes dominicanos de hoy no son tan distintos a los jóvenes estadounidenses.

Fuera de clases, como a cualquier chico, les gusta pasarla bien, salir con los amigos, jugar con la "play station" y escuchar la música de moda, de Shakira hasta el hip-hop. Los viernes por la noche van a bailar a las discotecas Neón, Omni o Vértigo, las que están más de moda en Santo Domingo, y los sábados van al cine o a pasear con los amigos.

A los más aventureros les gusta hacer ecoturismo y deportes extremos. Tienen la suerte de que la geografía y el clima de la República Dominicana permiten practicar los deportes más de moda entre los jóvenes, como el excursionismo[1], la escalada[2], el paracaidismo[3], los deportes de vela[4], el surfing, el buceo, el kayak y, el más nuevo de todos y uno de los que está reuniendo más aficionados en todo el mundo, el *kite boarding,* que es el rey de los deportes acuáticos.

Una de las actividades más populares entre los dominicanos que prefieren quedarse en la ciudad es el *skateboarding.* Pueden encontrárselos en una calle desierta, pero a menudo los verán los domingos por la mañana en plazas, donde a veces se juntan grupos de *skaters* de 20 y hasta 30 jóvenes, que se organizan en distintos grupos, para hacer piruetas[5] y saltar escaleras: ¡cuantos más escalones[6], mejor!

Los jóvenes dominicanos tienen su propia jerga[7], en la que se reflejan muchas influencias del inglés. Se saludan diciendo "Qué lo qué" y muchas veces, se despiden dicendo "Tá kool", que quiere decir "está bien". Para ellos, "hanguear" es salir con los amigos, un "bonche" es una fiesta y "tripeo" es pasarla bien. Alguien "friquiao" está loco, algo "piedra" es lo máximo y cuando dicen "Ése es un totao", es que está fuera de moda. *¿Tá kool?*

Los deportes extremos son muy populares entre los jóvenes dominicanos.

---

[1]trekking  [2]rock climbing  [3]parachuting  [4]sail sports  [5]twirls  [6]steps  [7]slang

## 22 ¿Qué hacen los jóvenes dominicanos?

**Conteste las siguientes preguntas.**

1. ¿En qué se parecen los jóvenes dominicanos a los estadounidenses?
2. ¿Qué hacen muchos chicos dominicanos los viernes?
3. ¿Qué deportes extremos se pueden practicar en la República Dominicana?
4. ¿Qué hacen muchos jóvenes que prefieren quedarse en la ciudad?
5. Diga cómo se saludan y se despiden los jóvenes dominicanos.

## Estructura

### El imperfecto progresivo

Use the imperfect progressive tense to speak about past actions that lasted for an extended time. This tense is formed with the imperfect of the verb *estar* plus the present participle of the verb (the *-ando* or *-iendo* forms of the verb).

| el imperfecto progresivo | |
|---|---|
| estaba | hablando |
| estabas | |
| estaba | comiendo |
| estábamos | |
| estabais | escribiendo |
| estaban | |

| | |
|---|---|
| ***Estaba hablando*** *con mi novio.* | **I was talking** to my boyfriend. |
| ***Estábamos buscando*** *tu número de teléfono.* | **We were looking for** your phone number. |

When you want to use direct or indirect object pronouns or reflexive pronouns, you have two options: You can place the pronouns before the form of *estar* or attach them to the *-ando* or *-iendo* forms. Remember that sometimes you will have to write accent marks when you attach pronouns to present participles.

| | |
|---|---|
| ***Te estaba*** *llamando.*<br>*Estaba* **llamándote.** | I was calling you. |
| ***Me estaba*** *vistiendo.*<br>*Estaba* **vistiéndome.** | I was getting dressed. |

When an ongoing action in the past is interrupted by another event, the imperfect progressive is used for the ongoing action.

| | |
|---|---|
| ***Estaba saliendo*** *de casa cuando* ***sonó*** *el teléfono.* | **I was leaving** the house when the phone **rang**. |
| ***Estaba durmiendo*** *cuando* ***empezó*** *a llover.* | **I was sleeping** when it **started** raining. |

Estaba caminando cuando empezó a llover.

 **Práctica**

 **23 ¿Qué estaban haciendo?**

Use el imperfecto progresivo para decir lo que estaba haciendo cada persona.

1. Yo *(marcar)* tu número de teléfono cuando tú llegaste.
2. ¿Tú me *(llamar)* cuando yo llegué?
3. Nosotros *(hablar)* de ti cuando te vimos llegar.
4. El teléfono *(sonar)* cuando abrí la puerta.
5. Te *(escribir)* un correo electrónico cuando recibí el tuyo.
6. Ellas *(despedirse)* cuando se cortó la comunicación.

**24 ¿Dónde estabas?**

Un amigo lo/la llamó varias veces pero Ud. no contestó el teléfono. Ahora él quiere saber por qué. Déle diferentes excusas. Trabaje con su compañero/a. Pueden crear algunas excusas más.

**MODELO** el lunes por la noche / visitar a mis primos

A: Te llamé el lunes por la noche, ¿qué estabas haciendo?

B: Estaba visitando a mis primos.

1. el domingo por la mañana / montar en bicicleta en el parque
2. el martes al mediodía / almorzar con mi amigo de Santo Domingo
3. el miércoles muy temprano / dormir
4. el jueves por la tarde / jugar al béisbol
5. el viernes por la noche / divertirse con amigos

¿Dónde estaban el domingo?

 **Comunicación**

**25 Una gran noticia**

Con su compañero/a, piensen en una noticia importante de los últimos cinco años. Puede ser un concierto, un campeonato deportivo, un desastre natural, un accidente, unas elecciones *(elections)*... Túrnense para preguntarse qué estaban haciendo diferentes miembros de su familia o amigos cuando se enteraron de la noticia.

**MODELO** A: ¿Qué estaban haciendo tus hermanos cuando los Yankees ganaron la Serie Mundial?

B: Estaban viendo el partido en el estadio.

# Lectura personal

**E-Mail**

Archivo   Ver   Mensajes   Ayuda

A...   Mariana

Cc...

Asunto:   Santo Domingo

### Santo Domingo: un mundo nuevo

Queridos mamá y papá:

Hoy hemos visitado la primera ciudad de América construida por los europeos. Primero fuimos a la hermosa Fortaleza Ozama, que fue el primer edificio militar[1] que construyeron los españoles en América, en 1503. Más tarde visitamos la Catedral de Santo Domigo, de estilo[2] gótico y clásico. Se cree que en esa iglesia estuvo enterrado[3] hasta 1992 Cristobal Colón. En ese año se terminó la construcción del Faro a Colón, un imponente edificio en forma de cruz que se construyó en homenaje[4] al 500 aniversario de su llegada.

Al caminar por las calles de Santo Domingo, lo que más me impresionó no fueron los edificios, sino la gente. A pesar de que en esta ciudad hay mucha pobreza y la vida está llena de problemas, la gente es muy amigable[5]. Si uno le pregunta a alguien dónde está un lugar, la gente siempre responde con una sonrisa y comienza a hablar contigo como un viejo amigo.

Por la tarde nuestro guía nos dijo que teníamos dos horas de tiempo libre. Casi todos, al oír esas palabras, fuimos a buscar nuestras tarjetas telefónicas para llamar a nuestras familias. Creo que la gente de Santo Domingo, con su sonrisa amable, nos hizo pensar en los amigos que están tan lejos. ¡Y todos corrimos a llamarlos!

Cariños,
Mariana

[1]fortress   [2]style   [3]buried   [4]honor   [5]friendly

En este alcázar vivió el hijo de Colón.

## 26 ¿Qué recuerda Ud.?

1. ¿Qué importancia tiene la Fortaleza Ozama?
2. ¿Cuándo se construyó el Faro a Colón?
3. ¿Qué fue lo que más impresionó a Mariana en Santo Domingo? ¿Por qué?
4. ¿Qué hacen todos cuando el guía les da dos horas libres?

## 27 Algo personal

1. ¿Visitó alguna vez una ciudad donde la gente es muy amistosa? Describa su experiencia.
2. Mariana habla de algunos problemas que tiene la gente en Santo Domingo. ¿Cuáles son los problemas más grandes que tiene su ciudad?

# ¿Qué aprendí?

**Visit the web-based activities at www.emcp.com**

## Autoevaluación
**Como repaso y autoevaluación, responda lo siguiente:**

1. Dígale a su compañero/a tres cosas que no debe hacer en clase.

2. ¿Dónde va el pronombre en un mandato negativo con *tú*? Dé un ejemplo.

3. Explique tres usos de la preposición *a* y dé un ejemplo para cada uno.

4. ¿Quién paga por una llamada de cobro revertido?

5. ¿Qué debe hacer cuando el teléfono celular no funciona?

6. Mencione dos deportes que practican los jóvenes dominicanos.

7. ¿Cómo se forma el progresivo en el imperfecto?

## Palabras y expresiones

**Relaciones con los padres**
- el adulto, la adulta
- el comportamiento
- el conflicto
- la diferencia de opinión
- la obligación
- la relación

**Verbos**
- avisar
- cargar
- colgar (ue)
- consultar
- criticar
- marcar
- reaccionar
- respetar
- sonar (ue)

**Expresiones**
- tal como
- estar equivocado,-a
- hacer caso
- hacer las paces
- levantar la voz
- ponerse de acuerdo
- ¿Quién habla?

**Al teléfono**
- la batería
- el código
- el contestador automático
- la guía telefónica
- la línea
- la llamada de cobro revertido
- la llamada de larga distancia
- el mensaje
- el número equivocado
- el operador, la operadora
- la recepción
- la tarjeta telefónica
- el teléfono inalámbrico

¿Quién habla?

# Ud. lee

## Estrategia

**Inferring the poet's attitude**

In poetry, every word must carry weight and add something to the poet's expression of an idea. This means that you can infer a poet's attitude toward the subject of a poem by examining his or her choice of words. As you read the following poem, pay attention to the poet's use of repetition, especially of the words *tú* and *yo*. Ask yourself questions such as: "To what two parts of the poet do *tú* and *yo* refer?" "What are the differences between these two parts?" "What point is the poet trying to make?"

## Preparación

**Lea lo siguiente y, luego, conteste las preguntas que siguen.**

Julia de Burgos nació en 1914 en el Barrio Santa Cruz, Carolina, en Puerto Rico. Era la mayor de trece hermanos. Aunque su familia era pobre, sus padres insistieron en la buena educación de sus hijos. En 1933, logró obtener el Certificado de Maestra de la Universidad de Puerto Rico. Fue durante su época universitaria cuando comenzó a escribir poemas, los cuales empieza a publicar a partir de 1936. De Burgos vivió en Nueva York desde 1940 hasta 1953, año en que murió. Gran parte de la poesía de esta escritora refleja sus ideas feministas. También trata temas personales, como las relaciones románticas y los problemas psicológicos y emocionales que la afectaron como individuo.

1. ¿Dónde nació Julia de Burgos?
2. ¿En qué insistieron los padres de Julia de Burgos?
3. ¿En qué época de su vida empezó a escribir poemas?
4. ¿Qué refleja gran parte de la poesía de Julia de Burgos?
5. ¿Qué tipo de problemas afectaron a Julia de Burgos en su vida?

Julia de Burgos.

# "A Julia de Burgos"

Ya las gentes murmuran[1] que yo soy tu enemiga
porque dicen que en verso doy al mundo tu yo.

Mienten, Julia de Burgos. Mienten, Julia de Burgos.
La que se alza[2] en mis versos no es tu voz: es mi voz;
porque tú eres ropaje[3] y la esencia[4] soy yo;
y el más profundo abismo[5] se tiende[6] entre las dos.

---

[1]mutter  [2]rises up  [3]clothing  [4]essence  [5]abyss  [6]stretches out

Tú eres fría muñeca[7] de mentira social,
y yo, viril destello[8] de la humana verdad.

Tú, miel[9] de cortesanas[10] hipocresías; yo no;
que en todos mis poemas desnudo[11] el corazón.

Tú eres como tu mundo, egoísta; yo no;
que todo me lo juego a ser lo que soy yo.

Tú eres sólo la grave señora señorona;
yo no, yo soy la vida, la fuerza, la mujer.

Tú eres de tu marido, de tu amo[12]; yo no;
yo de nadie, o de todos, porque a todos, a todos,
en mi limpio sentir y en mi pensar me doy.

Tú te rizas[13] el pelo y te pintas[14]; yo no;
a mí me riza el viento; a mí me pinta el sol.

Tú eres dama casera[15], resignada, sumisa[16],
atada[17] a los prejuicios[18] de los hombres; yo no;
que yo soy Rocinante[19] corriendo desbocado[20]
olfateando[21] horizontes de justicia de Dios.

Tú en ti misma no mandas; a ti todos te mandan;
en ti mandan tu esposo, tus padres, tus parientes,
el cura[22], la modista[23], el teatro, el casino,
el auto, las alhajas[24], el banquete, el champán,
el cielo y el infierno, y el qué dirán social.

En mí no, que en mí manda mi solo corazón,
mi solo pensamiento; quien manda en mí soy yo.

Tú, flor de aristocracia; y yo la flor del pueblo.
Tú en ti lo tienes todo y a todos se lo debes,
mientras que yo, mi nada a nadie se la debo.

Tú, clavada al estático dividendo ancestral,
y yo, un uno en la cifra[25] del divisor social,
somos el duelo a muerte[26] que se acerca fatal.

"Retrato."

[7]doll [8]sparkle; gleam [9]honey [10]courtly [11]bare
[12]master [13]curl [14]apply makeup [15]housewife
[16]submissive [17]tied [18]prejudices [19]The name of
don Quijote's horse in Cervantes's novel El ingenioso
hidalgo don Quijote de La Mancha (see the reading
in Capítulo 3) [20]runaway (said of horses)
[21]sniffing out [22]priest [23]dressmaker [24]jewels
[25]number; digit [26]duel to the death

## A  ¿Qué recuerda Ud.?

1. Haga una tabla de dos columnas con los títulos: *Tú* y *Yo*. Escriba las características que Julia de Burgos atribuye a cada una de estas partes de sí misma.
2. Según la estrofa 2, ¿cómo es la distancia entre las dos partes de la poeta?
3. Según la estrofa 10, ¿de dónde vienen los mandatos, del interior o del exterior de la poeta? ¿Y en la estrofa 11?
4. ¿Qué generalización puede hacer entre la parte "tú" y la parte "yo" de la poeta?

## B  Algo personal

1. ¿Por qué cree Ud. que este poema se considera un ejemplo de poesía feminista?
2. Imagine que Ud. tiene una parte "tú" y una parte "yo". ¿Qué dice cada parte sobre Ud.?

## Estrategia

**Transitions**

Transitional words and phrases signal a connection between ideas and assist the reader in following his or her line of thinking. You can use transitional words and phrases to organize your ideas and keep your writing coherent. The transitional words and phrases that you use depend on the type of organization that you want to show. There are transitions that show a chronological organization *(primero, luego, segundo, finalmente)*, cause and effect *(como resultado, por lo tanto, por esta razón)*, spatial organization *(arriba, abajo, afuera)*, comparison and contrast *(sin embargo, en contraste)*, and order of importance *(además, principalmente)*. Remember to use different types of transitions in order to make your writing more interesting.

**Escriba una composición sobre una serie de eventos pasados, reales actuales o imaginarios. Concéntrese en la relación causa y efecto entre los distintos eventos. Puede describir un evento, por ejemplo un encuentro personal o un accidente, y después mostrar los resultados de este evento. No se olvide de usar palabras o expresiones de transición para mostrar la relación de causa y efecto entre los eventos. Use una gráfica como la de abajo para organizar su borrador. Recuerde usar el pretérito perfecto y el imperfecto progresivo para hablar de los eventos en el pasado, así como los complementos directos e indirectos y los mandatos informales negativos. Comparta su borrador con otro/a estudiante y pídale sus sugerencias o correcciones. Por último, escriba la versión final para incluir las sugerencias de su compañero/a y para corregir los errores en los tiempos de los verbos, el uso de las palabras o expresiones de transición y la ortografía.**

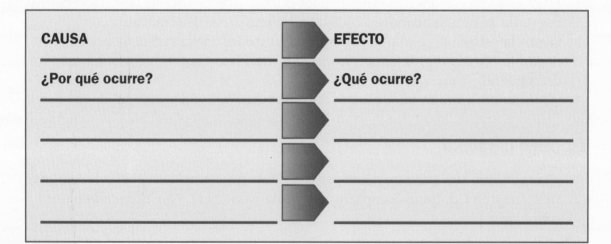

| CAUSA | | EFECTO |
|---|---|---|
| ¿Por qué ocurre? | | ¿Qué ocurre? |

# Proyectos adicionales

## A Conexión con otras disciplinas: la música y el baile

El merengue es una forma de música y baile típico de la República Dominicana y de otras partes del Caribe. Hoy en día, este baile se ha hecho popular en todo el mundo. Piense si conoce a alguien que sepa bailar merengue. Pídale a esta persona que le enseñe a bailarlo. Luego, trabaje en grupos para hacer una exhibición sobre el merengue. Investiguen cuál es su origen, qué artistas tocan merengue, qué instrumentos usan y de qué hablan las letras de las canciones. Acompañen la exhibición con una demostración del baile.

El merengue se baila en todo el mundo.

## B Conexión con la tecnología

La República Dominicana está situada en la parte este de la isla llamada La Española. Esta isla forma parte de una cadena de islas, las Antillas Mayores (*Greater Antilles*). ¿Cómo se formaron estas islas? ¿Cuándo? ¿Hay volcanes? ¿Qué tipo de clima tienen? ¿Qué flora y fauna tienen? Haga una investigación en la internet para contestar estas preguntas y otras que pueda tener Ud. Use los datos, las fotos y los mapas que encuentre para hacer una presentación oral sobre la geología y geografía de esta parte del mundo.

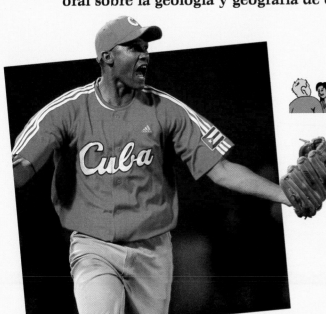

El béisbol es muy popular en Cuba.

## C Comparaciones

El béisbol es un deporte muy importante no sólo en Estados Unidos sino en varios países latinoamericanos, especialmente en el Caribe. Trabaje en grupos pequeños para investigar y hacer una comparación entre el mundo del béisbol en Estados Unidos y en América Latina. Pueden contestar preguntas como las siguientes: ¿En qué países latinoamericanos es el béisbol un deporte importante? ¿Tiene Estados Unidos un efecto sobre el béisbol en estos países? ¿Hay diferencias en la organización de las ligas (*leagues*) o en las reglas del juego entre los países? Pueden usar una tabla para comparar.

# Repaso

| Now that I have completed this chapter, I can... | Go to these pages for help: |
|---|---|
| describe your personality and that of your friends. | 150, 151 |
| talk about personal relationships. | 158, 159 |
| make apologies. | 158, 159 |
| express events in the past. | 162 |
| describe people and things. | 164 |
| talk about family relationships. | 168 |
| give recommendations and advice. | 172 |
| receive and place phone calls. | 178 |
| talk about actions that lasted for an extended time. | 182 |

## I can also...

| | |
|---|---|
| identify some Taino words and talk about the influence of Taino culture in the Caribbean. | 153 |
| name some of the best interpreters of salsa and discuss the popularity of this music. | 161 |
| identify places of interest in San Juan, Puerto Rico. | 166 |
| discuss the relationship of the musician Juan Luis Guerra and his audience. | 171 |
| talk about the popularity of extreme sports in the Dominican Republic and name some of them. | 181 |
| talk about historical places in Santo Domingo. | 184 |
| read a poem by a well-known Puerto Rican woman poet. | 186, 187 |

## Trabalenguas

Tengo un tío cajonero
que hace cajas y calajas
y cajitas y cajones.
Y al tirar de los cordones
salen cajas y calajas
y cajitas y cajones.

# Vocabulario

**acusar** to accuse *4A*
**admitir** to admit *4A*
el **adulto,** la **adulta** adult *4A*
**apoyar** to support, to back (another person) *4A*
**avisar** to let someone know *4B*
la **batería** battery *4B*
**cargar (la batería)** recharge (the battery) *4B*
**celoso,-a** jealous *4A*
**chismear** to gossip *4A*
**chismoso,-a** gossipy *4A*
el **código** (country) code *4B*
**colgar (ue)** to hang up *4B*
**cometer un error** to make a mistake *4A*
el **comportamiento** behavior *4B*
**comprensivo,-a** understanding *4A*
**confiar** to trust *4A*
el **conflicto** conflict *4B*
**considerado,-a** thoughtful, considerate *4A*
**consultar** to check *4B*
**contar con** to count on someone *4A*
el **contestador automático** answering machine *4B*

**criticar** to criticize *4A*
la **culpa** fault *4A*
**darse cuenta** to realize *4A*
**dejar plantado/a a alguien** to stand someone up *4A*
**desconfiar** to mistrust *4A*
**descubrir** to find out, to discover *4A*
**devolver (ue)** to return *4A*
la **diferencia de opinión** difference of opinion *4B*
**Discúlpame.** Forgive me. *4A*
la **discusión** discussion *4A*
**echar la culpa a otro, -a/ alguien** to blame someone else *4A*
**entrometido,-a** nosy *4A*
**estar equivocado,-a** to be wrong *4B*
la **guía telefónica** phone book *4B*
**hacer caso** to listen to, to pay attention, to obey *4B*
**hacer las paces** to make up with someone *4B*
**hacer un cumplido** to compliment someone *4A*
**honesto,-a** honest *4A*
**increíble** incredible *4A*
las **lágrimas** tears *4A*
**levantar la voz** to raise one's voice *4B*
la **línea ocupada** busy line *4B*
la **llamada de cobro revertido** collect call *4B*
la **llamada de larga distancia** long-distance phone call *4B*
**llorar** to cry *4A*
**Lo hice sin querer.** I didn't mean to do it. *4A*

**marcar** to dial *4B*
el **mensaje** message *4B*
**¡No faltaba más!** Don't mention it! *4A*
el **número equivocado** wrong number *4B*
la **obligación** obligation *4B*
el **operador,** la **operadora** operator *4B*
la **pelea** fight *4A*
**pensar en sí mismo,-a** to think of oneself *4A*
**perder la paciencia** to lose patience *4A*
**perdonar** to forgive *4A*
**ponerse de acuerdo** to reach an agreement *4B*
**posponer** to postpone *4A*
**¡Qué raro!** How odd! *4A*
**¡Qué va!** No way! *4A*
**¿Quién habla?** Who is it? (telephone greeting) *4B*
**reaccionar** to react *4B*
la **recepción** (telephone) reception *4B*
**reconciliarse** to make up *4A*
la **relación** relation(ship) *4B*
**respetar** to respect *4B*
**sonar (ue)** to ring *4B*
**tal como soy** just as I am *4B*
la **tarjeta telefónica** calling card *4B*
el **teléfono inalámbrico** cordless phone *4B*
**tener celos** to be jealous *4A*
**tener en común** to have in common *4A*
**tener la culpa** to be someone's fault *4A*

La operadora.

# Capítulo 5

## Ciudad y campo

### Objetivos

- ❖ give advice about driving in the city
- ❖ identify road signs
- ❖ tell others what to do
- ❖ ask for and give directions
- ❖ make generalizations about what's important, useful and necessary
- ❖ talk about train travel
- ❖ talk about camping activities
- ❖ make requests, suggestions and demands

Visit the web-based activities at www.emcp.com

# Vocabulario I
## Manejar en la ciudad

Disminuyan la velocidad.

el semáforo

Cedan el paso al entrar en la glorieta.

la calle de doble vía

Ajuste el espejo retrovisor. Sea prudente. ¡No acelere tanto!

la glorieta

Tenga paciencia conmigo. Estoy aprendiendo.

PARE

Muéstreme su licencia de conducir.

Los conductores deben seguir las normas de tránsito para cometer menos errores al conducir.

la calle de una vía

Prohibido doblar

Estacionemos en este espacio vacío.

Pise el acelerador despacio y ponga la marcha atrás.

el acelerador

## 1 ¡Respetemos las señales!

Indique la letra de la foto que corresponde con lo que oye.

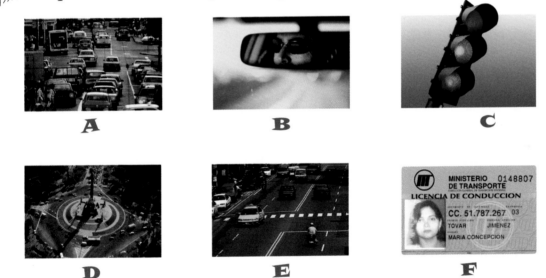

A

B

C

D

E

F

## 2 Lógico

Complete en forma lógica las frases de la izquierda con una de las frases de la derecha.

1. Marcos debe pisar...
2. Disminuyamos...
3. Mis amigos estacionaron el coche...
4. La señal dice...
5. Ponga la marcha atrás...
6. Respetemos...

A. ...prohibido doblar.
B. ...para estacionar.
C. ...las reglas de tránsito.
D. ...el acelerador con cuidado.
E. ...la velocidad.
F. ...en el estacionamiento del barrio.

# Diálogo I

## ¡No acelere!

**MARÍA:** Quiero obtener la licencia de conducir. Hoy es mi primera clase.
**INSTRUCTOR:** Muy bien. Súbase a este coche. ¿Ya sabe todas las normas de tránsito?
**MARÍA:** Sí. ¿Me pongo el cinturón de seguridad?
**INSTRUCTOR:** Por supuesto. Siempre debe ponérselo.

**MARÍA:** ¿Qué hago ahora?
**INSTRUCTOR:** Primero ajuste el espejo retrovisor y luego encienda el motor.
**MARÍA:** ¿Acelero?
**INSTRUCTOR:** No, no acelere todavía. Busque el freno...

**INSTRUCTOR:** Pise el acelerador con mucho cuidado. Al principio debe ir despacio. No quite las manos del volante...¡Con cuidado! ¡Disminuya la velocidad!
**MARÍA:** Profesor, tenga más paciencia conmigo.

## 3 ¿Qué recuerda Ud.?

1. ¿Cuándo se debe poner María el cinturón de seguridad?
2. ¿Qué debe hacer para acelerar?
3. ¿Cómo debe ir al principio?
4. ¿Qué le dice el instructor a María al final?

## 4 Algo personal

1. ¿Sabe conducir coches?
2. ¿Tiene licencia de conducir?
3. ¿Conoce las normas de tránsito? ¿Es prudente cuando conduce?
4. ¿Qué errores comete la gente o Ud. al conducir?

**¡Extra!**

**En otras palabras**

la licencia de conducir    el carnet de conducir
las normas de tránsito    las reglas de tráfico

## 5 Para conducir

Escuche cada diálogo y escoja la frase que completa correctamente cada oración.

1. Roberto quiere tener *(la licencia de conducir / la señal de tránsito)*.
2. Carla debe ajustar primero *(el acelerador / el espejo retrovisor)*.
3. Víctor está poniendo la marcha atrás porque va a *(estacionar / acelerar)*.
4. Los conductores le *(ceden / disminuyen)* el paso a la señora.

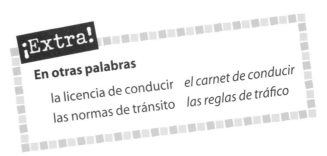

**196** *ciento noventa y seis*

# Cultura viva

## ¿En subte o en colectivo? El transporte público en Buenos Aires

Una estación de subte en Buenos Aires.

La red de autobuses, llamados "colectivos" en Argentina, es muy extensa. Funciona las 24 horas del día y, en general, es el transporte público preferido por los ciudadanos. El tiempo de espera varía de los 5 minutos en hora punta[2] hasta los 20 minutos por la noche o durante las horas de menos tráfico. El boleto del colectivo cuesta 80 centavos y se compra en el mismo autobús, en máquinas que funcionan con monedas pero que devuelven cambio. ¡No se olvide de llevar siempre monedas si va a ir en colectivo!

**L**a manera más rápida de viajar en Buenos Aires, la capital de Argentina, es usar el transporte público, que es muy eficaz.[1] El subterráneo, o subte, como lo llama la gente del país, tiene varias líneas que llegan a los principales lugares de la ciudad. El servicio empieza a las 6 de la mañana y termina a las 10 de la noche, excepto los fines de semana y los días feriados, que acaba a las 8 de la tarde. La tarifa es de 70 centavos y permite hacer conexiones ilimitadas entre las diferentes líneas.

El colectivo es el sistema de transporte más rápido.

[1] efficient  [2] rush hour

## 6 ¿Qué sabe del transporte público en Buenos Aires?

**Conteste las siguientes preguntas.**

1. ¿Cuáles son los dos tipos principales de transporte público en Buenos Aires?
2. ¿Cuánto cuesta el subte?
3. ¿Cuál es el horario del subte?
4. ¿Dónde se compran los boletos para el colectivo?
5. ¿Cuál es el horario de servicio del colectivo?

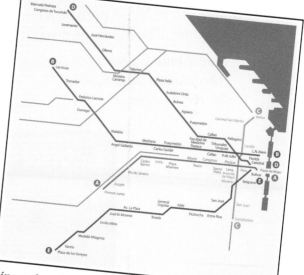

Líneas de subte.

## Estructura

### Los mandatos formales y plurales

To tell a person you address as *usted* what to do, use a formal *(Ud.)* command. To form the formal command, take the *yo* form of the present tense and drop the final *-o*. For *-ar* verbs, *e*; for *-er* and *-ir* verbs, add *a*. The same rule applies to stem- and spelling-changing verbs. To make a plural *(Uds.)* command add *n* to the *Ud.* form.

| | |
|---|---|
| *(pisar)* ¡**Pise** *el freno!* | **Step on** the brake! |
| *(estacionar)* **Estacione** *en la esquina.* | **Park** at the corner. |
| *(leer)* **Lean** *las instrucciones.* | **Read** the directions. |
| *(salir)* **Salgan** *del garaje.* | **Leave** the garage. |

Affirmative and negative formal singular and plural commands are the same. To make a command negative, add *no*.

| | |
|---|---|
| **No pare** *aquí.* | **Don't stop** here. |
| **No enciendan** *los faros.* | **Don't turn on** the car lights. |

The following five verbs have irregular formal commands:

| | Ud. form | Uds. form | |
|---|---|---|---|
| dar | **dé** | **den** | *(give)* |
| estar | **esté** | **estén** | *(be)* |
| ir | **vaya** | **vayan** | *(go)* |
| saber | **sepa** | **sepan** | *(know)* |
| ser | **sea** | **sean** | *(be)* |

| | |
|---|---|
| **Sea** *prudente y* **sepa** *las normas de conducir.* | **Be** cautious and **know** the driving rules. |
| *No* **sean** *impacientes y* **vayan** *despacio.* | **Don't be** impatient and **go** slowly. |

Object and reflexive pronouns are attached to the end of formal affirmative and plural commands. They precede negative commands.

| | |
|---|---|
| **Muéstreme** *la licencia de conducir.* | **Show me** your driver's license. |
| **Abróchense** *los cinturones.* | **Fasten** your seatbelts. |
| *No me* **dé** *órdenes.* | **Don't give me** orders. |

Abróchese el cinturón de seguridad.

# Práctica

## 7 Conduzca con cuidado

La señora Cánova está aprendiendo a manejar. ¿Cuáles son las instrucciones que le da la instructora?

MODELO no cruzar en rojo
No cruce en rojo.

1. no estar nerviosa
2. abrocharse el cinturón de seguridad
3. obedecer las señales de tránsito
4. no ir rápido
5. disminuir la velocidad
6. ser prudente

## 8 ¿Qué mandato corresponde?

Escriba un mandato con *Ud.* o *Uds.* para cada señal usando los verbos del globo.

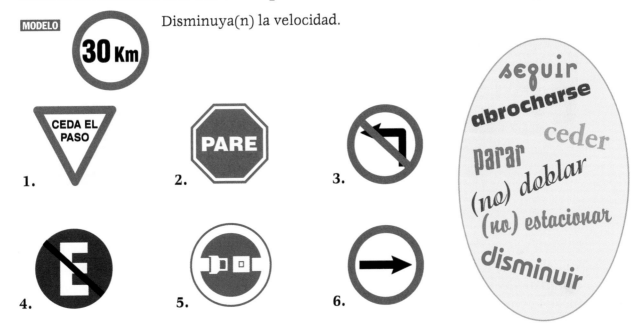

MODELO Disminuya(n) la velocidad.

seguir
abrocharse
ceder
parar
(no) doblar
(no) estacionar
disminuir

# Comunicación

## 9 Mandatos en todas partes

Trabaje con su compañero/a para escribir mandatos afirmativos o negativos con *Ud.* o *Uds.* para cada uno de los siguientes lugares.

MODELO en la sala
Encienda el televisor.
No se duerma en el sofá.

1. en un coche
2. en la clase de español
3. en la calle
4. en la biblioteca
5. en una tienda
6. en la cocina

---

**Capítulo 5**     *ciento noventa y nueve*     **199**

Trabajen en un grupo de tres o cuatro estudiantes. Escojan las cinco recomendaciones más importantes del anuncio. Formen con ellas mandatos e intercambien sus mandatos con la clase.

¿Cuál es la recomendación más importante para la clase?

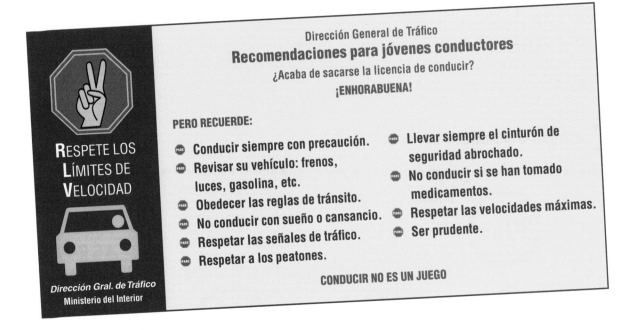

Dirección General de Tráfico
**Recomendaciones para jóvenes conductores**
¿Acaba de sacarse la licencia de conducir?
**¡ENHORABUENA!**

**PERO RECUERDE:**

- Conducir siempre con precaución.
- Revisar su vehículo: frenos, luces, gasolina, etc.
- Obedecer las reglas de tránsito.
- No conducir con sueño o cansancio.
- Respetar las señales de tráfico.
- Respetar a los peatones.

- Llevar siempre el cinturón de seguridad abrochado.
- No conducir si se han tomado medicamentos.
- Respetar las velocidades máximas.
- Ser prudente.

**CONDUCIR NO ES UN JUEGO**

R ESPETE LOS
L ÍMITES DE
V ELOCIDAD

Dirección Gral. de Tráfico
Ministerio del Interior

## Estructura

### Los mandatos con *nosotros*

Using a *nosotros* command allows you to suggest that others do some activity with you and is equivalent to saying "Let's (do something)" in English. Form the *nosotros* command by substituting the *–o* of the present-tense *yo* form of a verb with *–emos* for most *–ar* verbs, or *–amos* for most *–er* and *–ir* verbs.

| | |
|---|---|
| *Estacionemos aquí.* | **Let's park** here. |
| *Crucemos en la esquina.* | **Let's cross** at the corner. |
| *Pidamos un mapa.* | **Let's ask for** a map. |

As with *Ud.* and *Uds.* commands, object and reflexive pronouns are attached to affirmative *nosotros* commands and precede negative commands.

| | |
|---|---|
| *Entreguémosle su permiso.* | **Let's give him** his permit. |
| *No se lo enviemos por correo.* | **Let's not send it to him** by mail. |

Note that pronouns attached to affirmative *nosotros* commands of reflexive verbs drop the final consonant(s): *olvidemos + nos = olvidémonos.*

| | |
|---|---|
| *¡Abrochémonos los cinturones!* | **Let's fasten** our seat belts! |
| *Pongámonos las gafas de sol.* | **Let's put on** our sunglasses. |

#  Práctica

## 11 ¿Seguimos o no?

Un conductor de otro país le hace preguntas a su amigo/a de Buenos Aires. Conteste sus preguntas usando un mandato con *nosotros*. Use la forma afirmativa o negativa según se indica entre paréntesis.

**MODELO** A: ¿Encendemos los faros? (No)
B: No, no los encendamos.

1. ¿Adónde vamos? ¿Al Tigre? (Sí)
2. ¿Por dónde tomamos? ¿Por la Avenida General Paz? (No)
3. ¿Doblamos a la derecha? (No)
4. ¿Seguimos derecho? (Sí)
5. ¿Preguntamos cómo llegar? (Sí)
6. ¿Paramos aquí? (No)
7. ¿Le pedimos ayuda a ese señor? (Sí)

Avda. 9 de Julio en Buenos Aires.

## 12 ¿Qué hacemos?

 Ud. y su compañero/a están manejando por Buenos Aires y tienen algunos problemas. Decidan qué van a hacer para resolverlos. Usen mandatos con *nosotros*. Ofrezcan dos opciones para cada situación.

**MODELO** No encuentran lugar para estacionar el coche.
A: Busquemos estacionamiento en otra calle.
B: No, tratemos de encontrar un lugar en esta calle.

1. El semáforo está en rojo.
2. No pueden encontrar el restaurante que buscan.
3. Perdieron el mapa con las indicaciones.
4. Hay un coche que quiere pasarlos.
5. No pueden ver bien por el espejo retrovisor.
6. El freno no funciona bien.

**Estrategia**

**Using lists**
Simple lists can help you organize your thoughts before creating and presenting a dialog.

#  Comunicación

## 13 Indicaciones útiles

 Piense en algo que Ud. sepa hacer bien: montar en bicicleta, usar la computadora, tocar un instrumento musical, cocinar, etc. Déles una o dos indicaciones a dos o tres compañeros/as para hacer esa actividad. Use mandatos en plural. Sus compañeros/as van a reaccionar según el modelo.

**MODELO** (Instrucciones para hacer una ensalada.)
A: Primero laven bien la lechuga.
B: ¿Lavamos la lechuga?
C: Sí, lavémosla. / No, no la lavemos.

la zona verde

Hay un atasco en la autopista.

las afueras

la autopista

ESTACIÓN DE SERVICIO

Mi papá quiere que llene el tanque de gasolina.

KIOSCO

## 14 Es mejor que…

Indique la letra de la foto que corresponde con lo que oye.

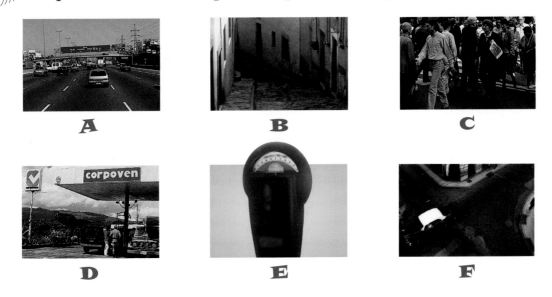

**A**

**B**

**C**

corpoven

**D**

**E**

**F**

## 15 ¿Qué palabra?

Diga la palabra que no pertenece al grupo.

1. bocacalle        calle de una vía     espejo retrovisor    callejón sin salida
2. estación de servicio   gasolina         tanque               multa
3. kiosco            gasolina             coche                camioneta
4. multa             exceder              velocidad            perdido

# Diálogo II

## Creo que estamos perdidos

MARÍA: ¿Dónde queda la casa de Marisa?

RAÚL: Creo que es ésa... No, me parece que no.

MARÍA: ¿No tienes su dirección?

RAÚL: No, me la olvidé en casa.

MARÍA: No lo puedo creer.

MARÍA: ¿Y tú has ido alguna vez a su casa?

RAÚL: Sí, recuerdo que estaba cerca de una estación de servicio... ¿O era de un callejón sin salida?

MARÍA: ¡No veo ni un callejón sin salida ni una estación de servicio!

RAÚL: Creo que estamos perdidos. ¿Tienes un mapa?

MARÍA: No, no tengo. Es mejor que llamemos a Marisa por teléfono y le digamos que estamos perdidos. ¿Tienes su número?

RAÚL: ¿De teléfono? Pues... no.

## 16  ¿Qué recuerda Ud.?

1. ¿Qué le sucedió a Raúl?
2. ¿Dónde estaba la casa de Marisa, según Raúl?
3. ¿Qué es lo que no ve María?
4. ¿Qué dice María que es mejor?
5. ¿Tiene Raúl el número de teléfono de Marisa?

### ¡Extra!

**También se dice así**

el atasco — el embotellamiento

la estación de servicio — la gasolinera

el estacionamiento — el aparcamiento

el tanque — el depósito

## 17  Algo personal

1. ¿Se perdió alguna vez en la ciudad? ¿Qué sucedió?
2. ¿Qué puede hacer la gente cuando se pierde?
3. ¿Va a las afueras de la ciudad? ¿Qué hace allí?
4. ¿Le han puesto alguna vez una multa a un miembro de su familia? ¿Por qué?

## 18  Al conducir un coche

)))) **Escuche los siguientes diálogos. Diga a qué foto corresponde cada uno.**

**A**     **B**     **C**     **D**

## El mundo de Mafalda

Mafalda es uno de los personajes de historieta[1] más queridos del mundo hispano. Fue creado por Quino, un dibujante argentino. Mafalda es una niña argentina de finales de los años 60 y principios de los 70. Es muy inteligente y se preocupa por el mundo y por los problemas de la sociedad. Vive con sus padres y su hermanito, Guille, en un departamento de Buenos Aires.

Tiene, como cualquier niña de su edad, una pandilla[2] de amigos:

Susanita es chismosa y su gran deseo es convertirse[3] en una señora casada y madre de varios hijos. Muchas veces se pelea con Manolito.

Manolito es hijo de un inmigrante español que tiene un almacén de alimentos. Su único interés es ganar dinero. Es muy realista.

Felipe es el mejor amigo de Mafalda. Es mal estudiante, muy tímido e inseguro[4], pero tiene una gran imaginación. Es el mayor de la pandilla.

Libertad es una niña muy bajita. Sus padres son "hippies" y, como Mafalda, se interesa por los problemas sociales del mundo. Fue el último personaje en unirse al grupo de Mafalda.

Miguelito es muy inocente y Mafalda se esfuerza[5] por enseñarle las cosas de la vida. Es el más joven del grupo.

Quino dibujó tiras cómicas[6] de Mafalda durante diez años. Creó la primera historieta de Mafalda en 1963 para una agencia de publicidad que no la utilizó. A partir de 1965, las tiras de Mafalda empezaron a publicarse en diarios y revistas de países de habla hispana. Aunque Quino entregó las últimas historietas en 1973, las aventuras de Mafalda y sus amigos se siguen publicando hoy en día en todo el mundo.

[1]comics  [2]gang  [3]become  [4]insecure  [5]tries hard  [6]comic strips

## 19  ¿Conoce a Mafalda?

**Conteste las siguientes preguntas.**

1. ¿Quién es Mafalda?
2. ¿Quién es su creador?
3. ¿Cuándo se dibujó la primera tira de Mafalda? ¿Para qué?
4. ¿Qué familia tiene Mafalda?
5. ¿Cómo se llaman los amigos de su pandilla?
6. ¿Dónde se publican hoy las historietas de Mafalda?

### ¡Oportunidades!

**Historietas en español**
¿Le gustan las historietas? Puede practicar su español leyendo tiras cómicas y chistes en revistas y periódicos hispanos. Vaya a la biblioteca de su área y busque algunas publicaciones en español, o compre algún periódico hispano en un kiosco. Busque las historietas o chistes que publican y trate de comprender el vocabulario que no conozca con la ayuda de las imágenes y del contexto. ¡Siempre es más divertido aprender un idioma riendo!

# Idioma

## Repaso rápido: *preguntar* y *pedir*

*Preguntar* and *pedir* both mean "to ask" in English. However, in Spanish they have separate uses, and they are not interchangeable. *Preguntar* means "to ask" as in to ask a question, to ask for information. *Pedir* means "to ask for (something), to request (something)." Compare the uses of *preguntar* and *pedir* in the following examples.

| | |
|---|---|
| Le **pregunté** a Julio cómo se llega al kiosco y le **pedí** dinero. | **I asked** Julio how to get to the kiosk and **I asked** him for money. |

*Pedir* has the additional meaning of "to order" in a restaurant.

| | |
|---|---|
| Mmm... voy a **pedir** pollo. | Mmm... I'm going **to order** chicken. |

### 20 ¿Pedir o preguntar?

Complete las siguientes oraciones con la forma correcta del presente de *pedir* o *preguntar*.

1. ¿Por qué no le ___ tú a ese señor si hay un kiosco cerca de aquí?
2. El policía nos ___ adónde vamos.
3. Nosotros le ___ un mapa de la ciudad.
4. ¿Les ___ tú ayuda a tus vecinos?
5. No, sólo les ___ si saben dónde está mi gato.
6. ¡Estoy harta! Mis primos siempre me ___ favores.
7. Ahora, ellos me ___ dinero prestado porque deben pagar una multa.
8. En ese restaurante yo siempre ___ empanadas. ¡Son deliciosas!

Le pregunté si vendía historietas de Mafalda.

¿Qué van a pedir?

## Estructura

### El subjuntivo: verbos regulares y con cambios ortográficos

The subjunctive mood is commonly used to request or suggest that someone else do something. In most sentences that use the subjunctive there are two parts connected by the word *que.* Each part has a different subject, and the verb of the second part is in the subjunctive mood.

| | |
|---|---|
| *El policía quiere que Ud.* **pare** *ahora mismo.* | The police officer wants you **to stop** right now. |
| *Yo quiero que* **estaciones** *aquí.* | I want you **to park** here. |

You can also make suggestions or demands using expressions such as *es necesario, es importante, es mejor* followed by *que* and a verb form in the subjunctive mood.

| | |
|---|---|
| ***Es necesario que aprendas*** *a manejar.* | **It's necessary that you learn** to drive. |
| ***Es importante que Ud. llene*** *el tanque.* | **It's important that you fill** the tank. |
| ***Es mejor que no excedan*** *la velocidad.* | **It's better that you don't exceed** the speed limit. |

Like formal *(Ud.)* commands, the subjunctive is formed taking the *yo* form of the present tense and dropping the final *-o.* For *-ar* verbs, add the endings *-e, -es, -e, -emos, -éis* and *-en.* For *-er* and *-ir* verbs, add the endings *-a, -as, -a, -amos, -áis* and *-an.*

| parar | vender | subir |
|---|---|---|
| par**e** | vend**a** | sub**a** |
| par**es** | vend**as** | sub**as** |
| par**e** | vend**a** | sub**a** |
| par**emos** | vend**amos** | sub**amos** |
| par**éis** | vend**áis** | sub**áis** |
| par**en** | vend**an** | sub**an** |

Verbs that have spelling changes *(-car, -gar, -zar)* in the *Ud.* command form and verbs that have irregular *yo* forms *(-go, -zc, -j)* maintain these changes in the subjunctive.

| | |
|---|---|
| *Quiero que lo* **busques.** | I want **you** to **look for** it. |
| *Es importante que* **traigas** *el permiso.* | It's important that **you bring** your permit. |

No quiero que estacione aquí.

 **Práctica**

 **21 Es importante que...**

Ud. está conduciendo con sus amigos por Buenos Aires.
Forme oraciones para decirles qué es importante que
hagan. Use el subjuntivo.

**MODELO** nosotros / conducir con cuidado
Es importante que conduzcamos con cuidado.

1. tú / respetar las normas de tránsito
2. nosotros / mirar el mapa
3. Uds. / parar en el cruce de peatones
4. yo / no exceder la velocidad
5. los conductores / ceder el paso
6. Ud. / no tocar el claxón
7. el instructor / tener paciencia
8. los peatones / cruzar en la esquina

Es importante que no aceleren.

**22 Todos quieren algo**

 Con su compañero(a), completen las frases de la columna B
con el subjuntivo del verbo entre paréntesis. Luego, escojan
la terminación de la columna B que complete mejor cada
situación de la columna A.

**A**

1. Los conductores no quieren que...
2. El peatón quiere que...
3. Nosotros queremos que...
4. El instructor quiere que...
5. El policía quiere que...
6. Los estudiantes quieren que...
7. Mis padres no quieren que...
8. El guía de turismo quiere que...

**B**

A. el instructor (tener) ___ paciencia con ellos.
B. todos los estudiantes (aprender) ___ a manejar bien.
C. los turistas (comprar) ___ un mapa en el kiosco.
D. el conductor (pagar) ___ una multa.
E. mi hermano (salir) ___ con el coche.
F. nuestros padres nos (permitir) ___ usar el coche.
G. a ellos no les (poner) ___ una multa.
H. los conductores (disminuir) ___ la velocidad.

El policía les pide que paren.

## 23 ¿Qué es mejor?

Con su compañero/a, creen diálogos para aconsejar qué hacer en las siguientes situaciones. Usen *es mejor que* y *es necesario que* en sus respuestas. Pueden usar las siguientes opciones o inventar otras.

> **MODELO** haber mucho tráfico por aquí/ tomar la autopista
>
> **A:** Hay mucho tráfico por aquí.
>
> **B:** Es mejor que tomes la autopista.

| SITUACIONES | OPCIONES |
|---|---|
| 1. estar perdido | • poner gasolina |
| 2. conducir por primera vez | • doblar |
| 3. tener el tanque vacío | • ser prudente |
| 4. estar en un callejón sin salida | • poner monedas en el parquímetro |
| 5. buscar estacionamiento | • mirar/comprar un mapa |
| 6. tener prisa | • acelerar/no exceder la velocidad |

## ❖ Comunicación

## 24 ¿Qué dicen?

Cree con su compañero/a diálogos cortos entre las siguientes personas. Use *quiero*, *es mejor* y *es necesario* con verbos en subjuntivo.

> **MODELO** el policía y el conductor
>
> **A:** Es necesario que Ud. pare.
>
> **B:** ¿Parar, yo?
>
> **A:** Sí, quiero que me enseñe su licencia, por favor.

- el/la instructor(a) de conducir y un(a) estudiante
- el peatón y el/la conductor(a)
- el/la guía de turismo y un(a) turista
- el/la profesor(a) y un(a) estudiante

## 25 Para tener éxito…

Uno de sus amigos quiere empezar a aprender español. Use *es necesario*, *es mejor* y *es importante* para darle consejos para tener éxito en sus estudios. Puede usar algunas de las ideas que siguen o inventar otras. Luego, comparta sus consejos con dos o tres estudiantes. Escojan los mejores consejos y léanlos en la clase.

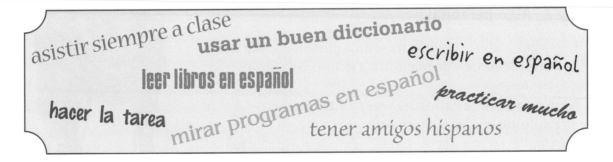

asistir siempre a clase    usar un buen diccionario    escribir en español    leer libros en español    mirar programas en español    practicar mucho    hacer la tarea    tener amigos hispanos

# Lectura cultural

## El tango

El tango, esa música triste[1], nació a fines del siglo XIX, en los conventillos[2] de Buenos Aires, donde se mezclaban miles de inmigrantes españoles, italianos e irlandeses.

Al principio, el tango se tocaba con un solo instrumento, y no tenía letra[3] ni se bailaba. Más tarde, comenzaron a aparecer las letras y los instrumentos que hoy conocemos como típicos del tango: el bandoneón[4] y la guitarra.

A principios del siglo XX el tango estuvo prohibido[5], pero en 1912 las orquestas de tango comenzaron a viajar a Europa y el tango triunfó en los salones de baile de París. A partir de ese momento el tango se considera la música nacional de Argentina.

Hoy en día, el tango ha pasado a formar parte del repertorio de algunos grandes músicos clásicos: desde el chelista Yo Yo Ma, hasta el pianista Daniel Barenboim, muchos solistas de fama mundial incluyen en sus conciertos un tango. ∎

El bandoneón.

El chelista Yo Yo Ma.

[1]sad   [2]tenements   [3]lyrics   [4]instrument similar to the accordion   [5]banned

## 26 ¿Qué recuerda Ud.?

1. ¿Dónde nació el tango?
2. ¿Cómo era el tango al principio?
3. ¿Cuáles son los instrumentos típicos del tango?
4. ¿Cuándo es considerado el tango como la música nacional de Argentina?
5. ¿Quiénes tocan tangos hoy en día?

## 27 Algo personal

1. ¿Conoce algún tango o ha visto a personas bailándolo? ¿Qué elementos de esa música le impresionaron? ¿Por qué?
2. ¿Conoce otros bailes de América Latina? Explique cuáles y cómo son.
3. ¿Cuál es su música preferida? ¿Dónde surgió? ¿Qué influencias tuvo? ¿Quiénes son sus principales intérpretes?

- ¿Conoce algún ritmo musical que haya nacido entre los grupos de inmigrantes más pobres de la sociedad?

Dos intérpretes de tango.

# ¿Qué aprendí?

**Visit the web-based activities at www.emcp.com**

## Autoevaluación

**Como repaso y autoevaluación, responda lo siguiente:**

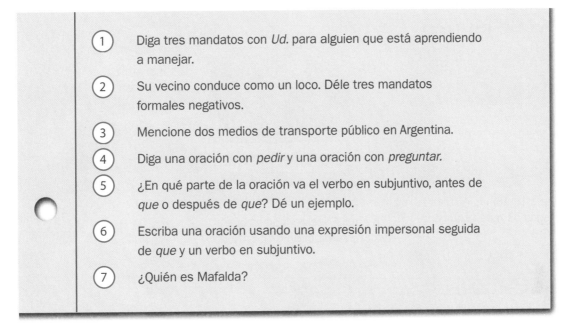

1. Diga tres mandatos con *Ud.* para alguien que está aprendiendo a manejar.

2. Su vecino conduce como un loco. Déle tres mandatos formales negativos.

3. Mencione dos medios de transporte público en Argentina.

4. Diga una oración con *pedir* y una oración con *preguntar*.

5. ¿En qué parte de la oración va el verbo en subjuntivo, antes de *que* o después de *que*? Dé un ejemplo.

6. Escriba una oración usando una expresión impersonal seguida de *que* y un verbo en subjuntivo.

7. ¿Quién es Mafalda?

## Palabras y expresiones

**En el coche**
el acelerador
el espejo retrovisor
la licencia de conducir

**Al conducir**
ceder el paso
el estacionamiento
la marcha atrás
las normas de tránsito
la velocidad

**Verbos**
acelerar
ajustar
disminuir
estacionar
exceder
llenar el tanque
pisar
poner una multa

**Las señales**
la calle de doble vía
la calle de una sola vía
la glorieta
pare
prohibido doblar
el semáforo

**La ciudad**
las afueras
el atasco
la autopista
la bocacalle
el callejón sin salida
el cruce de peatones
la estación de servicio
la gasolina
el kiosco
la obra en construcción
el parquímetro
el peatón, la peatona
la zona verde

**Para pedir instrucciones**
¿Dónde queda...?
¿Dónde se encuentra...?
más allá de
perdido, -a

**Expresiones y otras palabras**
cometer errores
despacio
paciencia
prudente
vacío, -a

El cruce de peatones.

Se prohíbe estacionar.

La glorieta.

## Vocabulario I
### Un viaje en tren

## 1 Viajar en tren

🔊 **Indique la letra de la foto que corresponde con lo que oye.**

A

B

C

D

E

F

## 2 Con retraso…

**Escriba oraciones con las palabras de la caja.**

MODELO  Espérame en el andén.

| asiento | clase | a punto | local |
|---------|-------|---------|-------|
| retraso | transbordo | controla | andén |

# Diálogo I

## ¿A qué hora sale el tren?

MARIO: Papá, ¿de qué andén sale el tren que va a Valdivia?
PAPÁ: Del andén 7.
MARIO: ¿A qué hora sale el tren?
PAPÁ: ¿El tren local o el rápido?
MARIO: El que llegue antes.

PAPÁ: Llega antes el rápido, pero hoy está con retraso.
MARIO: Entonces, ¿cuál de los dos trenes es mejor que tome?
PAPÁ: El tren local sale en 20 minutos pero tarda una hora en llegar. El tren rápido sale en 40 minutos y tarda media hora.

MARIO: Es mejor que tome el local porque llega casi a la misma hora que el rápido.
PAPÁ: Sí, es una lástima que el rápido vaya con retraso.
MARIO: No importa, tengo más tiempo para mirar el paisaje por la ventanilla.

## 3 ¿Qué recuerda Ud.?

1. ¿Adónde quiere ir Mario?
2. ¿Cómo está hoy el tren rápido?
3. ¿Qué tren decide tomar Mario? ¿Por qué?
4. ¿Para qué tiene más tiempo Mario durante el viaje en el tren local?

## 4 Algo personal

1. ¿Viaja Ud. en tren? ¿Adónde?
2. ¿Le gusta mirar el paisaje por la ventanilla? ¿Por qué?
3. ¿Qué prefiere, el tren rápido o el local? ¿Por qué?

## 5 ¡Qué lástima!

Escuche las siguientes expresiones. Escoja la letra de la oración que dice la expresión de otra manera.

1. A. ¡Qué lástima que el tren rápido no vaya a Valdivia!
   B. Es una suerte que el tren vaya directo a Valdivia.
2. A. No viajo en un coche cama porque me encanta dormir en los viajes.
   B. No viajo en un coche cama porque nunca puedo dormir mientras viajo.
3. A. Por suerte el tren sale con una hora de retraso.
   B. Es un problema que el tren salga una hora más tarde.
4. A. Por suerte no debemos cambiar de tren en Valparaíso.
   B. Es una suerte que debamos cambiar de tren en Valparaíso.

## El Tren de la Poesía

A principios del siglo XX, Don José del Carmen Reyes era inspector de trenes en la ciudad de Temuco, Chile. Muchas veces llevaba en sus viajes a su hijo, que observaba el paisaje y los pequeños pueblos. Unos años después, siendo aún muy joven, el hijo publicó bajo el nombre de Pablo Neruda un libro de poemas que lo hizo famoso en todo el mundo. Neruda fue uno de los grandes poetas del siglo XX. Aunque murió el 23 de septiembre de 1973, sigue siendo uno de los poetas más leídos de todo el mundo.

En 1993, un grupo de escritores chilenos decidió organizar un evento llamado el Tren de la Poesía para honrar[1] a Neruda. En este evento, que se celebra durante los días 23 y 24 de septiembre de cada año, estos escritores viajan en un antiguo tren por los pueblos y ciudades que visitaba Neruda en los viajes con su padre.

Durante esos dos días, en los vagones del tren hay conferencias sobre la vida y la obra de Neruda y presentaciones de nuevos libros de poemas. Pero, sobre todo, los viajeros hablan de Neruda y de poesía, mientras observan por las ventanas del tren los mismos paisajes y los mismos pueblos que llenaron la imaginación del gran poeta cuando era niño.

Al llegar a las estaciones de los pueblos, cientos de personas se reúnen en los andenes para recibir al Tren de la Poesía. Allí celebran actos en honor al gran poeta y se leen sus poemas. Porque para los habitantes de Temuco y las ciudades vecinas, Neruda sigue paseando en los trenes y en los sueños.

Pablo Neruda fue uno de los grandes poetas del siglo XX.

[1]honor

Temuco, Chile.

## 6 Paseando en los trenes y en los sueños

**Conteste las siguientes preguntas.**

1. ¿Qué importancia tuvieron los trenes en la vida de Neruda?
2. ¿Cómo se hizo famoso Pablo Neruda?
3. ¿Qué es el Tren de la Poesía?
4. ¿Qué actividades se realizan en el Tren de la Poesía?
5. ¿Por qué cree que el evento se celebra el 23 y el 24 de septiembre?
6. ¿Por qué se dice en el artículo que "para los habitantes de Temuco y las ciudades vecinas, Neruda sigue paseando en los trenes y en los sueños"?

# Idioma

## Estructura

### El subjuntivo: verbos irregulares y más expresiones impersonales

There are six verbs that have irregular forms in the subjunctive.

| saber | haber | estar |
|-------|-------|-------|
| sepa | haya | esté |
| sepas | hayas | estés |
| sepa | haya | esté |
| sepamos | hayamos | estemos |
| sepáis | hayáis | estéis |
| sepan | hayan | estén |

| dar | ir | ser |
|-----|-----|-----|
| dé | vaya | sea |
| des | vayas | seas |
| dé | vaya | sea |
| demos | vayamos | seamos |
| déis | vayáis | seáis |
| den | vayan | sean |

You have already learned to use the subjunctive after certain impersonal expressions that indicate opinions about actions and events, such as: *Es importante, es necesario,* and *es mejor.* Here are some other impersonal expressions that often require the use of the subjunctive.

| es bueno que | it's good that | es inútil que | it's useless that |
|--------------|----------------|---------------|-------------------|
| es malo que | it's bad that | es una lástima que | it's a pity that |
| es increíble que | it's incredible that | es una suerte que | it's fortunate that |

**Es increíble** que no **sepas** tu número de asiento.

**It's incredible** that you don't **know** your seat number.

**Es una lástima** que **se vayan** tan pronto.

**It's a pity** that **you're leaving** so soon.

Es una lástima que te vayas tan pronto.

## ❖ Práctica

### 7 ¿Qué es mejor?

Cambie el verbo en infinitivo (indicado en cursiva) a la forma correspondiente del subjuntivo según el sujeto indicado entre paréntesis.

1. Es importante *tomar* el tren rápido para llegar antes. (nosotros)
2. Es malo *llegar* con retraso a la estación. (el tren)
3. Es necesario *hacer* transbordo en Santiago. (Ud.)
4. Es mejor *comprar* boleto de ida y vuelta. (ellos)
5. Es bueno *comer* en el coche comedor (los viajeros)
6. Es una lástima no *ver* el paisaje. (yo)
7. Es una suerte *estar* sentado al lado de la ventanilla. (tú)
8. Es inútil *esperar* en el andén. (ustedes)

### 8 Hablan los viajeros

Escoja el verbo apropiado del globo y complete lo que dicen los viajeros usando la forma que corresponda. Algunos verbos se pueden usar más de una vez.

*haber   estar   ver   saber   dar   ir   venir   llegar   ser*

1. Es increíble que ___ tantos viajeros esperando en el andén.
2. Es importante que tú ___ puntual.
   No quiero que nosotros ___ tarde a la estación.
3. Es bueno que ___ trenes rápidos a Chillán todos los días, pero es necesario que nosotros ___ en un tren local.
4. Es mejor que tú le ___ los boletos al inspector. Es necesario que él los ___.
5. Es una lástima que nosotros ___ lejos del coche comedor.
6. Es una suerte que tú ___ dónde tenemos que bajarnos.
7. ¿Quiere Ud. que ellos ___ con nosotros?

### 9 Antes de partir

Complete el siguiente diálogo entre Julia y Beatriz, dos amigas chilenas, con el subjuntivo del verbo apropiado.

**Julia:** ¿No es increíble que el tren *(1. salir / haber)* a tiempo?
**Beatriz:** ¡Es una suerte! Es mejor que nosotras *(2. saber / llegar)* a Valparaíso temprano.
**Julia:** El tren va a salir en cinco minutos. Es mejor que tú *(3. dar / subir)*.
**Beatriz:** ¡Espera! Es necesario que les *(4. decir / ir)* adiós a mis hermanitos.
**Julia:** ¡Oh! Es una lástima que ellos no *(5. viajar / ser)* con nosotras.
**Beatriz:** Pero es mejor que *(6. quedarse / saber)* en Santiago.
**Julia:** Sí, claro, es necesario que tus hermanos *(7. partir / ir)* a la escuela.
**Beatriz:** Es increíble que ellos ya *(8. venir / estar)* tan grandes. ¡Cómo pasa el tiempo!

## 10 Diferencia de opiniones

**Imagine que Ud. trabaja en un programa de radio sobre viajes y un(a) oyente (listener) llama para pedir consejos sobre cómo organizar un viaje. Déle consejos, usando las expresiones impersonales y el subjuntivo.**

MODELO **A:** Quiero ir a Buenos Aires, pero no me gusta viajar en avión.
**B:** Es mejor que vaya en tren. Es necesario que compre los boletos antes de llegar a la estación.

## Estructura

### El subjuntivo: verbos con cambios de raíz

Stem-changing verbs ending in -*ar* and -*er* have the same stem changes in the present subjunctive as they do in the present indicative.

| pensar | |
|---|---|
| p**ie**nse | pensemos |
| p**ie**nses | penséis |
| p**ie**nse | p**ie**nsen |

| volver | |
|---|---|
| v**ue**lva | volvamos |
| v**ue**lvas | volváis |
| v**ue**lva | v**ue**lvan |

Stem-changing verbs ending in -*ir* have a stem change in all forms of the present subjunctive except *nosotros* and *vosotros*.

| pedir | |
|---|---|
| p**i**da | p**i**damos |
| p**i**das | p**i**dáis |
| p**i**da | p**i**dan |

| sentir | |
|---|---|
| s**ie**nta | s**i**ntamos |
| s**ie**ntas | s**i**ntáis |
| s**ie**nta | s**ie**ntan |

| dormir | |
|---|---|
| d**ue**rma | d**u**rmamos |
| d**ue**rmas | d**u**rmáis |
| d**ue**rma | d**ue**rman |

### ✿ Práctica

## 11 Consejos para viajeros

**Con otro/a compañero/a, hagan una lista de consejos para un(a) viajero/a usando expresiones impersonales y verbos en subjuntivo. Luego, léanle los consejos a otro/a estudiante para ver si está de acuerdo o no.**

MODELO necesario / dormir
Es necesario que duermas bien antes de un viaje.

1. importante / pedir
2. malo / sentarse
3. necesario / conseguir
4. mejor / despertarse
5. importante / volver
6. bueno / vestirse

## 12 Es necesario que los viajeros...

Observe los dibujos siguientes. Luego, túrnese con su compañero/a para decir a cuál de las situaciones corresponde cada dibujo. Escriban luego oraciones usando "es necesario que", "es importante que" o "es mejor que" que se refieran a lo que deben hacer los pasajeros en cada situación.

| | |
|---|---|
| **1.** entender el horario | **6.** encontrar el número de su asiento |
| **2.** conseguir los boletos en la boletería | **7.** poner su equipaje en el lugar indicado |
| **3.** esperar en el andén | **8.** sentarse en el asiento correspondiente |
| **4.** subir al tren con cuidado | **9.** no quedarse de pie en el corredor |
| **5.** mostrar su boleto al inspector | **10.** no ir de un vagón a otro |

A   B   C   D   E

F   G   H   I   J

## ❖ Comunicación

## 13 Una gran fiesta

Ud. y su compañero/a están organizando una fiesta para juntar dinero para su clase. Escojan primero el tipo de fiesta que quieren hacer. Después piensen en cómo la pueden preparar, qué es mejor hacer, dónde comprar las cosas necesarias, etc. Comenten las diferentes opciones y den su opinión, utilizando algunas expresiones impersonales y el subjuntivo.

**MODELO**  Tipo de fiesta
**A:** ¿Por qué no hacemos una "fiesta de los deportes"?
**B:** No, es mejor que hagamos una "fiesta de la amistad".

**OPCIONES**

- Tipo de fiesta
- Tipo de decoraciones (*decorations*)
- Comida y bebida
- Invitaciones e invitados
- Lugares donde hacer la fiesta

Te exijo que te pongas el casco y las botas para escalar.

Espero que escalen las rocas con cuidado.

el casco

las rocas

## 14 En el campamento

Escuche las oraciones y diga a qué foto corresponde cada una.

A

B

C

D

E

F

## 15 ¿Qué necesito?

Un(a) amigo/a suyo/a quiere ir a acampar. Dígale lo que necesita para cada actividad.

1. ¿Qué necesito para acampar?
2. ¿Qué necesito para escalar?
3. ¿Qué necesito para no perderme?

4. ¿Qué necesito para dormir en un campamento?
5. ¿Qué necesito para protegerme de los insectos?
6. ¿Qué necesito para encender una fogata?

# Diálogo II
## Te sugiero que lleves botas

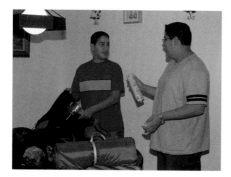

MARIO: Lucas, es la primera vez que me voy de campamento. ¿Qué debo llevar?

LUCAS: Te recomiendo que lleves un repelente de insectos. Hay muchos mosquitos en el campo.

MARIO: Y para escalar, ¿qué cosas necesito?

LUCAS: Te sugiero que lleves un casco. Si te caes te puede ayudar.

MARIO: ¿Y si quiero dar una caminata por la noche?

LUCAS: Es mejor que tengas una linterna.

LUCAS: ¿Llevas la tienda de acampar?

MARIO: No, Rubén la lleva.

LUCAS: ¿Y el saco de dormir?

MARIO: Sí, compré uno ayer. ¿Tienes algún otro consejo?

LUCAS: Recuerda que es bueno que lleves botas. Puede llover.

## 16 ¿Qué recuerda Ud.?

1. ¿Por qué le recomienda Lucas a Mario que lleve un repelente de insectos?
2. ¿Por qué es mejor que Mario tenga una linterna?
3. ¿Qué debe recordar Mario? ¿Por qué?

## 17 Algo personal

1. ¿Ha ido alguna vez de campamento? ¿Le gustó la experiencia?
2. Su amigo/a se va de campamento. ¿Qué le recomienda que lleve?
3. ¿Le gustan las actividades al aire libre? ¿Cuáles?

## 18 ¿Qué me recomienda?

Escuche las siguientes preguntas y escoja la foto que corresponde a cada una.

A

B

C

D

E

F

Parque Nacional Torres del Paine.

## Los parques nacionales de Chile

Por su extensa geografía y su variado clima, en Chile puede verse todo tipo de paisajes: desde zonas desérticas hasta bosques frondosos[1], desde volcanes hasta glaciares. En Chile, hay 32 parques nacionales, donde se protege[2] la flora y la fauna del lugar. Entre los parques más famosos están el Torres del Paine, el Puyehue, el Laguna del Laja y el Laguna San Rafael.

El ecoturismo, es decir, el turismo que acerca[3] el público a la naturaleza, está muy de moda en Chile. Por ello, los parques nacionales chilenos son visitados anualmente por miles de personas, de todas las edades.

En los parques nacionales hay actividades para todos los gustos. Las personas más tranquilas pueden disfrutar observando la bella fauna y flora de cada lugar, o probando comida típica chilena en los restaurantes de los refugios. La gente más activa puede hacer caminatas por senderos que recorren[4] miles de kilómetros. En el Parque Nacional Torres del Paine, por ejemplo, hay un circuito de caminatas de 100 kilómetros, que se pueden hacer entre 6 y 10 días. En otros parques tambien se puede pescar, esquiar o pasear en bote.

Cada parque nacional tiene su oficina de turismo donde se pueden conseguir buenos mapas e información sobre las actividades de la zona. Para visitar un parque nacional se recomienda llevar botas de montaña, gafas de sol, ropa de abrigo y protector solar.

El volcán Antuco, en el Parque Nacional Laguna del Laja.

[1]leafy   [2]is protected   [3]brings near   [4]run through

### 19  ¿Vamos a un parque nacional de Chile?

**Conteste las siguientes preguntas.**

1. ¿Qué son los parques nacionales?
2. ¿Qué es el ecoturismo?
3. ¿Cuántos parques nacionales hay en Chile?
4. Nombre tres parques nacionales chilenos.
5. Mencione cuatro actividades que se pueden hacer en un parque nacional.
6. ¿Qué se recomienda llevar a un parque nacional?

# Idioma

### Por y para

You have used *por* and *para* in many occasions. Remember that although *por* and *para* are equivalent to "for" in English, they are not interchangeable.

Use *para* to express
- where you are headed for

| | |
|---|---|
| *Salimos **para** el aeropuerto.* | We're leaving **for** the airport. |
| *Vamos **para** el campamento.* | We're headed **for** the camping site. |

- who or what something is for

| | |
|---|---|
| *¿Una linterna **para** mí? ¡Gracias!* | A flashlight **for** me? Thanks! |
| *Estos binoculares son **para** tu hermano.* | These binoculars are **for** your brother. |
| *Y esta brújula es **para** ti.* | And this compass is **for** you. |

- when something is due

| | |
|---|---|
| *Debe estar listo **para** mañana.* | It must be ready **for** tomorrow. |

- what something or an action is for, that is, its purpose

| | |
|---|---|
| *¿**Para** qué sirve esto?* | What is this **for?** |
| *Son fósforos **para encender la** fogata.* | They are matches **to light** the bonfire. |
| *Vine aquí **para dártelos.*** | I came here **to give them to you.** |

Use *por* to express
- movement through space

| | |
|---|---|
| *Los chicos caminaron **por** todo el valle.* | The boys walked **all over** the valley. |
| *¿Vamos **por** el sendero?* | ¿Shall we go **along** the path? |

- duration of time

| | |
|---|---|
| *Acamparon en el bosque **por** dos semanas.* | They camped in the forest **for** two weeks. |

- manner or means

| | |
|---|---|
| *Envié la carta **por** correo.* | I sent the letter **by** mail. |
| *Se enteró **por** el periódico.* | He found out **through** the newspaper. |

- reason, cause or motivation

| | |
|---|---|
| *Me caí **por** no usar la linterna.* | I fell down **for** not using the flashlight. |
| *¿**Por** qué no me llamaste?* | **Why** didn't you call me? |
| *Lo hice **por** mis amigos.* | I did it **for** my friends. (for their benefit) |

- proportion, rate or exchange

| | |
|---|---|
| *Pagué cincuenta dólares **por** este saco de dormir.* | I paid fifty dollars **for** this sleeping bag. |
| *El límite de velocidad es de 55 millas **por** hora.* | The speed limit is 55 miles **per hour.** |

# Práctica

### 20 Mini-diálogos

Complete los diálogos que siguen usando *por* o *para*.

**A:** Mira, aquí tengo un regalo (1) ti.

**B:** ¿(2) mí? ¿Qué es?

**A:** Algo necesario (3) el campamento.

**B:** ¡Una brújula! Gracias (4) el regalo.

**A:** ¿Vamos (5) el pueblo?

**B:** ¿(6) dónde quieres ir? ¿(7) la carretera o (8) el sendero?

**A:** No sé, quiero pasar (9) la tienda (10) comprar repelente. Anoche no pude dormir (11) los mosquitos.

**A:** ¿Pagaste mucho (12) esas botas?

**B:** ¡No pagué nada! Me las regalaron mis padres (13) mi cumpleaños. Creo que las compraron (14) la internet. ¿(15) qué lo preguntas?

**A:** (16) saber dónde puedo comprarlas.

### 21 Gracias, tío

Alcira le escribe a su tío para darle las gracias por un regalo que le envió. Complete la carta de Alcira usando *por* o *para* según corresponda.

> Querido tío:
>
> ¿Cómo está? Yo no estaba en casa la última vez que habló con mamá (1) teléfono y no pude darle las gracias (2) los binoculares que Ud. me mandó. ¡Son fantásticos (3) acampar! Ud. sabe cómo me gusta andar (4) la montaña. (5) las vacaciones pienso irme de campamento (6) un mes, y voy a llevar los binoculares conmigo. Mamá me dijo que va a venir a visitarnos. Quiero que se quede mucho tiempo, así vamos a poder pasear (7) el pueblo. Hasta pronto.
> Muchos saludos
> de Alcira.

# Comunicación

### 22 Un volante

Ud. y su compañero/a reciben este folleto de publicidad anunciando una gran venta *(sale)*. Primero, complétenlo usando *por* o *para*; después, escriban un folleto similar anunciando otro producto. Lean su folleto ante la clase.

> ## (1) celebrar sus 20 años
>
> "Todo (2) el campamento" ofrece
> los mejores precios (3) el público (4) diez días solamente.
> Un diez y un quince (5) ciento menos de los precios regulares
> en tiendas de acampar y sacos de dormir.
> ¡No se lo pierda!
> (6) recibir más información (7) correo o internet,
> vaya a http://www.campa.com

### El subjuntivo con verbos de obligación

You already know that the verb *querer* is followed by the subjunctive.

> *Mi hermano **quiere que yo vaya** a acampar con él.*

> My brother **wants me to go** camping with him.

Other verbs besides *querer* that indicate desire, demand, will, or wish are also used with the subjunctive.

| | | | | | |
|---|---|---|---|---|---|
| desear | *(to wish)* | aconsejar | *(to advise)* | ordenar | *(to order)* |
| esperar | *(to wish)* | sugerir | *(to suggest)* | mandar | *(to order)* |
| decir | *(to tell)* | recomendar | *(to recommend)* | necesitar | *(to need)* |
| insistir en | *(to insist)* | exigir | *(to demand)* | pedir | *(to ask)* |

> *Te recomiendo que **lleves** la brújula si van al bosque.*

> I recommend **you take** the compass if you go to the forest.

> *El guía espera que **usen** los cascos para escalar las rocas.*

> The guide hopes **you use** your helmets to climb the rocks.

Note that when the two verbs refer to the same subject, the form of the second verb is either the infinitive or the indicative.

> *Mi padre insiste en **hacer** una fogata.*

> My father insists **in making** a bonfire.

> *Mi padre insiste en que él **va a hacer** una fogata.*

> My father insists that **he's going to make** a campfire.

## Práctica

**2̱3̱ Por primera vez**

**Es la primera vez que Rolando va de campamento. Todos quieren que él haga algo. Forme oraciones completas para indicar qué quieren que haga.**

**MODELO**   su hermano recomendarle / llevar unas buenas botas
　　　　　*Su hermano le recomienda que lleve unas buenas botas.*

1. sus amigos insistir en / usar un saco de dormir
2. su madre pedirle / no ir a dar caminatas solo
3. el guía querer / llevar un casco para escalar montañas
4. el vendedor esperar / comprar los binoculares más caros
5. sus compañeros sugerirle / dormir en la tienda de acampar
6. el instructor pedirle / encender la linterna
7. las reglas exigirle / no acampar cerca de las rocas
8. todos decirle / usar la brújula para no perderse

*Me recomiendan que lleve unas buenas botas.*

## 24 ¿Qué consejo corresponde?

Complete las oraciones de la columna B con el subjuntivo de uno de los verbos de la lista. Luego, con un compañero/a escoja el consejo que mejor corresponda a cada situación de la columna A. Pueden dar diferentes respuestas a la última situación o inventar una respuesta original.

| usar | llevar | ponerse | tener |

**A**

1. Voy a escalar las rocas.
2. ¿Hago una fogata?
3. Queremos ir al valle.
4. El sendero está cubierto de hielo.
5. Hay muchos mosquitos.
6. No queremos perdernos.
7. Quiero observar los pájaros.
8. Vamos a dar una caminata.

**B**

A. Te aconsejo que ___ los binoculares.
B. Entonces, insisto en que ___ las botas.
C. Está bien, pero les sugiero que ___ el sendero.
D. Te pido que ___ el casco.
E. Les aconsejo que ___ la brújula.
F. Sí, pero espero que ___ cuidado con el fuego.
G. Espero que ___ el repelente de insectos.

## ✤ Comunicación

## 25 ¿Qué sugieren Uds.?

Con su compañero/a, creen diálogos breves sobre consejos que se dan en algunas de las siguientes situaciones. Cuando terminen, cambien de papel.

**MODELO** No veo nada. ¡Está oscuro!
> **A:** Te sugiero que enciendas la linterna.
> **B:** Te pido que vuelvas al campamento.

**SITUACIONES**

- Estar perdidos
- Estar cansados y no poder caminar
- No tener saco de dormir
- Observar los pájaros
- No tener fósforos para encender la fogata
- Estar lloviendo
- Haber mucha nieve en la tienda de acampar
- Estar lejos del pueblo

Te sugiero que observes ese pájaro.

## 26 Piden, recomiendan y exigen

Ud. y su compañero/a son consejeros de un campamento para niños. Hagan una lista de los consejos que darían a los niños. Usen *pedir, recomendar, exigir* y otros verbos de obligación. Compartan sus consejos con la clase.

# Lectura personal

✉ E-Mail     ▁ □ ✕

Archivo   Ver   Mensajes   Ayuda

| A... | Mamá y Papá |
|------|-------------|
| Cc... | |
| Asunto: | Chile |

**Recuerdos de Chile: Puerto Varas**

Queridos mamá y papá,

Anoche llegamos a la ciudad de Puerto Varas, que es un sitio increíble. En primer lugar, este puerto del sur de Chile no da al mar, sino al lago Llanquihue. Muchos consideran a esta ciudad como la puerta al mundo de los volcanes, los ríos, los glaciares, las cascadas y las montañas que abundan[1] en esta región.

¡El lago es inmenso! Cuando uno lo mira desde la ciudad cree que está frente al mar. Muchas personas que vienen a visitar esta región para ver los famosos Saltos[2] del Petrohué o el Volcán Osorno, paran primero en Puerto Varas. Desde hace mucho tiempo, la ciudad también atrae[3] a miles de turistas que vienen a bañarse en el lago durante la temporada de verano. En 1934, con la construcción del Gran Hotel, la ciudad se convirtió en uno de los centros turísticos más importantes del sur de Chile.

Lo que más me sorprendió de Puerto Varas fue encontrar tantas casas de estilo alemán. Nuestra guía nos explicó que a mediados[4] del siglo XIX llegaron a la ciudad un grupo de inmigrantes alemanes que decidieron establecerse en ella. Por eso aún hoy se puede ver la presencia de la cultura alemana, no sólo en la arquitectura, sino en las comidas de la región, las costumbres y hasta en los apellidos de sus habitantes. Estoy encantada de haber conocido un sitio tan hermoso y sorprendente a la vez.

Cariños,
Mariana

---

[1]abound   [2]waterfalls   [3]attracts   [4]in the middle

## 27 ¿Qué recuerda Ud.?

1. ¿Cuál es la primera característica de Puerto Varas que describe Mariana?
2. ¿Cómo es la naturaleza de la región donde se encuentra Puerto Varas?
3. ¿Qué importancia tiene la ciudad?
4. ¿Qué fue lo que más sorprendió a Mariana de la ciudad?
5. ¿Cree que Mariana tiene razón al decir que Puerto Varas es un lugar increíble y sorprendente? Explique su respuesta.

Casas de estilo alemán en Puerto Varas.

## 28 Algo personal

1. ¿Ha visitado alguna vez una ciudad que le pareció sorprendente? Describa su experiencia.
2. Imagine que usted llega a Puerto Varas después de leer la descripción de Mariana. ¿Adónde quiere ir? ¿Qué lugar le parece más interesante para visitar?

# ¿Qué aprendí?

Visit the web-based
activities at
www.emcp.com

## Autoevaluación

**Como repaso y evaluación, responda lo siguiente:**

1. Escriba lo contrario de: *tren rápido, puntual, ciudad.*

2. ¿Qué es el Tren de la Poesía?

3. Mencione cuatro cosas que una persona necesita cuando va a acampar.

4. Escriba una oración con la expresión *Es mejor que...* seguida de un verbo en subjuntivo.

5. Escriba una oración que empiece con *Te recomiendo que...*

6. Explique dos usos de *por* y dos usos de *para* y dé un ejemplo para cada uno.

7. Mencione dos actividades que se pueden hacer en los parques nacionales de Chile.

## Palabras y expresiones

**En el tren**
el andén
el asiento
el coche cama
el coche comedor
el inspector, la inspectora
local (tren)
rápido (tren)
el vagón
la ventanilla
el viajero, la viajera

**En la estación de tren**
la boletería
de primera (segunda) clase
el transbordo

**Verbos**
acampar
escalar
exigir
partir
recomendar (ie)
sugerir (ie)

**En el campo**
el arbusto
el campo
el pueblo
la roca
el sendero
el valle

**En el campamento**
los binoculares
la brújula
el campamento
el casco
la fogata
los fósforos
la linterna
el mosquito
el repelente de insectos
el saco de dormir
la tienda de acampar

**Expresiones y otras palabras**
a punto de
con retraso
dar una caminata
Es increíble que...
Es inútil que...
puntual

El coche comedor.

En la ventanilla de la taquilla.

# Ud. lee

## Estrategia

### Identifying symbols

A symbol is a literary figure that has, at least, two layers of meaning: what it really is, and what it suggests or represents. An open window, for instance, can be a symbol of freedom, apart from being the obvious —a window that has been opened. In our daily life we find many symbols we might not even be aware of, such as Uncle Sam, being a symbol for the United States, or a Christmas tree, being a symbol for Christmas. In literature, symbols are used to convey the meaning of a story. As you read, try to identify some of the symbols the author might be using and find out their other meaning. Identifying symbols will give you valuable clues about the theme of the piece.

## Preparación

**Lea lo siguiente y conteste las preguntas que siguen.**

Jorge Luis Borges nació el 23 de agosto de 1899 en Buenos Aires, Argentina. Fue bilingüe desde pequeño y aprendió a leer en inglés antes que en español, por la influencia de su abuela materna, que era de origen inglés. De sus antepasados, Borges dice que heredó dos tradiciones: una militar (su bisabuelo materno y su abuelo paterno eran coroneles del ejército) y otra literaria (su bisabuelo paterno fue el editor de uno de los primeros periódicos ingleses en Argentina y uno de sus antepasados fue el poeta romántico Juan Crisóstomo Lafinur). Quiso ser escritor desde que tenía 6 años. Empezó a escribir ensayos y a hacer traducciones cuando era niño. Sus primeras obras publicadas fueron ensayos y, después, empezó a escribir cuentos y poemas. También fundó numerosas revistas de literatura.

Durante los años 30 comenzó a perder la vista, hasta que se quedó totalmente ciego, pero nunca dejó de escribir. Entre sus obras más conocidas se encuentran *Ficciones*, *El Aleph*, *Historia universal de la infamia*, *Inquisiciones* y *El libro de arena*. Borges murió en Ginebra, Suiza, el 14 de junio de 1986.

1. ¿Dónde nació Jorge Luis Borges?
2. ¿Por qué era bilingüe?
3. ¿Cuándo supo Borges que quería ser escritor?
4. ¿Qué dos tradiciones hereda de sus antepasados?
5. Nombre tres obras de Jorge Luis Borges.

Jorge Luis Borges.

# El Sur

El hombre que desembarcó en Buenos Aires en 1871 se llamaba Johannes Dahlmann y era pastor de la iglesia evangélica; en 1939, uno de sus nietos, Juan Dahlmann, era secretario de una biblioteca municipal en la calle Córdoba y se sentía hondamente[1] argentino. Su abuelo materno había sido aquel Francisco Flores, del 2 de infantería de línea, que murió en la frontera de Buenos Aires, lanceado[2] por indios de Catriel; en la discordia de sus dos linajes, Juan Dahlmann (tal vez a impulso de la sangre germánica) eligió el de ese antepasado[3] romántico, o de muerte romántica. Un estuche[4] con el daguerrotipo de un hombre inexpresivo y barbado[5], una vieja espada[6], la dicha y el coraje de ciertas músicas, el hábito de estrofas del *Martín Fierro,* los años, el desgano[7] y la soledad, fomentaron ese criollismo algo voluntario, pero nunca ostentoso. A costa de algunas privaciones, Dahlmann había logrado salvar el casco de una estancia[8] en el Sur, que fue de los Flores; una de las costumbres de su memoria era la imagen de los eucaliptos balsámicos y de la larga casa rosada que alguna vez fue carmesí[9]. Las tareas y acaso la indolencia lo retenían en la ciudad. Verano tras verano se contentaba con la idea abstracta de posesión y con la certidumbre de que su casa estaba esperándolo, en un sitio preciso de la llanura[10]. En los últimos días de febrero de 1939, algo le aconteció.

Ciego[11] a las culpas, el destino puede ser despiadado[12] con las mínimas distracciones. Dahlmann había conseguido, esa tarde, un ejemplar descabalado[13] de *Las mil y una noches* de Weil; ávido de examinar ese hallazgo, no esperó que bajara el ascensor y subió con apuro las escaleras; algo en la oscuridad[14] le rozó la frente[15] ¿un murciélago[16], un pájaro? En la cara de la mujer que le abrió la puerta vio grabado el horror, y la mano

Una biblioteca.

que se pasó por la frente salió roja de sangre. La arista de un batiente[17] recién pintado que alguien se olvidó de cerrar le habría hecho esa herida[18]. Dahlmann logró dormir, pero a la madrugada[19] estaba despierto[20] y desde aquella hora el sabor de todas las cosas fue atroz. La fiebre lo gastó y las ilustraciones de *Las mil y una noches* sirvieron para decorar pesadillas[21]. Amigos y parientes lo visitaban y con exagerada sonrisa[22] le repetían que lo hallaban muy bien. Dahlmann los oía con una especie de débil estupor y le maravillaba que no supieran que estaba en el infierno. Ocho días pasaron, como ocho siglos. Una tarde, el médico habitual se presentó con un médico nuevo y lo condujeron a un sanatorio de la calle Ecuador, porque era indispensable sacarle una radiografía[23]. Dahlmann, en el coche de plaza que los llevó, pensó que en una habitación que no fuera la suya podría, al fin, dormir. Se sintió feliz y conversador; en cuanto llegó, lo desvistieron; le raparon[24] la cabeza, lo sujetaron con metales a una camilla[25], lo iluminaron hasta la ceguera y el vértigo, lo auscultaron y un hombre enmascarado le clavó una aguja[26] en el brazo. Se despertó con náuseas, vendado[27],

[1]profoundly  [2]killed by a lance  [3]ancestor  [4]case  [5]bearded  [6]sword  [7]apathy  [8]farmhouse and surrounding buildings  [9]crimson  [10]prairie  [11]blind  [12]merciless  [13]incomplete  [14]darkness  [15]brushed the forehead  [16]bat  [17]sharp edge of window  [18]wound  [19]dawn  [20]awake  [21]nightmares  [22]smile  [23]x-ray  [24]shaved  [25]stretcher  [26]needle  [27]bandaged

Esperando el tren hacia el sur.

en una celda que tenía algo de pozo[28] y, en los días y noches que siguieron a la operación, pudo entender que apenas había estado, hasta entonces, en un arrabal[29] del infierno. El hielo no dejaba en su boca el menor rastro de frescura[30]. En esos días, Dahlmann minuciosamente se odió[31]; odió su identidad, sus necesidades corporales, su humillación, la barba que le erizaba la cara. Sufrió con estoicismo las curaciones[32], que eran muy dolorosas[33], pero cuando el cirujano[34] le dijo que había estado a punto de morir de una septicemia, Dahlmann se echó a llorar, condolido de su destino. Las miserias físicas y la incesante revisión de las malas noches no le habían dejado pensar en algo tan abstracto como la muerte. Otro día, el cirujano le dijo que estaba reponiéndose[35] y que, muy pronto, podría ir a convalecer a la estancia. Increíblemente, el día prometido llegó.

A la realidad le gustan las simetrías y los leves[36] anacronismos; Dahlmann había llegado al sanatorio en un coche de plaza y ahora un coche de plaza lo llevaba a Constitución. La primera frescura del otoño, después de la opresión del verano, era como un símbolo natural de su destino rescatado de la muerte y la fiebre. La ciudad, a las siete de la mañana, no había perdido ese aire de casa vieja que le infunde la noche; las calles eran como largos zaguanes[37], las plazas como patios. Dahlmann la reconocía con felicidad y con un principio de vértigo; unos segundos antes de que las registraran sus ojos, recordaba las esquinas, las carteleras, las modestas diferencias de Buenos Aires. En la luz amarilla del nuevo día, todas las cosas regresaban a él.

Nadie ignora que el Sur empieza del otro lado de Rivadavia[38]. Dahlmann solía repetir que ello no es una convención y que quien atraviesa esa calle entra en un mundo más antiguo y más firme. Desde el coche buscaba entre la nueva edificación, la ventana de rejas, el llamador[39], el arco de la puerta, el zaguán, el íntimo patio.

En el *hall* de la estación advirtió[40] que faltaban treinta minutos. Recordó bruscamente[41] que en un café de la calle Brasil (a pocos metros de la casa de Yrigoyen) había un enorme gato que se dejaba acariciar[42] por la gente, como una divinidad desdeñosa. Entró. Ahí estaba el gato, dormido. Pidió una taza de café, la endulzó lentamente, la probó (ese placer le había sido vedado[43] en la clínica) y pensó, mientras alisaba[44] el negro pelaje, que aquel contacto era ilusorio y que estaban como separados por un cristal, porque el hombre vive en el tiempo, en la sucesión, y el mágico animal, en la eternidad del instante.

[28]well   [29]outskirts   [30]trace of freshness
[31]hated   [32]treatments   [33]painful   [34]surgeon
[35]recovering   [36]slight

[37]hallways   [38]name of an avenue in Buenos Aires, Argentina   [39]door knocker   [40]noticed   [41]suddenly
[42]to caress   [43]banned   [44]smoothed out

A lo largo del penúltimo andén el tren esperaba. Dahlmann recorrió los vagones y dio con uno casi vacío. Acomodó en la red la valija; cuando los coches arrancaron[45], la abrió y sacó, tras alguna vacilación, el primer tomo de *Las mil y una noches*. Viajar con este libro, vinculado[46] a la historia de su desdicha[47], era una afirmación de que esa desdicha había sido anulada y un desafío alegre y secreto a las frustradas fuerzas del mal.

A los lados del tren, la ciudad se desgarraba[48] en suburbios; esta visión y luego la de jardines y quintas[49] demoraron el principio de la lectura. La verdad es que Dahlmann leyó poco; la montaña de piedra imán[50] y el genio que ha jurado[51] matar a su bienhechor[52] eran, quién lo niega[53], maravillosos, pero no mucho más que la mañana y que el hecho de ser. La felicidad lo distraía de Shahrazad y de sus milagros superfluos; Dahlmann cerraba el libro y se dejaba simplemente vivir.

El almuerzo (con el caldo[54] servido en boles[55] de metal reluciente[56], como en los ya remotos veraneos de la niñez) fue otro goce tranquilo y agradecido. "Mañana me despertaré en la estancia" pensaba, y era como si a un tiempo fuera dos hombres: el que avanzaba por el día otoñal y por la geografía y la patria[57], y el otro, encarcelado en un sanatorio y sujeto a metódicas servidumbres. Vio casas de ladrillo sin revocar, esquinadas y largas, infinitamente mirando pasar los trenes; vio jinetes[58] en los terrosos caminos; vio zanjas[59] y lagunas y haciendas; vio largas nubes luminosas que parecían de mármol, y todas estas cosas eran casuales, como sueños de la llanura. También creyó reconocer árboles y sembrados[60] que no hubiera podido nombrar, porque su directo conocimiento de la campaña era harto[61] inferior a su conocimiento nostálgico y literario.

[45]started  [46]linked  [47]misfortune  [48]was torn
[49]farms  [50]magnet stone  [51]has sworn  [52]beneficent
[53]deny  [54]clear soup  [55]bowls  [56]shiny  [57]homeland
[58]horsemen  [59]ditches  [60]sown fields  [61]very

Alguna vez durmió y en sus sueños estaba el ímpetu del tren. Ya el blanco sol intolerable de las doce del día era el sol amarillo que precede al anochecer y no tardaría en ser rojo. También el coche era distinto; no era el que fue en Constitución, al dejar el andén: la llanura y las horas lo habían atravesado[62] y transfigurado. Afuera la móvil sombra[63] del vagón se alargaba hacia el horizonte. No turbaban la tierra elemental ni poblaciones ni otros signos humanos. Todo era vasto, pero al mismo tiempo era íntimo y, de alguna manera, secreto. En el campo desaforado[64], a veces no había otra cosa que un toro. La soledad era perfecta y tal vez hostil, y Dahlmann pudo sospechar que viajaba al pasado y no sólo al Sur. De esa conjetura fantástica lo distrajo el inspector, que al ver su boleto, le advirtió[65] que el tren no lo dejaría en la estación de siempre sino en otra, un poco anterior y apenas conocida por Dahlmann. (El hombre añadió una explicación que Dahlmann no trató de entender ni siquiera de oír, porque el mecanismo de los hechos no le importaba.)

[62]crossed  [63]shadow  [64]boundless  [65]warned

Paisaje de la pampa.

El tren laboriosamente se detuvo[66], casi en medio del campo. Del otro lado de las vías quedaba la estación, que era poco más que un andén con un cobertizo[67]. Ningún vehículo tenían, pero el jefe opinó que tal vez pudiera conseguir uno en un comercio que le indicó a unas diez, doce, cuadras.

Dahlmann aceptó la caminata como una pequeña aventura. Ya se había hundido[68] el sol, pero un esplendor final exaltaba la viva y silenciosa llanura, antes de que la borrara la noche. Menos para no fatigarse[69] que para hacer durar esas cosas, Dahlmann caminaba despacio, aspirando con grave felicidad el olor del trébol[70].

El almacén, alguna vez, había sido punzó[71] pero los años habían mitigado para su bien ese color violento. Algo en su pobre arquitectura le recordó un grabado en acero[72], acaso de una vieja edición de *Pablo y Virginia*. Atados al palenque[73] había unos caballos. Dahlmann, adentro, creyó reconocer al patrón; luego comprendió que lo había engañado[74] su parecido con uno de los empleados del sanatorio. El hombre, oído el caso, dijo que le haría atar la jardinera; para agregar otro hecho a aquel día y para llenar ese tiempo, Dahlmann resolvió comer en el almacén.

En una mesa comían y bebían ruidosamente[75] unos muchachones, en los que Dahlmann, al principio, no se fijó. En el suelo, apoyado en el mostrador, se acurrucaba[76], inmóvil como una cosa, un hombre muy viejo. Los muchos años lo habían reducido y pulido[77] como las aguas a una piedra o las generaciones de los hombres a una

sentencia. Era oscuro, chico y reseco, y estaba como fuera del tiempo, en una eternidad. Dahlmann registró con satisfacción la vincha[78], poncho de bayeta[79], el largo chiripá[80] y la bota de potro[81] y se dijo, rememorando[82] inútiles discusiones con gente de los partidos del Norte o con entrerrianos[83], que gauchos de ésos ya no quedan más que en el Sur.

Gauchos del sur.

Dahlmann se acomodó junto a la ventana. La oscuridad fue quedándose con el campo, pero su olor y sus rumores aun le llegaban entre los barrotes[84] de hierro. El patrón le trajo sardinas y después carne asada[85]; Dahlmann las empujó con unos vasos de vino tinto[86]. Ocioso, paladeaba el áspero sabor y dejaba errar[87] la mirada por el local, ya un poco soñolienta. La lámpara de kerosén pendía[88] de uno de los tirantes[89]; los parroquianos[90] de la otra mesa eran tres: dos parecían peones de chacra[91], otro, de rasgos achinados[92] y torpes, bebía con el chambergo[93] puesto. Dahlmann, de pronto, sintió un leve roce en la cara. Junto al vaso ordinario de vidrio turbio, sobre una de las rayas del mantel, había una bolita de miga[94]. Eso era todo, pero alguien se la había tirado.

Los de la otra mesa parecían ajenos[95] a él. Dahlmann, perplejo, decidió que nada había ocurrido y abrió el volumen de *Las mil y una noches,* como para tapar la realidad. Otra bolita lo alcanzó a los pocos minutos, y esta vez los peones se rieron. Dahlmann se dijo que no estaba asustado, pero que sería un disparate que él, un convaleciente, se dejara arrastrar por desconocidos a una pelea

[66]stopped with great difficulty  [67]shed  [68]had sunken  [69]to get tired  [70]clover  [71]very bright red  [72]engraved in steel  [73]tied to the stockade  [74]had confused him with  [75]noisily  [76]curled up  [77]polished

[78]headband  [79]cloth  [80]garment worn by gauchos over trousers  [81]colt  [82]reminiscing about  [83]people from Entre Ríos, a province in Argentina  [84]bars  [85]roast  [86]red wine  [87]wander  [88]hung  [89]roof beams  [90]regular customers  [91]small farm  [92]Asian looking  [93]wide-brimmed hat  [94]ball of bread  [95]indifferent

**¡Viento en popa!**

confusa. Resolvió salir; ya estaba de pie cuando el patrón se le acercó y lo exhortó con voz alarmada: —Señor Dahlmann, no les haga caso a esos mozos[96], que están medio alegres.

Dahlmann no se extrañó de que el otro, ahora, lo conociera, pero sintió que estas palabras conciliadoras agravaban, de hecho, la situación. Antes, la provocación de los peones era a una cara accidental, casi a nadie; ahora iba contra él y contra su nombre y lo sabrían los vecinos. Dahlmann hizo a un lado al patrón, se enfrentó con los peones y les preguntó qué andaban buscando.

El compadrito[97] de la cara achinada se paró, tambaleándose[98]. A un paso de Juan Dahlmann, lo injurió[99] a gritos, como si estuviera muy lejos. Jugaba a exagerar su borrachera[100] y esa exageración era una ferocidad y una burla. Entre malas palabras y obscenidades, tiró al aire un largo cuchillo, lo siguió con los ojos, lo barajó[101], e invitó a Dahlmann a pelear. El patrón objetó con trémula voz que Dahlmann estaba desarmado. En ese punto, algo imprevisible ocurrió.

Desde un rincón, el viejo gaucho extático, en el que Dahlmann vio una cifra del Sur (del Sur que era suyo), le tiró una daga desnuda que vino a caer a sus pies. Era como si el Sur hubiera resuelto que Dahlmann aceptara el duelo. Dahlmann se inclinó a recoger la daga y sintió dos cosas. La primera, que ese acto casi instintivo lo comprometía a pelear. La segunda, que el arma, en su mano torpe, no serviría para defenderlo, sino para justificar que lo mataran. Alguna vez había jugado con un puñal[102], como todos los hombres, pero su esgrima[103] no pasaba de una noción de que los golpes deben ir hacia arriba y con el filo[104] para adentro. "No hubieran permitido en el sanatorio que me pasaran estas cosas", pensó. —Vamos saliendo —dijo el otro.

Salieron, y si en Dahlmann no había esperanza[105], tampoco había temor. Sintió, al atravesar el umbral[106], que morir en una pelea a cuchillo, a cielo abierto y acometiendo, hubiera sido una liberación para él, una felicidad y una fiesta, en la primera noche del sanatorio, cuando le clavaron la aguja. Sintió que si él, entonces, hubiera podido elegir o soñar su muerte, ésta es la muerte que hubiera elegido o soñado.

Dahlmann empuña[107] con firmeza el cuchillo, que acaso no sabrá manejar, y sale a la llanura.

[96]young boys    [97]show-off    [98]tottering
[99]insulted    [100]drunkenness    [101]tossed it from one hand to the other

[102]dagger    [103]fencing    [104]blade
[105]hope    [106]threshold
[107]takes up

## A ¿Qué recuerda Ud.?

1. ¿Quién es el protagonista de este cuento?
2. ¿Por qué tuvo que ir Dahlmann a un sanatorio?
3. ¿Adónde quiere ir Dahlmann al salir del sanatorio?
4. Explique cómo termina el cuento.

## B Algo personal

1. ¿En qué se parece Juan Dahlmann al autor, Jorge Luis Borges?
2. ¿Qué prefiere usted: el campo o la ciudad? ¿Por qué?
3. ¿Alguna vez participó en una pelea? ¿Cómo empezó?

Un gaucho argentino.

# Ud. escribe

**Comparing and contrasting**

To describe two things, persons, places, or ideas that can be related but that are different, you can compare and contrast them. To do this, you need to find information and analyze the common aspects and the different ones. For example: *Los gatos y los perros son las mascotas más populares de mi clase. Tanto los gatos como los perros pueden ser buenos compañeros. Pero los perros necesitan más atención. Hay que sacarlos a pasear varias veces al día. Mientras que los gatos pueden quedarse en casa todo el año.*

There are different ways to organize a **compare and contrast** paragraph.

- You can first write all the similarities, and then all the differences.
- You can compare them, point by point, stating each time if they are alike or they differ in that aspect.
- You can combine the two previous styles.

Here are some words you can use to express similarities and differences.

| Semejanzas | Diferencias |
|---|---|
| se parece a | a diferencia de |
| es igual que | por otro lado |
| al igual que | al contrario que |
| también | en contraste con |
| es semejante a | mientras que |
| tanto… como | pero |

Escriba una composición sobre la vida en el campo y la vida en la ciudad y dé recomendaciones sobre qué estilo de vida es mejor para cada tipo de persona (alguien mayor, alguien joven y activo, alguien a quien le gusta la naturaleza, etc).

Concéntrese en comparar y contrastar los dos estilos de vida. No se olvide de usar palabras o expresiones de comparación. Use una gráfica como la de abajo para organizar su borrador. Recuerde usar los mandatos formales y el subjuntivo. (Sugerencia: En su composición, puede tratar de convencer a alguien de que vaya a vivir a un lugar o a otro.) Comparta su borrador con otro/a estudiante y pídale sus sugerencias o correcciones. Por último, escriba la versión final para incluir las sugerencias de su compañero/a y para corregir los errores en los tiempos de los verbos, el uso de las palabras o expresiones de transición y la ortografía.

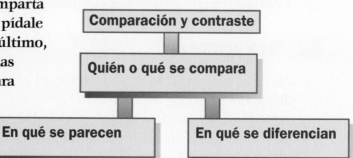

# Proyectos adicionales

### A  Conexión con otras disciplinas: música

La música andina es una música tradicional que
nació en la región de los Andes. Hoy en día se
puede escuchar grupos de música andina en las
calles y plazas de muchas ciudades de Estados
Unidos. En la internet, busque información sobre
los siguientes aspectos de la música andina:

- dónde nació
- quién la toca
- qué instrumentos usa

Con la información que encuentre, haga una
presentación oral en clase. Si puede, trate de
conseguir un disco de música andina, en la
biblioteca pública o en una tienda de discos,
para completar su presentación.

Un grupo de música andina.

### B  Conexión con la tecnología

Es interesante, al visitar una ciudad que no se conoce, saber ya cuáles
son los sitios más importantes que uno quiere visitar. Escoja una ciudad
de Chile o de Argentina que le gustaría visitar. Haga una investigación
en la internet para averiguar cuáles son los lugares más interesantes y
qué actividades se pueden hacer en cada lugar. Use los datos, las fotos
y los mapas que encuentre para hacer la página de una guía de viajes,
en tamaño cartel, para mostrar en la clase.

### C  Comparación

Los gauchos y los *cowboys* tienen
muchas características en común.
Compare cómo es la vida de un
gaucho argentino con la vida de
un *cowboy* de Estados Unidos.
Explique cómo se viste cada uno,
dónde viven, cuál es su trabajo,
qué comen y beben. Busque
información en la internet o en
la biblioteca. Luego escriba un
párrafo comparándolos.

Los gauchos se parecen a los *cowboys*.

# Repaso

| Now that I have completed this chapter, I can... | Go to these pages for help: |
|---|---|
| give advice about driving in the city. | 194 |
| identify road signs. | 194 |
| tell others what to do. | 198 |
| ask for and give directions. | 202 |
| make generalizations about what's important, useful and necessary. | 207, 216, 218 |
| talk about train travel. | 212, 213 |
| talk about camping activities. | 220, 221 |
| make requests, suggestions and demands. | 226 |

## I can also...

| | |
|---|---|
| discuss public transportation in Buenos Aires. | 197 |
| talk about Mafalda, a famous comic-book character. | 205 |
| talk about the origins of the tango and its importance today. | 210 |
| talk about the Poetry Train, honoring Pablo Neruda. | 215 |
| comment on several National Parks in Chile. | 223 |
| talk about the beauty of Puerto Varas, Chile. | 228 |
| read a story by a renowned Argentinian writer. | 231 |

## Trabalenguas

El cielo está encapotado.
¿Quién lo desencapotará?
El desencapotador que
lo desencapote,
buen desencapotador será.

# Vocabulario

**a punto de (partir)** about (to leave) *5B*

**acampar** to camp *5B*

el **acelerador** gas pedal *5A*

**acelerar** to speed (up) *5A*

las **afueras** suburbs *5A*

**ajustar** to adjust *5A*

el **andén** train platform *5B*

el **arbusto** bush *5B*

el **asiento** seat *5B*

el **atasco** traffic jam *5A*

la **autopista** highway *5A*

los **binoculares** binoculars *5B*

la **bocacalle** street entrance *5A*

la **boletería** ticket office *5B*

la **brújula** compass *5B*

la **calle de doble vía** two-way street *5A*

la **calle de una sola vía** one-way street *5A*

el **callejón sin salida** blind alley *5A*

el **campamento** camp site *5B*

el **campo** countryside, field *5B*

el **casco** helmet *5B*

**ceder el paso** to yield *5A*

el **coche cama** sleeping car *5B*

el **coche comedor** dining car *5B*

**con retraso** delayed *5B*

el **cruce de peatones** pedestrian crossway *5A*

**dar una caminata** to take a walk *5B*

**despacio** slowly *5A*

**disminuir** to slow (down) *5A*

**¿Dónde queda...?** Where is...? *5A*

**¿Dónde se encuentra...?** Where is...? *5A*

**Es increíble que...** It's incredible that... *5B*

**Es inútil que...** It's useless that... *5B*

**escalar** to climb *5B*

el **espejo retrovisor** rear-view mirror *5A*

la **estación de servicio** gas station *5A*

el **estacionamiento** parking lot *5A*

**estacionar** to park *5A*

**exceder** to exceed *5A*

**exigir** to demand *5B*

la **fogata** camp fire *5B*

los **fósforos** matches *5B*

la **gasolina** gas *5A*

la **glorieta** rotary *5A*

el **inspector,** la **inspectora** inspector *5B*

el **kiosco** kiosk *5A*

la **licencia de conducir** driver's license *5A*

la **linterna** flashlight *5B*

**llenar el tanque** to fill up the gas tank *5A*

la **marcha atrás** reverse gear *5A*

**más allá** beyond *5A*

el **mosquito** mosquito *5B*

las **normas de tránsito** traffic rules *5A*

la **obra en construcción** construction site *5A*

la **paciencia** patience *5A*

**pare** stop *5A*

el **parquímetro** parking meter *5A*

**partir** to leave *5B*

el **peatón,** la **peatona,** *pl* **peatones** pedestrian *5A*

**perdido,-a** lost *5A*

**pisar** to step on *5A*

**poner una multa** to give a ticket *5A*

**de primera (segunda) clase** first (second) class *5B*

**prohibido doblar** no turn *5A*

**prudente** cautious *5A*

el **pueblo** village *5B*

**puntual** on time *5B*

**recomendar (ie)** to recommend *5B*

el **repelente de insectos** insect repellent *5B*

la **roca** rock *5B*

el **saco de dormir** sleeping bag *5B*

el **semáforo** traffic light *5A*

el **sendero** path *5B*

**sugerir (ie)** to suggest *5B*

la **tienda de acampar** tent *5B*

el **transbordo** transfer *5B*

el **tren local** local train *5B*

el **tren rápido** express train *5B*

**vacío,-a** empty *5A*

el **vagón** car train *5B*

el **valle** valley *5B*

la **velocidad** speed *5A*

la **ventanilla** window *5B*

el **viajero,** la **viajera** traveler *5B*

la **zona verde** green space *5A*

El campamento.

La linterna.

# Capítulo 6

## De viaje

### Objetivos

- ❖ make travel plans
- ❖ make weather predictions
- ❖ talk about events that will take place in the future
- ❖ express doubt or certainty about certain facts
- ❖ make lodging arrangements
- ❖ state wishes and preferences
- ❖ make requests in a polite manner
- ❖ describe a visit to a national park
- ❖ express emotions, likes and dislikes

Visit the web-based activities at www.emcp.com

## 1 En la agencia de viajes

Escuche las siguientes oraciones. Indique qué frase o palabra completa correctamente cada oración para que su significado sea similar al de la oración que oye.

1. Los pasajes hay que pagarlos *(dos semanas antes / dos semanas después)*.
2. Los viajes en avión *(no cambian / pueden cambiar)* si hay mal tiempo.
3. El folleto ofrece *(descripciones / reservas)* interesantes sobre la excursión al Volcán Porú.
4. En la excursión, las personas *(vuelan / cruzan)* la selva tropical.
5. Para *(cancelar / aceptar)* la reserva de hotel, hay que llamar a la agencia de viajes.
6. El precio del hotel es un diez por ciento *(más barato / más caro)*.

## 2 De viaje

Complete las oraciones con las palabras de la caja.

| | | |
|---|---|---|
| cheques de viajero | descuento | malentendido |
| previo | reserva | volcán |

1. Ana y Roberto discutieron a causa de un __.
2. Tan pronto como supimos que no podíamos viajar, cancelamos la __.
3. No se puede cancelar el viaje sin __ aviso.
4. Desde el hotel podíamos observar el fuego que salía del __.
5. Cuando una persona viaja a otro país es común que pague con __.
6. Cuando compramos los boletos nos hicieron un 10% de __ por ser estudiantes.

# Diálogo I

## ¿Tiene los pasajes?

**ROSA:** Venimos a buscar los pasajes para Panamá.
**AGENTE:** ¿Cuándo hicieron la reserva?
**MARCOS:** El lunes pasado…
**AGENTE:** Permítanme mirar la información en la computadora.

**ROSA:** ¿Tiene los pasajes?
**AGENTE:** No, aquí dice que ustedes no los confirmaron.
**MARCOS:** Claro que los confirmamos. Tan pronto como supimos que podíamos viajar, llamamos a la agencia para hacer la confirmación.

**AGENTE:** ¿Y pagaron los boletos?
**ROSA:** No, nos dijeron que hasta que no pasáramos a buscarlos no teníamos que pagarlos.
**AGENTE:** Creo que ha habido un malentendido… Pero no se preocupen, podemos hacer una nueva reserva.

## 3 ¿Qué recuerda Ud.?

1. ¿Cuándo hicieron la reserva Rosa y Marcos?
2. ¿Qué información da la computadora sobre los pasajes?
3. ¿Qué hicieron Marcos y Rosa tan pronto como supieron que podían viajar?
4. ¿Cuándo les dijeron que tenían que pagar los pasajes?
5. ¿Qué dice el agente que ha habido?

## 4 Algo personal

1. ¿Ha planeado alguna vez un viaje? ¿Adónde?
2. ¿Ha tenido que cancelar algún viaje? ¿Cuándo?
3. Si tiene que viajar, ¿hace las reservas con una agencia de viajes?
4. ¿Ha tenido algún malentendido con alguien? Explique.

Una agencia de viajes.

## 5 Daniel y su viaje a Panamá

))) Escuche la siguiente historia. Después de cada párrafo va a oír dos preguntas. Escoja la mejor respuesta para cada una.

1. **A.** gastó el dinero          **B.** confirmó su reserva
2. **A.** la reserva del hotel      **B.** la reserva del carro
3. **A.** con dinero                **B.** con cheques de viajero
4. **A.** atravesar la selva        **B.** atravesar la ciudad
5. **A.** con anticipación          **B.** el día del viaje
6. **A.** si no leía el detalle del viaje   **B.** si cancelaba sin previo aviso

## Panamá, tres ciudades en una

En la Panamá Vieja está la Catedral de Nuestra Señora de la Asunción.

Ciudad de Panamá es un lugar fascinante. Durante los más de 500 años de historia desde su creación, han pasado por ella un mosaico de gentes que ha ido dejando su huella[1] por las distintas calles de la ciudad. Por eso, los panameños dicen que Panamá son tres ciudades en una: la Panamá Vieja, la Panamá Colonial y la Panamá Moderna.

Encontramos la Panamá Vieja a 8 kilómetros de la ciudad moderna. Allí están las ruinas de la primera ciudad de Panamá, llamada la Reina del Pacífico, que fue destruida por el pirata Henry Morgan, que la saqueó[2] y la incendió en 1671. En la Panamá Vieja se puede ver todavía la Catedral de Nuestra Señora de la Asunción, así como restos[3] del Puente del Rey y el Ayuntamiento[4].

En un paseo por las calles de la Panamá Colonial, entre pequeñas calles, edificios coloniales y casas de piedra, se puede observar la influencia de tres estilos: español, francés e italiano. El Casco Viejo es uno de los barrios más pintorescos[5] de esta zona. Otros hermosos lugares son la Catedral Metropolitana y las bóvedas[6] de la antigua cárcel española, donde hoy se encuentran galerías de arte, un teatro y hasta una discoteca.

Pero el tiempo ha pasado y Panamá, aunque conserva restos del pasado, se ha convertido en una ciudad moderna y cosmopolita, donde hay rascacielos, centros comerciales y tiendas donde se venden productos de todo el mundo. La gente del lugar recomienda ir de compras a la Avenida Central, una vía peatonal llena de tiendas, adornada con plantas y flores.

Vista de la Panamá Moderna.

[1]mark  [2]pillaged  [3]remains  [4]city hall  [5]picturesque  [6]vaults

## 6 La historia en las calles de Panamá

**Conteste las siguientes preguntas.**

1. ¿Por qué dicen los panameños que Panamá es tres ciudades en una?
2. ¿Quién destruyó la Panamá Vieja y cuándo?
3. ¿Qué estilos se pueden ver en la Panamá Colonial?
4. ¿Adónde recomienda ir de compras la gente del lugar?
5. Si Ud. visitara Ciudad de Panamá, ¿a cuál de las tres zonas le gustaría más ir?

## Idioma

### El subjuntivo con cláusulas adverbiales

The subjunctive is used after the following conjunctions to talk about events that have not happened yet or that may not happen at all.

| | |
|---|---|
| cuando | *when* |
| tan pronto como | *as soon as* |
| en cuanto | *when* |
| hasta que | *until* |
| después de que | *after* |
| antes de que | *before* |
| para que | *in order that* |

*Tan pronto como sepamos la fecha vamos a confirmar el viaje.*

*Vamos a confirmar el viaje **tan pronto como** sepamos la fecha de salida.*

We're going to confirm our trip **as soon as** we know the departure date.

*Van a recibir los pasajes **cuando** los paguen.*

You will receive your tickets **when** you pay for them.

The subjunctive is not used after these conjunctions if the action refers to events in the past or habitual actions.

*Confirmamos el viaje **tan pronto como** supimos la fecha de salida.*

We confirmed the trip **as soon as we knew** the departure date.

*Recibieron los pasajes **cuando los pagaron.***

They received their tickets **when they paid** for them.

*Generalmente confirmamos un viaje **tan pronto como sabemos** la fecha de salida.*

Generally we confirm a trip **as soon as we know** the departure date.

*Siempre reciben los pasajes **después de que los pagan.***

They always receive their tickets **after they pay** for them.

*Antes de que* is the exception to the previous rule. You use the subjunctive with *antes de que* no matter what the time reference is.

***Ponte** las botas **antes de que empiece** a nevar.*

**Put on** your boots **before** it **starts** snowing. (It hasn't started to snow yet.)

*Siempre **me pongo** las botas **antes de que empiece** a nevar.*

I always **put on** my boots **before** it **starts** snowing.

 **Práctica**

 **7 Mini-diálogos**

**Complete cada diálogo con el verbo adecuado de la caja en la forma correspondiente del subjuntivo.**

| | | |
|---|---|---|
| acabarse | enviar | dar |
| regresar | estar | enterarse |
| poder | haber | |

1. **Sara:** Miguel, ¿tú ya estás decidido a hacer el viaje?

   **Miguel:** No. No puedo decidirme antes de que mis padres me ___ permiso, ¿y tú?

   **Sara:** Sí, yo voy a hacer la reserva tan pronto como ___.

2. **Agente:** ¿Piensa Ud. planear sus vacaciones con nosotros?

   **Cliente:** Sí, voy a llamar cuando ___ seguro de la fecha.

   **Agente:** Llame pronto, antes de que ___ los pasajes con descuento.

3. **Cliente:** ¿Cuándo me van a devolver el dinero de los pasajes?

   **Agente:** Después de que Ud. nos ___ la nota firmada por su médico.

   **Cliente:** Gracias, pero no se la puedo dar hasta que él ___ de vacaciones.

4. **Cliente:** Por favor, dígame cuáles son las condiciones para que no ___ malentendidos.

   **Agente:** Bien, se las voy a leer para que Ud. ___.

 **8 Planes de viaje**

**Escoja uno de los verbos entre paréntesis y use la forma que corresponda del subjuntivo para completar los dos correos electrónicos que siguen.**

E-Mail

Archivo  Ver  Mensajes  Ayuda

A... Antonio

Cc...

Asunto: ¡Hola!

Querido Antonio,
¡No sabes lo contenta que estoy! Finalmente mis padres han decidido ir a Bocas del Toro para las fiestas. Espero que tú (1. poder / salir) venir con nosotros. ¡Nos vamos a divertir muchísimo! Pídele permiso a tus padres y contéstame en cuanto (2. hablar / preguntar) con ellos. Espero que te (3. seguir / decir) que sí. Escríbeme tan pronto como te (4. decidir / saber) para que nosotros (5. estar / poder) hacer la reserva.
Hasta pronto,
Consuelo

E-Mail

Archivo  Ver  Mensajes  Ayuda

A... Consuelo

Cc...

Asunto: ¡Hola!

Querida Consuelo,
Me encantó recibir tus noticias y tu invitación. No puedo decirte nada del viaje por ahora, pero voy a volver a escribirte después de que (6. pedir / hablar) con mis padres. ¡Espero que me (7. dar / decir) permiso para ir! Ellos han ido a la casa de mis abuelos el fin de semana, pero en cuanto (8. hacer / volver) voy a preguntarles y tan pronto como (9. saber / entender) la respuesta te llamo por teléfono.
Saludos,
Antonio

## 9 ¿Cuándo lo van a hacer?

**Complete las oraciones con la forma correcta del verbo entre paréntesis. No todas las oraciones requieren el uso del subjuntivo.**

MODELO Fui a comprar las maletas después de que *(confirmar)* confirmé las reservas.

1. Normalmente no viajo hasta que *(llegar)* el verano.
2. Siempre que *(tener)* vacaciones voy a visitar a mis tíos en La Chorrera.
3. Tan pronto como *(terminar)* de hacer estos ejercicios, voy a hacer la reserva.
4. Cuando *(recibir)* la confirmación voy a pagar el pasaje.
5. No voy a poder ir de viaje hasta que *(ahorrar)* el dinero que necesito.
6. Me puse las botas tan pronto como *(empezar)* a llover.
7. Cuando *(tener)* dinero siempre lo gasto en ropa.
8. Es mejor que compres el pasaje antes de que te *(gastar)* el dinero en otra cosa.
9. Llamaron a sus padres tan pronto como *(llegar)* al hotel.

Voy a visitar a mis tíos tan pronto como llegue a la capital.

## 10 En Ciudad de Panamá

**Ramón y su amigo Miguel están haciendo planes para visitar Ciudad de Panamá. Haga oraciones lógicas usando palabras y expresiones de cada columna. Recuerde que a veces debe escoger entre el indicativo y el subjuntivo.**

| | | |
|---|---|---|
| Siempre espero | cuando | llegar la confirmación del hotel |
| Te llamaré | hasta que | (nosotros) recibir los pasajes |
| Te voy a mandar un mapa | para que | (nosotros) no tener mucho dinero |
| Iremos al Parque Natural Metropolitano | después que | (tú) saber adónde vamos a ir |
| No pararemos | | (nosotros) encontrar un buen hotel |
| Iremos de compras a la Avenida Central | | |
| Siempre atravieso el canal | | |

# ⟨⟩ Comunicación

### 11 Consejos para viajeros

Ud. y su compañero/a tienen amigos que están planeando un viaje. Denles consejos para su viaje completando las oraciones que siguen con una cláusula en subjuntivo.

1. Ahorren mucho dinero para que...
2. Vayan a una agencia de viajes en cuanto...
3. Hagan muchas preguntas a su agente de viajes cuando...
4. Compren su pasaje antes de que...
5. Hagan sus reservas tan pronto como...
6. Escojan un hotel en cuanto...
7. Preparen las maletas antes de que...
8. No cancelen el viaje hasta que...

¿Qué necesitamos para el viaje?

### 12 ¡A viajar!

En grupos de tres, planeen un viaje a Panamá. Deben decidir lo siguiente:

- cuándo piensan viajar
- qué lugares quieren visitar
- cómo van a ir
- cuántos días piensan quedarse
- qué actividades quieren hacer
- cuánto dinero quieren gastar
- qué necesitan llevar

Hagan una lista de preguntas para el/la agente de viajes. Uno de Uds. va a ser el/la agente de viajes y los otros/as dos los clientes. Usen ejemplos con verbos en subjuntivo en cláusulas adverbiales. Representen su diálogo frente a la clase.

MODELO A: ¿Cuándo piensan viajar?
B: Iremos en cuanto ahorremos el dinero para los pasajes.

## 13 No creo que...

))) Indique la letra de la foto que corresponde con lo que oye.

**A**

**B**

**C**

**D**

**E**

**F**

## 14 ¿Qué palabra?

Escoja la palabra o frase que completa correctamente cada oración.

1. El avión se movía mucho. Había mucha *(turbulencia / niebla)*.
2. Dudo que José y Mario *(se presenten / pierdan)* el vuelo. Ellos nunca se retrasan.
3. El ruido que hacían *(las nubes / los truenos)* era muy fuerte. No podíamos dormir en el avión.
4. Nos *(embarcaremos / asustaremos)* tan pronto como encontremos las tarjetas de embarque.
5. Todos los aviones están retrasados. El agente dice que el *(relámpago / retraso)* será de tres horas.
6. Para subir al avión, tendré que *(hacer fila / negar)* en la puerta de embarque.

En la puerta de embarque.

# Diálogo II

## No creo que haya tormenta

MARCOS: ¿Sabes cuál es nuestro número de vuelo, Rosa?

ROSA: No. Es mejor que nos fijemos en la pantalla de información.

MARCOS: Aquí está. Es el vuelo 137... pero dice que está retrasado.

ROSA: ¿Por qué estará retrasado? No creo que haya tormenta.

MARCOS: Todavía no está lloviendo, pero dijeron en las noticias que habrá un gran aguacero a la hora que sale nuestro avión.

ROSA: ¡Yo no quiero embarcarme si hay una tormenta!

MARCOS: Relájate, Rosa. No tienes que asustarte. Piensa que el avión no saldrá hasta que pare la tormenta.

ROSA: Tienes razón.

### 15 ¿Qué recuerda Ud.?

1. ¿Qué sucede con el vuelo 137?
2. ¿Qué dijeron en las noticias?
3. ¿Qué no quiere hacer Rosa si hay tormenta?
4. ¿Cuándo saldrá el avión?

### 16 Algo personal

1. ¿Viajó alguna vez en avión durante una tormenta? ¿Cómo fue el viaje?
2. ¿Puede relajarse mientras viaja en avión o se pone nervioso/a?
3. ¿Qué siente cuando hay turbulencias en el avión?
4. ¿Qué hace si su avión está retrasado?
5. ¿Perdió alguna vez un avión porque llegó tarde? ¿Qué hizo entonces?

### 17 En el aeropuerto

 Escuche los siguientes anuncios en un aeropuerto. Diga a qué foto corresponde cada uno.

**A**

**B**

**C**

**D**

San Blas es un archipiélago de pequeñas islas.

## San Blas, un viaje al pasado

A sólo 20 minutos en avión desde la Ciudad de Panamá, en el mar Caribe, está la tierra de los indios kuna. Es San Blas, un archipiélago de pequeñas islas, donde los habitantes todavía conservan sus costumbres antiguas. Los kuna llaman a este conjunto de islas y cayos[1] Kunayala.

Los kuna son bajitos y fornidos[2], y mientras que los hombres kuna se han adaptado un poco a los tiempos y llevan pantalones bermuda y camisetas, las mujeres kuna siguen vistiendo la ropa tradicional: una falda y una blusa, de colores vivos, decorada en el pecho y en la espalda con la *mola*, una auténtica expresión del arte indígena. Las muñecas y los tobillos se decoran con cientos de cuentas[3] de colores y en la nariz llevan anillos de oro.

Los kuna viven de los cocos[4], que crecen en las miles de palmeras que llenan sus islas, y de la pesca, principalmente de langostas y tortugas. Poco a poco, el turismo se está convirtiendo en otro de sus medios de supervivencia, aunque todavía hay muchas islas deshabitadas[5], y otras muchas donde no hay lugares para albergar a los turistas. De hecho, en muchas de las islas todavía no hay agua corriente ni electricidad.

Las mujeres kuna siguen vistiendo la ropa tradicional.

[1]keys   [2]stocky   [3]beads   [4]coconuts   [5]uninhabited

## 18 La tierra de los kuna

**Conteste las siguientes preguntas.**

1. ¿Qué es San Blas? ¿Dónde está?
2. ¿Quiénes viven en San Blas?
3. ¿Cómo llaman al archipiélago los kuna?
4. ¿Cómo visten las mujeres kuna?
5. ¿De qué viven los kuna?

## ¡Oportunidades!

### El español y los centros culturales

Antes de visitar un país de habla hispana, es una buena idea aprender un poco sobre la cultura, la geografía y la historia de ese país. Los consulados de muchos países latinoamericanos tienen centros culturales, en donde es muy fácil encontrar folletos sobre el país escritos en español. Estos centros también organizan actividades culturales en español, como charlas, lecturas y películas, a las que Ud. podría asistir para tener una oportunidad de hablar en español y aprender muchas cosas interesantes sobre estos países.

# Idioma

## Estructura

### El futuro

You already know how to use *ir a* + the infinitive to talk about plans for the future.

*Voy a visitar Panamá el mes próximo.*    **I am going** to visit Panama next month.

The future tense is generally used to talk about a more distant time in the future than *ir a* + the infinitive. The future tense is formed by adding to the infinitive of the verb the following personal endings: *-é, -ás, -án, -emos, -éis, -án.* These endings are the same for all verbs. Don't forget to use the accent marks.

| viajar | ver | ir |
|---|---|---|
| viajar**é** | ver**é** | ir**é** |
| viajar**ás** | ver**ás** | ir**ás** |
| viajar**á** | ver**á** | ir**á** |
| viajar**emos** | ver**emos** | ir**emos** |
| viajar**éis** | ver**éis** | ir**éis** |
| viajar**án** | ver**án** | ir**án** |

*En las vacaciones, **iré** a Panamá.*    On my vacation **I will go** to Panama.

***Compraré** los pasajes esta semana.*    **I will buy** the tickets this week.

***Nos quedaremos** allí por diez días.*    **We will stay** there for ten days.

Some verbs have an irregular stem in the future tense but have the same endings as regular verbs.

| | |
|---|---|
| haber (hay): habr- | poner: pondr- |
| saber: sabr- | venir: vendr- |
| querer: querr- | tener: tendr- |
| hacer: har- | poder: podr- |
| decir: dir- | salir: saldr- |

¿Cuándo llegará el avión?

*El avión **saldrá** con media hora de retraso.*    The plane **will leave** half an hour late.

*No **podremos** embarcarnos sin la tarjeta de embarque.*    We **won't be able** to board without our boarding pass.

The future tense is also used to express uncertainty or probability in the present. This is the equivalent to the English "probably" or "I wonder. . . ."

*¿Qué hora **será?***    What time do you think it is?
(**I wonder** what time it is.)

*¿Dónde **estará** mi tarjeta de embarque?*    Where could my boarding pass be?
(**I wonder** where my boarding pass is.)

# Práctica

### 19 ¿Qué harán?

**Para saber qué pasará, forme oraciones con el futuro de los verbos en infinitivo.**

**MODELO** haber / algo de niebla y bastante frío
Habrá algo de niebla y bastante frío.

1. los pasajeros / presentarse en la puerta número 2
2. haber / mucha gente haciendo fila
3. ellos / perder el avión si no se dan prisa
4. nosotros / no poder embarcarnos hoy
5. el avión / moverse mucho si hay turbulencia
6. Margarita / asustarse mucho con la tormenta
7. el aguacero / ser muy fuerte
8. el avión / no salir hasta que pare la tormenta

Habrá niebla.

### 20 ¿Qué pasará?

**Diga qué pasará en las siguientes situaciones. Complete los comentarios de los pasajeros con el futuro del verbo entre paréntesis.**

1. No confirmamos la reserva. Nosotros no *(poder)* viajar.
2. Llamaron para embarcarse. Los pasajeros *(subirse)* al avión.
3. Mis amigos no están aquí. Ellos no *(querer)* volar en medio de una tormenta.
4. Estás muy cansado. Tú *(dormir)* todo el viaje aunque haya truenos.
5. Los truenos no me *(despertar),* pero si el avión se mueve, yo *(asustarse).*
6. El avión está aterrizando. Ud. *(abrocharse)* el cinturón.

### 21 Mini-diálogos

**Con su compañero/a, completen cada diálogo con el futuro del verbo adecuado de la caja.**

| estar | hacer | salir |
|-------|-------|-------|
| haber | ser | tomar |
| llover | llegar | perder |
| poder | terminar | conseguir |

1. **A:** Mañana a esta hora nosotras ya ___ en Panamá.
   **B:** Sí, pero si tú no dejas de hablar no ___ hacer el equipaje y nosotras ___ el vuelo.
2. **A:** ¿Cuánto tiempo ___ el viaje?
   **B:** Pienso que ___ un viaje muy corto. Los chicos ___ de aquí a las cinco de la mañana y ___ a las siete.
   **A:** ¿Te parece que ellos ___ un taxi a esa hora?
   **B:** Sí, no ___ ningún problema.
3. **A:** ¿Sabes el pronóstico del tiempo para mañana?
   **B:** Sí, ___.
   **A:** No, dicen que ___ de llover esta noche y que mañana ___ buen tiempo.

## 22 ¿Dónde estarán?

Ud. y su compañero/a tienen amigos que están de viaje. Usando el futuro de probabilidad, háganse preguntas sobre sus amigos y el viaje que están haciendo. Traten de hacer dos o tres preguntas para cada situación.

> **MODELO** el tiempo que hace en el lugar
> donde ellos están
> ¿Qué tiempo hará? ¿Hará frío?

1. el lugar donde están
2. si les gusta ese lugar o no
3. el tiempo que hace, si tienen la ropa adecuada
4. las actividades que están haciendo
5. el dinero que gastan
6. las personas con quienes están
7. cómo lo pasan, si se divierten o no
8. si tienen problemas

¿Qué tiempo hará?

## ◈ Comunicación

## 23 ¿Qué tiempo hará?

En un periódico en español, busque el pronóstico del tiempo y lea con su compañero/a qué tiempo anuncian para el fin de semana. Con los datos que encuentren, describan en un párrafo qué tiempo hará el sábado y el domingo. No dejen de incluir si habrá niebla, humedad, tormentas, lluvia o sol, y sugieran algunas actividades apropiadas según el tiempo. Luego, lean su pronóstico a la clase.

### EL TIEMPO

OTRAS CIUDADES
**BOCAS DEL TORO**

Temp. 29°
máx. 30 / mín. 23

Parcialmente nublado
**DAVID**

Temp. 29°
máx. 28 / mín. 23

Parcialmente nublado
**SANTIAGO**

Temp. 30°
máx. 30 / mín. 21

Parcialmente despejado

### Ciudad de Panamá

Parcialmente nublado
Temp. 27°
máx. 28 / mín. 23

| | |
|---|---|
| Humedad: | **84%** |
| Viento: | **N/14° Km/h** |
| Salida del sol: | **6:08** |
| Puesta del sol: | **17:54** |

weather.com/español

### El subjuntivo para expresar duda y negación

The subjunctive is often used to convey doubt, uncertainty, or denial. This use of the subjunctive is found after verbs such as the following.

| | |
|---|---|
| dudar que | to doubt that |
| no creer que | to not believe that |
| no pensar que | to not think that |
| no estar seguro/a de que | to not be sure that |
| negar que | to deny that |

*Dudo que* el avión salga a tiempo.    **I doubt** the plane will leave on time.
*No creo que* llueva hoy.    **I don't believe** it will rain today.
*No estoy segura de que* podamos embarcarnos.    **I am not sure** we will be able to board.

Note that the subjunctive is not required after expressions of certainty such as *pensar que, creer que,* and *estar seguro/a de que.* Neither is the subjunctive used after the impersonal expressions *es verdad que, es cierto que,* and *es evidente que,* since these expressions confirm information and certainty, and they do not express subjective opinions.

*Creo que* el avión saldrá a tiempo.    **I believe** the plane will leave on time.
*Pienso que* hará buen tiempo en Panamá.    **I think** the weather will be good in Panama.
*Estoy seguro de que* llegaremos a tiempo.    **I am sure** we will arrive on time.

The subjunctive is however needed after the following expressions of uncertainty or possibility to express events that have not yet occurred and that may never occur.

*tal vez:* **Tal vez** vaya en autobús.    **I might travel** by bus.
*quizá(s):* **Quizá** tome mucho tiempo.    **It might take** a long time.
*ojalá:* **Ojalá** que no cueste mucho dinero.    **I hope** it doesn't cost much.

## Práctica

### 24 ¿De qué dudan?

**Complete los comentarios siguientes con la forma apropiada del subjuntivo del verbo entre paréntesis.**

1. Dudo que *(hacer)* mal tiempo mañana.
2. No pienso que *(haber)* mucha gente en el aeropuerto.
3. No creen que el avión *(llegar)* con retraso.
4. No estoy seguro de que ése *(ser)* el número del vuelo.
5. Duda que sus amigos *(tener)* vacaciones ahora.
6. No cree que ellos *(poder)* viajar este mes.

## 25 ¡Ojalá que no llueva!

Un grupo de personas está escuchando el pronóstico del tiempo. La primera oración de cada serie es el pronóstico que escuchan. Las oraciones siguientes son las reacciones que expresan. Complete las oraciones con la forma apropiada del subjuntivo o del indicativo de los verbos de la caja. Cada verbo aparece más de una vez.

| caer | llover | parar | estar |
|------|--------|-------|-------|

1. Mañana ___ todo el día.
   A: Estoy seguro/a de que ___.
   B: Yo no pienso que ___.
2. Hoy por la tarde ___ de llover.
   A: ¡Ojalá que ___!
   B: Yo creo que ___.
3. ___ nublado por la mañana temprano.
   A: Es cierto que ___ nublado.
   B: Yo no creo que ___ nublado.
4. Es evidente que ___ un aguacero en cualquier momento.
   A: Yo dudo que ___ un aguacero.
   B: Ojalá que no ___ un aguacero.

¿Cuál será el pronóstico para mañana?

## 26 No creo que vengas

Con su compañero/a, decida cuál es la forma que corresponde — subjuntivo o indicativo — del verbo entre paréntesis para completar los dos correos electrónicos que siguen.

E-Mail
Archivo   Ver   Mensajes   Ayuda

A... Graciela
Cc...
Asunto: ¡Hola!

Querida Graciela,
Dudo que tú (1. querer) venir a pasar tus vacaciones aquí. No estoy segura de que (2. tener) tiempo ni ganas de verme. No niego que me (3. gustar) la playa y la de aquí es muy bonita. Pero no creo que (4. hacer) buen tiempo el mes próximo. Tal vez (5. salir) el sol en algún momento, pero lo dudo. Si decides visitarme, no pienso que nosotras lo (6. pasar) muy bien. Si quieres venir, escríbeme, pero no creo que (7. poder) ir a buscarte al aeropuerto.
Saludos, Amalia

E-Mail
Archivo   Ver   Mensajes   Ayuda

A... Amalia
Cc...
Asunto: ¡Hola!

Querida Amalia,
Es evidente que no (8. estar) muy contenta. Es verdad que tú no (9. ser) muy divertida, pero pienso que ahora no lo (10. estar) pasando muy bien. Ojalá tú (11. sentirse) mejor cuando yo (12. ir), porque yo quiero ir a pasar las vacaciones contigo aunque tú (13. pensar) que yo no debo ir. Espero que nosotras (14. poder) hablar y que tú me (15. contar) qué te pasa. Ojalá que (16. hacer) muy buen tiempo. Quiero que nosotras (17. ir) a la playa todos los días. Espero que lo (18. pasar) muy bien y que (19. hacer) muchas cosas juntas.
Hasta pronto, Graciela

## 27 Opiniones diferentes

Con su compañero/a, expresen opiniones diferentes sobre las siguientes situaciones usando el futuro y el subjuntivo con expresiones de duda.

**MODELO** El cielo está nublado y oyen truenos. (llover)

**A:** ¿Lloverá?

**B:** No creo que llueva.

1. En una tienda del centro ven una camiseta que les gusta mucho. (costar)
2. Su profesora le hace una pregunta a una de sus compañeras que parece muy nerviosa. (saber)
3. Tienen una cita con un amigo a las tres, pero se olvidaron el reloj. (ser)
4. Están en el teatro y la obra es muy larga y aburrida. (terminar)
5. Se levantan para ir a la escuela. Cuando miran por la ventana ven que hay mucha nieve en las calles. (haber)

# ◈ Comunicación

## 28 Predicciones

Ahora tiene la oportunidad de predecir el futuro de algunos de sus compañeros/as de clase. Escoja a tres compañeros/as y escriba cuatro oraciones sobre lo que el futuro les traerá. Puede predecir acerca de sus estudios, su trabajo, sus viajes, sus relaciones con amigos o familiares, etc. Recuerde que debe usar el tiempo futuro y el subjuntivo con expresiones de duda.

¿Qué pasará?

**MODELO** Viajarás por todo el mundo.
Dudo que ganes todos los partidos.

## 29 ¿Está Ud. seguro/a?

Haga una lista de tres cosas que está seguro/a que pasarán, tres cosas que duda que pasen, tres cosas que tal vez pasen y una que espera que pase. Puede pensar en sus vacaciones, en la escuela, en la clase de español, en su familia o en su comunidad. Lea su lista en un grupo de tres o cuatro estudiantes. Comparen sus listas y decidan en qué se parecen y en qué se diferencian.

**MODELO** mis vacaciones

Estoy seguro que tendré vacaciones.

Dudo que pueda ir a Panamá.

Tal vez vaya a la playa.

¡Ojalá Javier pueda venir conmigo!

## Estrategia

**Using graphic organizers**
Use simple charts or tables to organize your thoughts before giving a presentation.

# Lectura cultural

## La historia del Canal de Panamá

Desde que en 1501 los exploradores españoles Rodrigo de Bastidas y Vasco Núñez de Balboa, acompañados por el cartógrafo[1] Juan de la Cosa, llegaron al Istmo[2] de Panamá, se había estado buscando una manera de unir el océano Atlántico con el Pacífico.

Pero la verdadera historia del canal no comenzó hasta 1821, con la creación del Departamento del Istmo, una provincia que pertenecía entonces a la Gran República de Colombia. En 1878, el gobierno colombiano autorizó a Francia la construcción del canal. Las obras las comenzó el ingeniero Ferdinand de Lesseps, que había creado con gran éxito el Canal de Suez. Lesseps contrató trabajadores de África, Asia y Latinoamérica y empezó las excavaciones, en un terreno lleno de montañas y zonas pantanosas[3]. Pero después de casi siete años de trabajo, debido a[4] los altos costos, a la contratación[5] continua de trabajadores (más de 18.000 trabajadores murieron, a causa de enfermedades y accidentes) y a la dificultad del trabajo, la

El Canal de Panamá une los océanos Atlántico y Pacífico.

compañía de Lesseps se declaró en quiebra[6].

En 1903, el Departamento del Istmo, con el apoyo[7] de Estados Unidos, consiguió su independencia de Colombia: así nació Panamá. Estados Unidos conservó los derechos[8] sobre la zona de tierra de construcción del canal.

El primer barco que cruzó el Canal de Panamá fue el *Ancon*, que tardó diez horas en llegar de la *Bahía Limón, en el Atlántico,* hasta la *Bahía de Panamá, en el Pacífico,* el 15 de agosto de 1914. Desde entonces, más de medio millón de barcos han cruzado el canal. Hoy día se calcula que por él pasan 10.000 barcos al año.

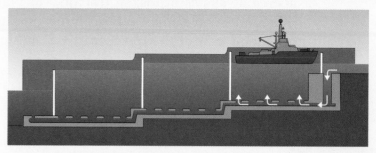

Diagrama del Canal de Panamá.

[1]cartographer   [2]isthmus   [3]swampy   [4]due to   [5]hiring   [6]declared bankruptcy   [7]support   [8]rights

## 30 ¿Qué recuerda?

1. ¿Por qué se quería construir un canal en el istmo?
2. ¿Cuándo empezó la verdadera historia del canal?
3. ¿A quién se encargó por primera vez la construcción del canal? ¿Por qué era famoso este ingeniero?
4. ¿Cuánto tardó el *Ancon* en cruzar el canal?

## 31 Algo personal

1. ¿Hay un canal cerca de donde Ud. vive? Si es así, ¿cómo se llama?
2. ¿Le gustaría visitar el Canal de Panamá? ¿Por qué sí o por qué no?

# ¿Qué aprendí?

Visit the web-based activities at www.emcp.com

## Autoevaluación

Como repaso y autoevaluación, responda lo siguiente:

1. Mencione tres actividades que un turista puede hacer en Panamá.

2. Dé dos razones para visitar una agencia de viajes.

3. Forme dos oraciones en subjuntivo con las conjunciones *tan pronto como y aunque*.

4. Mencione cuatro condiciones que indican mal tiempo.

5. Explique dos usos del tiempo futuro. Dé un ejemplo para cada uno.

6. Complete cada una de las siguientes oraciones: *Dudo que… Estoy segura que… Tal vez…*

7. ¿Qué océanos une el Canal de Panamá?

## Palabras y expresiones

**En la agencia de viajes**
la cancelación
el cheque de viajero
la confirmación
el descuento
el detalle
la excursión
la reserva

**En el aeropuerto**
el retraso
retrasado,-a
la tarjeta de embarque
la turbulencia

**El tiempo**
la niebla
la nube
el relámpago
el trueno
el aguacero

**Verbos**
asustarse
atravesar(ie)
cancelar
confirmar
embarcar
gastar
mover(se) (ue)
negar(ie)
observar
perder(ie)
planear
presentarse
relajarse

**Otras expresiones**
a último momento
hacer fila
hasta que
el malentendido
por adelantado
sin previo aviso
sujeto a cambio
tan pronto como
el volcán

El Canal de Panamá.

# Vocabulario I

## ¿Dónde nos alojamos?

Bienvenidos al Hotel San José

Hicimos una reserva a nombre de Roldán e incluimos un cheque con el depósito. ¿Estaría ya disponible la habitación?

el conserje

Sí, firmen el registro por favor y enseguida pueden subir a su habitación.

Aceptamos cheques de viajero

¿No te gustaría alojarte en un albergue juvenil? Es más barato.

Preferiría un colchón más firme. No puedo dormir bien cuando el colchón es blando.

la bañera

la cama doble

No, esta vez preferiría quedarme en un hotel porque tiene más servicios y el precio de la habitación incluye el desayuno.

## 1 En el hotel

Indique la letra de la foto que corresponde con lo que oye.

## 2 ¿Cuál es la definición?

Indique a qué palabra se refiere cada definición. Luego, escriba un párrafo en el que use por lo menos tres de estas palabras.

1. Cuando algo está libre para usarse.
2. Dinero que se da por adelantado al hacer una reserva.
3. Formar parte de otra cosa.
4. Libro donde se escriben los datos de una persona que llega a un hotel.
5. Cuando algo no es duro.
6. Servicio ofrecido en los hoteles en donde se lava la ropa.

A. el registro
B. lavandería
C. disponible
D. blando
E. el depósito
F. incluir

# Diálogo I

## En el albergue juvenil

**ANA:** ¿Tendría una habitación disponible para esta noche?
**CONSERJE:** Habría una cama disponible en una habitación para seis personas.
**ANA:** ¿No tiene habitaciones sencillas?
**CONSERJE:** No, éste es un albergue juvenil.

**ANA:** ¿Y qué servicios tiene el albergue?
**CONSERJE:** Tiene servicio de lavandería y cafetería.
**ANA:** ¿Cuánto costaría la noche?
**CONSERJE:** Costaría 3.300 colones.
**ANA:** ¿Incluiría el desayuno?
**CONSERJE:** Por supuesto que no.

**ANA:** ¿Y con quién compartiría la habitación?
**CONSERJE:** Con otras cinco muchachas de Nicaragua.
**ANA:** ¿Y adónde daría la habitación?
**CONSERJE:** La habitación daría al jardín... Señorita, ¿nunca ha estado en un albergue juvenil?

## 3 ¿Qué recuerda Ud.?

1. ¿Qué le pregunta Ana al conserje?
2. ¿Por qué no hay habitaciones sencillas?
3. ¿Qué servicios tiene el albergue?
4. ¿Con quién compartiría Ana la habitación?
5. ¿Adónde daría la habitación?

## 4 Algo personal

1. ¿Ha estado alguna vez en un albergue juvenil?
2. ¿Le gusta alojarse en hoteles cuando viaja?
3. ¿Qué servicios prefiere que tenga un hotel?

### Estrategia

**Listen to the message**
Improve your listening skills by concentrating on the message being communicated rather than the individual words.

## 5 ¿Qué prefieren?

))) Escuche lo que dicen Alicia y David acerca de dónde les gusta alojarse cuando viajan. Complete una tabla como la siguiente con los datos que oye.

| ¿Qué prefieren? | Alicia | David |
|---|---|---|
| Lugar donde alojarse | | |
| Con quiénes viajar | | |
| Servicios | | |
| Tipo de habitación | | |
| La habitación perfecta | | |

## El volcán Arenal

De todos los parques nacionales de Costa Rica, uno de los más visitados es el Parque Nacional Volcán Arenal, y su atracción principal es, precisamente, el volcán que le da nombre. El volcán Arenal tiene 1.657 metros de altitud y está activo desde que en 1968 se despertó de su largo letargo[1] de 400 años. En la actualidad, el Arenal tiene frecuentes erupciones[2] que provocan a diario columnas de humo, explosiones y riachuelos[3] de brillante lava roja. En junio de 2003 hubo 1.070 erupciones, ¡una media[4] de 34 por día! Pero en general, la media de erupciones es de una cada dos horas.

El volcán Arenal en erupción.

Debido a su constante actividad, este joven volcán, que se creó debido a las erupciones de un volcán vecino, el Cerro Chato (hoy extinto[5]), es uno de los más espectaculares de Costa Rica. Este hecho[6], unido a que muy cerca, en el gran lago Arenal, se produce energía hidroeléctrica para gran parte del país, hace que la zona sea un gran centro de interés para científicos de todo el mundo.

Vista del volcán Arenal.

[1]long sleep  [2]eruptions  [3]streams  [4]average  [5]extinct  [6]fact

### 6 Un volcán para el estudio

**Conteste las siguientes preguntas.**

1. ¿Cuándo se "despertó" el volcán Arenal?
2. ¿Qué quiere decir que el volcán está "activo"?
3. ¿Qué se puede ver cuando hay erupciones?
4. ¿Por qué la zona del volcán Arenal tiene interés científico?
5. ¿Le gustaría visitar el volcán Arenal? ¿Por qué?

## Estructura

### El condicional

The conditional tense often indicates probability or desire and is often used where "would" might be used in English. The conditional is formed similarly to the future, taking the infinitive of the verb and adding the conditional endings: *-ía, -ías, -ía, -íamos, -íais, -ían*.

| viajar | ver | ir |
|--------|--------|--------|
| viajar**ía** | ver**ía** | ir**ía** |
| viajar**ías** | ver**ías** | ir**ías** |
| viajar**ía** | ver**ía** | ir**ía** |
| viajar**íamos** | ver**íamos** | ir**íamos** |
| viajar**íais** | ver**íais** | ir**íais** |
| viajar**ían** | ver**ían** | ir**ían** |

Yo **pediría** una habitación con baño.    **I would ask** for a room with a bathroom.

**Nos quedaríamos** unos diez días.    **We would stay** approximately ten days.

**Preferiría** un colchón mas duro.    **I would prefer** a harder mattress.

Some verbs have an irregular stem in the conditional (the same verbs that have irregular stems in the future).

| | | |
|---|---|---|
| haber (hay): habr- | decir: dir- | tener: tendr- |
| saber: sabr- | poner: pondr- | poder: podr- |
| querer: querr- | venir: vendr- | salir: saldr- |

**Saldría** a cenar esta noche, pero estoy muy cansada.    **I would go** out for dinner tonight, but I'm very tired.

Yo no **pondría** mi equipaje ahí.    **I wouldn't put** my luggage there.

Nos quedaríamos una semana.

# ✤ Práctica

### 7 Soñar no cuesta nada

Laura está soñando con ir de vacaciones a Costa Rica. Para saber qué le gustaría hacer, forme oraciones con el condicional de los verbos en infinitivo.

**MODELO**  yo / escoger un hotel de lujo
Yo escogería un hotel de lujo.

1. me gustar / ir a la playa Naranjo
2. yo pedir / una habitación doble
3. la habitación / ser muy elegante / y dar al mar
4. yo / pagar por adelantado
5. quedarme / en Limón por un mes
6. mis amigos / venir a visitarme
7. el clima / ser estupendo y siempre / haber sol
8. nosotros / ir a la playa Puntarenas / y bañarse en el mar todos los días
9. nosotros / comer mariscos todos los días
10. ¡todos nosotros / pasarlo muy bien!

Yo escogería un hotel de lujo.

### 8 ¿Adónde irías tú?

Un estudiante entrevista a una compañera sobre sus vacaciones ideales. Complete su conversación con la forma correspondiente del condicional de los verbos entre paréntesis

1. **A:** ¿Adónde ___ tú, al mar o a las montañas? (ir)
   **B:** Yo ___ ir a las montañas. Me ___ aprender a esquiar. (preferir / gustar)
2. **A:** ¿Qué tipo de hotel ___? (escoger)
   **B:** Yo ___ en un albergue juvenil. Los albergues son baratos y así yo ___ ahorrar un poco de dinero. (quedarse / poder)
3. **A:** ¿Con quién ___ ir tú? (querer)
   **B:** Me ___ ir con mis dos mejores amigas. Nosotras lo ___ muy bien. (encantar / pasar)
4. **A:** ¿Y cuánto tiempo ___ ustedes quedarse? (poder)
   **B:** Nosotras ___ unos diez días. (quedarse)
   **A:** ¿Qué actividades ___ ustedes? (hacer)
   **B:** Además de esquiar, nosotras ___ al tenis y ___ otros deportes. ¡___ mucho! (jugar / practicar / divertirse)

**¡Extra!**

**En el hotel**

| | |
|---|---|
| el botones | bellboy |
| la camarera | maid |
| el sauna | sauna |
| el servicio de habitación | room service |
| el vestíbulo | lobby |

## 9 ¡Cuántas cosas haríamos!

Con su compañero/a, hablen de lo que harían en las siguientes situaciones. Pueden agregar otras situaciones más.

**MODELO** Uds. son actores conocidos.

A: Yo viviría en Hollywood.

B: Yo trabajaría en películas de misterio.

1. Uds. son ricos/as.
2. Uds. viven en Costa Rica.
3. Uds. tienen 21 años.
4. Uds. trabajan en un hotel.
5. Uds. son profesores de este colegio.

### ¡Extra!

**Otros lugares donde alojarse**

| | |
|---|---|
| el hostal | hostelry, inn |
| el hotel de lujo | luxury hotel |
| el motel | motel |
| el parador | government-sponsored inn |
| la pensión | boardinghouse |

## ❖ Comunicación

## 10 Las mejores vacaciones

Trabaje en un grupo de tres o cuatro estudiantes. Hablen acerca de sus vacaciones ideales. Tomen notas y compartan la información con otros grupos. Pueden usar las siguientes ideas o añadir otras.

- lugar adonde irían
- con quién irían
- tipo de hotel que escogerían
- servicios que tendría el hotel
- tipo de habitación que les gustaría
- cuánto tiempo se quedarían
- actividades que harían

## Estructura

### Otros usos del condicional

In addition to expressing hypothetical situations, the conditional may be used to soften a request, that is, to ask for things very politely, using an interrogative sentence. This usage is the equivalent to "would," "could," or "should," in English. You may simply use the conditional of the verb or add the conditional of the verb *poder* (*podría*, could you?) followed by the infinitive.

| | |
|---|---|
| *Déme una habitación más grande.* | Give me a bigger room. |
| *¿Me **daría** una habitación más grande?* | **Could you** give me a bigger room? |
| *Tráigame un refresco.* | Bring me a soda. |
| *¿Me **podría** traer un refresco?* | **Could you** bring me a soda? |

The conditional is also used when you're not entirely sure of facts in the past. This usage corresponds to the English "must have been" or "might have been."

| | |
|---|---|
| *Cuando salimos del aeropuerto, **serían** las tres.* | When we left the airport, **it must have been** around three o'clock. |
| *El hotel era viejo. **Tendría** unos 100 años.* | The hotel was old. **It might have been** 100 years old. |

## 11 Para ser amable

Use el condicional en las frases siguientes para hacerlas más amables.

**MODELO** Ábrame la puerta.
¿Me abriría la puerta, por favor? /
¿Podría abrirme la puerta, por favor?

1. Envíeme el depósito el lunes.
2. Firme el registro.
3. Pague por adelantado.
4. Déme una habitación doble.
5. Deje la habitación a las 12.

6. Tráigame toallas limpias.
7. Dígame cuánto es.
8. Acepte este cheque.
9. Sáquenos una foto.
10. Vuelva en otro momento.

## ✴ Comunicación

## 12 Hotel Arenal

Imagine que Ud. está en Costa Rica y quiere quedarse en el Hotel Arenal. Con un(a) compañero/a, creen un diálogo entre el/la conserje y un(a) turista basado en la información del folleto. Usen el condicional.

**MODELO** A: ¿Habría habitaciones disponibles para dos personas?

B: Claro que sí. Tenemos 25 habitaciones.

A: ¿Podría tener un televisor en mi cuarto?

B: Por supuesto. Todas las habitaciones tienen televisión.

HOTEL ARENAL

Ubicación: a 2 Km del volcán Arenal
Ciudad: Fortuna

TARIFAS
Precio para dos personas en habitación doble US$ 42–115. Se aceptan tarjetas de crédito.

HABITACIONES
25 habitaciones. Suites, baño privado, agua caliente, aire acondicionado, teléfono, televisión.

SERVICIOS
Bar, cafetería, restaurante, piscina, jacuzzi, fax, internet, servicios de habitación, lavandería.

ACTIVIDADES
Alquiler de autos, bicicletas, barcos, kayaks, canoas, caminatas, equitación, pesca, bajadas en balsas.

Teléfono: (506) 555-0000

# Vocabulario II
## Vamos de excursión

## 13 En el refugio de vida silvestre

Escuche las frases y diga a qué foto corresponde cada una.

**A**

**B**

**C**

**D**

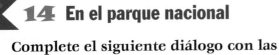

**E**

**F**

## 14 En el parque nacional

Complete el siguiente diálogo con las palabras de la caja.

| balsa | bucear | rápidos |
|-------|--------|---------|
| quetzal | parque nacional | |

**Marcia:** ¿Viste qué bonitos colores tiene ese (1)?

**Franco:** Sí, es muy bonito. Me encanta ver aves en el (2).

**Marcia:** A mí también. ¿Cuándo vamos a ir a navegar por los (3)?

**Franco:** Mañana. ¿Sabes cuántas personas van en la (4)?

**Marcia:** Hasta ocho personas. ¿Crees que podamos (5) en el río?

# Diálogo II

## ¡Temo que nos perdamos en la selva!

**ANA:** Leo, ¿estás seguro que sabes dónde está la oficina del refugio de vida silvestre?

**LEO:** Sí, está al final de este sendero.

**DÉBORA:** Pero este sendero va por la selva. ¡Temo que nos perdamos en la selva!

**ANA:** ¿No hay otra forma de llegar?

**LEO:** Tranquilas, muchachas. No creo que nos perdamos. Yo tengo un mapa.

**DÉBORA:** ¿Y si en el camino nos encontramos con un jaguar?

**ANA:** ¿O un oso perezoso?

**LEO:** No se preocupen, yo las protejo.

**ANA:** ¿Cómo nos vas a proteger tú, si hasta las mariposas te dan miedo?

**LEO:** Me fastidia que exageres, Ana.

**ANA:** No exagero. Es la verdad... Ya verás cómo nosotras somos las que te protegemos a ti.

---

### 15 ¿Qué recuerda Ud.?

1. ¿Dónde está la oficina del refugio de vida silvestre?
2. ¿Por dónde va el sendero?
3. ¿Qué teme Débora que les pase?
4. ¿Qué va a hacer Leo si en el camino se encuentran con un jaguar?
5. ¿Qué le da miedo a Leo?
6. ¿Qué le fastidia a Leo?

### 16 Algo personal

1. ¿Estuvo alguna vez en un parque nacional? ¿Dónde?
2. ¿Qué animales y plantas se pueden ver en un parque nacional?
3. ¿Se perdió alguna vez en un bosque u otro lugar de la naturaleza?
4. ¿Navegó alguna vez por rápidos o fue de cabalgata?

¿Por dónde va el sendero?

### 17 ¿Qué me recomienda?

 Escuche las oraciones y diga si cada una se refiere a una situación en un parque nacional o en una ciudad.

### El viaje de las tortugas verdes

Tortuguero está en la costa norte del Caribe costarricense.

Costa Rica, es un fenómeno natural a la vez hermoso e interesante. El proceso comienza cuando las tortugas deben dejar sus lugares habituales porque no encuentran alimento y viajan hasta la costa. Allí se aparean[3] y, poco después, la hembra[4] llegará a la playa para preparar el nido[5].

Cuando el nido ya es bastante profundo[6], la tortuga pone los huevos en él (un promedio de 100). Luego, tapa[7] los huevos con arena y vuelve al mar.

Dos meses después, los huevos se abren y las tortuguitas salen del nido. Esperan hasta la noche para cruzar la playa y llegar al mar.

Cada año, durante los meses de verano (de julio a septiembre), miles de tortugas verdes llegan a Tortuguero, para poner sus huevos en esta hermosa playa costarricense.

La tortuga verde es una especie en peligro de extinción[1]. Una tortuga verde adulta puede pesar hasta 200 kilos y sus aletas[2] miden un metro de largo.

El viaje de la tortuga verde hasta Tortuguero,

La tortuga verde es una especie de tortuga marina.

[1]endangered   [2]fins   [3]mate   [4]female   [5]nest   [6]deep   [7]covers

## 18 La playa de las tortugas

**Conteste las siguientes preguntas.**

1. ¿Cuándo llegan las tortugas a Tortuguero?
2. ¿Por qué comienzan su viaje las tortugas?
3. ¿Qué hace la hembra después de aparearse?
4. ¿Qué hace la hembra después de poner los huevos?
5. ¿Cuánto tiempo tardan las tortuguitas en salir del huevo?

## Estructura

### El subjuntivo con verbos que expresan emoción

The subjunctive is used after verbs that denote emotion or feelings and the conjunction *que* when there are two different subjects.

*Temo que aparezca un jaguar entre los árboles.*   **I'm afraid a jaguar will appear** in between the trees.

Note that the subjunctive and the conjunction *que* are not needed when the subject is the same.

*Temo llegar tarde.*   **I'm afraid to arrive** late.

The following are some verbs of emotion that require the subjunctive when there are two subjects. They all follow the pattern of *gustar.*

| | | | |
|---|---|---|---|
| agradar | *to please* | fastidiar | *to annoy* |
| alegrar | *to be glad* | importar | *to matter* |
| complacer | *to please* | interesar | *to be of interest* |
| disgustar | *to dislike* | molestar | *to bother* |
| encantar | *to delight* | preocupar | *to worry* |
| enojar | *to annoy* | sorprender | *to surprise* |
| fascinar | *to fascinate* | | |

*Me encanta que vengas con nosotros.*   **I'm delighted that you're coming** with us.

Remember that you can also use these verbs followed by the infinitive.

*Me gusta explorar la naturaleza.*   **I like to explore** nature.

*Me fastidia tener que salir temprano.*   **Having** to leave early **annoys me.**

Other verbs that express emotion but do not follow the pattern of *gustar* are *sentir* (to be sorry, to regret) and *tener miedo de* (to be afraid of).

*Tengo miedo de que haya una tormenta.*   **I'm afraid there will be** a storm.

Me alegra que vengas con nosotros.

**19 ¿Le gusta o le fastidia?**

**Complete las oraciones con el subjuntivo del verbo entre paréntesis.**

MODELO   Me alegra que ustedes *(poder)* ir al parque nacional.
Me alegra que ustedes puedan ir al parque nacional.

1. Me agrada que en los parques nacionales se *(proteger)* la naturaleza.
2. ¿No le disgusta a Ud. que la gente no *(cuidar)* el medio ambiente?
3. A nosotros nos molesta que ellos *(tirar)* la basura en cualquier parte.
4. A los chicos les fastidia que no se *(permitir)* bucear en el lago.
5. ¿A ti te preocupa que algunas plantas *(estar)* en peligro?
6. Me sorprende que *(haber)* tantas orquídeas en este lugar.
7. ¿No te encanta que nosotros las *(poder)* ver?
8. Mi hermano teme que la balsa *(ser)* demasiada pequeña.

Me encanta ir al parque nacional.

**20   A mí... y a los demás**

**Cambie el verbo en infinitivo a la forma correspondiente del subjuntivo según el sujeto indicado entre paréntesis.**

MODELO   Me gusta *visitar* los parques nacionales y me encanta que...
(todo el mundo)
Me gusta visitar los parques nacionales y me encanta que todo el mundo los visite.

1. Me agrada *cortar* flores pero me molesta que... (ellos)
2. Me encanta *navegar* por rápidos, pero me da miedo que... (mi hermano)
3. Me da miedo *subir* a la balsa, pero no me molesta que.... (Ud.)
4. Me encanta *descubrir* secretos, pero me fastidia que... (otras personas)
5. A mí me importa *proteger* el medio ambiente, y me sorprende que no... (la gente)
6. Me molesta *tirar* basura en el parque, y me enoja que... (mis amigos)
7. Me interesa *estudiar* la flora y la fauna y me agrada que... (tú)

## 21 ¿Cómo reacciona Ud.?

Ud. está caminando en San José, Costa Rica, cuando se encuentra con un(a) amigo/a. Reaccione a las noticias que le da, usando verbos que expresan emoción y una forma del subjuntivo.

MODELO  Ya hace seis años que vivo en San José.
Me sorprende que vivas aquí.

1. Trabajo en una agencia de viajes y estoy muy contenta.
2. Organizo excursiones a las reservas naturales.
3. Tengo muchos amigos y soy muy feliz en Costa Rica.
4. Viajo por toda América Central y me encanta.
5. Extraño a mis hermanos y a mi familia.
6. Voy a ir a estudiar a la Universidad de Costa Rica.
7. Aquí hay cursos muy interesantes sobre la protección del medio ambiente.
8. No quiero volver a los Estados Unidos.

## 22 ¿No le molesta?

Ud. y su compañero/a están en un parque nacional de Costa Rica. Expresen su reacción a lo que dicen los siguientes carteles. Usen los verbos de la caja. Sigan el modelo.

MODELO  ¡No corten las flores!
A: Me sorprende que no se puedan cortar las flores.
B: Pues a mí me alegra que prohíban cortarlas.

| agradar | molestar | preocupar |
| alegrar | fastidiar | sorprender |
| complacer | disgustar | enojar |

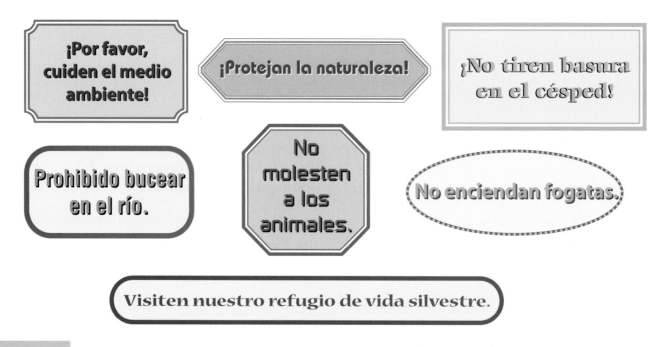

¡Por favor, cuiden el medio ambiente!

¡Protejan la naturaleza!

¡No tiren basura en el césped!

Prohibido bucear en el río.

No molesten a los animales.

No enciendan fogatas.

Visiten nuestro refugio de vida silvestre.

# Comunicación

### 23 En lugares diferentes

Trabaje en un grupo de tres o cuatro estudiantes. Túrnense para decir qué les agrada y qué les disgusta en los siguientes lugares o situaciones. Agreguen otros lugares o situaciones más. Comparen sus respuestas con otros grupos.

**MODELO** en la clase de español

**A:** Me agrada que podamos hablar mucho.

**B:** Me disgusta que haya que escribir composiciones.

| | Me agrada | Me encanta | Me fastidia | Me enoja |
|---|---|---|---|---|
| 1. en la escuela | | | | |
| 2. en el aeropuerto | | | | |
| 3. en el hotel | | | | |
| 4. en una fiesta | | | | |
| 5. en un parque nacional | | | | |

Nos fastidia hacer fila en el aeropuerto.

Me agrada que estudiemos español.

### 24 La verdad

Haga una lista de tres cosas que le agradan de un amigo o pariente y de tres cosas que le molestan o fastidian. Intercambie sus listas con su compañero/a y léanlas a la clase.

**MODELO** Me agrada que Jorge me invite a sus fiestas.

A veces me fastidia que mi hermana no conteste el teléfono.

# Lectura personal

✉ E-Mail      _ ☐ ✕

Archivo   Ver   Mensajes   Ayuda

| A... | Lucía |
|------|-------|
| Cc... | |
| Asunto: | San José, Costa Rica |

## Recuerdos de San José

Querida Lucía,

Saludos desde San José, Costa Rica.

Éste es un país hermosísimo. Nunca había visto una vegetación tan variada ni tantos animales diferentes. Nuestro guía dice que es porque hay influencias del Pacífico y del Caribe, y porque su geografía, llena de volcanes y valles, crea muchos microclimas distintos. ¡Y todo eso en un país tan pequeño que se puede recorrer de un lado a otro en sólo unas horas!

Una tercera parte de la geografía de Costa Rica está protegida. Hay muchos parques nacionales y muchos centros dedicados al estudio de la biodiversidad costarricense. ¡Es fascinante!

El tiempo cambia mucho. A veces llueve muchísimo y otras hace sol y calor. Y cuando visitamos el volcán Poas, que tiene 2.700 metros de altura, tuvimos que ponernos ropa de abrigo.

Además, la gente del país, que se llaman a ellos mismos "ticos", por su forma de hablar, son muy amables. Todo el mundo quiere ayudarte o enseñarte cosas cuando ven que eres un turista. Y, claro, ¡a mí me descubren enseguida, porque siempre estoy mirando el mapa o la guía! Un día tenemos que hacer un viaje a Costa Rica las dos juntas. Te va a gustar mucho.

Hasta pronto,

Alicia

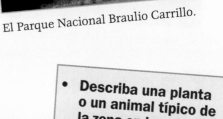

El Parque Nacional Braulio Carrillo.

## 25 ¿Qué recuerda Ud.?

1. ¿Por qué cree Alicia que Costa Rica es hermosísima?
2. ¿Qué razón le da el guía a la gran variedad de plantas y animales?
3. ¿Cómo es el clima en Costa Rica?
4. ¿Cómo describe Alicia a los costarricenses?
5. ¿Le gustaría visitar Costa Rica? ¿Por qué?

## 26 Algo personal

1. ¿Ha visitado alguna vez un parque nacional? Si es así, ¿qué parque visitó? ¿Qué animales o plantas vio allí?
2. Si Ud. va a Costa Rica algún día, ¿qué cree que le sorprenderá más? ¿Por qué?

- Describa una planta o un animal típico de la zona en la que vive.
- ¿Por qué cree usted que la tercera parte de Costa Rica está protegida?

## ¿Qué aprendí?

**Visit the web-based activities at www.emcp.com**

### Autoevaluación

**Como repaso y autoevaluación, responda lo siguiente:**

1. ¿Cuál es la diferencia entre un albergue juvenil y un hotel?

2. Use el condicional para pedirle algo a la camarera de un hotel.

3. ¿Cuándo llegan las tortugas a la playa de Tortuguero?

4. Menciones tres animales que podría encontrar en una reserva natural de Costa Rica.

5. Diga tres actividades que podría hacer en uno de los parques nacionales de Costa Rica.

6. Escriba una oración que empiece con *Me alegro de que....*

## Palabras y expresiones

**Para alojarse**
el albergue juvenil
la bañera
la cama doble
la cama sencilla
la cancha de tenis
el conserje, la conserje
la lavandería
el registro
los servicios

**Adjetivos**
blando,-a
firme
disponible

**Verbos**
dar a
disgustar
fastidiar
incluir
proteger
sorprender

**La naturaleza**
la naturaleza
el medio ambiente
el parque nacional
el refugio de vida
    silvestre
la reserva natural

**Actividades en los parques**
la balsa
bucear
la cabalgata
navegar por rápidos

**Animales y plantas**
el jaguar
la mariposa
la orquídea
el oso perezoso
el quetzal
el tucán

**Otras palabras y expresiones**
el depósito
Es una lástima que...

Una orquídea.

# Ud. lee

## Estrategia

**Interpreting figurative language**

Many times in literature, and especially in poetry, you don't have to take the meaning of certain expressions literally. You have to interpret what the author wants to say, and figure out the effect he or she wants to accomplish.

The following examples provide a guide on how to interpret figurative language:

| Frase con lenguaje figurado | Interpretación | Efecto |
| --- | --- | --- |
| El mar grita, el viento mueve los árboles, el sol tiene miedo y se esconde: viene el huracán. | El mar hace ruido, hay mucho viento y no hay sol porque viene un huracán. | El lenguaje figurado crea la imagen de que hay mucha violencia en la naturaleza por la llegada del huracán. |

## Preparación

**Lea esta breve nota biográfica sobre el poeta José María de Heredia y luego diga si las oraciones que siguen son ciertas o falsas.**

José María de Heredia nació en Santiago, Cuba, en 1803. Sus padres eran dominicanos y cuando era pequeño tuvo que vivir en varios países, por el trabajo de su padre, pasando por Estados Unidos, Venezuela y la República Dominicana. Estudió para abogado en Cuba y trabajó brevemente en la ciudad cubana de Matanzas. Pero dos años más tarde tuvo que irse del país debido a su conspiración contra el régimen colonial español. Vivió la mayor parte de su exilio en México, donde murió en 1839. A Heredia se le considera el precursor del movimiento romántico en Cuba y uno de los primeros grandes poetas latinoamericanos. Entre sus poemas más conocidos están *Oda al Niágara, Himno del desterrado* y *En el Teocalli de Cholula*. También escribió algunos relatos y obras de teatro.

1. Heredia es un poeta cubano.
2. Vivió la mayor parte de su vida en Santo Domingo.
3. Heredia estudió medicina en Cuba.
4. A Heredia se lo considera un poeta realista.
5. Heredia sólo escribió poesía.

José María de Heredia.

# En una tempestad

Huracán, huracán, venir te siento,
y en tu soplo[1] abrasado[2]
respiro[3] entusiasmado
del señor de los aires el aliento[4].
En las alas[5] del viento suspendido
vedle rodar[6] por el espacio inmenso,
silencioso, tremendo, irresistible,
en su curso veloz[7]. La tierra en calma,
siniestra, misteriosa,
contempla con pavor[8] su faz[9] terrible.
¿Al toro[10] no miráis? El suelo escarban[11]
de insoportable[12] ardor sus pies heridos[13]:
la frente[14] poderosa levantando,
y en la hinchada[15] nariz fuego aspirando[16],
llama la tempestad con sus bramidos[17].
¡Qué nubes! ¡Qué furor! El sol temblando[18]
vela[19] en triste vapor su faz gloriosa,
y su disco nublado sólo vierte[20]
luz fúnebre[21] y sombría,
que no es noche ni día...
¡Pavoroso[22] color, velo[23] de muerte[24]!
Los pajarillos tiemblan y se esconden
al acercarse el huracán bramando,
y en los lejanos montes retumbando[25]
le oyen los bosques, y a su voz responden.
Llega ya... ¿No lo veis? ¡Cuál desenvuelve[26]
su manto[27] aterrador y majestuoso!...
¡Gigante de los aires, te saludo!...
En fiera confusión el viento agita[28]
las orlas[29] de su parda[30] vestidura... ¡Ved! ...
    ¡En el horizonte

los brazos; rapidísimos enarca[31], y con ellos abarca[32]
cuanto alcanzo[33] a mirar de monte a monte!
¡oscuridad universal!... ¡Su soplo
levanta en torbellinos[34]
el polvo[35] de los campos agitado!...
En las nubes retumba despeñado[36]
el carro del Señor, y de sus ruedas
brota el rayo veloz, se precipita,
hiere[37] y aterra el suelo,
y su lívida[38] luz inunda[39] el cielo.
¡Qué rumor! Es la lluvia ... Desatada[40]
cae a torrentes[41], oscurece al mundo,
y todo es confusión, horror profundo.
Cielo, nubes, colinas[42], caro[43] bosque,
¿dó[44] estáis?... Os busco en vano:
desaparecisteis... La tormenta umbría[45]
en los aires revuelve[46] un océano
que todo lo sepulta...
Al fin, mundo fatal, nos separamos:
el huracán y yo solos estamos.
¡Sublime tempestad! ¡Cómo en tu seno[47],
de tu solemne inspiración henchido[48],
al mundo vil y miserable olvido
y alzo la frente, de delicia lleno!
¿Dó está el alma[49] cobarde
que teme[50] tu rugir[51]?... Yo en ti me elevo
al trono del Señor; oigo en las nubes
el eco de su voz; siento a la tierra
escucharle y temblar. Ferviente lloro[52]
desciende por mis pálidas mejillas[53],
y su alta majestad trémulo adoro.

[1]blow  [2]burning  [3]I breathe  [4]breath  [5]wings  [6]roll  [7]fast
[8]terror  [9]face  [10]bull  [11]dig  [12]unbearable  [13]injured  [14]forehead
[15]swollen  [16]inhaling  [17]roaring  [18]trembling  [19]watches  [20]pours
[21]mournful  [22]horrific  [23]veil  [24]death  [25]reverberating
[26]uncovers  [27]cape  [28]shakes  [29]fringes  [30]grayish

[31]rounds  [32]encircles  [33]reach  [34]whirls  [35]dust  [36]precipitated
[37]hurts  [38]pale  [39]floods  [40]unleashed  [41]gushing  [42]hills
[43]dear  [44]where  [45]somber  [46]stirs  [47]bosom  [48]filled  [49]soul
[50]fears  [51]roaring  [52]tears  [53]cheeks

## A  ¿Qué recuerda Ud.?

1. ¿Qué se describe en este poema?
2. ¿Qué hace el narrador?
3. ¿Qué siente el narrador al observar la tempestad?
4. ¿Qué efectos cree Ud. que consigue el poeta?

## B  Algo personal

Un huracán.

1. ¿Alguna vez vio una tempestad como la que describe Heredia? ¿Cómo fue?
2. ¿Qué tipo de climas prefiere Ud.? ¿Por qué?
3. Imagine que está con Heredia viendo esta tempestad. ¿Cómo se siente?
   ¿Cómo le afecta la tempestad?

# Ud. escribe

Estrategia

**Organizing information**

When you have to write about a topic, it is important that before starting to write, you organize the information you have and the information you need to find out. Think of all the things you already know about the topic, and list them. Then, think of additional information you need to find out. Sometimes it is useful to write the items you need to research as questions. Research the information you need using one or more sources: in the library, on line, or even, depending on what you are writing about, asking questions to people who might know about your topic or be involved with it. If you are writing about a fire, for instance, you could interview a firefighter in your neighborhood. Organize the information you researched, making sure that you obtained answers for all your questions. Once you have all the information at hand you are ready to write.

Escriba un folleto turístico sobre una visita a Panamá o a Costa Rica. Mencione los hoteles donde se pueden quedar los turistas y el tipo de clima que hay en cada lugar. También, haga recomendaciones para los viajeros. No se olvide de organizar la información que tiene y la información que necesita para su folleto. Use una gráfica como la de abajo para organizar la información. Recuerde usar cláusulas adverbiales con el subjuntivo, el condicional, el futuro y el subjuntivo para expresar duda y negación. Comparta su borrador con otro/a estudiante y pídale sus sugerencias o correcciones. Por último, escriba la versión final para incluir las sugerencias de su compañero/a y para corregir los errores en los tiempos de los verbos, el uso de las palabras o expresiones de transición y la ortografía.

| Lo que sé | Lo que quiero saber | Lo que aprendí |
|---|---|---|
| | | |

# Proyectos adicionales

## A Conexión con otras disciplinas: ciencias

En Costa Rica hay una gran riqueza vegetal y animal. Hay animales que no se encuentran en ningún otro lugar del mundo, pero, por desgracia, algunos de ellos están en peligro de extinción. Investigue cuáles son los animales más típicos de Costa Rica. Después, haga un mapa del país y ponga dónde se encuentra cada animal. Use su mapa para hacer una presentación sobre los animales costarricenses en clase.

Mapa de Costa Rica.

LACSA es una compañía de aviación costarricense.

## B Conexión con la tecnología

Hoy en día, mucha gente no usa las agencias de viaje cuando tienen que viajar, sino que utilizan la internet. Haga una investigación en la internet sobre los mejores precios para viajar a Costa Rica y Panamá. Luego, informe a la clase sobre las mejores direcciones de internet para encontrar viajes baratos a estos países, las aerolíneas que viajan hasta allí, y los hoteles y excursiones que recomiendan.

## C Comparación

Desde hace ya varios años, el gobierno costarricense decidió ser un gobierno dedicado a la paz y a la protección de la naturaleza. De hecho, en Costa Rica no hay ejército y es un país neutral. Use la internet para hallar más información sobre el gobierno costarricense y compárelo con el gobierno de Estados Unidos.

El gobierno de Costa Rica se dedica a la paz.

# Repaso

**Now that I have completed this chapter, I can...**

**I can also...**

# Trabalenguas

Contigo
entro
un tren
con trigo;
un tren
con trigo
contigo
entro.

# Vocabulario

**a último momento** at the last moment *6A*

el **aguacero** (heavy) shower *6A*

el **albergue juvenil** youth hostel *6B*

**asustarse** to get scared *6A*

**atravesar (ie)** to go across *6A*

la **balsa** raft *6B*

la **bañera** bathtub *6B*

**blando,-a** soft *6B*

**bucear** to scuba dive *6B*

la **cabalgata** horseback ride *6B*

la **cama doble** double bed *6B*

la **cama sencilla** single bed *6B*

la **cancelación** cancellation *6A*

**cancelar** to cancel *6A*

la **cancha de tenis** tennis court *6B*

el **cheque de viajero** traveler's check *6A*

la **confirmación** confirmation *6A*

**confirmar** to confirm *6A*

el **conserje**, la **conserje** concierge *6B*

**dar a** to look onto *6B*

el **depósito** deposit *6B*

el **descuento** discount *6A*

el **detalle** detail *6A*

**disgustar** to dislike *6B*

**disponible** available *6B*

**embarcar** to board *6A*

**Es una lástima que...** It's a pity that... *6B*

la **excursión** outing *6A*

**fastidiar** to bother *6B*

**firme** firm *6B*

**gastar** to spend *6A*

**hacer fila** to stand on line *6A*

**hasta que** until *6A*

**incluir** to include *6B*

el **jaguar** jaguar *6B*

la **lavandería** laundry *6B*

el **malentendido** misunderstanding *6A*

la **mariposa** butterfly *6B*

el **medio ambiente** enviroment *6B*

**mover(se) (ue)** to move *6A*

la **naturaleza** nature *6B*

**navegar por rápidos** to do white-water rafting *6B*

**negar(ie)** to deny *6A*

la **niebla** fog *6A*

la **nube** cloud *6A*

**observar** to observe *6A*

la **orquídea** orchid *6B*

el **oso perezoso** sloth *6B*

el **parque nacional** national park *6B*

**perder(ie)** to miss *6A*

**planear** to plan *6A*

**por adelantado** in advance *6A*

**presentarse** to show up *6A*

**proteger** to protect *6B*

el **quetzal** quetzal *6B*

el **refugio de vida silvestre** wildlife refuge *6B*

el **registro** register *6B*

**relajarse** to relax *6B*

el **relámpago** lightning *6A*

la **reserva** reservation *6A*

la **reserva natural** natural reserve *6B*

**retrasado,-a** delayed *6A*

el **retraso** delay *6A*

los **servicios** services *6B*

**sin previo aviso** without previous notice *6A*

**sorprender** to surprise *6B*

**sujeto a cambio** subject to change *6A*

**tan pronto como** as soon as *6A*

la **tarjeta de embarque** boarding pass *6A*

el **trueno** thunder *6A*

el **tucán** tucan *6B*

la **turbulencia** turbulence *6A*

el **volcán** volcano *6A*

Las nubes.

El quetzal.

# Capítulo 7

# Buen provecho

## Objetivos

- ❖ talk about grocery shopping
- ❖ describe foods in terms of flavor and freshness
- ❖ make comparisons
- ❖ single out something
- ❖ discuss food preparations
- ❖ express accidental occurrences
- ❖ talk about good manners
- ❖ order food at a restaurant
- ❖ make complaints
- ❖ avoid using a word already mentioned

Visit the web-based activities at www.emcp.com

# Vocabulario I
## En el mercado

Estas espinacas están podridas. Además son carísimas.

El orégano cuesta 2 bolivianos la bolsa.

Necesito una bolsa de 100 gramos de orégano.

el perejil

el puesto de condimentos

el orégano

las espinacas

Este damasco está un poco agrio. Creo que todavía está verde.

el choclo

el puesto de verduras

el repollo

los ajíes

No, señora, están maduros. Mis frutas son las más sabrosas del mercado.

el puesto de fruta

los damascos

las cerezas

Los frijoles son tan buenos como los garbanzos. No estoy segura qué comprar.

los frijoles

las lentejas

los garbanzos

## 1 De compras

Indique la letra de la foto que corresponde con lo que oye.

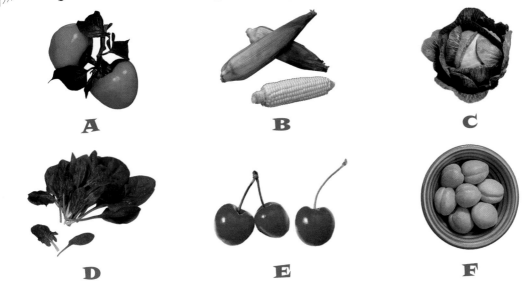

A

B

C

D

E

F

## 2 Comidas

Escoja la palabra que completa en forma lógica cada oración.

1. Cuando fuimos al mercado en Bolivia pagamos con *(bolivianos / dólares)*.
2. Este durazno está tan *(agrio / sabroso)* que no lo puedo comer.
3. El orégano es el mejor *(cereal / condimento)* que existe para cocinar.
4. La comida boliviana es menos *(picante / podrida )* que la mexicana.
5. En el restaurante nos sirvieron una comida con arroz y *(damascos / frijoles)* que estaba buenísima.
6. Los damascos están un poco *(verdes / picantes)*. Es mejor que esperemos hasta mañana para comerlos.

# Diálogo I

## Estas manzanas son carísimas

**VENDEDOR:** ¿Le puedo ayudar, señorita?

**EVA:** Sí, necesito medio kilo de cerezas. ¿Están maduras?

**VENDEDOR:** Sí, y muy sabrosas también. ¿Quiere probarlas?

**EVA:** Gracias. Tiene razón, están sabrosísimas.

**VENDEDOR:** ¿Qué otra cosa necesita?

**EVA:** ¿Cuánto cuestan las manzanas?

**VENDEDOR:** Cuestan 3 bolivianos el kilo.

**EVA:** Uy, están carísimas.

**EVA:** Y los damascos, ¿a qué precio están?

**VENDEDOR:** A 2 bolivianos el kilo, pero están un poco verdes. Los duraznos están mejor que los damascos.

**EVA:** Muy bien, déme un kilo y medio y póngalos en una bolsa.

## 3 ¿Qué recuerda Ud.?

1. ¿Cómo están las cerezas?
2. ¿Cuánto cuestan las manzanas?
3. ¿Cómo están los damascos?
4. ¿Cómo están los duraznos?
5. ¿Cuántos kilos de duraznos compra Eva?

## 4 Algo personal

1. ¿Va Ud. al mercado? ¿Qué le gusta comprar allí?
2. ¿Qué prefiere: las frutas o las verduras? ¿Por qué?
3. ¿Le gusta la comida picante?
4. ¿Cuál es el condimento que más le gusta?
5. ¿Cuál es para Ud. la comida más sabrosa? ¿Por qué?

¿Qué condimentos le gustan?

## 5 Las compras de Leticia

 Escuche los siguientes diálogos. Escriba en una hoja lo que compra Leticia en el primer puesto del mercado y lo que compra en el segundo puesto. Complete una tabla como la siguiente con la información.

| | En el primer puesto | En el segundo puesto |
| --- | --- | --- |
| | | |

El carnaval de Oruro.

## El Carnaval de Oruro

Una de las fiestas más importantes que se celebra cada año en Bolivia es el Carnaval de Oruro. Este carnaval, conocido por sus danzas folclóricas y la diversidad y vistosidad[1] de sus trajes y máscaras, ganó el premio de "Patrimonio Oral e Intangible de la Humanidad"[2] otorgado[3] por la UNESCO.

El origen de esta celebración viene de una leyenda boliviana. Oruro es un pueblo minero[4] de los Andes. Cuenta la leyenda que Huari, el dios de la cordillera[5], se enojó con los urus, los habitantes de la región, porque querían ir por el camino del bien, en lugar de

Máscara de carnaval.

hacer el mal, como él les había enseñado. Para castigarlos[6], les envió una gran serpiente por el sur, un sapo[7] gigantesco por el norte, una plaga de hormigas hambrientas[8] por el este y un monstruoso lagarto[9] por el oeste. Pero ante los gritos de terror de los urus, apareció la bella Ñusta, que logró derrotar[10] a Huari. Éste se escondió en lo más profundo de la tierra, mientras que el sapo, la serpiente y el lagarto se convirtieron en piedras y las hormigas, en arena.

Pero, todavía hoy, cada vez que hay accidentes en las minas, los mineros culpan[11] a Huari, el señor que cuida las riquezas[12] de la tierra, y se protegen con la imagen de Ñusta, que es la Virgen del Socavón.

Hoy en día, durante el carnaval, bailarines con trajes vistosos y coloridas[13] máscaras y maquillaje, representan en sus bailes a los animales que quisieron matar a los habitantes de Oruro y a Huari. Este carnaval es tan importante culturalmente, que en el Museo Británico, en Londres, le han dedicado una sección de su colección permanente.

[1]brilliant colors  [2]Oral and Intangible Heritage of Humanity  [3]granted  [4]mining town  [5]mountain range
[6]punish them  [7]toad  [8]plague of hungry ants  [9]lizard  [10]defeat  [11]blame  [12]riches  [13]colorful

## 6 La leyenda del Carnaval de Oruro

**Conteste las siguientes preguntas.**

1. ¿Qué premio ganó el Carnaval de Oruro?
2. ¿Quién era Huari?
3. ¿Por qué quería castigar Huari a los urus?
4. ¿Qué animales envió Huari para castigar a los urus?
5. ¿Quién defendió finalmente a los urus?
6. ¿Cómo recuerdan la leyenda en Oruro durante el carnaval?

# Idioma

## Repaso rápido: el comparativo

To compare persons and things in terms of "more than" and "less than" use *más* or *menos* plus an adjective or an adverb followed by *que*.

*Las cerezas son **más caras que** los damascos.*

Cherries are **more expensive than** apricots.

*El choclo cuesta **menos que** el repollo.*

Corn costs **less than** cabbage.

*Camino **más rápido que** tú.*

I walk **faster than** you.

A few common adjectives have irregular comparative forms.

| | | | | |
|---|---|---|---|---|
| bueno | (good) | → | mejor | (better) |
| malo | (bad) | → | peor | (worse) |
| joven | (young) | → | menor | (younger) |
| viejo | (old) | → | mayor | (older) |
| pequeño | (small) | → | menor | (smaller, younger) |
| grande | (big) | → | mayor | (bigger, older) |

*Este repollo está **mejor que** aquél.*

This cabbage looks **better than** that one.

*Este puesto de frutas es **peor que** el otro.*

This fruit stand is **worse than** the other one.

*Ella es **menor que** mi hermana.*

She is **younger than** my sister.

*Él es **mayor que** yo.*

He **older than** I am.

The comparative forms of the adverbs *bien* (well) and *mal* (badly) are *mejor* and *peor*.

*Cocino **mejor que** tú.*

I cook **better than** you do.

## 7 Comparaciones

Forme oraciones comparativas con el adjetivo que está entre paréntesis. El signo + indica *más... que*, y el signo –, *menos... que*.

MODELO  este ají parece / (–picante) que aquél
Este ají parece menos picante que aquél.

1. Rosario cocina / ( + bueno) que sus hermanas
2. este tomate está / (– podrido) que los otros
3. el vendedor es / (– viejo) que su esposa
4. el novio de Analía es / ( + joven) que ella
5. los frijoles negros son / (– bueno) que las lentejas para la ensalada
6. la manzana que tú tienes está / (– madura) que la mía

## 8 ¿Qué cuesta más?

Ud. está en el mercado con su compañero/a. Comparen los precios de las verduras. Túrnense para hacerse preguntas.

**MODELO** papas/repollo

**A:** ¿Qué cuesta más, las papas o el repollo?

**B:** El repollo cuesta más que las papas. /
El repollo es más caro que las papas.

Un puesto de verduras.

## Estructura

### El comparativo de igualdad

Use *tan* and an adjective or an adverb followed by *como* (as... as) to express that two or more persons or things are equal in terms of qualities or characteristics.

| | |
|---|---|
| *Las cerezas están **tan maduras como** los duraznos.* | The cherries are **as ripe as** the peaches. |
| *Tú no cocinas **tan bien como** mi madre.* | You don't cook **as well as** my mother. |

Use *tanto/a... como* to express equality of amount. The form of *tanto (tanta, tantas, tantos)* agrees with the object that follows. The English equivalents to these expressions are "as much as" and "as many as."

| | |
|---|---|
| *En esta panadería hay **tanto pan como** en la otra.* | In this bakery there is **as much bread as** in the other one. |
| *Necesito **tantas cerezas como** uvas.* | I need **as many cherries as** grapes. |

*Tanto como* can also be used to express equality of verb actions.

| | |
|---|---|
| *No leo **tanto como** Uds.* | I don't read **as much as** you do. |
| *Compramos **tanto como** ellos.* | We buy **as much as** they do. |

 **Práctica**

### 9 ¿Fresco o no?

Use las palabras de la caja para completar el párrafo que aparece a continuación.

| como | tan | más | tanta |
|------|-----|-----|-------|
| peor | mejor | menos | tanto |

Muchos de los alimentos que comemos no son (1) frescos como pensamos. Cuando vamos al mercado, debemos ver que (2) las frutas (3) las verduras estén en buen estado. Esto significa que debemos comparar los alimentos entre sí. Muchas veces hay (4) variedad de alimentos, que es difícil elegir qué producto es (5) o (6) que otro. Por ejemplo, es fácil ver si un tomate está (7) maduro, o (8) fresco que otro y también si tiene algo de podrido. Es importante prestar mucha atención a la calidad de un producto antes de comprarlo.

### 10 Hablando de comida

La comida es el tema de las siguientes conversaciones. Complételas con *más, menos, más... que, menos... que, tanto/a/os/as... como,* según corresponda.

1. **A:** Me parece que mi ensalada tiene ___ fruta ___ la tuya.
   **B:** Mira, creo que tiene ___ peras, pero no tiene ___ cerezas ___ la tuya.
2. **A:** ¿Puedes hacer seis sándwiches de jamón y cuatro de queso?
   **B:** ¡Ah!, ¿quieres que haga ___ sándwiches de jamón ___ de queso?
   **A:** No, mejor haz seis y seis, haz ___ sándwiches de jamón ___ de queso.
3. **A:** ¿Qué te gusta ___, la carne o el pescado?
   **B:** Me gusta ___ el pescado ___ la carne.
   **A:** ¡Ah, bueno! Voy a preparar ___ pescado que carne.
   **B:** No, por favor, no trabajes ___ por mí. Prepara ___ pescado ___ carne.

## Comunicación

### 11 Comparaciones

Complete las siguientes oraciones según su experiencia. Luego, compárelas con las de su compañero/a.

**La comida**
1. Me gustan más (menos)... que....
2. Por lo general... más (menos) picantes que...
3. La comida italiana es más (menos)... que la comida...

**Los amigos**
4. Mi mejor amigo/a es tan... como...
5. Tengo tantos... como...
6. Mis compañeros... tanto como...

La comida mexicana es más picante.

## Estructura

### El superlativo

The superlative ("the best," "the most expensive," "the tallest," etc.) is used when you want to single out one item or individual compared to others. You can use the following formula.

$$el/la/los/las \; + \; más/menos \; + \; adjective/adverb \; + \; de$$

| | |
|---|---|
| *Este puesto de frutas es **el más caro** de la ciudad.* | This fruit stand is **the most expensive** in the city. |
| *Estas lentejas son **las más ricas** de todas.* | These lentils are **the most delicious** of all. |
| *Esta pera es **la más madura** de la bolsa.* | This pear is **the ripest one** in the bag. |

Recall that some adjectives are irregular.

| | |
|---|---|
| *Este mercado es **el mejor de** la ciudad.* | This market is **the best** in the city. |
| *Pero éste es **el peor de** todos.* | But this one is **the worst** of all. |
| *Mi hermana pequeña es **la menor de** la familia.* | My little sister is **the youngest** in the family. |

The noun and *de* are not always necessary. Compare the two examples below.

| | |
|---|---|
| *Éstos son **los pescados más frescos** del mercado.* | These are **the freshest** fish in the market. |
| *Éstos son **las más frescos.*** | These are **the freshest.** |

Another way to intensify your descriptions is to use *tan* before adjectives and adverbs.

| | |
|---|---|
| *¡Estos ajíes son **tan picantes**!* | These peppers are **so hot**! |
| *Pepe, no comas **tan rápido**.* | Pepe, don't eat **so fast.** |

To say that someone or something is extraordinarily good (or extraordinarily bad, etc.), drop the end vowel of the adjective and attach to it the suffix *–ísimo/a*.

| | |
|---|---|
| *Estas cerezas están **buenísimas.*** | These cherries are **extraordinarily good.** |
| *Ay, mira los precios. ¡Todo está **carísimo**!* | Oh, look at the prices. Everything is **outrageously expensive**! |

The last vowel is dropped before adding *–ísimo/a* except with adjectives that end in *–ble*, which change the ending to *–bil*.

$$amable \; \rightarrow \; amabilísimo$$

Sometimes a spelling change is needed.

| | | | |
|---|---|---|---|
| **ie → e:** | caliente, calentísimo | **c → que:** | fresca, fresquísima |
| **z → c:** | feliz, felicísimo | **g → gu:** | largos, larguísimos |

 **Práctica**

## 12 La familia y los amigos

 Pregúntele a su compañero/a sobre sus familiares y amigos.

**MODELO** **A:** ¿Quién es el mayor de tus hermanos?
**B:** Mi hermano Daniel es el mayor de todos.

1. ¿Cuál es el más alto de tus amigos?
2. ¿Quién es el menor de tu grupo de amigos?
3. ¿Quién es la persona de tu familia que cocina mejor?
4. ¿Y la que cocina peor?
5. ¿Cuál de tus amigos tiene más hermanos?
6. ¿Quién es la persona más joven de tu familia?

## 13 ¡Está riquísimo!

Escriba oraciones completas con el superlativo según los elementos dados.

**MODELO** cerezas /estar / muy sabrosas
Las cerezas están sabrosísimas.

1. cena /estar /muy rica
2. tú / comer / mucho
3. sopa / estar / muy caliente
4. garbanzos / estar / muy sabrosos
5. frijoles / cocinarse / muy lento
6. guisantes /cocinarse / muy rápido
7. ají / estar / muy picante
8. cerezas / estar / muy frescas
9. este restaurante / ser / muy caro
10. camareros / ser / muy amables

## 14 Dos cenas diferentes

Ramón y Nora fueron a cenar a dos restaurantes diferentes. Complete sus correos electrónicos con el superlativo de cada uno de los adjetivos y adverbios entre paréntesis.

| E-Mail | | E-Mail |
|---|---|---|
| Archivo  Ver  Mensajes  Ayuda | | Archivo  Ver  Mensajes  Ayuda |
| A... Ramón | | A... Nora |
| Cc... | | Cc... |
| Asunto: ¡Hola! | | Asunto: ¡Hola! |

Querido Ramón,
¿Te gustó el restaurante adónde fuiste anoche? Como sabes, nosotros fuimos al restaurante Esmeralda, el más barato de la ciudad. Aunque es (1. barato), la comida estaba (2. rica), las verduras (3. frescas) y los postres (4. sabrosos). A todos nos gustó (5. mucho). ¡Te lo recomiendo! Cuéntame cómo te fue a ti.
Cariños, Nora

Querida Nora,
Me dices que el restaurante Esmeralda es (6. bueno), al contrario que el Martín que es (7. malo) y además (8. caro).
Anoche la comida estaba (9. mala), los ajíes estaban (10. picantes) y las frutas (11. podridas). Como los camareros eran (12. lentos), la cena estaba fría cuando la sirvieron y tuvimos que hacerla calentar. Siento mucho no haber ido contigo al restaurante Esmeralda.
Hasta pronto, Ramón

# Comunicación

## 15 ¡Compre aquí!

Ud. y su compañero/a están en el mercado y ven los siguientes carteles. Complétenlos usando una forma del superlativo. Después, escojan un producto del mercado para vender. Escriban un cartel similar a los que se ven aquí para anunciarlo. Lean su cartel a la clase.

1.
¡AQUÍ, LAS ESPINACAS _ FRESCAS _ MERCADO! COMPRE NUESTRA VERDURA.

2.
¡LAS FRUTAS Y LAS VERDURAS RICAS Y LAS MÁS _ ESTA ZONA! SI QUIERE PRODUCTOS _ Y BARATÍSIMOS, ¡VISÍTENOS!

3.
¡LLEVE LOS _ DAMASCOS _ LA CIUDAD! NUESTROS DAMASCOS SON _. ¡COMPRE AQUÍ!

## 16 Experiencias inolvidables

En grupos de tres, hablen de los siguientes temas.

- una comida sabrosísima
- un día aburridísimo
- el mejor día de su vida
- el mejor restaurante
- unas vacaciones divertidísimas
- una receta de cocina facilísima
- una película interesantísima

## 17 Tarta de queso

Escuche la siguiente receta de cocina. Coloque los pasos en el orden que corresponda según lo que oye.

A. Se hornea por 30 minutos.
B. La mezcla se coloca en una asadera.
C. Se mezclan la harina, la leche y el azúcar.
D. Se baten todos los ingredientes de la receta.
E. Se deja enfriar.
F. Se agrega el queso y el limón.

Se agrega el queso
y el limón.

## 18 ¿Cuál es la definición?

Diga a qué palabra corresponde cada definición.

1. Aparato que se usa para batir ingredientes.
2. Cortar algo en pedazos muy pequeños.
3. Parte amarilla del huevo.
4. Poner en el fuego una comida.
5. Parte blanca del huevo.
6. Las partes en que se corta una cosa.

A. cocer
B. pedazos
C. picar
D. yema
E. batidora
F. clara

## 19 Tareas en la cocina

Escriba oraciones con los verbos de la caja.

| | | | |
|---|---|---|---|
| picar | hervir | hornear | batir |
| mezclar | revolver | pelar | asar |

# Diálogo II

## ¡Ay, se me cayó el plato!

**EVA:** ¿Tenemos todos los ingredientes para hacer picadillo?

**RUBÉN:** Creo que sí. ¿Qué se hace primero?

**EVA:** Se pica la carne y se pone a freír en una sartén con un poco de aceite y sal.

**RUBÉN:** ¿Qué se hace con las papas?

**EVA:** Las papas tienen que ser peladas y cortadas en pedazos pequeños... ¿Dónde están las cebollas?

**RUBÉN:** Las puse en ese plato, ya están picadas.

**EVA:** Tráemelas, por favor.

**RUBÉN:** ¡Ay, se me cayó el plato!

**EVA:** Debes ser más cuidadoso, Rubén.

**RUBÉN:** Lo siento. Voy a picar otras cebollas.

**EVA:** Apúrate. La carne ya está hecha y debo mezclarla con las cebollas y los dientes de ajo.

## 20 ¿Qué recuerda Ud.?

1. ¿Qué se hace primero en la receta para hacer picadillo?
2. ¿Qué se hace con las papas?
3. ¿Qué hizo Rubén con las cebollas?
4. ¿Por qué debe Rubén apurarse para picar las cebollas?

## 21 Algo personal

1. ¿Ayuda a cocinar a su madre u a otro familiar?
2. ¿Le gusta a Ud. cocinar? ¿Qué comidas cocina?
3. ¿Sabe la receta de alguna comida? ¿Cuál?
4. ¿Qué es lo que más le gusta hacer cuando cocina? ¿Por qué?

### Estrategia

**Using visual images**
Record words, ideas or expressions in Spanish with visual images or icons that will help you remember them.

## 22 En la cocina

 Escuche los siguientes diálogos y escoja la palabra o frase que completa correctamente cada oración según lo que oye.

1. El pastel debe ser *(enfriado / calentado)* para poderlo comer.
2. Se *(hierven / baten)* los huevos por cinco minutos.
3. Se baten los ingredientes con *(una batidora / un abrelatas)*.
4. Las papas se fríen en *(la sartén / la clara)*.
5. El pollo fue asado en una *(cacerola / asadera)*.
6. Se *(revuelven / hornean)* los ingredientes con mucho cuidado.

## Yuca, el tubérculo andino

Esta mujer prepara harina de yuca.

La yuca es una planta de la familia de la papa, que dicen que nació en los Andes. Hoy en día sirve de alimento a más de 500 millones de personas y es un ingrediente básico en la comida boliviana.

Este tubérculo[1] tiene muchas cualidades. Tiene un aspecto[2] rústico y se puede cultivar fácilmente y con poco costo durante todo el año. Además, se puede utilizar en su totalidad, desde la raíz[3] hasta las hojas. De las hojas de la yuca se hace una harina que es muy rica en proteínas. La raíz es la parte que se come y que sirve como buena fuente[4] de carbohidratos.

Pero uno de los principales beneficios de la yuca es que es muy alimenticia[5] y a la vez muy barata. De hecho, durante la Primera Guerra Mundial, cuando en Europa había escasez[6] de pan, se importaron grandes cantidades de yuca para hacer pan con su harina y así evitar que mucha gente muriera de hambre.

Bolivia es uno de los países donde se produce y se consume más yuca. La yuca forma parte de la vida cotidiana de Bolivia, y también de su idioma: una expresión típica del país es "es flaco[7] como un jipurí", que es el palito[8] del centro de la yuca.

Campo de yuca.

[1]tuber  [2]look  [3]root  [4]source  [5]nourishing  [6]shortage  [7]skinny  [8]little stick

### 23 La buena yuca

**Conteste las siguientes preguntas.**

1. ¿Qué es la yuca y de dónde viene?
2. ¿Qué se hace con las hojas de la yuca?
3. ¿Cuál es la parte de la yuca que se come?
4. ¿Por qué fue importante la yuca en la Primera Guerra Mundial?
5. ¿Qué expresión usan los bolivianos para decir que alguien es muy delgado?

### ¡Extra!

**La comida en los dichos**

Many Spanish sayings refer to food. *Vete a freír espárragos* (Go fry asparagus) is a popular saying equivalent to the English "Go fly a kite!" *Contigo, pan y cebolla* (With you, bread and onion) is a reference to enduring love. It means that a person will stay with his or her beloved one even if they only had bread and onion to eat.

## Estructura

### La voz pasiva

In the passive voice the subject is not the doer, but the receiver of the action. The passive voice is often used with the word *por* (by).

| | |
|---|---|
| *Ella hirvió el agua.* | She boiled the water. |
| *El agua fue hervida (**por** ella).* | The water was boiled (**by** her). |
| *Yo tengo que pelar las papas.* | I have to peel the potatoes. |
| *Las papas tienen que ser peladas (**por** mí).* | The potatoes have to be peeled (**by** me). |

The passive voice is formed with a form of *ser* and the past participle of the verb. Note that the past participle agrees with the subject in gender and number.

*La carne **fue asada**.*　　　　　　The meat ***was roasted**.*

The passive voice can be expressed in the present, the past, and the future by using the present, past, and future tense forms of *ser* and the past participle.

| | | |
|---|---|---|
| (él/ella) Asa la carne. | → | La carne es asada (**por** él/ella). |
| Asó la carne. | → | La carne fue asada (**por** él/ella). |
| Asará la carne. | → | La carne será asada (**por** él/ella). |

Sometimes the passive voice can be expressed simply by using the third person plural of the verb.

***Picarán** el ajo más tarde.*　　　　The garlic **will be chopped** later.

Sometimes *se* can express the passive voice. Compare the following pairs.

*El desayuno **fue servido** a las nueve.*
*Se sirvió el desayuno a las nueve.*　　Breakfast **was served** at nine.

El almuerzo se sirvió a las dos.

# Práctica

### 24 La comida fue preparada por todos

**Los estudiantes de la escuela de cocina están todos muy ocupados. Diga quién preparó cada cosa. Use la voz pasiva.**

> **MODELO** Ricardo hirvió el agua.
> El agua fue hervida por Ricardo.

1. Juanita preparó el arroz.
2. Esteban y Carlos pelaron las papas.
3. Mi hermana picó el ajo.
4. La profesora encendió el horno.
5. Rosario asó las papas.
6. Ramiro y Paula cortaron las cebollas en pedazos pequeños.
7. Maribel batió las claras de huevo.
8. Rosario y Carlos lavaron las verduras.

Ella peló las papas.

### 25 ¿Quién lo cocinará?

**Complete las siguientes oraciones con la voz pasiva del verbo entre paréntesis. Use el tiempo verbal *(tense)* que se indica.**

1. La receta (pretérito/crear) ___ por mi abuela.
2. Los condimentos (futuro/comprar) ___ mañana.
3. El pollo (pretérito/asar) ___ ayer.
4. Las verduras (presente/cortar) ___ en pedazos pequeños.
5. Los tomates (presente/lavar) ___ en agua fría.
6. La sopa (futuro/preparar) ___ por mi tío.
7. El cereal (presente/mezclar) ___ con la leche.
8. Los huevos (pretérito/batir) ___ por mi hermana.

Se sirvió cereal con fruta.

### 26 ¡Qué mal está la comida!

**La comida no ha quedado bien. Túrnese con su compañero/a para completar las respuestas. Siga el modelo.**

> **MODELO** Las verduras están frías. ¿Quién las cocinó? (Celia)
> Fueron cocinadas por Celia.

1. La lechuga está sucia. ¿Quién la lavó? (Carla)
2. Los tomates están mal cortados. ¿Quién los cortó? (papá)
3. La cebolla no está bien picada. ¿Quién la picó? (yo)
4. Las papas no están bien peladas. ¿Quién las peló? (Mario)
5. El arroz está mal cocido. ¿Quién lo cocinó? (Celia)
6. Las galletas no están bien horneadas. ¿Quién las horneó? (mamá)
7. Estos duraznos están verdes. ¿Quién los compró? (tú)

# Comunicación

## 27 Comparaciones

Descríbale a un(a) compañero/a algunas costumbres de Bolivia que Ud. ha aprendido en esta lección o en la internet. Su compañero/a le describirá una costumbre similar en los Estados Unidos. Deben usar la forma pasiva con *se.*

**MODELO** **A:** En Bolivia se preparan muchas comidas con yuca.

**B:** En los Estados Unidos se preparan muchas comidas con papas.

## Estructura

### *Estar* y el participio pasado

*Estar* is used with the past participle to describe a condition that is the result of a previous action. The past participle is used as an adjective and must agree in gender and number with the noun it modifies.

| | |
|---|---|
| *El ajo* **está picado.** | The garlic **is chopped.** |
| *La comida* **está servida.** | Dinner **is served.** |

Recall that to form the past participle of *-ar* verbs you drop the ending of the infinitive and add *-ado (pelado).* For *-er* and *-ir* verbs, you drop the ending and add *-ido (cocido, batido).*

The following verbs have irregular past participles.

| | | | | | | | |
|---|---|---|---|---|---|---|---|
| abrir | → | abierto | *(opened)* | poner | → | puesto | *(put, placed)* |
| cubrir | → | cubierto | *(covered)* | resolver | → | resuelto | *(solved)* |
| decir | → | dicho | *(said, told)* | romper | → | roto | *(broken)* |
| escribir | → | escrito | *(written)* | ver | → | visto | *(seen)* |
| hacer | → | hecho | *(made, done)* | volver | → | vuelto | *(returned)* |
| morir | → | muerto | *(dead)* | | | | |

La ventanilla está rota.

**28 Desayuno familiar**

Mire el dibujo y complete las descripciones con el participio pasado de los verbos de la caja.

| abrir | dormir | poner | cubrir | revolver | servir |
|-------|--------|-------|--------|----------|--------|
| apagar | hervir | sentarse | encender | romper | |

**MODELO**   Los gatos están <u>dormidos</u> debajo de la mesa.

1. La mesa está ___, pero el desayuno no está ___ todavía.
2. La mesa está ___ con un mantel de colores.
3. Dos de los chicos ya están ___.
4. La radio está ___, pero el televisor está ___.
5. Las ventanas están ___ porque hace calor y el aire acondicionado está ___.
6. Marisa le dice a su mamá que el agua para el té ya está ___, pero los huevos no están ___ todavía.

**29 Soluciones domésticas**

Con su compañero/a, complete los siguientes anuncios de un periódico boliviano con el participio pasado de los verbos entre paréntesis.

1. Si Ud. llega a su casa y la comida no está *(hacer)*, ¡no se preocupe más! Sus problemas están *(resolver)*. Llámenos y le enviamos al instante la comida *(pedir)*. Tel. 555-9876.
2. ¿No le quedan sus pollos nunca bien *(asar)*? ¿Está *(romper)* su horno? Todos sus aparatos estarán *(arreglar)* en un abrir y cerrar de ojos si llama a Arreglalotodo: 555-2032.
3. La primavera comienza. ¿Necesita muebles nuevos para su jardín? ¿Un techo para poder comer al aire libre? ¡Sus muebles estarán *(colocar)* en cuanto Ud. los pida! Los techos estarán *(poner)* en 24 horas. www.ultrajardines.com.

 # Comunicación

### 30 Describa lo que ve

Describa una escena *(scene)* usando una forma de *estar* y el participio pasado. Puede ser sobre la clase de español, su cuarto, la cocina, etc. Luego, compare su descripción con las de otros estudiantes.

> MODELO  **Posible escena en la clase de español:**
>
> La profesora está parada, los alumnos están sentados, la luz está encendida, la puerta está cerrada.

## Estructura

### Más usos de *se*

You have used *se* to form the passive voice to mean "you," "one," "they"

| | |
|---|---|
| *En Bolivia **se come mucha** yuca.* | **They eat** a lot of yucca in Bolivia. |

You can also use the pronoun *se* to express accidental occurrences. In this case, the verb agrees with the subject of the sentence.

| | |
|---|---|
| *La receta **se perdió.*** | The recipe **got lost.** |
| ***Se rompieron** dos platos.* | Two plates **got broken.** |

You may also add an indirect object pronoun in this usage to indicate who is affected by the occurrence.

| | |
|---|---|
| *¡Ay! **Se me rompió** la taza.* | Oh, **I** accidentally **broke** the cup! |
| *¡Mira! **Se te cayó** el plato.* | Look!, **you dropped** the plate! |

# Práctica

### 31 Instrucciones de cocina

Complete estas instrucciones de cocina usando el pronombre *se* y la voz pasiva. Siga el modelo.

> MODELO  primero / hervir / el agua
> Primero se hierve el agua.

1. después / lavar/ las verduras
2. cortar / el tomate en pedazos pequeños
3. picar / el ajo con cuidado
4. poner / aceite y vinagre a la ensalada
5. batir / las claras sin las yemas
6. colocar / los huevos en una sartén
7. no agregar / sal
8. cocinar / las papas lentamente

En grupo, se cocina mejor.

## 32 Errores y consecuencias

Raúl decidió ir a Oruro para las fiestas de carnaval. Pero se le olvidó hacer muchas cosas antes de salir. Empareje *(Match)* los errores de Raúl con las consecuencias.

**Errores**
1. Se le olvidó cerrar la puerta.
2. Se le olvidaron las llaves.
3. Se le olvidó dejarle comida al gato.
4. Se le olvidó la licencia de conducir.
5. Se le olvidaron los lentes.
6. Se le olvidó hacer reserva en el hotel.

**Consecuencias**
A. No va a poder alojarse.
B. Le van a dar una multa.
C. ¡Mimí se va a morir de hambre!
D. No va a poder ver nada.
E. Va a ocurrir un robo en su casa.
F. No va a poder abrir la puerta cuando regrese.

## 33 ¡Nada sale bien!

Parece imposible, pero hoy nada sale bien. Con su compañero/a, cree un diálogo según las indicaciones. Sigan el modelo.

**MODELO** el azúcar / acabarse

**A:** ¿Y el azúcar? ¿Se te acabó?

**B:** Sí, se me acabó el azúcar.

1. ingredientes / olvidarse
2. receta / perderse
3. huevos / caerse
4. sartén / romperse
5. comida / quemarse
6. horno / apagarse
7. sal / terminarse
8. gafas de sol / caerse

## ⬦ Comunicación

## 34 Antes y ahora

Conteste las siguientes preguntas. Luego, hágaselas a su compañero/a y comparen sus respuestas.

1. ¿Qué cosas se le perdían de niño/a? Y ahora, ¿qué cosas se le pierden a menudo?
2. ¿Qué cosas importantes se le olvidaba hacer de vez en cuando? ¿Y qué se le olvida hacer ahora?
3. ¿Qué cosas se le rompían de niño/a? ¿Qué cosas se le rompen ahora?
4. ¿Se le caían cosas a menudo? ¿Dónde? ¿Y ahora se le caen cosas también?

¡Se me cayó el helado!

# Lectura cultural

## Las dos capitales de Bolivia

Bolivia es un país muy especial. Además de ser el país con mayor población indígena de Sudamérica, es el único que tiene dos capitales. Sucre es la capital judicial, donde está el Tribunal Supremo, y La Paz es la capital administrativa, donde está el gobierno. Las dos capitales tienen su propio encanto[1].

Sucre, por su arquitectura colonial y su gran cantidad de museos e iglesias, es una ciudad bellísima. Esta capital, llamada "la ciudad blanca", por el color de muchos de sus edificios, también es famosa por su ambiente juvenil y su vida nocturna. En Sucre hay un lugar muy curioso: la fuente de Inisterio. Dicen que quien bebe sus aguas se vuelve muy inteligente, pero si bebe demasiada agua, se puede volver loco.

La Paz es la ciudad más grande de Bolivia. Está situada a 3.650 metros de altura sobre el nivel del mar[2] y es por eso que muchos la llaman "la ciudad que toca el cielo". Pero lo que hace que La Paz sea tan especial es la gente de la ciudad, los paceños. Ninguna otra ciudad sudamericana se aferra[3] con tanta fuerza a su pasado. Muchas mujeres llevan a diario las ropas tradicionales. Además, La Paz es como un mercado gigantesco. En todas las calles hay puestos donde comprar desde ropa, artesanías y comida local, hasta computadoras, muebles y amuletos de la buena suerte[4].

[1]charm  [2]above sea level  [3]clings  [4]good luck amulets

Sucre es la capital judicial de Bolivia.

La ciudad de La Paz está a 3.650 metros sobre el nivel del mar.

## 35 ¿Qué recuerda Ud.?

1. ¿Cuáles son las dos capitales de Bolivia?
2. ¿Por qué llaman a Sucre "la ciudad blanca"?
3. ¿Qué le pasa a la gente que bebe demasiada agua de la fuente de Inisterio?
4. ¿Por qué llaman a La Paz "la ciudad que toca el cielo"?
5. ¿Cuál es el principal atractivo de La Paz?

## 36 Algo personal

1. ¿Cuál de las dos ciudades le gustaría visitar? ¿Por qué?
2. ¿Qué compraría Ud. en los puestos de La Paz?

# ¿Qué aprendí?

**Visit the web-based activities at www.emcp.com**

## Autoevaluación

**Como repaso y autoevaluación, responda lo siguiente:**

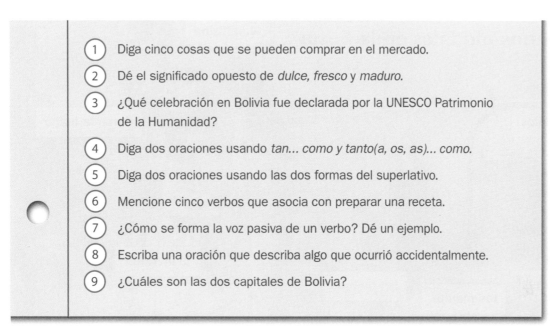

1. Diga cinco cosas que se pueden comprar en el mercado.

2. Dé el significado opuesto de *dulce, fresco* y *maduro.*

3. ¿Qué celebración en Bolivia fue declarada por la UNESCO Patrimonio de la Humanidad?

4. Diga dos oraciones usando *tan... como* y *tanto(a, os, as)... como.*

5. Diga dos oraciones usando las dos formas del superlativo.

6. Mencione cinco verbos que asocia con preparar una receta.

7. ¿Cómo se forma la voz pasiva de un verbo? Dé un ejemplo.

8. Escriba una oración que describa algo que ocurrió accidentalmente.

9. ¿Cuáles son las dos capitales de Bolivia?

## Palabras y expresiones

**Las verduras**
- el ají, *pl.* los ajíes
- las espinacas
- el choclo
- el repollo

**Las legumbres**
- la lenteja
- el garbanzo
- el frijol

**Los condimentos**
- el ajo
- el condimento
- el orégano
- el perejil

**Las frutas**
- la cereza
- el damasco

**Para describir los alimentos**
- agrio,-a
- cocido,-a
- picante
- podrido,-a
- sabroso,-a
- verde

**Verbos**
- asar
- batir
- cocer (ue)
- enfriar
- revolver
- hervir (ie)
- hornear
- mezclar
- pelar
- picar

**En la cocina**
- la asadora
- la batidora
- el recipiente
- la sartén

**Medidas**
- el gramo
- el litro

**Otras palabras y expresiones**
- el boliviano
- la clara
- el diente (de ajo)
- la harina
- el pedazo
- el puesto
- la yema

Un puesto de verduras.

El agua está hirviendo.

La anfitriona me dijo que bajara el volumen. A los vecinos no les gusta el ruido.

Los invitados pidieron que subieras el volumen de la música.

¡Me encanta la música bailable!

el disc jockey

los parlantes

el sistema de audio

los pasos de baile

## 1 ¿Qué sucedió?

Indique la letra de la foto que corresponde con lo que oye.

A

B

C

D

E

F

## 2 En la fiesta

Conteste las siguientes preguntas según la información en el Vocabulario I.

1. ¿Cómo se les dice a las personas que hacen una fiesta en su casa? ¿Y a las personas que van a la fiesta?
2. ¿Qué comidas se sirven en la fiesta?
3. ¿Qué debe hacer una persona cuando bosteza?
4. ¿Cómo se llaman los aparatos por donde sale la música?
5. ¿Qué puede hacer el disc jockey con el volumen de la música?
6. ¿Cómo se llama la música que es buena para bailar?

### ¡Extra!

**En otras palabras**

| | |
|---|---|
| el bocadillo | el sándwich, el emparedado |
| el maní | el cacahuete |

# Diálogo I

## ¡Te dije que no pusieras los codos en la mesa!

MATEO: Me gustaría que me enseñaras buenos modales. Tengo una cita con Carolina y quiero comportarme bien.

ELISA: Claro, pero debes prestarme atención y no interrumpirme.

MATEO: Te lo prometo.

ELISA: Cuando estás comiendo, no puedes poner los codos en la mesa... Tampoco puedes hablar mientras masticas la comida.

MATEO: ¿Pero qué hago si Carolina me pregunta algo mientras estoy comiendo?

ELISA: Le respondes cuando termines de masticar.

ELISA: ¿Quieres hacer la prueba?

MATEO: Bueno...

ELISA: ¡Te dije que no pusieras los codos en la mesa!

MATEO: Discúlpame... Tengo mucho sueño.

ELISA: Tápate la boca al bostezar... Ésa es otra regla que debes recordar.

## 3 ¿Qué recuerda Ud.?

1. ¿Qué le gustaría a Mateo que hiciera Elisa?
2. ¿Qué no puede hacer Mateo mientras come? ¿Y mientras mastica?
3. ¿Qué debe hacer Mateo si Carolina le pregunta algo mientras está comiendo?
4. ¿Qué otra regla le enseña Elisa?

## 4 Algo personal

1. ¿Qué buenos modales conoce Ud.?
2. ¿Tiene buenos modales al comer? Explique su respuesta.
3. ¿Qué le gusta hacer en las fiestas?
4. ¿Cómo escucha la música: con el volumen alto o bajo?
5. ¿Le gusta bailar? ¿Qué pasos de baile conoce?

## 5 ¡Qué modales!

Escoja una respuesta correcta a lo que oye.

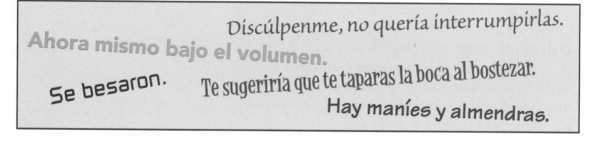

Discúlpenme, no quería interrumpirlas.

Ahora mismo bajo el volumen.

Se besaron.

Te sugeriría que te taparas la boca al bostezar.

Hay maníes y almendras.

## Inti Raymi, la Fiesta del Sol

Un baile típico del Inti Raymi.

El 24 de junio, los incas celebraban el solsticio de invierno, es decir, el principio del año nuevo del Sol. Inti Raymi quiere decir "año nuevo" en su lengua, el quechua. En el festival de año nuevo se hace un homenaje a Apu Punchao Inca, el dios del Sol, y especialmente a la unión eterna[1] entre el Sol y sus hijos, los seres humanos. En esta fiesta, los incas le agradecían[2] al dios del Sol las cosechas[3] que les había dado. Antes de la llegada de los españoles, el Inti Raymi era la celebración más importante del imperio inca.

Hoy en día, los habitantes de Cuzco siguen celebrando la Fiesta del Sol, que es el festival más grande de América Latina, después del Carnaval de Rio de Janeiro, en Brasil. En esta celebración, un grupo de actores representa la fiesta del Inti Raymi en la fortaleza[4] de Sacsayhuamán. Antes, cuando sólo vivían en Cuzco la familia real, los sacerdotes[5] y los personajes importantes del imperio, la fiesta tenía lugar en lo que hoy es la Plaza de Armas de la ciudad. Unas cincuenta mil personas participaban en la celebración. Se reunían allí y esperaban a que saliera el sol para adorarlo[6].

Todos los participantes habían ayunado[7] durante nueve días, para poder celebrar al sol y llevar ofrendas[8] a su hijo, el Inca (que era el gobernante). El Inca les ofrecía a cambio un banquete con alimentos típicos incas, como asado y panes de maíz.

La Fiesta del Sol, Cuzco.

[1]never ending   [2]thanked   [3]harvests   [4]fortress   [5]priests   [6]adore it   [7]fasted   [8]gifts

## 6 La Fiesta del Sol

**Conteste las siguientes preguntas.**

1. ¿Quiénes celebraban el Inti Raymi?
2. ¿Dónde tenía lugar la celebración?
3. ¿Qué se celebra en el Inti Raymi?
4. ¿Quién era el Inca?
5. ¿Para qué se reunían los participantes en la Plaza de Armas?

# Idioma

## El imperfecto del subjuntivo

You already know how to use the present tense of the subjunctive. The subjunctive also has a past tense. To form the past tense of the subjunctive, take the *ellos* form of the preterite tense and remove the final *-on* of the ending. Then, add the new endings: *-a, -as, -a, -amos, -ais, -an.* This pattern applies to all verbs.

| el imperfecto del subjuntivo | |
|---|---|
| yo comier**a** | nosotros comiér**amos** |
| tú comier**as** | vosotros comier**ais** |
| él/ella comier**a** | ellos comier**an** |

Note that the *nosotros* form in the past subjunctive requires an accent mark: *comiéramos.*

As you know, the subjunctive is used in a sentence in which there are two parts connected by the word *que.* Each part has a different subject and a different verb. The main verb in the first part is always in the indicative mood, while the verb in the second or subordinate part is in the subjunctive mood. When the main verb in the sentence is in the preterite, imperfect, or conditional, the past subjunctive is used. Compare the following pairs of present subjunctive and past subjunctive usage.

Sugeriría que comieras la fruta.

*Dice que no interrumpas la conversación.*
He **says you shouldn't interrupt** the conversation.

*Dijo que no interrumpieras la conversación.*
He **said you shouldn't interrupt** the conversation.

*Es importante **que te comportes** bien.*
**It's** important **that you behave** well.

*Era importante **que te comportaras** bien.*
**It was** important **that you behaved** well.

*Quiero que **te encargues** de la comida.*
**I want you to take care** of the food.

*Quería que **te encargaras** de la comida.*
**I wanted you to take care** of the food.

*Sugiero que **traigas** unos bocadillos.*
**I suggest you bring** a few sandwiches.

*Sugeriría que **trajeras** unos bocadillos.*
**I would suggest you bring** a few sandwiches.

 **Práctica**

### 7 Todos tienen algo

Complete las oraciones con el presente o el imperfecto del subjuntivo del verbo entre paréntesis según corresponda.

**MODELO** Me dijo que (ir) a su casa.
Me dijo que fuera a su casa.

1. Yo no quería que ellos *(venir)* temprano.
2. Sería mejor que Sara y Agustín *(quedarse)* en su casa.
3. Es importante que tú no les *(decir)* nada.
4. Me gusta que todos *(comportarse)* bien cuando vienen aquí.
5. El doctor le ordenó que no *(comer)* maníes.
6. Te sugiero que *(taparse)* la boca cuando bosteces.
7. Les insisto a ellos que no *(hablar)* con la boca llena.
8. Sería bueno que ustedes no *(poner)* los codos en la mesa.

Le sugirió que se tapara la boca al bostezar.

### 8 Una fiesta estupenda

Ana hizo una fiesta. Complete las oraciones con el imperfecto del subjuntivo de los verbos de la caja para saber qué pasó en la fiesta.

| ir | ser | llegar | comportarse | tener | venir |
|----|-----|--------|-------------|-------|-------|
| traer | poner | salir | dormirse | hacer | |

1. Ana le pidió a los invitados que ___ a las seis, pero dudaba que todos ___ a esa hora.
2. Antes de la fiesta ella le dijo al disc jockey que ___ música bailable.
3. No quería que el volumen ___ muy alto para no molestar a los vecinos.
4. Sus amigos se encargaron de todo para que Ana no ___ que comprar nada.
5. Ana le pidió a su amigo Rafael que ___ algunos discos compactos.
6. Aunque ella quería que su hermanito pequeño no ___ de su habitación, él no la obedeció.
7. Entonces Ana le sugirió que ___ bien y que no ___ mucho ruido.
8. Todos se alegraron mucho de que el niño por fin ___.

### 9 ¡Te dije que no molestaras!

Ángel, el hermanito pequeño de Ana, no presta atención a lo que ella le dice. Ana debe repetirle todo dos veces. Siga el modelo.

**MODELO** Lávate las manos antes de comer.
¡Te dije que te lavaras las manos antes de comer!

1. Saluda a los invitados.
2. Dale la mano a la invitada.
3. No interrumpas la conversación.
4. Busca un vaso, no tomes agua de la botella.
5. No hables al masticar.
6. No pongas los codos en la mesa.
7. Tápate la boca al bostezar.
8. Pide permiso para levantarte de la mesa.

## 10 Preparativos

Antes de hacer una fiesta Luis le pidió a Ud. que hablara con los invitados para asegurarse de que supieran lo que tenían que hacer. Túrnese con su compañero/a para representar a cada invitado. Sigan las indicaciones de la lista. Usen expresiones como: *pidió que, dijo que, quería que, insistió en que y sugirió que.*

1. **Joaquín:** ir temprano para ayudar
   llegar antes que los demás invitados
2. **Ramiro:** comprar platos y vasos de papel
   pedir pizza para todos
3. **Mariana:** preparar unos bocadillos
   limpiar después de la fiesta
4. **Catalina:** conseguir al disc jockey
   traer discos compactos
5. **Pablo:** encargarse de los refrescos
   pensar en juegos nuevos

**MODELO** **José:** comprar almendras y nueces
   **A:** José, ¿qué te pidió Luis a ti?
   **B:** Me pidió que comprara almendras y nueces.

## 11 Música para la fiesta

En una revista de Perú salió el siguiente artículo sobre las mejores canciones de la semana. Lea las recomendaciones de la semana y diga si las oraciones son ciertas o falsas. Si son falsas, corríjalas.

| 10 | Ránking de la semana | | | Recomendaciones de la semana |
|---|---|---|---|---|
| | Rosas | 1 | La oreja de Van Gogh | Esta semana nuestras recomendaciones tienen música para todos los gustos. Si te gusta divertirte y estás pensando en hacer una fiesta, te recomiendo que elijas los ritmos bailables de Alex Ubago o los ritmos caribeños de Gloria Estefan. Si, en cambio eres una persona romántica y estás pensando en una cena para dos, o con amigos, no te olvides del famoso dúo Sin Bandera o de los cantantes Alberto Plaza o Chayanne. Si quieres escuchar música rock muy vanguardista, La oreja de Van Gogh es tu grupo. |
| | Mientes tan bien | 2 | Sin Bandera | |
| | Un siglo sin ti | 3 | Chayanne | |
| | Miénteme | 4 | David Bisbal | |
| | No es lo mismo | 5 | Alejandro Sanz | |
| | Febrero catorce | 6 | Alberto Plaza | |
| | No hace falta | 7 | Cristian | |
| | Hoy | 8 | Gloria Estefan | |
| | Jaleo | 9 | Ricky Martin | |
| | Sabes | 10 | Alex Ubago | |

1. El artículo sugería que los románticos escucharan a La oreja de Van Gogh.
2. Recomendaba que a una persona a quien le gusta divertirse comprara el disco de Gloria Estefan.
3. El artículo decía que Sin Bandera no era un dúo muy conocido.
4. El autor sugería que a las personas a quienes les gusta bailar pusieran la música de Alex Ubago.
5. El artículo decía que los románticos no se olvidaran de Chayanne.
6. El ránking semanal tenía a David Bisbal en segundo lugar.
7. El artículo recomendaba que a los que le gusta la música rock vanguardista escucharan a La oreja de Van Gogh.
8. También sugerían que en una cena las personas escucharan a Ricky Martin.

# Comunicación

**12 ¿Qué sugeriría Ud.?**

**Su compañero/a prepara una fiesta y le pide ayuda. Déle sus sugerencias según la lista de la caja. Puede agregar otros elementos a la lista. Use el imperfecto del subjuntivo. Después, cambien de papel.**

| | |
|---|---|
| • día y hora de la fiesta | • para comer |
| • lugar de la fiesta | • para beber |
| • número de invitados | • tipo de música |

 **A:** ¿Qué día sugerirías tú que hiciera la fiesta?

**B:** Te sugeriría que la hicieras el sábado por la noche.

**13 Fiesta de niños**

**Piense en una fiesta importante de su niñez. Complete las siguientes oraciones según su experiencia, usando verbos en el imperfecto del subjuntivo. Luego, compare sus experiencias con las de sus compañeros/as.**

**MODELO** Yo esperaba que en la fiesta...

Yo esperaba que en la fiesta hubiera payasos.

1. Yo quería que...
2. Mis padres me permitieron que yo...
3. Mi mejor amigo/a quería que...
4. Todos los invitados me pidieron que...
5. Los vecinos nos dijeron que...
6. Era importante que...
7. Me gustó que todos los invitados...
8. Después de la fiesta, mis padres me pidieron que...

Quería que...

## 14 En el restaurante

 Escuche las frases y diga a qué foto corresponde cada una.

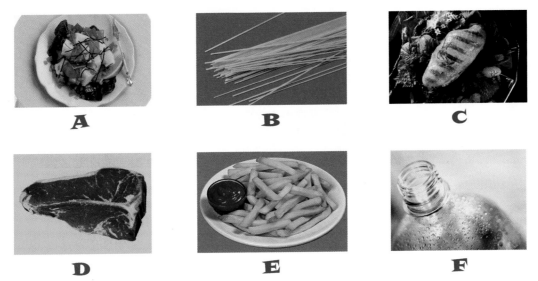

A

B

C

D

E

F

## 15 Grupos de palabras

Diga qué palabra no pertenece a cada grupo.

1. **A.** cordero     **B.** pavo          **C.** pollo      **D.** papas fritas
2. **A.** frito       **B.** asado         **C.** queja      **D.** a la parrilla
3. **A.** seco        **B.** botella       **C.** agua       **D.** beber
4. **A.** orégano     **B.** plato principal **C.** especias  **D.** pimienta
5. **A.** salado      **B.** marinado      **C.** fideos     **D.** ahumado
6. **A.** picante     **B.** cliente       **C.** camarero   **D.** restaurante

## 16 ¿Qué comida prefiere?

Imagine que va al restaurante del Vocabulario II. Lea las comidas de las que se habla en esa sección y escriba oraciones con cada una. Puede hablar sobre las comidas que usted prefiere, sobre las que no le gustan y sobre cómo prefiere comer cada una.

**MODELO** A mí me gusta más la pechuga de pavo asada que la marinada.

### ¡Extra!

**En el restaurante**

Éstas son algunas expresiones que se usan en un restaurante.

¿Está listo/a para pedir?
¿Cuáles son los platos especiales del día?
¿Qué aperitivos me recomienda?
Camarero/a, hay algo en mi sopa.
Más café, por favor.
La cuenta, por favor.
La cuenta tiene un error.

Are you ready to order?
What are the specials today?

What do you suggest for appetizer?
Waiter (waitress), there's something in my soup.
More coffee, please.
The check, please.
The check has a mistake.

# Diálogo II
## Pide lo que quieras

MATEO: Pide lo que quieras, Elisa. Quiero agradecerte tus consejos sobre los buenos modales.
ELISA: Espero que te sirvan.
MATEO: Seguro. ¿Qué vas a pedir de plato principal?
ELISA: Creo que el cordero... pero que no sea asado.

MATEO: Puedes pedirlo a la parrilla con papas fritas.
ELISA: No sé... también me gusta el bistec.
MATEO: Lo mejor en este restaurante es el ceviche.
ELISA: A mí no me gusta el pescado.

MATEO: Entonces, pide el bistec.
ELISA: ¿Crees que el bistec esté marinado?
MATEO: No creo. ¿Por qué no le preguntas a la camarera?
ELISA: Tienes razón. Espero que tampoco lleve muchas especias.

### 17 ¿Qué recuerda Ud.?

1. ¿Qué va a pedir Elisa?
2. ¿Qué otro plato le gusta a Elisa?
3. ¿Qué es lo mejor en ese restaurante?
4. ¿Qué quiere preguntarle Elisa a la camarera?

### 18 Algo personal

1. ¿Qué prefiere pedir de plato principal?
2. ¿Cómo le gusta comer el bistec?
3. ¿Le gusta la comida muy salada?
4. ¿Ha comido ceviche alguna vez?

Bistec a la parrilla.

### 19 Lo mismo...

Escoja la oración que dice lo mismo que la oración que escucha, pero de otra manera.

1. A. Las papas fritas del restaurante no son tan saladas como las de la cafetería.
   B. Las papas fritas de la cafetería son menos saladas que las del restaurante.

2. A. La sopa de pollo es mejor que la sopa de pescado.
   B. Lo mejor del restaurante es la sopa de pescado.

3. A. El tocino que necesito comprar no debe ser muy ahumado.
   B. No quiero tocino que sea ahumado.

4. A. Prefiero no comer bistec si no es asado.
   B. Preferiría comer el bistec a la parrilla.

## Una receta peruana

La comida peruana es muy rica, y diversa según las diferentes zonas del país. Se usan muchos productos regionales, y son famosos los ceviches de pescados y mariscos y los guisos[1], que muchas veces utilizan choclo y yuca. Los sancochaos, que quiere decir "hervidos", son también muy populares y los hay de muchos tipos. Ésta es una receta de sancochao como se hace en Lima, la capital de Perú.

### Sancochao a la limeña

**Ingredientes**

1 kilo de carne

1 zanahoria grande, pelada y cortada

3 papas

4 ramas de apio[2]

1/2 poro[3]

1/2 nabo[4]

1/4 repollo

3 choclos tiernos, cortados por la mitad

1 yuca amarilla, pelada y cortada

3 camotes[5] pelados

1/4 de kilo de vainitas[6]

1 pedazo de zapallo[7]

2 ramas de hierbabuena[8]

1 cucharada de orégano

sal

**Preparación**

Cocinar la carne, en pedazos, en una olla con agua junto con el apio, el poro, el nabo, la yuca y los choclos. Poner el caldo en otra olla, con la carne y los choclos. Si las yucas ya están cocidas, guardarlas en un recipiente aparte. Si no, ponerlas en la olla con la carne para que se terminen de cocer. Añadir las papas peladas y cortadas por la mitad, los camotes, el zapallo, las vainitas, el repollo y la zanahoria, echar sal, tapar y dejar que hierva, hasta que esté todo cocido. Finalmente, poner la hierbabuena y el orégano y dejar hervir 5 minutos más. Servir caliente.

[1]stews [2]celery [3]gourd [4]turnip [5]yams [6]string beans [7]pumpkin [8]spearmint

## 20 ¿Cómo se prepara el sancochao?

**Conteste las siguientes preguntas.**

1. ¿Qué es un sancochao?
2. Mencione seis ingredientes del sancochao a la limeña.
3. ¿Cuánto zapallo se necesita para esta receta?
4. ¿Qué se tiene que hacer con la yuca si está cocida?
5. ¿Cómo se debe servir el sancochao?

### ¡Oportunidades!

**Aprenda español cocinando**

¿Le gusta cocinar? ¿Le gusta probar platos de otros países? En la internet puede encontrar cientos de recetas de países hispanos, escritas en español. Trate de leer alguna receta e intente comprender los ingredientes y la preparación de algún plato. No sólo va a poder poner en práctica todo el vocabulario que ha aprendido sobre alimentos y cocina, sino que también va a tener la oportunidad de descubrir lo variada y atractiva que puede ser la comida hispana. ¡Buen provecho!

## Estructura

### El subjuntivo después de pronombres relativos

The relative pronouns *que* (that) and *quien* (who/whom) refer to and help describe a previously mentioned noun. Sometimes they are preceded by a preposition.

| | |
|---|---|
| *Mi abuela prepara un salmón ahumado **que** está buenísimo.* | My grandmother makes a smoked salmon **that** is absolutely delicious. |
| *Ella es la persona **a quien** le recomendé los fideos.* | She is the person **to whom** I recommended the noodles. |

The subjunctive is used after relative pronouns to describe people, places and things that may or may not exist. Notice that the personal *a* is not used with direct object nouns that refer to hypothetical persons. Compare the following pairs of sentences.

| | |
|---|---|
| *Busco un cocinero **que sepa** preparar recetas peruanas.* | I am looking for a cook **that knows** how to prepare Peruvian recipes. (There may or may not be one around here.) |
| *Conozco un cocinero muy bueno **que sabe** preparar recetas peruanas.* | I know a very good cook **that knows** how to prepare Peruvian recipes. (He does exist.) |
| *Quiere comprar una salsa **que no tenga** muchas especias.* | She wants to buy a sauce **that isn't** too spicy. (She may not find any.) |
| *Ella siempre compra esta salsa **que no tiene** muchas especias.* | She always buys this sauce **that isn't** too spicy. (It's the one over there.) |

The subjunctive is also used in negative clauses, that is, to state that something or someone does not exist.

| | |
|---|---|
| *No conozco a nadie **a quien no le gusten** los helados.* | I don't know anybody **who doesn't like** ice cream. |

The subjunctive is also used in questions to find out information about someone or something the speaker does not know much about.

| | |
|---|---|
| *¿Hay alguien aquí **que conozca** un restaurante peruano?* | Is there someone here **that knows** a Peruvian restaurant? |

## ❖ Práctica

### 21 ¿Qué quieren…?

**Forme oraciones usando el subjuntivo después de cada pronombre relativo.**

> **MODELO** Quiero un postre que / no ser muy dulce.
> Quiero un postre que no sea muy dulce.

1. Busco una persona que / saber hacer ceviche.
2. No conozco a nadie que / poder ayudarte.
3. Necesito alguien a quien / gustarle cocinar.
4. Quiero una costilla de cordero que / no estar muy asada.
5. ¿Hay alguien que / poder decirme cuáles son los platos especiales de hoy?
6. Busco un restaurante que / servir pescado a la parrilla.

Quiero un plato que no tenga ajo.

## 22 De regreso a casa

Ud. estuvo de vacaciones en Lima. Ahora está de regreso y le gustaría comer comida peruana. Complete las oraciones.

**MODELO** Aquí no hay ningún restaurante que *(servir)* pollo relleno con almendras.
Aquí no hay ningún restaurante que sirva pollo relleno con almendras.

1. No conozco a nadie a quien no le *(gustar)* la comida peruana.
2. Mis amigos peruanos buscan un restaurante donde *(servir)* ceviche.
3. Pueden ir a una tienda donde *(vender)* los ingredientes para hacerlo.
4. ¿Hay alguien que me *(prestar)* dinero para comprar los camarones?
5. ¿Te parece que habrá alguien que *(conocer)* un cocinero peruano?
6. Lo siento, pero en mi familia no hay nadie que *(saber)* cocinar bien.
7. Tampoco hay nadie que *(tener)* la receta para hacer ceviche.

## 23 Se busca persona que...

Con un compañero/a, siga las indicaciones para escribir anuncios solicitando un(a) cocinero/a y un(a) camarero/a. Pueden comenzar las oraciones del anuncio con las expresiones de la caja.

| se busca | busco | se necesita(n) | prefiero |
| se prefiere | necesitamos | queremos | preferimos |

**MODELO** persona que.../saber hablar inglés
Se necesita persona que sepa hablar inglés.

**A.** cocinero o cocinera que...
1. saber preparar platos de Perú
2. hablar español
3. ser amable y responsable
4. poder trabajar los fines de semana

**B.** camarero o camarera que...
1. ser simpático/a y sociable
2. tener dos años de experiencia
3. hablar español y francés
4. estar libre los fines de semana

## ✳ Comunicación

## 24 Encuesta

En grupos de seis, hagan una encuesta. Anoten el número de personas que corresponde a cada categoría para presentar los resultados a la clase. Sigan el modelo.

**MODELO** En nuestro grupo hay tres personas que cocinan frecuentemente.
No hay nadie a quien no le gusten los camarones.

¿Hay alguien en el grupo que...?
- cocine frecuentemente
- no le guste el pavo
- le gusten las costillas de cordero
- coma comida picante
- vaya a restaurantes peruanos
- conozca un(a) cocinero/a peruano/a

### La nominalización y el pronombre relativo *que*

When an object has been identified, it's not necessary to keep repeating its name in order to be understood. You may instead use an article followed by an adjective or an adjective phrase to refer to the object. This is called nominalization. Take a look at the following example.

| | |
|---|---|
| *Me gusta más **el salmón** a la parrilla **que el salmón** marinado.* | I like the grilled **salmon** more **than** the marinated **salmon.** |
| *Me gusta más **el salmón** a la parrilla **que el** marinado.* | I like the grilled **salmon** more **than** the marinated **one.** |

Note that the article is the same gender and number as the noun being replaced. Here are more examples of nominalization.

| | |
|---|---|
| *Por favor, compra **las almendras** ahumadas, **no las** saladas.* | Please buy the smoked **almonds, not** the salted **ones.** |
| ***El pescado** que has hecho es mejor **que el del** restaurante.* | **The fish** you've made is better **than the** restaurant's. |

You have seen more examples of nominalization using *lo* and *lo* + *que* to express an abstract idea.

| | |
|---|---|
| ***Lo mejor** fue el cordero asado.* | **The best thing** was the roasted lamb. |
| ***Lo que** más me gusta es el pollo relleno.* | **What** I like most is stuffed chicken. |

To refer to specific things rather than abstract ones, you may use *el que, la que, los que, las que.* This kind of nominalization always occurs in relative clauses.

| | |
|---|---|
| *Quiero **la que** sea más dulce.* | I want **the one that** is sweeter. |
| *No me gustan **los que** están crudos.* | I don't like **the ones that** are raw. (I don't like the raw ones.) |

Notice that if the nominalization refers to an object that has not been determined yet, the subjunctive is used. Compare the following.

| | |
|---|---|
| *Compraré **lo que quieres.*** | I will buy **what you want.** (I already know what you want.) |
| *Compraré **lo que quieras.*** | I will buy **whatever you want.** (I don't know what you want.) |

Pediré lo que quieras.

# Práctica

## 25 Lo que tuvimos que hacer

**Hay muchas palabras que se repiten en el siguiente párrafo. Use la nominalización para reemplazar *(replace)* las palabras en cursiva.**

En la escuela de cocina nos dijeron a Manuel y a mí que cocináramos juntos el plato típico de Perú o *(1. el plato típico)* de otro país de Latinoamérica. Primero tuvimos que escoger una receta y escogimos *(2. la receta)* de Manuel. Pienso que mi plato era mejor, pero *(3. el plato)* de Manuel era más fácil. Luego, fue necesario decidir si cocinábamos en mi casa o en *(4. la casa)* de Manuel; y si era mejor la tarde del miércoles o *(5. la tarde)* del jueves. Por fin decidimos cocinar en mi casa el jueves por la tarde. Cuando terminamos, le pedí a mi mamá que invitara a sus amigas del barrio y a *(6. las amigas)* de la clase de gimnasia para que probaran la comida. A todas les gustó *(7. la comida)* que preparamos y ninguna se quejó de dolor de estómago.

## 26 ¡Camarero, por favor!

**Ud. y su compañero/a están cenando en un restaurante con otros amigos y tienen problemas con el servicio. Túrnese con su compañero/a para quejarse. Usen la nominalización. Sigan el modelo.**

> **MODELO** El pastel lleva manzanas. Su amiga pidió el pastel que lleva cerezas.
> Este pastel lleva manzanas. Ella pidió el que lleva cerezas.

1. La sopa es de pollo. Ud. pidió la sopa que está hecha con tomate.
2. El ceviche tiene mariscos. Su amigo quiere el ceviche que tiene sólo pescado.
3. La carne está marinada con especias. Sus amigos pidieron la carne que está frita con tomate y cebolla.
4. Los bistecs están fritos. Ustedes pidieron los bistecs que están asados a la parrilla.
5. La cuenta indica que Ud. tomó la sopa que tiene camarones. Ud. tomó la sopa que tiene pollo.

# Comunicación

## 27 Encuesta

**Con su compañero/a, digan qué plato prefieren en las siguientes situaciones. Observen el menú y sigan el modelo. Usen la nominalización.**

> **MODELO** **A:** Si hace frío, yo prefiero una sopa. Me gusta la sopa de verduras. ¿Y a ti?
> **B:** Yo prefiero la de pollo.

| | |
|---|---|
| • si hace calor | • si hace frío |
| • si tienen mucha hambre | • si tienen prisa |

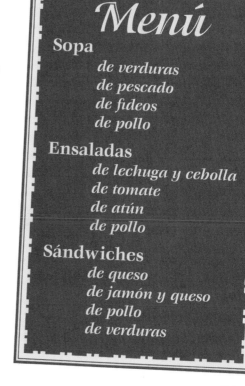

**Menú**

**Sopa**
de verduras
de pescado
de fideos
de pollo

**Ensaladas**
de lechuga y cebolla
de tomate
de atún
de pollo

**Sándwiches**
de queso
de jamón y queso
de pollo
de verduras

# Lectura personal

**E-Mail**

Archivo  Ver  Mensajes  Ayuda

A...    Miranda

Cc...  

Asunto:   Perú

## Recuerdos de Piura

Querida hermana,

Un saludo desde Piura, Perú, adonde llegamos anoche, muy cansados. Hoy comimos el almuerzo más abundante del viaje. Nos dieron seis platos en total, muy mezclados: primero sopa y luego ensalada y postre; después arroz, carne y ¡otro postre!

Por la mañana, visitamos el Museo del Oro, donde hay piedras de excavaciones y maquetas[1] y pinturas de los paisajes y ciudades del mundo inca. También vimos la Casa Museo del Almirante[2] Miguel Grau, donde hay muchos cuadros interesantes.

Por la tarde fuimos a Catacaos, un pueblecito cerca de Piura. Un señor del pueblo nos contó que los primeros invasores de Catacaos no fueron los españoles. Dice que los aztecas invadieron el pueblo y que por eso la gente del lugar tiene un acento tan parecido a los mexicanos. ¿No es interesante? Allí hay también una iglesia muy grande y paseamos por las calles, que están llenas de mercados. No te preocupes: ya te compré un objeto de artesanía[3] como recuerdo.

Por la noche, en la Plaza de Armas, vimos unas danzas típicas de la región. En general, fue un día lleno de actividad. Ahora me voy a descansar, porque mañana seguimos el viaje.

Besos, Manu

[1]models    [2]Admiral    [3]handicraft

La Plaza de Armas de Piura, Perú.

## 28 ¿Qué recuerda Ud.?

1. ¿Qué dos ciudades menciona Manu en su correo electrónico?
2. ¿Qué comió de almuerzo?
3. ¿Qué hay en el Museo del Oro?
4. ¿Por qué en Catacaos hablan con un acento parecido al mexicano?
5. ¿Qué vio Manu por la noche?

## 29 Algo personal

1. Cuando viaja, ¿le gusta mandar cartas o correos electrónicos? ¿A quién se los manda?
2. ¿Qué lugares de Piura o Catacaos le parecen más interesantes? ¿Por qué?

# ¿Qué aprendí?

**Visit the web-based activities at www.emcp.com**

## Autoevaluación
**Como repaso y autoevaluación, responda lo siguiente:**

1. Diga tres reglas de buenos modales.
2. ¿Qué es el Inti Raymi?
3. ¿Cómo se forma el imperfecto del subjuntivo?
4. Escriba la siguiente oración en pasado: *Quiero que traigas algo para comer.*
5. Dé tres razones para devolver un plato en un restaurante.
6. Identifique cuatro ingredientes del "sancochao".
7. Complete la siguiente oración: *No conozco a nadie a quien...*
8. Use la nominalización en la siguiente oración: *Este ceviche es mejor que el ceviche de mi mamá.*

## Palabras y expresiones

**La fiesta**
el anfitrión, la anfitriona
el invitado, la invitada
los modales

**Verbos**
bajar
comportarse
devolver (ue)
interrumpir
masticar
quejarse
recomendar (ie)
subir
tapar

**Para bailar**
el disc jockey, la disc jockey
la música bailable
los parlantes
los pasos (de baile)
el sistema de audio
el volumen

**Para comer**
la almendra
el bistec
el bocadillo
el ceviche
el cordero
los fideos
el maní, *pl.* los maníes
la nuez, *pl.* las nueces
la pechuga de pavo
las papas fritas
el salmón

**Para describir la comida**
a la parrilla
ahumado,-a
asado-a
crudo,-a
frito,-a
marinado,-a
relleno,-a
seco,-a
salado,-a

**Expresiones y otras palabras**
la botella
el cliente, la clienta
las especias
el plato principal

Las especias.

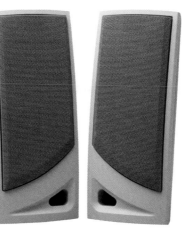

Los parlantes.

# ¡Viento en popa!

## Ud. lee

### Estrategia

**Using your senses**

Poets often use details that invite the reader to feel with the five senses what they are talking about. If you use your senses, you can easily visualize the setting and the actions of the poem. Use your imagination to place yourself in the situation and think about what you can smell, touch, see, hear, and taste. Be aware that one detail can appeal to more than one sense.

## Preparación

**Lea la siguiente información sobre el poeta chileno Pablo Neruda y luego conteste las preguntas que siguen.**

Neftalí Ricardo Reyes Basoalto nació en el pueblo chileno de Parral, en 1904. Años después sería conocido en todo el mundo como el gran poeta Pablo Neruda. Su padre era obrero de trenes y su madre, maestra de escuela. A la muerte de su madre, cuando el escritor tenía sólo dos años, la familia se fue a vivir a Temuco, donde Pablo asistió a la escuela. En 1921, Neruda se mudó a Santiago, la capital, para estudiar pedagogía en la universidad. Además de escribir numerosos poemas, Neruda fundó y dirigió varias revistas literarias y vivió en diferentes países como diplomático. Entre sus obras más conocidas están *Veinte poemas de amor y una canción desesperada*, *Tentativa del hombre infinito*, *Odas elementales* y sus memorias, *Confieso que he vivido*. En 1971, Neruda recibió el Premio Nobel de Literatura. El poeta murió en Santiago de Chile el 23 de septiembre de 1974.

Pablo Neruda.

1. ¿Cuál era el verdadero nombre de Pablo Neruda?
2. ¿Dónde nació Neruda?
3. ¿Qué estudió en la universidad?
4. ¿Qué otras profesiones tuvo, además de la de escritor?
5. ¿Cuándo ganó el Premio Nobel de Literatura?

# Oda a la alcachofa

La alcachofa[1]
de tierno[2] corazón
se vistió de guerrero[3],
erecta, construyó
una pequeña cúpula,
se mantuvo
impermeable[4]
bajo
sus escamas[5],
a su lado
los vegetales locos
se encresparon[6],
se hicieron
zarcillos[7], espadañas[8],
bulbos conmovedores[9],
en el subsuelo
durmió la zanahoria
de bigotes rojos,
la viña[10]
resecó los sarmientos[11]
por donde sube el vino,
la col[12]
se dedicó
a probarse faldas,
el orégano
a perfumar el mundo,
y la dulce
alcachofa
allí en el huerto[13],
vestida de guerrero,
bruñida[14]
como una granada,

orgullosa,
y un día
una con otra
en grandes cestos
de mimbre[15], caminó
por el mercado
a realizar su sueño:
la milicia[16].
En hileras[17]
nunca fue tan marcial
como en la feria,
los hombres
entre las legumbres
con sus camisas blancas
eran
mariscales
de las alcachofas,
las filas apretadas[18],
las voces de comando,
y la detonación
de una caja que cae,
pero
entonces
viene
María
con su cesto,
escoge
una alcachofa,
no le teme[19],
la examina, la observa
contra la luz como si fuera un huevo,
la compra,

la confunde[20]
en su bolsa
con un par de zapatos,
con un repollo y una
botella
de vinagre
hasta
que entrando a la cocina
la sumerge en la olla.
Así termina
en paz
esta carrera
del vegetal armado
que se llama alcachofa,
luego
escama por escama
desvestimos
la delicia
y comemos
la pacífica[21] pasta
de su corazón verde.

[1]artichoke  [2]soft  [3]warrior
[4]waterproof  [5]scales  [6]bristled
[7]tendrils  [8]belfries  [9]moving
[10]vine  [11]vine shoots  [12]cabbage
[13]orchard  [14]polished
[15]wicker baskets  [16]military
[17]rows  [18]pressed together
[19]isn't afraid of it
[20]gets it mixed up  [21]peaceful

## A  ¿Qué recuerda Ud.?

1. ¿Qué se describe en este poema?
2. ¿Con qué compara el poeta a la alcachofa?
3. ¿Cuál es la historia de la alcachofa del poema?
4. ¿Cómo termina la vida de esta alcachofa?

## B  Algo personal

1. ¿Le gustan las alcachofas? ¿Por qué?
2. ¿Por qué cree Ud. que, al final del poema, el poeta hace dos referencias a la paz?
3. Imagine su fruta o verdura favorita. ¿A qué se parece? ¿Con qué la compararía?

La alcachofa.

# Ud. escribe

## Estrategia

**Using sensorial details**

To make a description more vivid, you can add details that appeal to each one of the five senses. Think of what you are describing and try to find words that tell your reader how it smells, sounds, feels to the touch, tastes or looks like. You can also think of things your object reminds you of, and then use sensory adjectives to compare it to the object you are describing. For instance, if you are describing a cloud and it reminds you of a cotton ball, you can use adjectives that describe the cotton ball and apply them to the cloud.

Escriba una descripción de su comida favorita usando detalles sensoriales. Piense en adjetivos que describan qué forma y colores tiene, cómo huele, qué gusto tiene y cómo es al tacto (suave, dura, blanda). Piense también en adjetivos que le sugieran algún sonido relacionado con esa comida, por ejemplo, "ruidoso", si la comida le recuerda el lugar donde se vende por lo general. Use la gráfica que se encuentra a continuación para ordenar los detalles. Incluya en su descripción oraciones con el subjuntivo después de pronombres relativos y la nominalización (por ejemplo, el que coma la alcachofa, se enamorará de ella). Comparta su borrador con otro/a estudiante y pídale sugerencias o correcciones. Por último, escriba la versión final para incluir las sugerencias de su compañero/a y para corregir los errores en los tiempos de los verbos, el uso de las palabras o expresiones de transición y la ortografía.

# Proyectos adicionales

## A Conexión con otras disciplinas: arqueología

¿Sabía usted que no sólo en Egipto hay momias? Los incas también hacían momias. Se han encontrado en los últimos años muchas momias incas en distintos lugares de la región andina. Haga una investigación en la internet y busque información sobre momias incas. Luego, escriba un informe diciendo cómo eran, en qué lugares se han encontrado y en qué estado estaban. Lea su informe en clase.

## B Conexión con la tecnología

En Perú hay muchos mercados interesantes para visitar. Haga una investigación en la internet y busque información sobre los mercados más importantes de Perú, dónde están, cuándo tienen lugar y qué productos se pueden encontrar en cada uno. Luego, comparta con la clase la información que encuentre.

El mercado de Pisac, Perú.

La yuca se usa en muchos platos típicos peruanos y bolivianos.

## C Comparaciones

Compare un plato típico de su área con un plato peruano o boliviano de características parecidas. Primero, escoja un plato típico de Perú o Bolivia. Puede buscarlo en la internet o en un libro de recetas de la biblioteca. Después, compare la preparación y los ingredientes de ese plato con los del plato de su región. Escriba un párrafo comparando ambos platos.

# Repaso

**Now that I have completed this chapter, I can...**

| | Go to these pages for help: |
|---|---|
| talk about grocery shopping. | 288, 289 |
| describe foods in terms of flavor and freshness. | 288 |
| make comparisons. | 292, 293 |
| single out something. | 295 |
| discuss food preparations. | 298, 299 |
| express accidental occurrences. | 306 |
| talk about good manners. | 310, 311 |
| order food at a restaurant. | 318 |
| make complaints. | 318 |
| avoid using a word already mentioned. | 324 |

**I can also...**

| | |
|---|---|
| talk about a carnival that takes place in Oruro, Bolivia. | 291 |
| explain why the yucca plant was so important during World War I. | 301 |
| identify the two capitals of Bolivia and give details about each of them. | 308 |
| talk about the Inti Raymi festival in Peru. | 313 |
| explain how to prepare a peruvian recipe | 321 |
| Read a poem by a Nobel prize Chilean poet. | 329 |

## Trabalenguas

Si Sansón no sazona su salsa con sal, le sale sosa;
Le sale sosa su salsa a Sansón si la sazona sin sal.

# Vocabulario

**agrio,-a** sour *7A*
**ahumado,-a** smoked *7B*
el **ají,** *pl.* los **ajíes** pepper *7A*
la **almendra** almond *7B*
el **anfitrión,** la **anfitriona** host, hostess *7B*
**asado-a** roasted *7B*
la **asadora** baking pan *7A*
**asar** to roast *7A*
**bajar** to lower *7B*
la **batidora** blender *7A*
**batir** to beat *7A*
el **bistec** steak *7B*
el **bocadillo** sandwich *7B*
el **boliviano** Bolivian currency *7A*
la **botella** bottle *7B*
la **cereza** cherry *7A*
el **ceviche** *ceviche* (marinated sea food dish) *7B*
el **choclo** ear of corn *7A*
la **clara** egg white *7A*
el **cliente,** la **clienta** customer *7B*
**cocer (ue)** to cook *7A*
**cocido,-a** cooked, done *7A*
**comportarse** to behave *7B*
el **condimento** seasoning *7A*
el **cordero** lamb *7B*
**crudo,-a** raw, undone *7B*
el **damasco** apricot *7A*
el **diente de ajo** garlic clove *7A*

el **disc jockey,** la **disc jockey** disc jockey (DJ) *7B*
**enfriar** to cool *7A*
las **especias** spices *7B*
las **espinacas** spinach *7A*
los **fideos** noodles *7B*
el **frijol** bean *7A*
**frito,-a** fried *7B*
el **garbanzo** chick-pea *7A*
el **gramo** gram *7A*
la **harina** flour *7A*
**hervir (ie)** to boil *7A*
**hornear** to bake *7A*
**interrumpir** to interrupt *7B*
el **invitado,** la **invitada** guest *7B*
la **lenteja** lentil *7A*
el **litro** liter *7A*
el **maní,** *pl.* los **maníes** peanut *7B*
**marinado,-a** marinated *7B*
**masticar** to chew *7B*
**mezclar** to mix *7B*
los **modales** manners *7B*
la **música bailable** dancing music *7B*
la **nuez,** *pl.* las **nueces** walnut *7B*
el **orégano** oregano *7A*
las **papas fritas** French fries *7B*
los **parlantes** speakers *7B*

a la **parrilla** grilled *7B*
los **pasos (de baile)** (dance) steps *7B*
la **pechuga de pavo** turkey breast *7B*
el **pedazo** piece *7A*
**pelar** to peel *7A*
el **perejil** parsley *7A*
**picante** hot *7A*
**picar** to chop *7A*
el **plato principal** main dish *7B*
**podrido,-a** rotten *7A*
el **puesto** stall *7A*
**quejarse** to complain *7B*
el **recipiente** bowl *7A*
**relleno,-a** stuffed *7B*
el **repollo** cabbage *7A*
**revolver (ue)** to stir *7A*
**sabroso,-a** tasty *7A*
**salado,-a** salty *7B*
el **salmón** salmon *7B*
la **sartén** frying pan *7A*
**seco,-a** dry *7B*
el **sistema de audio** audio system *7B*
**subir** to raise *7B*
**tapar** to cover *7B*
**verde** unripe *7A*
el **volumen** volume *7B*
la **yema** egg yolk *7A*

La asadora.

La sartén.

# Capítulo 8

# La buena salud

## Objetivos

- ❖ **inquire and give advice about health**
- ❖ **express future events**
- ❖ **talk about situations that would have happened**
- ❖ **talk about symptoms and remedies**
- ❖ **ask for and provide medical information**
- ❖ **express length of time**
- ❖ **discuss ways to stay fit**
- ❖ **express what someone would do in a specific situation**
- ❖ **talk about a healthy diet**

**Visit the web-based activities at www.emcp.com**

# Vocabulario I

## Accidentes de todos los días

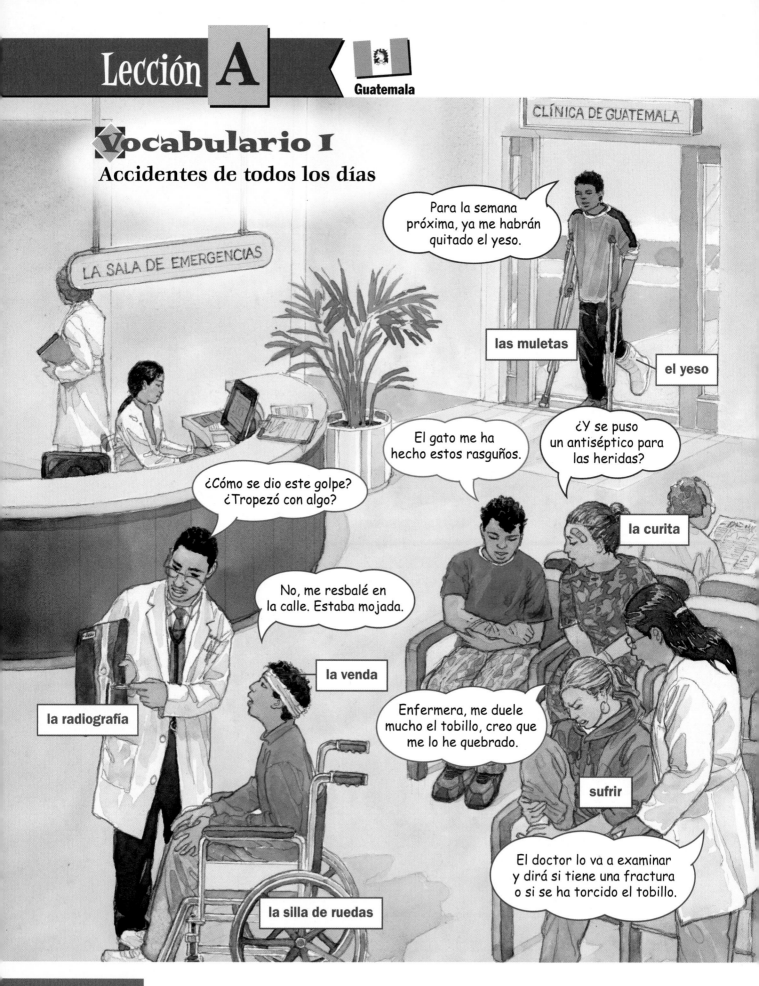

CLÍNICA DE GUATEMALA

LA SALA DE EMERGENCIAS

Para la semana próxima, ya me habrán quitado el yeso.

las muletas

el yeso

¿Y se puso un antiséptico para las heridas?

El gato me ha hecho estos rasguños.

¿Cómo se dio este golpe? ¿Tropezó con algo?

la curita

No, me resbalé en la calle. Estaba mojada.

la venda

la radiografía

Enfermera, me duele mucho el tobillo, creo que me lo he quebrado.

sufrir

El doctor lo va a examinar y dirá si tiene una fractura o si se ha torcido el tobillo.

la silla de ruedas

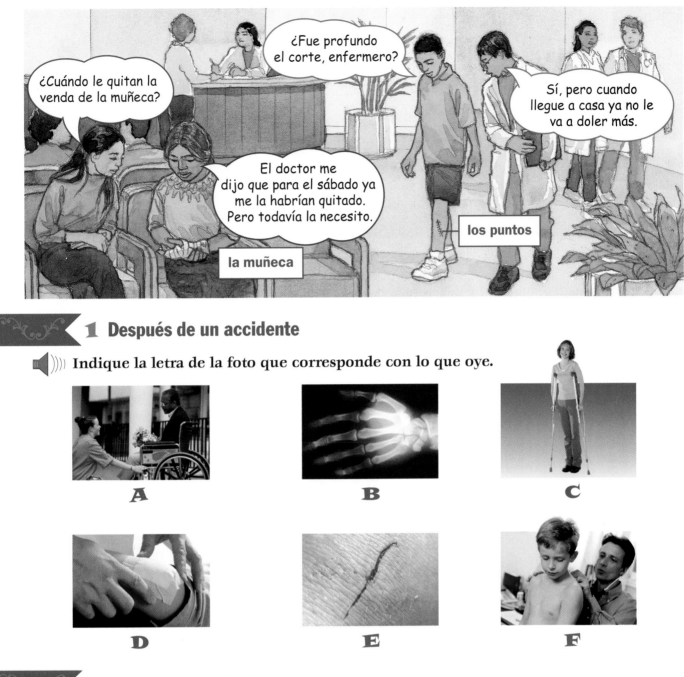

## 1 Después de un accidente

🔊)))) Indique la letra de la foto que corresponde con lo que oye.

**A**

**B**

**C**

**D**

**E**

**F**

## 2 ¿Qué ha sucedido?

Complete las oraciones con las palabras de la caja.

| antiséptico | herida | muñeca | torcido | yeso |
|---|---|---|---|---|

1. En la sala de emergencias me dijeron que en un mes ya le habrán quitado el ___ del tobillo.
2. A Ana le tuvieron que dar puntos en la ___ porque era muy profunda.
3. ¿Te has puesto un ___ en el corte?
4. Me duele la ___, creo que me la he fracturado.
5. En el partido de básquetbol, uno de los jugadores se había ___ el tobillo.

# Diálogo I

## ¿Cómo te quebraste el brazo?

**LUZ:** ¿Cómo te quebraste el brazo, Jorge?

**JORGE:** Estaba jugando a la pelota y me tropecé.

**LUZ:** ¿Te llevaron a la sala de emergencias?

**JORGE:** Sí, me llevaron a la clínica del barrio.

**LUZ:** ¿Qué te hicieron allí?

**JORGE:** El médico me examinó el brazo y me sacó una radiografía.

**LUZ:** ¿Se veía la fractura en la radiografía?

**JORGE:** Por supuesto.

**LUZ:** ¿Cuánto tiempo debes tener el yeso en el brazo?

**JORGE:** El médico me dijo que dentro de tres semanas ya me lo habrían quitado.

**LUZ:** ¿Qué vas a hacer ahora?

**JORGE:** Me pintaré el yeso de rojo para que mis compañeros me vean cuando juguemos.

**LUZ:** ¡Eres imposible, Jorge!

## 3 ¿Qué recuerda Ud.?

1. ¿Cómo se quebró Jorge el brazo?
2. ¿Adónde lo llevaron?
3. ¿Qué le hizo el médico?
4. ¿Para cuándo le dijo el médico que le habrían quitado el yeso del brazo?
5. ¿Qué va a hacer ahora Jorge?

### ¡Extra!

**El artículo definido**

When speaking of parts of the body, clothing and other items, definite articles are used instead of possessive adjectives.

Me quebré **el** brazo.
I broke **my** arm.

¿Perdió usted **el** suéter?
Did you lose **your** sweater?

## 4 Algo personal

1. ¿Ha tenido que ir a la sala de emergencias alguna vez? ¿Por qué?
2. ¿Se ha quebrado algo alguna vez? ¿Cómo?
3. ¿Ha tenido algún accidente?
4. ¿Qué usa cuando tiene una herida o un corte?
5. ¿Va al doctor a examinarse una vez por año?

## 5 ¿Médico o paciente?

Escuche las siguientes oraciones. Para cada una, diga si la persona que habla es el/la médico/a o el/la paciente.

## Remedios de la medicina maya

La manzanilla es buena para el dolor de estómago.

Los mayas usaban remedios naturales, hechos con cosas que encontraban a su alrededor, para curar todo tipo de enfermedades y afecciones[1]. Los doce remedios más usados, y que todavía se siguen usando en algunas comunidades, son la manzanilla[2], la cola de caballo[3], el llantén[4], el amargón[5], el ajenjo[6], la ortiga[7], el limón, la naranja, la manzana, la cebolla, el ajo y la zanahoria.

# La medicina maya

| | |
|---|---|
| **Manzanilla:** | Cura el dolor de estómago y alivia[8] la conjuntivitis[9]. |
| **Cola de caballo:** | Previene[10] el cáncer. |
| **Llantén:** | Limpia la sangre[11] y los pulmones[12]. |
| **Amargón:** | Cura la anemia. |
| **Ajenjo:** | Va bien para el dolor de cabeza. |
| **Ortiga:** | Tranquiliza[13]. Recomendada para el estrés. |
| **Limón:** | Limpia el cuerpo de enfermedades. |
| **Naranja:** | Cura el cuerpo. Tiene muchas vitaminas. |
| **Manzana:** | Despierta el hambre y alivia dolores. |
| **Cebolla:** | Previene el cáncer y ayuda al trabajo del cerebro[14]. |
| **Ajo:** | Se recomienda para la presión alta[15]. |
| **Zanahoria:** | Cura enfermedades de la vista[16]. |

Ajo.

[1]ailments   [2]chamomile   [3]horsetail   [4]plantain   [5]dandelion
[6]absinthe   [7]nettle   [8]alleviates   [9]pink eye   [10]Prevents   [11]blood
[12]lungs   [13]Calms down   [14]brain   [15]high blood pressure   [16]sight

## 6 ¿Qué remedios usaban los mayas?

**Conteste las siguientes preguntas.**

1. ¿Qué usaban los mayas para curar enfermedades?
2. Mencione cuatro de los remedios más usados.
3. ¿Qué usaban los mayas para el dolor de estómago?
4. ¿Qué se recomienda para el estrés?
5. ¿Con qué se curan enfermedades de la vista?

## Repaso rápido: el verbo *doler*

The verb *doler* is similar to the verb *gustar* because it is used with an indirect object pronoun. It has two basic forms, *duele* and *duelen.* Use *duele* with a singular noun and *duelen* with a plural noun.

| | |
|---|---|
| ***Me duele** la rodilla.* | My knee **hurts.** |
| *A Carlos **le duelen** mucho las muñecas.* | Carlos' wrists **hurt** a lot |

To express that you have a headache, stomachache, and so on, use the verb *tener* + *dolor* (ache) *de* + the part of the body that is aching.

| | |
|---|---|
| *¿**Tienes dolor de** cabeza?* | **Do you have a** headache? |

## 7 ¿Qué les duele?

Imagine que se encuentra con las siguientes personas y a todas les duele algo. Con su compañero/a, pregunten y contesten según cada ilustración e información dada.

MODELO

Enrique / estómago
**A:** ¿Qué le duele a Enrique?
**B:** Le duele el estómago.

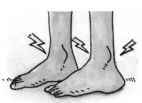

1. ellos / tobillos

2. Ud. / cabeza

3. tu hermano / muñeca

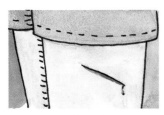

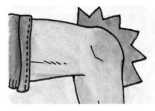

4. Marisa / corte

5. Uds. / espalda

6. Ud. / rodilla

### Los tiempos compuestos: el futuro perfecto y el condicional perfecto

The perfect (or compound) tenses consist of a form of *haber* combined with a past participle. You have learned the present perfect and the past perfect tenses.

There are two more perfect tenses that use a form of *haber* combined with a past participle. These are the future perfect and the conditional perfect.

To form the future perfect *(futuro perfecto)*, use a future form of *haber* + past participle. The future perfect expresses a future event that will have been completed before another future event.

| | |
|---|---|
| *Cuando hable con el doctor, él ya* **habrá visto** *la radiografía.* | When I speak to the doctor, he **will have** already **seen** the X-ray. |

To form the conditional perfect *(condicional perfecto)*, use a conditional form of *haber* + past participle. The conditional perfect expresses a situation that would have happened or that would have been if something else had ocurred. It is related to another event in the past. In the following example, the event in the past is *dijo*. The event likely to have happened is *me habrían quitado*.

| | |
|---|---|
| *La enfermera dijo que para la semana pasada ya me* **habrían quitado** *la venda.* | The nurse said that they **would have taken off** the bandage by last week. |

## Práctica

**8 ¡Qué raro!**

Imagine que un(a) amigo/a le contó lo que les había sucedido a ciertas personas pero Ud. cree que se ha equivocado. Con su compañero/a, hablen de lo que le sucedió a cada persona. Sustituyan la palabra en cursiva con la palabra entre paréntesis usando el pluscuamperfecto. Sigan el modelo.

MODELO **A:** *Juan* se torció el tobillo. (Jorge)
**B:** ¡Qué raro! Yo creí que Jorge se había torcido el tobillo.

1. Natalia se quebró *la muñeca*. (el pie)
2. Rosa tenía un fuerte dolor de *cabeza*. (el estómago)
3. Los enfermeros le quitaron el yeso de *la pierna* a Roberto. (el brazo)
4. *Teresa* estaba en una silla de ruedas después del accidente. (Maribel)
5. El padre de Enrique se dio un golpe en *la rodilla*. (el codo)
6. Los hermanos *Gómez* fueron a la sala de emergencias de la clínica. (Durán)

Se quebró la muñeca.

## 9 ¿Qué habrá sucedido para la semana próxima?

**Muchas veces podemos predecir lo que sucederá en diferentes situaciones. Diga cómo serán las cosas siguiendo las indicaciones.**

MODELO  la semana próxima / el médico / examinar la radiografía
Para la semana próxima, el médico ya habrá examinado la radiografía.

1. el lunes / tú / salir de la clínica
2. mañana / yo / cambiarse la curita
3. el martes / los doctores / quitarle los puntos a Ana
4. el viernes / el antiséptico / acabarse
5. el mes próximo / mi hermano / olvidarse de la fractura
6. cuando comience a llover / nosotros / llegar a la clínica

## 10 Mini-diálogos

**Con un(a) compañero/a, hagan mini-diálogos usando elementos de las tres columnas. Usen verbos como *decir, explicar* o *anunciar* en las preguntas y el condicional perfecto en las respuestas.**

MODELO  **A:** ¿Qué dijeron tus compañeros?
**B:** Dijeron que para el sábado, ya habrían terminado la tarea.

| | | |
|---|---|---|
| tus compañeros | el sábado | corregir los exámenes |
| tu amigo(a) | el lunes | reparar el coche |
| tu papá | la semana pasada | parar de llover |
| la doctora | el domingo | instalar la computadora |
| el reportero | el fin de semana | entrenarse para el campeonato |
| el profesor | | cambiar las vendas |
| la tenista | | terminar la tarea |
| el mecánico | | examinar todas las radiografías |

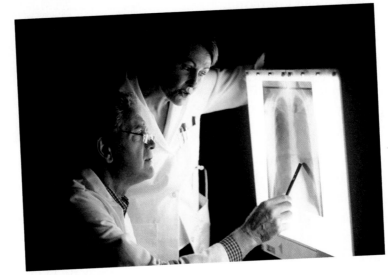

Radiografía.

# ❖ Comunicación

**11  Había hecho tantas cosas en Guatemala**

Ud. y un(a) amigo/a habían hecho planes para ir a Guatemala, pero no pudieron ir. Con su compañero/a, lean el folleto turístico sobre Guatemala y hablen de lo que habrían hecho allí. Usen la siguiente lista como guía.

- dónde se habrían alojado
- museos que habrían visitado
- excursiones que habrían escogido
- restaurantes donde habrían comido
- regalos que habrían comprado
- mercados que habrían visitado

MODELO  **A:** ¿Dónde te habrías alojado?

**B:** Me habría alojado en el Intercontinental porque es de cinco estrellas.

## Conozca Guatemala

Ciudad de Guatemala.

**La ciudad de Guatemala ofrece a los visitantes todos los servicios que esperan encontrar en un viaje de placer o de negocios.**

### Hoteles recomendados

| Hotel | Estrellas |
|---|---|
| Intercontinental | ★★★★★ |
| Westing Camino Real | ★★★★★ |
| Quinta Real | ★★★★★ |
| Gran Tikal Futura Hotel | ★★★★★ |
| Apartamentos Las Torres | ★★★ |
| Hostal Los Volcanes | ★★ |

| Restaurantes recomendados | Tipo de comida |
|---|---|
| Donde Mikel | española |
| Tre Fratelli | italiana |
| Hacienda Real | parrilla y mariscos |
| Fuego Lento | carne a la parrilla |

### Mercados

El mercado de abastos ofrece frutas y verduras de toda la región. Abierto lunes, jueves y sábados.

En el mercado de artesanías se puede comprar jade, cristal, tejidos y productos autóctonos no sólo de la región, sino de todo el país. Horario: Lunes a sábado de 8:00 a 18:00 hrs. y domingo de 8:30 a 14:00 hrs. Precio de entrada: Gratuita.

### Centros comerciales

Los modernos centros comerciales de la ciudad ofrecen una gran variedad de tiendas, entre las cuales se encuentran tiendas de ropa, zapatos, artículos para el hogar, todas con precios razonables y productos de alta calidad. También cuentan con salas de cine con sonido digital para que Ud. pueda disfrutar de las mejores películas.

### Centros comerciales recomendados:

La Pradera, Unicentro, Los Próceres, Tikal Futura.

### Museos

Museo Ixchel del Traje Indígena. Horario: Lunes a viernes de 9:00 a 17:00 hrs. Sábado de 9:00 a 13:00 hrs. Precio de entrada: Q20 ($2.56)

Museo Popol Vuh. Horario: Lunes a viernes 9:00 a 17:00 hrs. Sábado de 9:00 a 13:00 hrs. Precio entrada: Q20 ($2.56)

Museo Nacional de Historia. Horario: Lunes a viernes de 9:00 a 17:00 hrs. Precio de entrada: Gratuita.

Museo Nacional de Arqueología y Etnología. Horario: Martes a viernes de 9:00 a 16:00 hrs. Sábados y domingos de 9:00 a 12:00 hrs. y de 14:00 a 16:00 hrs. Precio entrada: Q30.00 ($3.85).

Palacio Nacional de la Cultura. Horario: Lunes a sábado de 9:00 a 12:00 hrs. y de 14:00 a 17:00 hrs. Precio entrada: Gratuita.

Museo de Arte Moderno. Horario: Lunes a viernes de 9:00 a 16:00 hrs. Sábados de 9:00 a 12:00 hrs. Precio entrada: Q10.00 ($1.28).

### Excursiones recomendadas a otras regiones del país

Visitar las Ruinas Mayas de Tikal

Pasear por la ciudad colonial de Antigua

Escalar volcanes, como el volcán de Agua y el Pacaya, que todavía sigue activo

Navegar en el Lago de Izabal

Navegar en balsa por el río Caabon

Comprar artesanías en los mercados de Chichicastenango

Un mercado de Chichicastenango.

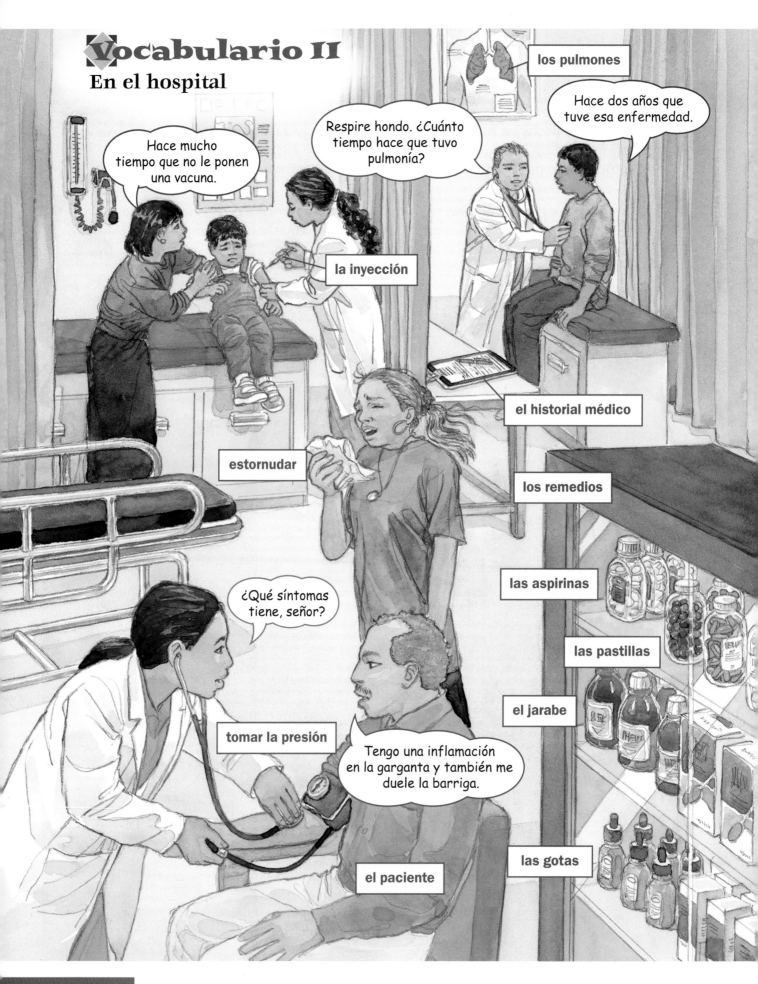

**12 ¿Cuáles son sus síntomas?**

Escuche lo que dicen los siguientes pacientes y escoja qué enfermedad sería lógico que tuvieran.

1. **A.** pulmonía     **B.** erupción     **C.** alergia
2. **A.** erupción     **B.** alergia     **C.** pulmonía
3. **A.** presión     **B.** alergia     **C.** infección
4. **A.** erupción     **B.** gripe     **C.** inflamación
5. **A.** erupción     **B.** pulmonía     **C.** resfriado

**13 ¿Qué me receta?**

Imagine que usted es médico/a. Escoja qué les recetaría a los pacientes que tienen los siguientes síntomas.

A. aspirina
E. pastilla para dormir
D. antibiótico
B. jarabe
C. gotas para los ojos

1. Tengo una inflamación en los ojos. ¿Qué me puede recetar?
2. Tengo dolor de cabeza. ¿Qué puedo tomar?
3. Estoy tosiendo mucho. Hace dos noches que no puedo dormir. ¿Qué remedio me puede ayudar?
4. Tengo una infección en la garganta y mucha fiebre. ¿Qué me va a recetar?
5. Mi bebé tiene mucha fiebre pero no puede tomar pastillas todavía. ¿Qué le puede recetar?

# Diálogo II

## ¿Qué síntomas tiene?

LUZ: Buenas tardes, doctor. Vengo a verlo porque no me siento bien.

DOCTOR: ¿Qué síntomas tiene?

LUZ: Me siento muy cansada y toso bastante. Además creo que tengo una inflamación en la garganta.

DOCTOR: ¿Tiene fiebre?

LUZ: No.

DOCTOR: ¿Cuántos días hace que se siente así?

LUZ: Casi una semana.

DOCTOR: ¿Y ha tomado algún remedio?

LUZ: He tomado aspirinas.

DOCTOR: Voy a examinarla... Respire hondo y tosa.

LUZ: ¿Qué enfermedad tengo, doctor? ¿Es muy grave?

DOCTOR: No. Según sus síntomas parece que tiene una infección. Con un antibiótico se va a curar en unos días.

## 14 ¿Qué recuerda Ud.?

1. ¿Por qué va Luz a ver al doctor?
2. ¿Qué síntomas tiene Luz?
3. ¿Cuánto tiempo hace que Luz se siente mal?
4. ¿Qué remedio ha tomado?
5. ¿Qué le pide el doctor a Luz que haga?
6. ¿Qué parece que tiene Luz, por sus síntomas?

## 15 Algo personal

1. ¿Va Ud. a veces al doctor?
2. ¿Qué enfermedades ha tenido?
3. ¿Qué toma cuando le duele la cabeza?
4. ¿Cuánto tiempo hace que le pusieron una vacuna?

### ¡Oportunidades!

**Use español en los hospitales**

Si usted está interesado/a en trabajar en un hospital, ¡repase su español! En los hospitales, especialmente los de las grandes ciudades, siempre necesitan gente que sea bilingüe. Los hospitales atienden a muchos enfermos que, a veces, sólo hablan español y es importante que los médicos y asistentes puedan hacerles preguntas. Algunos hospitales incluso tienen sus propios intérpretes para ayudarlos. Saber bien español va a ser una ventaja para usted si quiere conseguir un trabajo relacionado con la salud.

## 16 Situaciones

Indique la letra de la foto que corresponde con los diálogos que oye.

A　　B　　C　　D　　E　　F

## Baños termales[1] en Guatemala

En Guatemala, donde hay muchos volcanes, se usan las buenas propiedades[2] del agua para hacer baños termales. El agua, que sale ya caliente de la fuente, debido a[3] la actividad volcánica de la zona, es muy buena para curar dolores de los huesos[4] y los músculos. En los baños termales suele haber diferentes piscinas de agua caliente, en las que la gente se baña para sentirse mejor físicamente.

En Amatitlán, muy cerca del volcán Pacaya, están los baños termales Santa Teresita. Al pie del volcán Cerro Quemado, a sólo 3 kilómetros de Quetzaltenango, están los baños termales Los Vahos. En este balneario salen gases con azufre[5] y los baños son de vapor. Además, por su ubicación, Los Vahos tiene la mejor vista de la ciudad.

Del Cerro Quemado salen las aguas de los baños termales de Almolonga, donde se puede bañar toda la familia.

En la falda del volcán Zunil, en medio de las montañas, están las Fuentes Georginas, que se caracterizan por estar cubiertas[6] de niebla, porque están en el centro de un bosque tropical húmedo. Cerca de este volcán están también los baños Aguas Amargas.

El manantial[7] de los baños Chicovix está en la ribera[8] del río Salamá y sus aguas salen a una temperatura constante de 40° centígrados.

El volcán Pacaya en Guatemala.

[1]thermal baths   [2]properties   [3]due to   [4]bones   [5]sulfur   [6]covered   [7]fountainhead   [8]river bank

## 17 Aguas que curan

**Conteste las siguientes preguntas.**

1. ¿Dónde se usan las buenas propiedades del agua?
2. ¿Por qué el agua de los baños termales sale caliente de la fuente?
3. ¿Para qué se usan los baños termales?
4. ¿Dónde están los baños termales Los Vahos?
5. ¿A qué temperatura sale el agua de los baños Chicovix?

# Idioma

### Expresiones con *hace / hacía... que*

To find out or tell how long something has been going on, use:

> **¿Cuánto tiempo hace** + **que** + present/preterite?
>
> **hace** + period of time + **que** + present/preterite

| | |
|---|---|
| *¿Cuánto tiempo hace que tienes gripe?* | **For how long** have you had the flu? |
| *Hace mucho tiempo que ella está en la clínica.* | She has been in the clinic **for a long time.** |
| *¿Cuántas semanas hace que te caíste?* | **How many weeks ago** did you fall? |

To tell how long something had been going on in the past, use:

> **hacía** + period of time + **que** + imperfect tense

| | |
|---|---|
| *Hacía dos días que Pedro no tosía.* | Pedro hadn't coughed **for two days.** |
| *Hacía una hora que estábamos en la clínica.* | We had been in the clinic **for an hour.** |

## Práctica

### 18  En el hospital de Guatemala

**Imagine que trabaja en un hospital de Guatemala. Con su compañero/a, hagan diálogos según el modelo. Los verbos pueden estar en presente, en pretérito o en imperfecto, según las indicaciones.**

> **MODELO**  Ud. no poder respirar bien *(presente)* / una semana
>
> **A:** ¿Cuánto tiempo hace que no puede respirar bien?
> **B:** Hace una semana que no puedo respirar bien.

1. la paciente tener pulmonía *(imperfecto)* / unos días
2. el doctor recetar un antibiótico *(pretérito)* / una semana
3. el niño no parar de toser *(presente)* / diez minutos
4. usted dolerle la barriga *(imperfecto)* / una semana
5. la enfermera tomar la presión al paciente *(pretérito)* / dos horas
6. el doctor leer el historial médico *(pretérito)* / un mes
7. los pacientes estar en el hospital *(imperfecto)* / varios días
8. usted no tomar las pastillas *(imperfecto)* / dos días

Hace dos horas que tengo dolor de cabeza.

## 19 Hacía mucho que...

Muchas cosas les sucedieron a las siguientes personas durante el invierno. Complete las oraciones usando la forma apropiada del verbo entre paréntesis.

**MODELO** Hacía dos meses que yo no *(ir)* al gimnasio.
Hacía dos meses que yo no iba al gimnasio.

1. Hacía un año que Carmen no *(tener)* una inflamación en los oídos.
2. Hacía un mes que nosotros no *(estornudar)* todos los días.
3. Hacía tres meses que Héctor no *(toser)* al levantarse por la mañana.
4. Hacía dos años que Federico y Natalia no *(verse)*.
5. Hacía un mes que yo *(sufrir)* de alergias.
6. Hacía una semana que los niños *(tomar)* un jarabe.

#  Comunicación

## 20 Experiencias personales

 Conteste las siguientes preguntas usando una expresión con *hace* o con *hacía*. Luego, hágale las mismas preguntas a su compañero/a y comparen sus respuestas.

1. ¿Cuándo fue la última vez que fue al médico? ¿Cuánto tiempo hacía que no había visitado a un médico?
2. ¿Cuánto tiempo hace que le pusieron una vacuna? ¿Para qué fue?
3. ¿Cuánto tiempo hace que vio un accidente? ¿Dónde ocurrió? ¿Qué pasó?
4. La última vez que se sintió mal, ¿qué síntomas tenía? ¿Cuánto tiempo hacía que se sentía mal?
5. La última vez que se enfermó, ¿qué remedios le recetó el doctor? ¿Cuánto tiempo hacía que no se enfermaba?

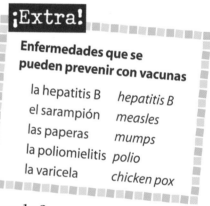

**¡Extra!**

**Enfermedades que se pueden prevenir con vacunas**

| | |
|---|---|
| la hepatitis B | hepatitis B |
| el sarampión | measles |
| las paperas | mumps |
| la poliomielitis | polio |
| la varicela | chicken pox |

## 21 ¿Cuánto hace que...?

Lea la siguiente lista de actividades y comente con su compañero/a cuánto tiempo hace que Ud. y su compañero/a hacen o no hacen cada cosa. Comparen lo que dice cada uno.

**MODELO** tomarse la presión
**A:** Hace un año que no me tomo la presión.
**B:** Hace dos meses que me tomé la presión.

- tomar un jarabe
- ponerse gotas en los ojos
- ir al médico
- darse un golpe
- visitar a un pariente en el hospital
- cortarse un dedo
- caerse en la calle
- hacer ejercicio

## Miguel Ángel Asturias

Miguel Ángel Asturias ganó el Premio Nobel de Literatura en 1967.

El 10 de octubre de 1899 nació en Ciudad de Guatemala Miguel Ángel Asturias, el escritor más ilustre de Guatemala y uno de los más importantes de la lengua española. Asturias fue también abogado y diplomático. En París estudió en la prestigiosa universidad de la Sorbona y fue allí, en colaboración con el escritor mexicano J. M. González de Mendoza, donde tradujo el *Popol Vuh*, el libro sagrado de los indios quichés de Guatemala. Los temas mágicos del libro le inspiraron para escribir una de sus obras más conocidas: *Leyendas de Guatemala*.

A Asturias siempre le preocuparon los temas sociales y fue uno de los fundadores de la Universidad Popular de Guatemala, que ayuda a promover la cultura y la artesanía del país. Fue embajador de su país en México, Argentina y El Salvador y, después de 12 años de exilio, también en Francia.

Por el contenido social y antiimperialista de sus poemas y novelas ganó el Premio Lenin de la Paz en 1966. Un año más tarde, en reconocimiento a su gran carrera literaria, le otorgaron el Premio Nobel de Literatura. También escribió ensayos y obras de teatro.

Además de las ya mencionadas, otras obras famosas de Miguel Ángel Asturias son *Viento fuerte, Mulata de Tal, Chantaje* y *El Señor Presidente*.

Leyendas de Guatemala.

### 22 ¿Qué recuerda Ud.?

1. ¿Dónde nació Miguel Ángel Asturias?
2. ¿Qué obra famosa tradujo cuando estaba en Francia?
3. ¿Qué obra le inspiró el *Popol Vuh*?
4. ¿Qué temas trata en sus obras?
5. ¿Qué importantes premios ganó Miguel Ángel Asturias?

### 23 Algo personal

1. ¿Conoce Ud. alguna leyenda de su país? ¿Cuál?
2. ¿Sobre qué temas le gusta a Ud. leer?

# ¿Qué aprendí?

**Visit the web-based activities at www.emcp.com**

## Autoevaluación
**Como repaso y evaluación, responda lo siguiente:**

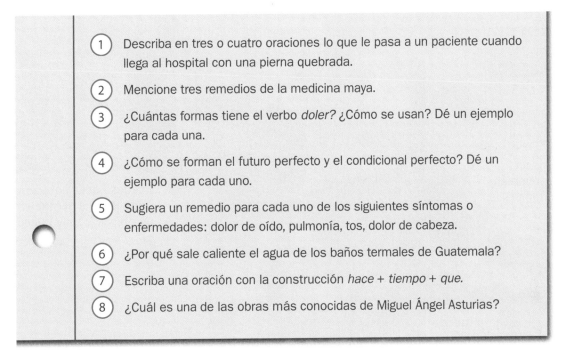

1. Describa en tres o cuatro oraciones lo que le pasa a un paciente cuando llega al hospital con una pierna quebrada.

2. Mencione tres remedios de la medicina maya.

3. ¿Cuántas formas tiene el verbo *doler*? ¿Cómo se usan? Dé un ejemplo para cada una.

4. ¿Cómo se forman el futuro perfecto y el condicional perfecto? Dé un ejemplo para cada uno.

5. Sugiera un remedio para cada uno de los siguientes síntomas o enfermedades: dolor de oído, pulmonía, tos, dolor de cabeza.

6. ¿Por qué sale caliente el agua de los baños termales de Guatemala?

7. Escriba una oración con la construcción *hace* + *tiempo* + *que*.

8. ¿Cuál es una de las obras más conocidas de Miguel Ángel Asturias?

## Palabras y expresiones

**Para hablar de los accidentes**
- el antiséptico
- el corte
- la curita
- darse un golpe
- la fractura
- las muletas
- los puntos
- la radiografía
- el rasguño
- la silla de ruedas
- la venda
- el yeso

**Partes del cuerpo**
- la barriga
- la muñeca
- la piel
- los pulmones
- el tobillo

**Las enfermedades y los síntomas**
- la alergia
- la enfermedad
- la erupción
- la infección
- la inflamación
- la pulmonía
- los síntomas

**Verbos**
- curar(se)
- estornudar
- examinar
- quebrarse (ie)
- recetar
- resbalarse
- respirar
- sufrir
- tomar(se) la presión
- torcerse (ue)
- toser
- tropezar

**Los remedios**
- el remedio
- la aspirina
- las gotas
- el jarabe
- el antibiótico
- la inyección
- la pastilla

**Otras palabras y expresiones**
- la clínica
- el historial médico
- hondo,-a
- el paciente, la paciente
- profundo,-a
- la sala de emergencias
- la vacuna

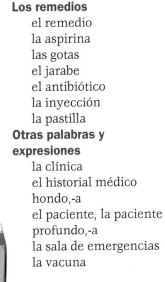

Las curitas.

¡Ay, tengo un calambre en la pierna!

hacer abdominales

hacer flexiones

Hacer yoga ayuda a evitar el estrés.

Debes estirarte antes de hacer ejercicio para evitar los calambres.

estirarse

## 1 Hacer ejercicio

Indique la letra de la foto que corresponde con lo que oye.

**A**

**B**

**C**

**D**

**E**

**F**

## 2 Consejos

Diga lo que les aconseja a las siguientes personas.

**MODELO** No tengo tiempo para hacer ejercicio. (hacer un esfuerzo)
Si hicieras un esfuerzo, tendrías tiempo para hacer ejercicio.

1. No tengo energía. (hacer ejercicio)
2. No tenemos fuerza. (levantar pesas)
3. Tengo un calambre. (estirarse)
4. No tengo fuerza en los brazos. (hacer flexiones)
5. Tengo estrés. (hacer yoga)
6. No nos mantenemos en forma. (hacer natación)

# Diálogo I

## Si hicieras ejercicio, te sentirías mejor

JAIME: ¿Por qué te sientes tan cansada, Isabel?

ISABEL: No sé, siento que no tengo energía.

JAIME: ¿Haces ejercicio para mantenerte en forma?

ISABEL: No mucho.

JAIME: Si hicieras ejercicio, te sentirías mejor.

ISABEL: Lo sé, pero siempre hay mucha gente haciendo bicicleta en el gimnasio.

JAIME: Pero puedes hacer otras cosas, como levantar pesas o hacer cinta.

ISABEL: No sé... creo que quiero hacer algo diferente.

JAIME: Me han dicho que hacer yoga es bueno para evitar el estrés... Además ayuda a mantenerse en forma.

ISABEL: ¿Y ofrecen clases de yoga en el gimnasio?

JAIME: Hay clases todos los días.

ISABEL: Bueno, entonces haré un esfuerzo e iré a una clase.

## 3 ¿Qué recuerda Ud.?

1. ¿Cómo se sentiría Isabel si hiciera ejercicio?
2. ¿Qué otras cosas puede hacer Isabel además de hacer bicicleta?
3. ¿Por qué hacer yoga es bueno?
4. ¿Qué hará Isabel?

## Estrategia

### Circumlocution

When you don't know or can't remember the word for something, you can use other words to describe it. For example, if you can't recall the word for *estirarse* (to stretch), you might instead use the words: *Es un ejercicio para evitar calambres.*

## 4 Algo personal

1. ¿Hace Ud. ejercicio? ¿Qué tipo de ejercicio hace?
2. ¿Le gusta ir al gimnasio? ¿Qué le gusta hacer allí?
3. ¿Se estira antes de hacer ejercicio?
4. ¿Hace Ud. yoga o conoce a alguien que haga yoga?
5. ¿Qué otras cosas hace, además de ejercicio, para mantenerse en forma?

## 5 Rutinas de ejercicio

 Escriba en una hoja los nombres de Elisa y Antonio. Escuche y anote debajo de los nombres cuál es la rutina de ejercicio de cada uno.

Elisa          Antonio

# Cultura viva

Estas jóvenes hondureñas compitieron en los Juegos.

## Los Juegos Deportivos Estudiantiles

En el año 2003 se celebraron en Honduras los primeros Juegos Deportivos Estudiantiles Nacionales. En ellos, más de 40.000 estudiantes de todo el país fueron a competir en distintos deportes, como fútbol, básquetbol, atletismo, judo, karate, natación, tae-kwon-do, tenis, tenis de mesa, voleibol y ajedrez.

Los participantes se escogieron a través de varias competencias en 327 colegios de 93 ciudades de Honduras. Los deportistas que fueron a estos juegos estaban muy motivados porque los ganadores de cada deporte representarían a Honduras en los VIII Juegos Deportivos Centroamericanos, unos meses después.

Con estos Juegos el gobierno hondureño quiere promover[1] el deporte entre los jóvenes, para que escojan un estilo de vida sano. Uno de los jóvenes deportistas más famosos de Honduras es David Mendoza, que ganó una medalla[2] de oro de atletismo en los Juegos Panamericanos de ese año. Para que los jóvenes hondureños sigan su ejemplo, el presidente de Honduras le dio una beca[3] para que Mendoza continuara sus estudios secundarios.

[1]promote  [2]medal  [3]scholarship

## 6 Deportistas jóvenes de Honduras

**Conteste las siguientes preguntas.**

1. ¿Cuándo fueron los primeros Juegos Deportivos Estudiantiles?
2. ¿Cuántos jóvenes participaron en los Juegos?
3. ¿En qué competencia representarían a Honduras los ganadores de los Juegos?
4. ¿Qué ganó David Mendoza?
5. ¿Qué le dio el presidente a Mendoza?

## Estructura

### El imperfecto del subjuntivo con *si*

Use the imperfect subjunctive after *si* to express a desire for things to be other than how or what they are, or an imagined event or condition. Use the conditional tense in the accompanying clause.

| | |
|---|---|
| *Si comieras* más frutas, *te sentirías* mejor. | **If you ate** more fruit, **you would feel** better. |

The *si* clause may be used first or last.

| | |
|---|---|
| *Tendrías* más fuerza *si levantaras* pesas. | **You would** be stronger **if you lifted** weights. |
| *Si levantaras* pesas, *tendrías* más fuerza. | |

## Práctica

### 7 Consejos

**El entrenador de fútbol les da los siguientes consejos a sus jugadores. Complete las oraciones usando *si* + *subjuntivo*.**

MODELO  Si ustedes *(correr)* dos millas por día, *(tener)* más energía.
Si ustedes corrieran dos millas por día, tendrían más energía.

1. Si tú *(hacer)* flexiones, *(tener)* más fuerza.
2. Si ustedes *(hacer)* natación, *(respirar)* mejor al jugar.
3. Si ellos *(jugar)* todos los días, *(mantenerse)* en forma.
4. Él *(evitar)* los calambres si *(hacer)* flexiones todos los días.
5. Si ustedes *(estirarse)* antes de jugar, no *(lastimarse)* tanto.
6. Tu fuerza *(aumentar)* si *(levantar)* pesas dos veces por semana.
7. Si yo no *(ir)* a los entrenamientos, los estudiantes no *(recibir)* instrucciones.
8. Si ustedes *(entrenarse)* todos los días, *(jugar)* mejor.

Si levantaras pesas, tendrías más fuerza.

## 8 Si mi amigo/a...

Piense en lo que sucedería si un(a) amigo/a suyo/a hiciera las actividades de la columna I. Una los elementos de las dos columnas para escribir oraciones que tengan sentido.

**MODELO** Si hiciera flexiones, tendría más fuerza en los brazos.

| I | II |
|---|---|
| hacer flexiones | curarse más rápido |
| acostarse temprano | evitar el estrés |
| hacer abdominales | mantenerse en forma |
| estirarse antes de hacer ejercicio | no estar tan cansado/a |
| comer bien | tener más fuerza en los brazos |
| hacer yoga | no tener calambres |
| ir al médico | tener más fuerza en el estómago |

## ✦ Comunicación

### 9 ¿Qué recomiendas?

¿Qué le recomendaría a su amigo/a en las siguientes situaciones? Con un(a) compañero/a, hagan mini-diálogos con los siguientes datos. Agreguen la información necesaria. Túrnense para representar cada parte del diálogo.

**MODELO** tener mucho estrés

    **A:** Hace un mes que tengo mucho estrés.

    **B:** Si hicieras yoga, evitarías el estrés.

1. tener hambre
2. faltarle energía
3. sentirse cansado/a
4. tener calambres
5. perder cosas importantes
6. llegar tarde a las citas
7. sacar malas notas en los exámenes
8. resfriarme en el invierno

### 10 Si yo fuera...

Si Ud. fuera una de las siguientes personas, ¿qué haría? ¿Cómo sería? ¿Cómo reaccionarían sus amigos o familiares? En grupos de tres, hablen de lo que harían y comparen sus respuestas.

**MODELO** el/la profesor(a) de esta clase

    Si yo fuera el/la profesor(a) de esta clase daría menos tarea. Sería estricto/a pero ayudaría a todos mis estudiantes. Mis estudiantes se sentirían muy orgullosos de mí.

un actor o una actriz famoso/a
el/la director(a) de este colegio
un(a) doctor(a) conocido/a

el/la mejor jugador(a) del equipo de...
un(a) escritor(a) famoso/a
el presidente o la presidenta de este país

## 11 Definiciones de nutrición

Escuche las siguientes definiciones y diga a qué palabra se refiere cada una.

1. A. comida nutritiva  B. comida saludable  C. comida chatarra
2. A. dieta  B. proteínas  C. calcio
3. A. fuerte  B. chatarra  C. nutritiva
4. A. alimentarse  B. saltarse una comida  C. mantener la dieta
5. A. saludable  B. cocido  C. interesante
6. A. igual  B. diferente  C. equilibrado

## 12 Alimentos nutritivos

Conteste las siguientes preguntas según la información dada en el Vocabulario II.

1. ¿Qué contienen las espinacas?
2. ¿Qué tiene la leche?
3. ¿Qué tienen los huevos y la carne?
4. ¿Qué contienen el cereal y el pan?
5. ¿Qué tienen las frutas?
6. Dé un ejemplo de comida chatarra.

Las bananas tienen vitaminas.

## 13 ¿Cuál es su dieta?

Piense en sus hábitos alimenticios. Haga una lista de los alimentos nutritivos y la comida chatarra que come por lo general en una semana. Compare los alimentos de su lista y decida cómo es su dieta: saludable o no, y explique por qué.

MODELO  Mi dieta no es saludable porque como mucha comida chatarra.

| Alimentos nutritivos | Comida chatarra |
| --- | --- |
|  |  |
|  |  |
|  |  |
|  |  |

# Diálogo II

## ¡Evita la comida chatarra!

**ISABEL:** ¿Cómo es tu dieta, Manuel?
**MANUEL:** Bueno… no es muy equilibrada. No puedo vivir sin comer pizza y hamburguesas con papas fritas.
**ISABEL:** ¿No estás cansado de comer tanta comida chatarra?
**MANUEL:** No, me encanta.

**ISABEL:** Debes cambiar esos hábitos. Aquí hay un artículo sobre la nutrición y los alimentos que hay que comer para llevar una dieta saludable.
**MANUEL:** ¿Qué alimentos?
**ISABEL:** Alimentos nutritivos como frutas, verduras y leche.

**MANUEL:** ¿Y por qué los recomiendan?
**ISABEL:** Porque contienen proteínas, hierro y calcio…
**MANUEL:** Está bien, me convenciste. A partir de mañana voy a cambiar mi dieta.

### 14 ¿Qué recuerda Ud.?

1. ¿Cómo es la dieta de Manuel?
2. ¿Qué tipo de comida chatarra come?
3. ¿Qué alimentos nutritivos hay que comer?
4. ¿Por qué esos alimentos son nutritivos?
5. ¿Qué va a hacer Manuel a partir de mañana?

### 15 Algo personal

1. ¿Lleva Ud. una dieta saludable?
2. ¿Cómo son sus hábitos de alimentación?
3. ¿Qué prefiere: la comida chatarra o los alimentos saludables?
4. ¿Le interesan los artículos sobre nutrición?

Comida chatarra.

### 16 La alimentación

Escoja una respuesta correcta a lo que oye.

A. Todos los días, como alimentos nutritivos como frutas y verduras.
B. Tienen grasas, carbohidratos y proteínas.
C. Yo también espero que haya comido bien hoy.
D. Es mejor evitar la comida chatarra.
E. No, no creo que el artículo haya sido escrito por un médico.

## La cocina hondureña

Tortillas para el desayuno.

Gran parte de la tradición de la comida de Honduras viene de la época de antes de la colonización española, como el uso de diferentes tipos de maíz, frijoles[1], calabazas[2] y de animales domésticos como pavos y patos, además de la flora (hongos, frutos, palmas y miel) y la fauna silvestres[3] (pescados de la zona, cerdo del monte o incluso armadillo). Con la llegada de los colonizadores se introdujeron ingredientes como el trigo y la cebada[4], otras variedades de frutas (higos[5], uvas, naranjas, mandarinas[6] y melones, entre otras), la caña de azúcar y muchas verduras y legumbres (ajos, cebollas, perejil[7], zanahorias, garbanzos[8], etc.). Hoy el plato típico de Honduras incluye varios alimentos simples, presentados en un mismo plato con tortillas. A veces, las tortillas se sustituyen por yuca, arroz o plátano verde, mientras que los ingredientes principales pueden ser carne, huevos, queso, mantequilla agria[9] y frijoles, generalmente molidos[10] y fritos.

Hay tres comidas principales al día, que en Honduras se llaman "tiempos de comida". En el desayuno suele haber plátano maduro, aguacate y huevos. En el almuerzo casi siempre hay arroz, con carne y ensalada. La cena puede combinar alimentos de las dos comidas anteriores, como arroz con huevos, aguacate, y frijoles con mantequilla agria. Generalmente habrá tortillas, pero especialmente en el desayuno y la cena.

Comida típica hondureña.

[1]beans   [2]pumpkins   [3]wild   [4]barley   [5]figs   [6]tangerines   [7]parsley   [8]chickpeas   [9]sour   [10]ground

## 17 ¿Qué sabe de la cocina de Honduras?

**Conteste las siguientes preguntas.**

1. ¿De dónde viene gran parte de la tradición de la cocina hondureña?
2. Mencione cinco alimentos que había antes de la colonización.
3. ¿Qué frutas trajeron los europeos a Honduras?
4. ¿Cómo se llaman las tres comidas principales en Honduras?
5. ¿Qué se suele comer en el desayuno en Honduras?

# Idioma

## Repaso rápido: preposiciones y pronombres

In Spanish, prepositions are often followed by one of these pronouns: *mí, ti, usted/sí, él/sí mismo, ella/sí misma, nosotros, nosotras, vosotros, vosotras, ustedes/sí, ellos/sí,* and *ellas/sí.* Two exceptions are the prepositions *entre* and *según,* which are followed by the subject pronouns, for example *yo* (instead of *mí*) and *tú* (instead of *ti*).

| | |
|---|---|
| *Voy a empezar la dieta **sin ti.*** | I am going to start the diet **without you.**. |
| *¿Esta hamburguesa es **para mí?*** | Is this hamburger **for me?** |
| ***Según tú**, debemos comer fibra.* | **According to you**, we have to eat fiber. |
| *Leo se preparó la cena **para sí mismo.*** | Leo prepared dinner **for himself.** |

The preposition *con* combines with *mí, ti* or *sí* to form *conmigo, contigo* and *consigo.*

| | |
|---|---|
| *Puedes hablar **conmigo** acerca de tu dieta.* | You can talk **to me** about your diet. |
| *No quiero ir al gimnasio **contigo.*** | I don't want to go to the gym **with you.** |
| *Ella no tiene el historial médico **consigo.*** | She doesn't have the medical history form **with her.** |

## 18 Hablando de comida...

Ud. y sus amigos se reúnen para hablar sobre las comidas. Escoja la expresión que complete cada oración de una manera lógica.

MODELO Mi madre cocina las espinacas
(*conmigo / con mí*).
Mi madre cocina las espinacas conmigo.

1. (*Según ella / Según sí*), no es bueno saltarse una comida.
2. El profesor de nutrición quiere hablar (*con sí / con nosotros*).
3. Si me esperas, voy al restaurante (*contigo / con tú*).
4. ¿Este libro sobre las proteínas y las grasas en los alimentos es (*para yo / para mí*)?
5. Patricia y Ana lo observan (*a él / consigo*) mientras come.
6. Laura compró el almuerzo (*para consigo / para sí misma*).

Karlos Arguiñano

*Verduras, hortalizas y legumbres*

GUÍAS DE ALIMENTACIÓN Y NUTRICIÓN

¿Este libro es para ti?

## 19 ¿Qué sucede?

Escriba oraciones completas usando los siguientes datos.
Use las preposiciones y los pronombres apropiados.

**MODELO**  Elena / llevar / una lista de alimentos / con ella
Elena lleva siempre una lista de alimentos consigo.

1. yo / ir / al mercado / con tú
2. ¿tú / querer / preparar estas espinacas / con yo?
3. yo / ir / a comprar / estas vitaminas / para tú
4. según / tú / nosotros / no deber / comer / comida chatarra
5. Pablo / traer / una bolsa de cacahuetes / con él
6. María / escoger / espinacas y tomates / para ella

Espinacas.

## Estructura

### Preposiciones seguidas de infinitivo

In Spanish, prepositions are sometimes followed by an infinitive to express an action.

*Gracias **por ir** conmigo a la biblioteca.*   Thanks **for going** with me to the library.

*Estoy aburrida **de comer** comida chatarra.*   I'm bored **eating** junk food.

The word *al* meaning "at," "while," or "when" is also used with infinitives.

*No hables **al comerte** la hamburguesa.*   Don't talk **while you eat** the hamburger.

*No había nadie **al entrar** en la clínica.*   There was nobody **when I entered** the clinic.

Prepositions often used with infinitives are: *para, por, de, a, hasta, sin* and *tras*. Some other words followed by these prepositions are:

| | | | |
|---|---|---|---|
| antes de | cansado/a de | harto/a de | seguir hasta |
| después de | aburrido/a de | listo/a para | quedar... por |

Listo para levantarse.

# Práctica

## 20 La nutrición

Complete el siguiente artículo sobre nutrición con las preposiciones *a, de, para,* según corresponda. Recuerde que *a* unida con *el,* forma *al.*

# ¿Por qué es importante la nutrición?

Llevar una buena dieta es muy importante. (1) alimentarnos bien, nuestro cuerpo recibe todos los elementos que necesita (2) funcionar. Antes (3) comer algo, es importante saber qué beneficios le trae al cuerpo. Por ejemplo, la comida chatarra no es nutritiva, y aunque nunca estés cansado (4) comerla, no siempre es lo mejor (5) darle a tu cuerpo. Muchas veces, después (6) comer una comida que no es saludable, te sientes sin energía y con sueño. Eso es porque no has comido los alimentos que necesita tu cuerpo. (7) llevar una dieta saludable, es necesario comer alimentos que contengan hierro, fibra, calcio, proteínas y vitaminas. Recuerda que (8) cambiar tu dieta, tu vida será mejor.

## 21 Listos para unir frases

Escriba oraciones uniendo las frases de las dos columnas con las palabras de la lista. Algunas palabras se usan más de una vez.

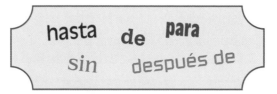

hasta    de    para    sin    después de

MODELO   las espinacas son buenas
Las espinacas son buenas para llevar una dieta saludable.

| I | II |
|---|---|
| 1. seguiré leyendo | tener una nota del médico |
| 2. la nutrición es importante | irnos de vacaciones al campo |
| 3. no te puedo dar el jarabe | levantarse temprano todos los días |
| 4. mis hermanos están hartos | salir de la escuela |
| 5. estamos listos | llevar una dieta saludable |
| 6. Víctor visitará a su abuela después | tener buena salud |
| | terminar el libro |

# ✦ **Comunicación**

## 22 Unas preguntas sobre Ud.

¿Cómo se siente hoy? ¿Cómo es su rutina? Con su compañero/a, contesten las siguientes preguntas y comparen luego sus respuestas.

1. ¿De qué está Ud. cansado/a?
2. ¿De qué está Ud. aburrido/a?
3. ¿Está listo/a para hacer algo? ¿Qué?
4. ¿Está Ud. harto/a de algo? ¿De qué?
5. ¿Se olvidó de hacer algo esta mañana? Si es así, ¿qué se olvidó de hacer?
6. ¿Sale Ud. a veces sin desayunar? ¿Cómo se siente después?
7. ¿Qué hace Ud. al entrar en una clase por primera vez?

## 23 ¿Para qué lo hago?

Todos los días hacemos diferentes cosas sin detenernos a pensar por qué o para qué las hacemos. Con su compañero/a, conversen sobre los siguientes temas. Escriban oraciones expresando sus opiniones y usando preposiciones apropiadas.

**MODELO**  tener una dieta equilibrada
Para tener una dieta equilibrada, hay que comer todo tipo de alimentos.
despertarse temprano
Al despertarse temprano, hay más tiempo para hacer cosas durante el día.

- alimentarse bien
- evitar la comida chatarra
- estar listo/a para correr una maratón
- estudiar para un examen difícil
- ir al doctor una vez al año
- comer frutas y verduras
- no estar aburrido/a de…
- no estar harto/a de…

## 24 Un artículo para la comunidad

Con su compañero/a, escriban un artículo sobre un tema importante relacionado con la salud; por ejemplo, la nutrición, el ejercicio físico, las vacaciones, etc. Expliquen por qué es importante y qué cosas buenas trae para la salud. Recuerden usar preposiciones en su artículo.

**MODELO**  **Las vacaciones**
Una de las actividades que ayudan a mantener la buena salud, es irse de vacaciones. Las vacaciones son muy importantes para relajarse…

De vacaciones.

# Lectura personal

**E-Mail**

Archivo    Ver    Mensajes    Ayuda

A...        Sebastián

Cc...

Asunto:    desde Honduras

## El cacao[1]: un gran descubrimiento

Querido Sebastián,

Ayer, en nuestra Ruta Quetzal, pasamos frente a las costas de Honduras. ¡Qué vistas más hermosas! Aunque el barco se movía bastante, fue muy bonito estar en la cubierta[2] y contemplar[3] las playas hondureñas. Pasamos por la isla de Guanaja y nuestro guía nos comentó algo que a ti, que eres un adicto al chocolate, te va a parecer muy interesante. ¡Fue en esta isla, que hoy pertenece a Honduras, donde se descubrió el cacao por primera vez! Cuando llegó Cristóbal Colón en su cuarto viaje, en 1502, los indígenas del lugar le regalaron una bolsita con granos[4] de cacao. Pero al volver a Europa con ellas, nadie supo qué hacer. No fue hasta años después, cuando empezaron a mezclar el cacao con azúcar, que se convirtió en la bebida favorita de las cortes[5] española y francesa, y de ahí se extendió al resto del mundo.

La historia del cacao es verdaderamente fascinante. Los mayas lo bebían y lo usaban en ceremonias. Después, los aztecas usaron miel[6] y vainilla para mejorar la receta. A veces también se mezclaba con especias picantes.

Tú, que vives en Nueva York, tal vez tuviste oportunidad de ver la tableta[7] de chocolate más antigua del mundo. Es del año 437 y la encontraron en la tumba de un rey maya en Copán. La exhibieron en una exposición dedicada al chocolate en el Museo de Historia Natural de tu ciudad.

Bueno, tanto hablar de chocolate y cacao, me dieron ganas de comprarme una tableta antes de irme a dormir.

Muchos recuerdos,

Cecilia

[1]cocoa   [2]on deck   [3]view   [4]beans   [5]courts   [6]honey   [7]bar

El cacao se descubrió en Guanaja (Honduras) hace más de 500 años.

## 25  ¿Qué recuerda Ud.?

1. ¿Dónde se descubrió por primera vez el cacao?
2. ¿Para qué usaban el cacao los mayas?
3. ¿Qué le dieron a Colón los indígenas de Guanaja?
4. ¿Con qué mezclaron el cacao años después?
5. ¿Dónde encontraron la tableta de chocolate más antigua del mundo?

## 26  Algo personal

1. ¿Alguna vez probó cacao sin azúcar? ¿Qué le pareció?
2. ¿Cómo prefiere tomar Ud. el chocolate?

## ¿Qué aprendí?

Visit the web-based activities at www.emcp.com

### Autoevaluación

**Como repaso y autoevaluación, responda lo siguiente:**

1. Mencione tres tipos de ejercicio que puede hacer para mantenerse en forma.

2. ¿Dónde y cuándo se celebraron los primeros Juegos Deportivos Estudiantiles Nacionales?

3. Complete la siguiente oración: *Si durmieras ocho o más horas,...*

4. Mencione cuatro tipos de alimentos nutritivos y diga qué contienen.

5. La preposición *con* se combina con los pronombres *mí, sí* o *ti* para formar...

6. Complete la siguiente oración: *Vi mucha gente al...*

7. ¿Qué se descubrió por primera vez en la isla de Guanaja, Honduras?

## Palabras y expresiones

**Acciones en el gimnasio**
estirarse
evitar
hacer abdominales
hacer bicicleta
hacer cinta
hacer flexiones
hacer natación
hacer yoga
levantar pesas
mantenerse en forma

**La nutrición**
la alimentación
el alimento
los cacahuetes
el calcio
el carbohidrato
la comida chatarra
la dieta
las espinacas
la fibra
la grasa
el hábito
la hamburguesa
el hierro
la nutrición
la proteína
la vitamina

**Adjetivos**
equilibrado,-a
nutritivo,-a
saludable

**Expresiones y otras palabras**
alimentarse
a partir de
el calambre
la energía
el estrés
la fuerza
hacer un esfuerzo
valer la pena
saltarse (una comida)

El pan contiene carbohidratos.

Estos alimentos contienen vitaminas.

## Ud. lee

### Estrategia

**Using context clues to clarify meaning**
When you find a word you don't understand in a text, you can clarify its meaning by looking at context clues. These clues may be a repetition of the statement with other words, an example or an explanation. Many times the context holds the key to the meaning of the word.

You can write down the word you don't know, write next to it possible meanings, and look for clues in the text that will help you choose the correct meaning. If the context doesn't help you clarify the meaning, use a dictionary.

### Preparación

Lea el texto y, después, diga si las oraciones que siguen son ciertas o falsas.

Gabriel García Márquez nació en Aracataca, Colombia, el 6 de marzo de 1928. Era el mayor de doce hermanos. De pequeño, lo dejaron al cuidado de sus abuelos maternos. De los cuentos y leyendas que ellos le contaban, "Gabo", como lo llamaban sus familiares y amigos, sacó la inspiración para ser escritor. Estudió periodismo y comenzó a escribir cuentos y novelas. Su estilo se conoce como realismo mágico porque en él mezcla la fantasía con la realidad. Su obra más famosa es *Cien años de soledad*, que es la historia de Macondo, un pueblo ficticio, y sus habitantes.

En 1982 García Márquez obtuvo el Premio Nobel de Literatura. Otras obras conocidas son *La hojarasca, Del amor en los tiempos del cólera, Crónica de una muerte anunciada, El otoño del patriarca, Doce cuentos peregrinos* y *Del amor y otros demonios*.

A lo largo de su vida ha combinado su trabajo como periodista y como escritor. Hoy en día, cuando no está viajando para participar en lecturas y conferencias por todo el mundo, divide su tiempo entre Colombia y México, donde vive desde 1975.

1. García Márquez viene de una familia numerosa.
2. Su padre le contaba cuentos y leyendas.
3. Estudió medicina y literatura.
4. Su estilo se llama realismo mágico.
5. Hoy en día vive principalmente en Colombia.

Gabriel García Márquez.

# Un día de éstos

El lunes amaneció tibio y sin lluvia. Don Aurelio Escovar, dentista sin título y buen madrugador, abrió su gabinete[1] a las seis. Sacó de la vidriera[2] una dentadura postiza[3] montada aún en el molde de yeso[4] y puso sobre la mesa un puñado de instrumentos que ordenó de mayor a menor, como en una exposición. Llevaba una camisa a rayas, sin cuello, cerrada arriba con un botón dorado, y los pantalones sostenidos con cargadores elásticos. Era rígido, enjuto, con una mirada que raras veces correspondía a la situación, como la mirada de los sordos[5].

Instrumentos dentales.

Cuando tuvo las cosas dispuestas sobre la mesa, rodó la fresa[6] hacia el sillón de resortes y se sentó a pulir[7] la dentadura postiza. Parecía no pensar en lo que hacía, pero trabajaba con obstinación, pedaleando en la fresa incluso cuando no se servía de ella.

Después de las ocho hizo una pausa para mirar el cielo por la ventana y vio dos gallinazos[8] pensativos que se secaban al sol en el caballete de la casa vecina. Siguió trabajando con la idea de que antes del almuerzo volvería a llover. La voz destemplada de su hijo de once años lo sacó de su abstracción.

—Papá.

—Qué.

—Dice el alcalde[9] que si le sacas una muela[10].

—Dile que no estoy aquí.

Estaba puliendo un diente de oro. Lo retiró a la distancia del brazo y lo examinó con los ojos a medio cerrar. En la salita de espera volvió a gritar su hijo.

—Dice que sí estás porque te está oyendo.

El dentista siguió examinando el diente. Sólo cuando lo puso en la mesa con los trabajos terminados, dijo:

—Mejor.

Volvió a operar la fresa. De una cajita de cartón donde guardaba las cosas por hacer, sacó un puente de varias piezas y empezó a pulir el oro.

—Papá.

—Qué.

Aún no había cambiado de expresión.

[1]office   [2]glass cabinet   [3]set of false teeth   [4]plaster   [5]deaf   [6]drill   [7]to polish   [8]buzzards
[9]mayor   [10]molar

—Dice que si no le sacas la muela te pega un tiro[11].

Sin apresurarse[12], con un movimiento extremadamente tranquilo, dejó de pedalear en la fresa, la retiró del sillón y abrió por completo la gaveta[13] inferior de la mesa. Allí estaba el revólver.

—Bueno —dijo—. Dile que venga a pegármelo.

Hizo girar el sillón hasta quedar de frente a la puerta, la mano apoyada en el borde de la gaveta. El alcalde apareció en el umbral[14]. Se había afeitado la mejilla izquierda, pero en la otra, hinchada y dolorida, tenía una barba de cinco días. El dentista vio en sus ojos marchitos[15] muchas noches de desesperación. Cerró la gaveta con la punta de los dedos y dijo suavemente:

—Siéntese.

—Buenos días —dijo el alcalde.

—Buenos —dijo el dentista.

Mientras hervían los instrumentales, el alcalde apoyó el cráneo en el cabezal de la silla y se sintió mejor. Respiraba un olor glacial[16]. Era un gabinete pobre: una vieja silla de madera, la fresa de pedal y una vidriera con pomos[17] de loza[18]. Frente a la silla, una ventana con un cancel[19] de tela hasta la altura de un hombre. Cuando sintió que el dentista se acercaba, el alcalde afirmó los talones[20] y abrió la boca. Don Aurelio Escovar le movió la cara hacia la luz. Después de observar la muela dañada[21], ajustó la mandíbula[22] con una cautelosa presión de los dedos.

—Tiene que ser sin anestesia —dijo.

—¿Por qué?

— Porque tiene un absceso.

El alcalde lo miró en los ojos.

—Está bien —dijo, y trató de sonreír.

Consultorio dental.

El dentista no le correspondió. Llevó a la mesa de trabajo la cacerola con los instrumentos hervidos y los sacó del agua con unas pinzas frías, todavía sin apresurarse. Después rodó la escupidera[23] con la punta del zapato y fue a lavarse las manos en el aguamanil. Hizo todo sin mirar al alcalde. Pero el alcalde no lo perdió de vista.

Era un cordal[24] inferior. El dentista abrió las piernas y apretó la muela con el gatillo[25] caliente. El alcalde se aferró a las barras de la silla, descargó toda su fuerza en los pies y sintió un vacío helado en los riñones[26], pero no soltó un suspiro[27]. El dentista sólo movió la muñeca. Sin rencor, más bien con una amarga ternura[28], dijo:

[11]will shoot you  [12]without rushing  [13]drawer  [14]threshold  [15]faded  [16]icy  [17]knobs
[18]porcelain  [19]panel  [20]heels  [21]damaged  [22]jaw  [23]spitoon  [24]wisdom tooth  [25]forceps
[26]a cold emptiness in his kidneys  [27]sigh  [28]bitter tenderness

¡Viento en popa!

—Aquí nos paga veinte muertos, teniente.

El alcalde sintió un crujido de huesos[29] en la mandíbula y sus ojos se llenaron de lágrimas. Pero no suspiró hasta que no sintió salir la muela. Entonces la vio a través de las lágrimas. Le pareció tan extraña a su dolor, que no pudo entender la tortura de sus cinco noches anteriores. Inclinado sobre la escupidera, sudoroso[30], jadeante[31], se desabotonó la guerrera[32] y buscó a tientas[33] el pañuelo en el bolsillo del pantalón. El dentista le dio un trapo[34] limpio.

—Séquese las lágrimas —dijo.

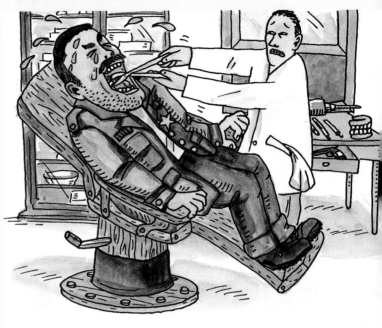

El alcalde lo hizo. Estaba temblando[35]. Mientras el dentista se lavaba las manos, vio el cielorraso[36] desfondado y una telaraña polvorienta[37] con huevos de araña e insectos muertos. El dentista regresó secándose las manos.

—Acuéstese —dijo— y haga buches[38] de agua de sal.

El alcalde se puso de pie, se despidió con un displicente saludo militar, y se dirigió a la puerta estirando[39] las piernas, sin abotonarse la guerrera.

—Me pasa la cuenta —dijo.

—¿A usted o al municipio?

El alcalde no lo miró. Cerró la puerta, y dijo, a través de la red metálica:

—Es la misma vaina[40].

---

[29]a crunching of bones   [30]sweaty   [31]panting   [32]military style jacket   [33]gropingly   [34]cloth   [35]trembling
[36]ceiling   [37]a dusty spiderweb   [38]rinse your mouth   [39]stretching   [40]It's one and the same thing.

## A ¿Qué recuerda Ud.?

1. ¿Qué está haciendo el dentista cuando llega el alcalde?
2. ¿Quién le dice al dentista que el alcalde quiere verlo?
3. ¿Cómo reacciona el dentista al saber que el alcalde está ahí?
4. ¿Qué quiere el alcalde?
5. Según el dentista, ¿por qué tiene que sacar la muela sin anestesia?
6. ¿Cree Ud. que el dentista le dijo la verdad al alcalde con respecto a la necesidad de no usar anestesia? ¿Qué oración ilustra lo que realmente piensa el dentista?

## B Algo personal

1. ¿Cómo se siente cuando tiene que ir al dentista?
2. ¿Alguna vez le quitaron una muela? ¿Qué pasó?
3. ¿Cree Ud. en el proverbio "Ojo por ojo, diente por diente" o cree que uno debe perdonar al enemigo? Explique por qué.

# Ud. escribe

## Estrategia

**Describing a process**

To describe a process properly it is important to organize the information you are about to give your reader in chronological order. You can make a list of the events that take place in the process, and organize each event step by step, in the order they occur. If the process is a circular one, that is, that it starts and ends in the same place, you can use a circular graphic organizer like the one below.

The following is a list of words that can be useful when describing a process.

| | |
|---|---|
| al principio | *at the beginning* |
| primero | *first* |
| antes | *before* |
| luego | *after* |
| poco a poco | *little by little* |
| más tarde | *later* |
| después | *then* |
| finalmente | *finally* |
| al final | *at the end* |

Escriba uno o dos párrafos describiendo un accidente o una enfermedad que Ud. tuvo. Diga qué pasó, cómo se sentía al principio y qué fue pasando hasta que se curó. Use una gráfica como la de la derecha para organizar la información. Recuerde usar el vocabulario de este capítulo, así también como expresiones con *hace/hacía que...*, el imperfecto del subjuntivo con *si*, preposiciones y pronombres. Comparta su borrador con otro/a estudiante y pídale sus sugerencias o correcciones. Por último, escriba la versión final para incluir las sugerencias de su compañero/a y para corregir los errores en los tiempos de los verbos, el uso de las palabras o expresiones de transición y la ortografía.

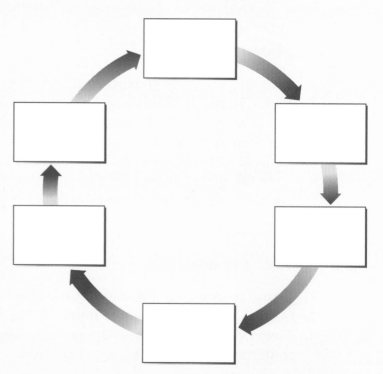

# Proyectos adicionales

## A Conexión con otras disciplinas: medicina

Escoja uno de los remedios naturales mayas que se pueda encontrar fácilmente en su ciudad (manzanilla, limón, naranja, manzana, ajo, cebolla, etc.). Busque toda la información que pueda sobre sus usos medicinales, en la internet, en revistas o en la biblioteca. Averigüe para qué síntomas es bueno y cuáles son sus beneficios. Haga una presentación en la clase sobre lo que aprendió. Si es posible, traiga el remedio o una foto o ilustración de éste para mostrárselo a sus compañeros.

Manzanilla.

## B Conexión con la tecnología

Imagine que va a ir de viaje a Guatemala, Honduras u otro país de Centroamérica. En grupos, busquen información en la internet sobre las condiciones de salud de esos países. Averigüen también si necesitan vacunas. Pueden usar un buscador en español con la palabra "vacuna" y el nombre del país. Comparen la información con otros grupos.

## C Comparaciones

En este capítulo aprendió algunas cosas sobre el cacao y el chocolate. Use la internet para buscar información sobre cómo preparaban chocolate los mayas y los aztecas y cómo se prepara hoy en día. Puede incluir recetas para bebidas, comidas o postres. Prepare un cartel con esta información y preséntelo en clase.

Chocolate en lata.

# Repaso

| Now that I have completed this chapter, I can... | Go to these pages for help: |
|---|---|
| inquire and give advice about health. | 336 |
| express future events. | 341 |
| talk about situations that would have happened. | 341 |
| talk about symptoms and remedies. | 344, 345 |
| ask for and provide medical information. | 344, 345 |
| express length of time. | 348 |
| discuss ways to stay fit. | 352 |
| express what someone would do in a specific situation. | 356 |
| talk about a healthy diet. | 358 |

## I can also...

| | |
|---|---|
| identify some natural remedies used by the Mayans. | 339 |
| discuss the benefits of thermal baths in Guatemala. | 347 |
| talk about the life and work of a Nobel Prize winning author. | 350 |
| describe a sports competition for young people in Honduras. | 355 |
| identify some essential components of Honduran cooking. | 361 |
| mention some facts about the history of cocoa. | 366 |
| read a story by a well-known writer. | 369 |

# Trabalenguas

Pepe puso un peso en el piso del pozo.
En el piso del pozo Pepe puso un peso.

# Vocabulario

**a partir de** starting *8B*
la **alergia** allergy *8A*
la **alimentación** diet *8B*
**alimentarse** to eat *8B*
el **alimento** food *8B*
el **antibiótico** antibiotic *8A*
el **antiséptico** antiseptic *8A*
la **aspirina** aspirin *8A*
la **barriga** belly *8A*
el **cacahuete** peanut *8B*
el **calambre** cramp *8B*
el **calcio** calcium *8B*
el **carbohidrato** carbohydrate *8B*
la **clínica** clinic *8A*
la **comida chatarra** junk food *8B*
el **corte** cut *8A*
**curar(se)** to cure, to recover *8A*
la **curita** band-aid *8A*
**darse un golpe** to bang oneself *8A*
la **dieta** diet *8B*
la **energía** energy *8B*
la **enfermedad** disease *8A*
**equilibrado,-a** balanced *8B*
la **erupción** rash *8A*
**estirarse** to stretch *8B*
**estornudar** to sneeze *8A*
el **estrés** stress *8B*
**evitar** to avoid *8B*
**examinar** to examine *8A*
la **fibra** fiber *8B*
la **fractura** fracture *8A*
la **fuerza** strength *8B*
las **gotas** drops *8A*
la **grasa** fat *8B*

el **hábito** habit *8B*
**hacer abdominales** to do sit-ups *8B*
**hacer bicicleta** to ride a stationary bike *8B*
**hacer cinta** to use a treadmill *8B*
**hacer flexiones** to do push-ups *8B*
**hacer natación** to practice swimming *8B*
**hacer un esfuerzo** to make an effort *8B*
**hacer yoga** to do yoga *8B*
la **hamburguesa** hamburger *8B*
el **hierro** iron *8B*
el **historial médico** medical history form *8A*
**hondo,-a** deep(ly) *8A*
la **infección** infection *8A*
la **inflamación** inflammation *8A*
la **inyección** injection, shot *8A*
el **jarabe** syrup *8A*
**levantar pesas** to lift weights *8B*
**mantenerse en forma** to keep in shape *8B*
las **muletas** crutches *8A*

la **muñeca** wrist *8A*
la **nutrición** nutrition *8B*
**nutritivo,-a** nutritious *8B*
el **paciente**, la **paciente** patient *8A*
la **pastilla** pill *8A*
la **piel** skin *8A*
**profundo,-a** deep *8A*
la **proteína** protein *8B*
el **pulmón**, *pl.* los **pulmones** lung *8A*
la **pulmonía** pneumonia *8A*
los **puntos** stitches *8A*
**quebrarse** to break *8A*
la **radiografía** X-ray *8A*
el **rasguño** scratch *8A*
**recetar** to prescribe *8A*
el **remedio** remedy, medicine *8A*
**resbalarse** to slip *8A*
**respirar** to breathe *8A*
la **sala de emergencias** emergency room *8A*
**saltarse (una comida)** skip (a meal) *8B*
**saludable** healthy *8B*
la **silla de ruedas** wheelchair *8A*
los **síntomas** symptoms *8A*
**sufrir** to suffer *8A*
el **tobillo** ankle *8A*
**tomar(se) la presión** to take the blood pressure *8A*
**torcerse(ue)** to twist *8A*
**toser** to cough *8A*
**tropezar con** to stumble, to trip *8A*
la **vacuna** vaccination *8A*
**valer la pena** to be worth your while *8B*
la **venda** bandage *8A*
la **vitamina** vitamin *8B*
el **yeso** cast *8A*

Nos estiramos para evitar calambres.

Las muletas.

# Capítulo 9

# Última moda

## Objetivos

- ❖ **describe hairstyles**
- ❖ **express hypothetical situations**
- ❖ **describe clothes and accessories**
- ❖ **describe colors**
- ❖ **talk about the cleaning and tailoring of clothing items**
- ❖ **specify conditions under which things will be done**
- ❖ **say to whom things belong**
- ❖ **talk about handicrafts**

**Visit the web-based activities at www.emcp.com**

## Vocabulario I
### En el salón de belleza

la tintura

teñir

Sería mejor que no me hubiera hecho la permanente.

Los peluqueros esperan que los clientes hayan salido contentos del salón de belleza.

No debe ponerse cualquier acondicionador porque su pelo es grasoso.

## 1 Cortes y peinados

Indique la letra de la foto que corresponde con lo que oye.

**A**

**B**

**C**

**D**

**E**

**F**

## 2 Hablando de peinados

Complete el diálogo con las palabras de la lista.

| | | | |
|---|---|---|---|
| a capas | Al fin y al cabo | atractiva | estilo |
| flequillo | horroroso | permanente | teñírmelo |

**Claudia:** No me gusta mi color de pelo. Quiero (1) de negro.

**Eva:** ¿De negro? El pelo negro es (2). No te va a quedar bien.

**Claudia:** Necesito cambiar mi (3). Hasta creo que voy a hacerme una (4) y voy a cortarme el (5).

**Eva:** ¿Por qué no te lo cortas (6)? Te verías muy (7) con ese corte.

**Claudia:** No, quiero tener el pelo ondulado. (8), si no me gusta, me hago otro corte.

# Diálogo I

## Quiero un nuevo peinado

**PELUQUERA:** ¡Qué bueno que hayas venido hoy! ¿Qué corte quieres hacerte, Pilar?

**PILAR:** Cualquiera que me quede bien. Mi pelo está tan rebelde, que lo tengo que llevar recogido en una cola. No pensé que me hubiera crecido tanto.

**PELUQUERA:** ¿Prefieres llevar el pelo suelto, verdad?

**PILAR:** Por supuesto.

**PELUQUERA:** ¿Te gustaría el pelo a capas?

**PILAR:** Sí, pero mi pelo es muy ondulado. ¿Cree que me quedaría bien?

**PELUQUERA:** Seguro, porque puedes alisártelo tú misma una vez por semana y así mantener el peinado.

**PILAR:** Muy bien, córtemelo a capas. Al fin y al cabo, si no me gusta, el pelo vuelve a crecer.

**PELUQUERA:** Ya verás cómo te gustará.

## 3 ¿Qué recuerda Ud.?

1. ¿Cómo tiene que llevar el pelo Pilar? ¿Por qué?
2. ¿Qué no pensó Pilar?
3. ¿Cómo le sugiere la peluquera que se corte el pelo?
4. ¿Qué dice Pilar sobre el corte?

## 4 Algo personal

1. ¿Qué tipo de pelo tiene Ud.?
2. ¿Va a menudo al salón de belleza?
3. ¿Qué corte le gustaría hacerse?
4. ¿Cómo lleva el pelo: suelto o recogido?
5. ¿Qué estilo prefiere para el pelo: formal o informal?

## 5 Consejos de belleza

Escuche las preguntas de los clientes del salón de belleza y escoja qué consejo es mejor para cada uno.

1. A. Si la boda es importante, necesita un peinado formal.
   B. Debería raparse el pelo.
2. A. Podría escoger una permanente.
   B. Podría escoger una tintura de su mismo color.
3. A. Le aconsejo que no use mucho acondicionador después del champú.
   B. Le aconsejo que no use gel para lavarse el pelo.
4. A. Sería mejor que llevara flequillo.
   B. Sería mejor que se lo alisara.

## Trajes tradicionales aztecas

Guerrero azteca.

El vestuario[1] de los antiguos aztecas, así como los peinados, las pinturas y los adornos que llevaban, reflejaba la clase social a la que pertenecían. Generalmente, la ropa era de colores vistosos[2], pero los colores y los materiales, así como el diseño, dependían de la condición social.

El emperador, por ejemplo, era el único que podía llevar verde turquesa. En la ciudad, sólo los nobles podían llevar sandalias y capas de algodón. Los guerreros[3] eran una parte importante de la sociedad y su ropa, muy elaborada y compleja, se adornaba con plumas de quetzal, que para ellos eran más valiosas que el oro. Ellos llevaban tocados[4] con diseños muy complicados. Además de plumas de quetzal, los tocados también llevaban adornos de oro y de caracolas[5], y eran de colores muy espectaculares. Entre los guerreros, los trajes también se diferenciaban según sus méritos en la guerra.

La gente de clase baja sólo podía llevar ropa hecha de fibras[6] de palma o de maguey. Tampoco podían llevar ropa por debajo de la rodilla. Si alguno de ellos llevaba una túnica hasta los tobillos, lo mataban.

Las mujeres eran las que tejían[7] y hacían las telas y tocados, usando pigmentos naturales. Ellas llevaban una falda con una camisa, llamada *huipil*, o con un chal, llamado *quechquemitl*.

[1]clothing  [2]bright  [3]warriors  [4]headgear  [5]shells  [6]fibers  [7]wove

## 6 ¿Cómo se vestían los antiguos aztecas?

**Conteste las siguientes preguntas.**

1. ¿De qué dependía el vestuario azteca?
2. ¿Qué color podía llevar sólo el emperador?
3. ¿Cómo eran los tocados de los guerreros?
4. ¿Cómo vestía la gente de clase baja?
5. ¿Qué llevaban las mujeres?

Guerreros con tocados con plumas.

## Idioma

### El presente perfecto del subjuntivo

To refer to an action or situation that may have occurred before the action of the main verb, use the present perfect subjunctive. The present perfect subjunctive is formed with a present subjunctive form of *haber* and the past participle.

| | |
|---|---|
| *¡No puedo creer que te **hayas teñido** el pelo de ese color!* | I can't believe that you **have dyed** your hair in that color! |
| *Dudo que **hayan ido** al salón de belleza que les recomendé.* | I doubt that they **have gone** to the hair salon I recommended. |
| *¡Ojalá que ellos no **se hayan rapado** el pelo!* | I hope that they **haven't shaved** their hair! |

## Práctica

### 7 Es mejor que...

**Las siguientes personas esperan que hayan ocurrido determinadas cosas. Use todas las expresiones entre paréntesis para completar las oraciones.**

MODELO  Espero que tú... (lavarse el pelo)
Espero que tú te hayas lavado el pelo todos los días.

Para mañana es mejor que ella...
1. (ir al salón de belleza)
2. (teñirse el pelo)
3. (comprar la ropa para la fiesta)

Ojalá que para esta tarde nosotros...
4. (escribir el informe)
5. (aprender el vocabulario)
6. (hacer la tarea)

Antes de trabajar como peluquero es necesario que Ud...
7. (aprender a hacer peinados)
8. (hacer cortes a capas)
9. (alisarle el pelo a alguien)

Ojalá que hayas aprendido a hacer mi peinado favorito.

## 8 En el salón de belleza

Rosa y Eva están esperando a Marcela en el salón de belleza. Complete el diálogo con el presente perfecto del subjuntivo de los verbos entre paréntesis.

**Rosa:** Marcela no ha llegado todavía al salón de belleza.

**Eva:** Es probable que ella *(1. olvidarse)* que hoy se iba a teñir el pelo.

**Rosa:** No creo que ella no *(2. acordarse)* de la cita.

**Eva:** Es probable que sus hijos *(3. estar)* enfermos.

**Rosa:** Ojalá que no *(4. ser)* nada grave. Es raro que ella no *(5. llamar)*.

**Eva:** Mario, ¿sabes algo de Marcela?

**Mario:** Sí, su esposo llamó. No puede venir hoy. Siento mucho que Uds. *(6. preocuparse)*.

## ◈ Comunicación

### 9 Es probable que...

 Imagine que regresa al colegio después de las vacaciones y muchas cosas han cambiado. Con su compañero/a, túrnense para leer las frases y explicar lo que cada uno/a piensa que ha sucedido. Usen el presente perfecto del subjuntivo.

**MODELO** Carla lleva ahora el pelo en capas. Es probable que...

    **A:** Es probable que ella se haya cortado el pelo.

    **B:** Es probable que ella haya querido un estilo más informal.

1. Tomás y Pedro no vinieron al colegio. Es posible que...
2. La profesora de matemáticas se ha teñido el pelo de rojo. No creo que...
3. Los miembros del equipo de básquetbol perdieron el primer partido. Dudo que...
4. Ana se hizo la permanente. Temo que...
5. El piso del salón de clase está sucio. No puede ser que...
6. Roberto tiene ahora el pelo muy grasoso. Es probable que...

### 10 ¿Qué piensan de los titulares?

En grupos de tres o cuatro, lean los siguientes titulares y den su opinión sobre lo que dicen, usando expresiones como *dudo que, es verdad que, estoy seguro/a de que, es posible que.*

¡Diez habitantes de la Luna aterrizan en Miami!

¡20 pulgadas de nieve este fin de semana!

¡Descubren una vacuna para el cáncer!

¡Desaparece la moda del pelo rapado!

¡Madonna y Cher se tiñen el pelo otra vez!

### El pluscuamperfecto del subjuntivo

The pluperfect subjunctive is formed with the past subjunctive form of *haber* and the past participle of the verb. It is used in contrary-to-fact conditions in the past.

| | |
|---|---|
| *¡Si me **hubiera alisado** el pelo!* | If I **only had straightened** my hair! |

The pluperfect subjunctive is often used in *si* clauses with the conditional perfect.

| | |
|---|---|
| *Si me **hubiera lavado** el pelo, no estaría tan rebelde.* | If I **had washed** my hair, it wouldn't be so unruly. |

It is used when the verb in the main clause is in the past, but the action in the pluperfect clause had or had not already occurred.

| | |
|---|---|
| *Esperaba que **hubieras ido** a otro salón de belleza.* | I hoped you **had gone** to another hair salon. |
| *No creí que te **hubieras puesto** ese vestido.* | I did not believe you **had worn** that dress. |

The pluperfect is also used when the verb in the main clause is in the conditional.

| | |
|---|---|
| *Preferiría que no te **hubieras rapado** el pelo.* | I would prefer that you **had** not **shaved** your hair. |

##  Práctica

**11 Pero...**

Imagine que regresa de México, D.F. y sus amigos le hacen preguntas sobre lo que Ud. y su familia hubieran podido hacer, pero no hicieron. Complete las oraciones usando el pluscuamperfecto del subjuntivo de los verbos entre paréntesis.

**MODELO** Yo *hubiera ido* a Tenochtitlán, pero estaba nublado. (ir)

1. Mis padres ___ el Museo Nacional de Antropología, pero estaba cerrado. (visitar)
2. Yo ___ un peinado nuevo, pero no encontré ningún salón de belleza. (hacerse)
3. Mi mamá ___ fotos del Parque de Chapultepec, pero no pudo ir. (sacar)
4. Nosotros ___ regalos para todos, pero no teníamos mucho dinero. (traer)
5. Yo ___ tacos, pero me dolía el estómago. (comer)
6. Mi hermano y yo ___ ropa informal, pero mis padres no querían. (ponerse)

Hubiera sacado más fotos, pero no tenía tiempo.

## 12 ¡Si no hubiera hecho eso!

¿Alguna vez se arrepintió *(regret)* de algo que hizo o que no hizo? Escriba las siguientes oraciones en forma de exclamaciones. Recuerde cambiar las oraciones de afirmativas a negativas, o viceversa, según corresponda.

 No me corté el pelo a capas.
¡Si me hubiera cortado el pelo a capas!

1. No me recogí el pelo en una cola.
2. Carla se tiñó el pelo de negro.
3. Tú no le avisaste a Tomás que ibas al salón de belleza.
4. Nosotros no encontramos la tienda de regalos.
5. Mario se rapó la cabeza.
6. Ustedes no leyeron bien las instrucciones.

## 13 Si yo hubiera…

Imagine que está en una fiesta y escucha los comentarios de sus amigos sobre diferentes cosas. Diga lo que hubieran hecho en cada uno de los siguientes casos. Comience la oración con *Si…*

MODELO yo / saber cómo era la fiesta / vestirse más formal
Si hubiera sabido cómo era la fiesta, me habría vestido más formal.

1. tú / tener el pelo lacio como Estela / hacerse una permanente
2. nosotros / ir con Marta / divertirse más
3. Uds. / comer menos / sentirse mejor.
4. yo / conocer a la anfitriona / traerle un regalo
5. tu hermano / tener el disco compacto / grabarte la canción
6. ellos / ir a la fiesta / aburrirse

Si hubiera comido menos, me sentiría mejor.

## ❖ Comunicación

## 14 El pasado

Si hubiera podido cambiar su pasado, ¿qué habría hecho? Escriba un párrafo explicando lo que habría hecho y por qué. Luego, compare su párrafo con el de un(a) compañero/a y digan si tienen cosas en común.

MODELO Si hubiera podido cambiar mi pasado, yo habría vivido cerca de la playa. Si hubiera vivido cerca de la playa, habría aprendido a surfear en el mar...

## Estructura

### Cualquiera

The word *cualquiera* can be used as an adjective or as a pronoun, and often means "any" or "anyone" in English. It ends in *-a,* but it is both masculine and feminine.

| | |
|---|---|
| *Use una tintura **cualquiera.*** | Use **any** dye. |
| *Necesito un champú **cualquiera.*** | I need **any** shampoo. |
| ***Cualquiera** pensaría que no te gusta.* | **Anyone** would think that you don't like it. |

When it is applied to a person and it is used after the noun, *cualquiera* means "without merit," "undistinguished."

| | |
|---|---|
| *Es una peluquera **cualquiera.*** | She is **not a very distinguished** hairdresser. |

When it is used before a noun, the final *-a* is omitted.

| | |
|---|---|
| *No use **cualquier** acondicionador.* | Don't use **any** conditioner. |

*Cualquier día* also means "someday" or "any day."

| | |
|---|---|
| ***Cualquier** día llamo a Andrés.* | **Any day** I will call Andrés. |

*En cualquier momento* may have different meanings, including "whenever," "any time now," "one of these days."

| | |
|---|---|
| *En **cualquier momento** que tenga libre, me teñiré el pelo.* | **Whenever** I am free I will dye my hair. |

### Práctica

**15 ¿Cualquier o cualquiera?**

**Imagine que está en el salón de belleza. Complete las oraciones con *cualquier* o *cualquiera*.**

1. Quiero ___ gel para el pelo.
2. Ud. es muy bueno, no es un peluquero ___.
3. Hágame la raya en ___ parte.
4. ___ diría que su pelo es ondulado.
5. En ___ momento me hago una permanente.
6. El otro día usé una crema ___.
7. ___ día me corto el pelo a capas.
8. Su pelo está horroroso porque usa un champú ___.

mujeres
hombres

$90

Shampoo con masaje capilar, tratamiento* y CORTE

*Aplica sólo en mujeres

¿ Se te antoja un cambio ?

## 16 Preguntas sobre su pelo

Conteste las siguientes preguntas sobre su pelo usando *cualquier* o *cualquiera* en alguna parte de su respuesta. Use las palabras en cursiva como ayuda.

**MODELO** ¿Qué *acondicionador* usa Ud.?
Uso un acondicionador cualquiera.

1. ¿Qué *estilo de peinado* tiene Ud.?
2. ¿*Quién* diría que su pelo es ondulado?
3. ¿Qué *día* se va a cortar el pelo?
4. ¿En qué *momento* va a ir al salón de belleza?
5. ¿Usa Ud. cualquier *champú* o uno especial?
6. ¿Qué *corte* le gustaría hacerse?

Productos para el pelo.

## ✤ Comunicación

## 17 Me gusta cualquiera...

Escriba cinco preguntas, sobre el mismo tema, que necesiten responderse usando *cualquier* o *cualquiera*. Luego, túrnese con un(a) compañero/a para hacerse las preguntas que cada uno/a hizo. Puede escoger entre los siguientes temas para hacer las preguntas.

**MODELO** películas
**A:** ¿Qué película vio la semana pasada?
**B:** Vi una película cualquiera.
**A:** ¿Qué día verá otra película?
**B:** Cualquier día veré otra película.

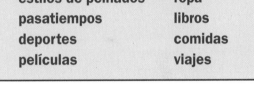

| estilos de peinados | ropa |
| pasatiempos | libros |
| deportes | comidas |
| películas | viajes |

## 18 El salón de belleza

Con su compañero/a, escriban el texto para un cartel de un salón de belleza. Deben incluir los servicios que ofrece el salón, los tipos de cortes de pelo y varias opiniones de clientes sobre el salón. Recuerden escribir las opiniones de los clientes entre comillas *(in quotes)*. Pueden acompañar el cartel con fotografías o dibujos de los peinados.

**MODELO**

*Salón de belleza*
*México Lindo*
✄ ✱✱✱✱✱✱✱✱✱✱ ✄
Le alisamos el pelo en minutos.

"Si hubiera venido antes a este salón en lugar de ir a uno cualquiera, no habría tenido que raparme el pelo."

Lo esperamos.

Estas sandalitas beige son de muy buen gusto.

Sí, están muy de moda.

Estos zapatos azul marino van con mi vestido. ¡Padrísimo!

Última moda en Calzado

el calzado

## 19 Comentarios sobre moda

Indique la letra de la foto que corresponde con lo que oye.

A

B

C

D

E

F

## 20 En la tienda

Escoja la palabra o frase que completa correctamente cada oración.

1. Vendedora, estos vaqueros son muy estrechos. ¿Me daría una *(talla / etiqueta)* más grande?
2. *(Los tenis / Las sandalias)* moradas van con mi vestido a lunares.
3. La tienda estará abierta hoy hasta las diez de la noche porque es día *(de marcas / de rebajas)*.
4. La *(camisetota / camisetita)* que compramos es demasiado grande, no la puedo usar.
5. Nunca me compraría unos tenis amarillos, son de muy *(buen gusto / mal gusto)*.

# Diálogo II

## ¿Cómo me queda?

**PILAR:** ¿Te gusta cómo me queda este suéter rojo?

**DANIEL:** Sí, pero el rojo es demasiado vivo. ¿No hay otro color más pálido?

**PILAR:** Pero el rojo está de moda y lo puedo usar con muchas cosas.

**DANIEL:** ¿Con qué ropa te va?

**PILAR:** Va con el vaquero azul marino, o con la falda beige.

**DANIEL:** ¿Y qué dice la etiqueta?

**PILAR:** La etiqueta dice que es de algodón.

**DANIEL:** ¿Y está rebajado?

**PILAR:** La vendedora me dijo que toda la ropa está de rebaja... Seguro que es una ganga.

**DANIEL:** Si tú quieres, te lo compro para tu cumpleaños.

**LUZ:** ¡Padrísimo! Eres un amigazo.

## 21 ¿Qué recuerda Ud.?

1. ¿Cómo dice Daniel que es el rojo del suéter?
2. ¿Cómo está el rojo, según Pilar?
3. ¿Con qué ropa le va el suéter a Pilar?
4. ¿Qué dice la etiqueta del suéter?
5. ¿Qué le dijo la vendedora a Pilar?
6. ¿Qué le ofrece Daniel a Pilar?

### ¡Extra!

**En otras palabras**

| | |
|---|---|
| la chaqueta | *el saco* |
| la sudadera | *el buzo* |
| los tenis | *las zapatillas* |
| los vaqueros | *los jeans, los tajanos* |

## 22 Algo personal

1. ¿Le gusta comprar ropa?
2. ¿Qué colores de ropa prefiere: los colores vivos o los pálidos?
3. ¿Cuál es su prenda de ropa favorita?
4. ¿Qué tipo de calzado usa más?
5. ¿Lee las etiquetas de la ropa cuando va de compras?
6. ¿Le gusta ir a las tiendas cuando están de rebajas?

## 23 De compras

))) **Indique la letra de la ilustración que corresponde con los diálogos que oye.**

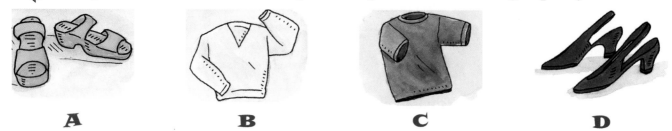

**A**      **B**      **C**      **D**

## De compras por los tianguis

Es divertido ir de compras por los tianguis.

Los tianguis son unos mercados ambulantes[1] típicos de México. Son de tradición azteca y su nombre viene del nahuatl[2] *tianquiztli,* que quiere decir "mercado". Los tianguis son mercados al aire libre que una vez a la semana aparecen en una plaza o calle. En ellos se puede encontrar de todo: desde artesanías hasta carne y pescado, desde plantas y pájaros hasta los videojuegos más novedosos.

Los mercados aztecas originales, como el de Tlatelolco o el de Teotihuacán, eran famosos en el mundo pre-colombino[3] por su gran tamaño y por la gran variedad de productos que se podían encontrar en ellos, pero eran siempre en el mismo sitio. Los tianguis ambulantes fueron evolucionando con el tiempo, para estar cerca de los habitantes de ciudades grandes y pequeñas de México.

Los días de mercado comienzan a aparecer los puestitos a las ocho de la mañana, y para las nueve de la mañana, el mercado está ya en plena ebullición[4].

Cada tiangui tiene un líder, que es responsable de asignar a cada vendedor un lugar de la calle o plaza y de asegurarse de conseguir los permisos[5] necesarios. El dueño de cada puesto le paga una cuota[6] diaria al líder, que varía según dónde esté ubicado el puesto dentro del mercado, y también según el lugar donde esté el tiangui.

[1]traveling markets   [2]Aztec language   [3]pre-Columbian
[4]in full swing   [5]permit   [6]fee

## 24 ¿Qué recuerda Ud.?

**Conteste las siguientes preguntas.**

1. ¿De dónde viene el nombre *tiangui*?
2. ¿Por qué eran famosos los mercados aztecas?
3. ¿Cómo son los tianguis hoy?
4. ¿A qué hora empiezan a poner los puestos?
5. ¿Qué hace el líder del tiangui?

### ¡Oportunidades!

**De compras por la internet**

¿Le gusta mucho comprar? ¡Practique su español mientras hace su actividad favorita! En la mayoría de los países hispanos también se puede comprar por la internet. Tanto si va a comprar algo como si sólo quiere ver qué hay, mirar páginas web de compras en español es una buena oportunidad para aprender vocabulario relacionado con comprar y enviar paquetes, como por ejemplo maneras en las que se puede pagar o enviar una compra, sistemas para devolver o cambiar, y gastos de envío. ¡Vaya de compras por la internet!

#  Idioma

### Adjetivos para describir colores

Adjectives that indicate colors usually agree in number and gender with the noun they modify. These adjectives can also take diminutive endings.

| | |
|---|---|
| *Las sandalias son* **marrones.** | The sandals are **brown.** |
| *Vendo una camiseta* **roja.** | I sell a **red** t-shirt. |
| *Tiene un pantalón* **amarillito.** | She has some **yellow** pants. |

When the color has a modifier, its gender is masculine and its number is singular.

| | |
|---|---|
| *Las camisetas son* **azul marino.** | The t-shirts are **navy blue.** |
| *El suéter es* **rosa pálido.** | The sweater is **pale pink.** |

When the color refers to some element of nature (such as the color of a flower or a fruit), the expressions *de color* and *color de* are often used.

| | |
|---|---|
| *Los zapatos son* **de color beige.** | The shoes are **beige** (color). |
| *Tienes los labios* **color de cereza.** | You have **cherry-colored** lips. |

When the phrases *(de color, color de)* are omitted (but understood), the gender and number of the color do not change.

| | |
|---|---|
| *Me regalaron unas sudaderas* **(de color) violeta.** | They gave me some **violet** sweatshirts. |

## Práctica

 **25 ¿De qué color es?**

**Todas las cosas son siempre de algún color. Escoja la palabra que completa correctamente cada oración.**

1. Me compré unas sandalias *(rojas / rojo)* que estaban de rebaja.
2. ¿Dónde está tu suéter color *(morada / morado)*?
3. Pintaron las paredes de la habitación de *(amarillo oscuro / amarillas oscuro)*.
4. El vestido que se pondrá para la fiesta es de lunares *(azul marinos / azul marino)*.
5. Encontré el lugar donde venden cortinas *(verde / verdes)* estampadas.
6. Me encantan tus ojos *(de miel / color de miel)*.

Me encantan mis nuevos tenis rojos.

Diga cómo combinan la ropa las siguientes personas. Escriba oraciones con los siguientes datos sobre lo que se pone cada una.

**MODELO** Sandra: camiseta / vaqueros / negro / azul marino
Con la camiseta negra, Sandra se pone los vaqueros azul marino.

1. Teresa: zapatos / guantes / marrón / beige
2. Jorge: bufanda / chaqueta / anaranjado / morado
3. Catalina: conjunto / falda / rosa pálido / gris
4. Tomás: sudadera / tenis / blanco / azul
5. Lucía: vestido / sandalias / amarillo vivo / marrón claro
6. Miguel: vaqueros / calzado / negro / marrón oscuro
7. Virginia: chaqueta / camisa / azul marino / blanco
8. Lucas: suéter / pantalón / rojo vivo / negro

# ✤ Comunicación

## 27 **Los colores**

Con su compañero/a, hablen sobre sus colores favoritos. Hablen también de los colores que no les gustan. Decidan cuál es el mejor color para:

**MODELO** vaqueros: azul marino
    **A:** Prefiero los vaqueros azul marino. ¿Y tú?
    **B:** A mí me gusta usar vaqueros de color negro.

carro: rojo
    **A:** A mí me encantan los carros de color rojo. ¿Y a ti?
    **B:** A mí me gustaría tener un carro blanco.

- **la ropa**
- **los accesorios**
- **los zapatos**
- **los coches**
- **los aparatos electrónicos**
- **la casa**

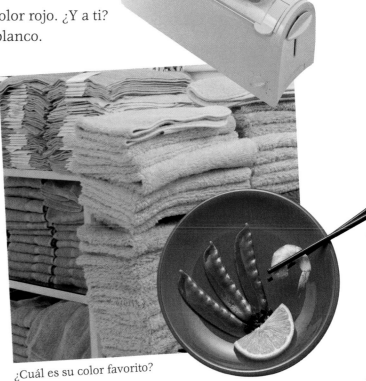

¿Cuál es su color favorito?

# Repaso rápido: los diminutivos y los aumentativos

Several suffixes may be added to nouns, adjectives, and names to indicate small size, or as terms of endearment.

| | | | | | |
|---|---|---|---|---|---|
| **-ito(a)** | morado | → moradito | Laura | → Laurita |
| **-ico(a)** | unas sandalias | → unas sandalicas | Roberto | → Robertico |
| **-illo(a)** | el conjunto | → el conjuntillo | Felipe | → Felipillo |

Usually, words that end in a consonant add a *c* to the suffixes.

| | | |
|---|---|---|
| **-cito(a)** | Juan | → Juancito |
| **-cico(a)** | actor | → actorcico |
| **-cillo(a)** | el suéter | → el suetercillo |

Several suffixes are added to nouns to indicate a large size.

| | | |
|---|---|---|
| **-ón/ona** | un zapato | → un zapatón |
| **-azo(a)** | un amigo | → un amigazo |
| **-ote(a)** | una chaqueta | → una chaquetota |

Sometimes, the suffix *-illo(a)* changes the meaning of a word.

| | |
|---|---|
| zapato (shoe) | → zapatilla (slipper) |
| bolso (bag) | → bolsillo (pocket) |
| planta (sole of foot) | → plantilla (insole, inside of a shoe) |

Sometimes by adding one of these suffixes a feminine word becomes masculine and there is a slight difference in meaning.

| | |
|---|---|
| una taza (a cup) | → un tazón (a bowl) |
| una silla (a chair) | → un sillón (an armchair) |
| una camisa (a shirt) | → un camisón (a nightgown) |

Una taza.

Un tazón.

## 28 ¿De qué palabra viene?

Las palabras que terminan con un diminutivo o un aumentativo vienen de otras palabras. Diga de qué palabra viene cada una de las siguientes palabras.

**MODELO**   pantaloncito → pantalón

1. camisetita
2. zapatote
3. sillón
4. conjuntico
5. verdecita
6. Robertito
7. rebajita
8. Marianota
9. etiquetica
10. abrigote
11. vaquerazos
12. gangota

Mediecitas.

## 29 En la tienda de ropa

Imagine que está en una tienda de ropa y necesita comprar diferentes prendas. Observe las ilustraciones y escriba oraciones usando palabras con diminutivos o aumentativos, según corresponda.

**MODELO**   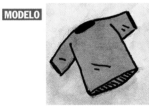   Necesito una camisetica (camisetilla, camisetita) roja.

**1.**     **2.**     **3.**     **4.**     **5.**     **6.**

## 30 ¿Está de rebaja?

Con su compañero/a, imaginen que están en una tienda. Hagan los papeles de vendedor(a) y de cliente/a. Creen un diálogo considerando lo que generalmente pasa en una operación de compra y venta en una tienda. Usen palabras en diminutivo y aumentativo en su diálogo y sigan los siguientes pasos.

1. El/la cliente/a pide una o varias prendas, en diferentes colores y diseños.
2. El/la vendedor/a le pregunta al/a la cliente/a su talla y cómo prefiere la prenda (estrecha, ancha, etc.).
3. El/la vendedor/a le muestra al/a la cliente/a lo que tiene.
4. El/la cliente/a le pregunta si la prenda está de rebaja o no.
5. El/la cliente/a decide si compra o no la prenda.

# Lectura cultural

## Los muralistas mexicanos

Rivera, *Sueño de una tarde dominical en la Alameda* [detalle], 1947.

En el periodo entre las dos guerras mundiales nació en México el movimiento del muralismo, una corriente[1] artística que usaba murales para decorar edificios públicos, y hacer el arte más accesible al pueblo. Muchas veces trataban temas históricos o de contenido social y político y, en especial, ensalzaban[2] la historia de México. En este movimiento se destacan tres grandes artistas: Diego Rivera, José Clemente Orozco y David Alfaro Siqueiros.

Diego Rivera nació en Guanajuato, en 1886. En la Academia de San Carlos, en Ciudad de México, estudió los estilos artísticos tradicionales europeos. Obtuvo una beca[3] para estudiar en Madrid, España, donde se interesó por el cubismo y otras corrientes vanguardistas[4]. De vuelta en México, se dio cuenta de que el arte debía jugar un papel[5] importante en hacer entender a la gente obrera su propia historia. Sus obras más importantes son *La Creación*, *Tierra y Libertad* y *El México de mañana*.

Orozco, *Dialéctica de la revolución* [detalle], 1923–1926.

José Clemente Orozco nació en Jalisco, en 1883. Estudió en la Academia de San Carlos y se dedicó a pintar, después de haber estudiado agricultura y arquitectura. Sus murales tienen temas más universales que los de Siqueiro y Rivera, con especial énfasis en la crítica social de la vida e historia mexicana. Entre sus obras se encuentran *La trinchera Hidalgo* y *La huelga*.

David Alfaro Siqueiros nació en Camargo, Chihuahua, en 1896. Estudió también en la Academia de San Carlos y viajó a Europa, donde entró en contacto con los movimientos artísticos de vanguardia. Sus murales se caracterizan por el uso exagerado de la perspectiva, el surrealismo y figuras robustas. Entre sus obras más conocidas están *Del porfirismo a la revolución* y *La nueva democracia*.

[1]trend   [2]praised   [3]grant   [4]avant-garde   [5]role

Siqueiros, *Por una seguridad integral al servicio del pueblo* [detalle], 1952–1954.

### 31 ¿Qué recuerda Ud.?

1. ¿Qué es el muralismo?
2. ¿Qué tres artistas mexicanos se destacan como muralistas?
3. ¿Qué pensaba Rivera que tenía que hacer el arte?
4. ¿Cómo son los temas de Orozco?
5. ¿Por qué se caracteriza el estilo de Siqueiros?

- Escoja uno de los tres murales de arriba y escriba una breve descripción.

### 32 Algo personal

1. ¿Alguna vez vio un mural? ¿Dónde? ¿Qué representaba?
2. ¿Por qué cree que estos artistas preferían pintar grandes murales, en lugar de cuadros?

# ¿Qué aprendí?

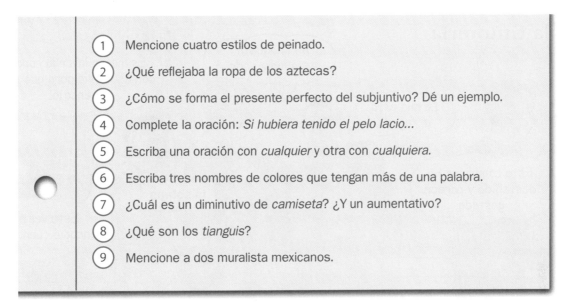

**Visit the web-based activities at www.emcp.com**

## Autoevaluación

**Como repaso y evaluación, responda lo siguiente:**

1. Mencione cuatro estilos de peinado.

2. ¿Qué reflejaba la ropa de los aztecas?

3. ¿Cómo se forma el presente perfecto del subjuntivo? Dé un ejemplo.

4. Complete la oración: *Si hubiera tenido el pelo lacio...*

5. Escriba una oración con *cualquier* y otra con *cualquiera*.

6. Escriba tres nombres de colores que tengan más de una palabra.

7. ¿Cuál es un diminutivo de *camiseta*? ¿Y un aumentativo?

8. ¿Qué son los *tianguis*?

9. Mencione a dos muralista mexicanos.

## Palabras y expresiones

### En el salón de belleza
el acondicionador
el corte (de pelo)
el estilo
el gel
la permanente
el salón de belleza
la tintura

### Peinados
las capas
la cola
el flequillo
mediano,-a
ondulado,-a
el peinado
la raya
recogido,-a
suelto,-a

### Verbos
alisar(se)
teñir(se)
rapar(se)

### Las prendas y el calzado
el calzado
el conjunto
la sudadera
los vaqueros

### Descripciones de la ropa
ancho, -a
de lunares
estampado, -a
liso, -a

Los vaqueros.

### Los colores
azul marino
beige
claro,-a
morado, -a
oscuro,-a
pálido, -a
vivo, -a

### De compras
de rebaja
la etiqueta
la ganga
la rebaja
rebajado, -a
la talla

### Otras palabras y expresiones
al fin y al cabo
atractivo,-a
de buen / mal gusto
en vez de
estar de moda
formal
grasoso,-a
horroroso,-a
informal
ir con
¡Padrísimo!
rebelde
sin gracia

## Vocabulario I
### En la tintorería

La prefiero suelta... Pero acórteme las mangas, están muy largas.

¿Le ajusto la chaqueta o la prefiere más suelta?

el cuello

la manga

la máquina de coser

el hilo

los alfileres

el metro

los botones

las tijeras

la cintura

las agujas

tomar las medidas

## 1 Hablando de ropa...

Escuche lo que dicen las siguientes personas y escoja la respuesta correcta para cada oración.

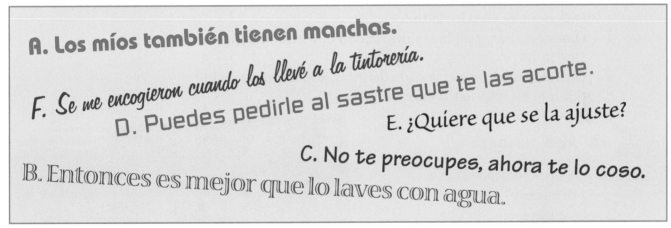

**A.** Los míos también tienen manchas.

**F.** Se me encogieron cuando los llevé a la tintorería.

**D.** Puedes pedirle al sastre que te las acorte.

**E.** ¿Quiere que se la ajuste?

**C.** No te preocupes, ahora te lo coso.

**B.** Entonces es mejor que lo laves con agua.

## 2 ¿Dónde está la mancha?

Observe la ilustración y diga dónde se encuentra cada mancha. Siga el modelo.

MODELO  Hay una mancha en los tenis.

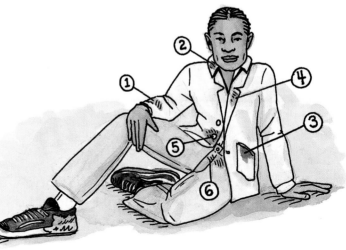

# Diálogo I

## Este vestido tiene una mancha

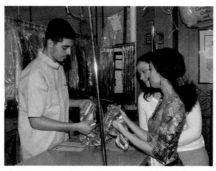

**INÉS:** Buenas tardes, ¿quitan manchas de la ropa?

**EMPLEADO:** Por supuesto, ¿qué necesitan?

**INÉS:** Este vestido mío tiene una mancha en el cuello.

**EMPLEADO:** ¿De qué es la mancha?

**INÉS:** No estoy segura.

**EMPLEADO:** No se preocupe. Podremos quitar la mancha sin que se encoja el vestido. ¿Y qué le pasa a su vestido?

**PILAR:** El mío está desteñido. Lo he usado mucho.

**EMPLEADO:** Al suyo vamos a tener que teñirlo del mismo color.

**PILAR:** Mi vestido está un poco gastado, ¿cree que quedará bien?

**EMPLEADO:** Sí, pero tendremos que coserle el cuello y las mangas para que quede como nuevo.

**INÉS:** ¿Cuándo estarán listos?

**EMPLEADO:** El suyo estará listo mañana, y el de ella, la semana próxima.

## 3 ¿Qué recuerda Ud.?

1. ¿Qué tiene el vestido de Inés?
2. ¿Qué van a hacer en la tintorería con el vestido de Inés?
3. ¿Qué le sucede al vestido de Pilar?
4. ¿Qué le van a hacer al vestido de Pilar, además de teñirlo?
5. ¿Cuándo estarán listos los vestidos?

## 4 Algo personal

1. ¿Qué prendas lleva Ud. a la tintorería?
2. ¿Qué hace cuando su ropa está manchada?
3. ¿Se le ha encogido alguna vez alguna prenda?
4. ¿Ha ido alguna vez al sastre? ¿Para qué?
5. ¿Sabe Ud. coser?

En la tintorería.

## 5 Consejos de sastre

))) Escuche la conversación entre un sastre y un estudiante sobre cómo se cose una prenda de ropa. Haga una lista de las cosas que se necesitan para coser.

## Entrevista con Macario, diseñador mexicano

Un modelo de Macario Jiménez.

Macario Jiménez es uno de los diseñadores de moda mexicanos con más éxito internacional. Nació en Guadalajara y estudió en Milán, Italia, donde empezó su carrera en el mundo de la moda.

*¿Cuándo empezó a interesarse por la moda?*

Cuando tenía nueve años, usé las cortinas de mi casa para hacer ropa. ¡Mi madre se puso histérica! Pero a partir de ahí, aprendí a usar la máquina de coser a la perfección. Incluso¹ sabía arreglarla cuando se rompía. Quería trabajar en el mundo de la moda.

*¿Cómo describiría su estilo?*

Sencillo y ligero, con énfasis en las telas².

*¿Cuáles son sus telas favoritas?*

Las telas naturales, puras. Me gustan el lino³ y la seda, y las telas que captan⁴ la luz.

*¿Con qué colores prefiere trabajar?*

¡Con muchos! Me gustan especialmente el verde, el turquesa⁵, el azul, el rosa, el rojo y el blanco.

*¿Para quién son sus diseños?*

Son para mujeres de 20 a 40 años. Mis diseños tienen alma⁶ y quiero que mis clientas se sientan bien llevándolos.

*¿Se presta atención a los diseñadores mexicanos fuera de México?*

Sí, pero tienes que salir de México para que te reconozcan. Es bueno pasar una temporada en Nueva York, para que sepan quién eres. Yo siempre tendré a México en el corazón, pero para vender moda mexicana tienes que ir a Europa.

Dos de los diseños de Macario.

¹I even ²fabrics, weaves ³linen ⁴capture ⁵turquoise ⁶soul

## 6 ¿Qué sabe de Macario?

**Conteste las siguientes preguntas.**

1. ¿Dónde estudió moda Macario?
2. ¿Cuántos años tenía Macario cuando empezó a interesarse por la moda?
3. ¿Cómo es el estilo de los diseños de Macario?
4. ¿Cuáles son las telas favoritas de Macario?
5. ¿Para quién son los diseños de Macario?

# Idioma

### El subjuntivo en cláusulas adverbiales

You've already learned some conjunctions that are used with the subjunctive tense to talk about events that have not happened yet. The subjunctive is also used with conjuctions that express the purpose or intention of an action.

| | |
|---|---|
| *aunque* | even though |
| *a fin de que* | in order to, so that |
| *a menos que* | unless |
| *con tal de que* | provided |
| *sin que* | without |
| *para que* | in order that, so that |

| | |
|---|---|
| **A fin de que** no se destiña, lávelo con agua fría. | Wash it with cold water **so that** it won't fade. |
| No le hablaré **a menos que** se disculpe. | I won't talk to him **unless** he apologizes to me. |
| Me pondré la corbata **con tal de que** tú lleves una también. | I'll put on the tie, **provided** you wear one too. |
| Se lo compraré **sin que** él lo sepa. | I'll buy it for him **without** him knowing about it. |
| Tienes que ir al sastre **para que** te acorte las mangas. | You have to go to the tailor **so that** he can shorten your sleeves. |

The conjunction *aunque* may be followed by the indicative or by the subjunctive, depending on the circumstances. The subjunctive is required when there is uncertainty whether an event will take place.

| | |
|---|---|
| **Aunque** llueve, saldré. | Even though it's raining, I'll go out. (The speaker notes that it's raining now.) |
| **Aunque** llueva, saldré. | Even though it might rain, I'll go out. (The speaker is unsure whether it will rain.) |

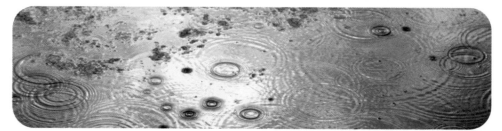

Aunque llueva, saldré.

 **Práctica**

## 7 Claudia y sus amigos

**Lea las siguientes oraciones sobre lo que Claudia y sus amigos hacen. Escoja la palabra que completa correctamente cada oración.**

**MODELO**  Claudia estudiará toda la tarde con tal de que *(pueda / puede)* ir al cine.
Claudia estudiará toda la tarde con tal de que pueda ir al cine.

1. Aunque Beatriz y Emilio *(estén / están)* seguros que mañana lloverá, decidieron que irán igualmente de excursión.
2. Laura le quitará la mancha del saco a Luis, sin que él lo *(sabe / sepa)*.
3. Con tal de que Adriana *(va / vaya)* a la fiesta, Mateo la pasará a buscar por su casa.
4. Claudia no acortará el vestido a menos que le *(quede / queda)* largo.
5. Francisco se acostará hoy más temprano a fin de que mañana *(puede / pueda)* levantarse a las seis.
6. Sé que está lloviendo, pero aunque *(llueva / llueve)* voy a salir.

## 8 El cuidado de la ropa

**Muchas cosas suceden en relación a otras. Complete las oraciones con la forma apropiada del subjuntivo de los verbos entre paréntesis.**

**MODELO**  No acorte el pantalón a menos que le *quede* largo. (quedar)

1. Lucas llevará el traje a un sastre a fin de que le ___ la solapa del saco. (coser)
2. Queremos comprarle a Sara una falda sin que ella ___. (enterarse)
3. Con tal de que la camisa no ___, la llevaré a la tintorería. (desteñirse)
4. Ajústeme por favor las mangas aunque ___ estrechas. (parecer)
5. Prefiero lavar las sudaderas en casa a menos que ___ con el agua. (encojerse)
6. ¿Podrá el sastre hacerle el traje sin que le ___ las medidas? (tomar)
7. A fin de que los pañuelos no ___, usaremos un jabón especial para lavarlos. (desteñirse)
8. Llevaré el saco manchado a la tintorería a fin de que ella le ___ la mancha. (quitar)

Un sastre toma las medidas.

## 9 No lo haga a menos que...

 Imagine que varias personas le cuentan sus problemas y tiene que darles consejos. Con su compañero/a, túrnense para completar los siguientes consejos. Usen el subjuntivo.

**MODELO** Mónica necesita ir al sastre a fin de que...
Mónica necesita ir al sastre a fin de que le ajusten los pantalones.

1. Pónganse las botas aunque...
2. Los niños no pueden ir solos a la fiesta a menos que...
3. Jaime debe llevar los vaqueros a la tintorería a fin de que...
4. Ustedes deberán hablar con el profesor con tal de que...
5. Compren todo lo que quieran con tal de que...
6. Pilar se comprará una máquina de coser para que...
7. Estrenarán la película aunque...
8. No laves la camisa con agua y jabón a menos que...

## ◈ Comunicación

## 10 ¿Qué opina?

 Haga una lista de las cosas que quiere hacer en los próximos días. Trabaje con su compañero/a para hacer oraciones con los elementos que cada uno escribió en su lista. Deben dar su opinión sobre lo que cada uno/a quiere hacer. Pueden usar las conjunciones de la caja.

**MODELO** Puedes cortarte el pelo con flequillo a menos que quieras otro corte.

a fin de que
a menos que
aunque
con tal de que
sin que
para que

cortarme el pelo
invitar a ... a ir al cine
ir al sastre
manejar el coche de mis padres
comprarme un conjunto de lana
hacer yoga

## 11 Hablemos de Ud.

Primero, complete las siguientes oraciones según su experiencia. Luego, compárelas con las oraciones de otros dos estudiantes.

1. Generalmente llego al colegio a tiempo a menos que...
2. Estudio para que mis padres...
3. No pienso vivir solo/a hasta que...
4. Siempre salgo con mis amigos los fines de semanas con tal de que...
5. Nunca salgo de casa sin que...
6. A veces veo películas en español aunque...

# Repaso rápido: los adjetivos y pronombres posesivos

The stressed possessive adjectives, which always follow nouns, can be used as possessive pronouns when they occur in place of a noun.

| adjetivos posesivos |
| --- |
| el botón **mío** |
| el traje **tuyo** |
| la camiseta **suya** |
| los sacos **nuestros** |
| los vaqueros **vuestros** |
| las tijeras **suyas** |

| pronombres posesivos |
| --- |
| El botón gris es **mío**. |
| El **tuyo** es más oscuro que el mío. |
| Esa camiseta es **suya**. |
| Los **nuestros** son estampados. |
| Terminé de cortar los **vuestros**. |
| Les coseré los **suyos**. |
| Esas tijeras son **suyas**. |

Both possessive adjectives and possessive pronouns agree in gender and in number with the possessed item, not with the possessor.

| | |
| --- | --- |
| *Esa **máquina de coser** no es **suya**.* | That **sewing machine** is not **hers**. |

Possessive pronouns are usually preceded by a definite article. However, a definite article is not required after the verbs *ser* and *parecer*.

| | |
| --- | --- |
| ***El mío*** *es estampado,* ***el tuyo*** *no.* | **Mine** is printed, **yours** is not. |
| ***Las suyas*** *son viejas.* | **Yours** are old. |
| *Esta camisa parece (ser)* ***mía***. | This shirt seems (to be) **mine**. |
| *Lo que es* ***nuestro***, *es* ***suyo***. | Whatever is **ours**, is **yours**. |

When a very clear distinction needs to be made, the article is used.

| | |
| --- | --- |
| *¡Ésta no es* ***la mía***! | This is not the one that belongs **to me**! |

## 12 Ésta no es la mía...

**Complete las oraciones con un pronombre posesivo, según las indicaciones entre paréntesis.**

MODELO  ¿Y mi sombrero? Este sombrero no es el <u>mío</u>. (mi sombrero)

1. ¿Es tuyo este botón? No, ese botón es ___. (botón de Juan)
2. Este saco está manchado, no es el ___. (mi saco)
3. ¡Ese suéter no es el ___! (tu suéter) Es el ___. (suéter de María)
4. ¿De quiénes son estos guantes? No son ___. (nuestros guantes)
5. Estas camisetas de manga larga parecen ___. (camisetas de Inés y Marisol)
6. La chaqueta con cremallera en las mangas es la ___. (mi chaqueta)
7. ¿Es suya esta bufanda? No, la ___ es anaranjada. (su bufanda)

Artesanías

¿Los suéteres tejidos están hechos a mano?

Sí, y también el mantel bordado está hecho a mano.

la bandeja

Los jarrones y las tazas se verían muy bien en mi casa. ¿De qué están hechos?

el jarrón

Los jarrones están hechos de arcilla, y las tazas, de cerámica.

## 13 Comentarios sobre regalos

Indique la letra de la foto que corresponde con lo que oye.

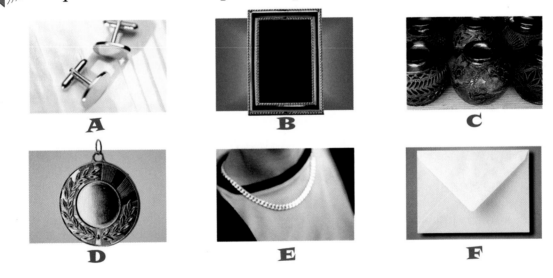

A

B

C

D

E

F

## 14 Regalos y artesanías

Haga oraciones lógicas combinando frases de las dos columnas.

1. Estoy buscando un suéter…
2. Qué lástima, el joyero…
3. Estamos decorando la casa con jarrones…
4. Entre las artesanías de México, se encuentran los vestidos…
5. A mi hermana, le compré un juego de platos…

A. …bordados por las mujeres de los pueblos.
B. …de arcilla hechos a mano.
C. …de cerámica como regalo de bodas.
D. …de cristal se me rompió al buscar las joyas.
E. …tejido a mano.

# Diálogo II

## ¿Qué tal si compro esto?

PILAR: No tengo ni idea de lo que le puedo comprar a Rosario para su cumpleaños.

INÉS: ¿Le gustan las artesanías?

PILAR: No estoy completamente segura si le gustan las cosas hechas a mano.

INÉS: ¿Qué tal si le compras unos papeles de carta y sobres? Son muy bonitos.

PILAR: No creo que a ella le guste escribir cartas.

INÉS: ¿Y un marco de fotos?

PILAR: No me convence. Sigamos mirando por otro lado.

INÉS: ¿Qué es eso?

PILAR: Es un joyero. A ella le encantan las joyas.

INÉS: ¿Has visto el precio?

PILAR: No… ¡Qué estafa!

INÉS: Es mejor que le compres una cadena. Va con todo.

## 15 ¿Qué recuerda Ud.?

1. ¿Sabe Pilar qué le puede comprar a Rosario?
2. ¿Pilar está segura si a Rosario le gustan las cosas hechas a mano?
3. ¿Por qué Pilar no quiere comprarle unos papeles de carta y sobres?
4. ¿Qué quiere comprarle Pilar?
5. ¿Qué dice Pilar acerca del precio del joyero?
6. ¿Por qué es una buena idea comprarle una cadena?

## 16 Algo personal

¿Le gustan las artesanías?

1. ¿Cuáles son sus joyas favoritas?
2. ¿Le gustan las artesanías?
3. ¿Cuál ha sido el regalo que recibió que más le gustó?
4. ¿Qué regalos le gusta comprarles a sus amigos?

## 17 ¿Qué les recomienda?

))) Escoja qué cosa puede comprar cada persona, según lo que oye.

A    B    C    D    E    F

## Revistas para chavos y chavas[1]

¿Qué onda[2] con las revistas para chavos y chavas mexicanos? En México hay muchas revistas de moda para los jóvenes. En ellas, los chicos y chicas mexicanos encuentran los nuevos estilos de ropa y peinado para cada temporada, además de los accesorios y regalos que están más de moda. En estas revistas, que están llenas de fotos y, a veces, pósters, también hay artículos sobre gente famosa, música, cine y entrevistas con los artistas que más gustan a la juventud. Las revistas más populares para jóvenes en México son *Tú, Eres, de 15 a 20* y *Teen en español*.

Estas revistas están escritas en un lenguaje coloquial como el que los chicos y chicas mexicanos hablan cada día en la calle, y a menudo usan expresiones típicas de los

A los jóvenes mexicanos les gusta leer estas revistas.

jóvenes mexicanos: llaman a los chicos y chicas, "chavos y chavas", usan "onda" para decir que algo está de moda, y "cuates" para hablar de compañeros.

En estas revistas también hay secciones fijas, como horóscopos, consejos de salud y belleza, cartas de los lectores y consultorio, en el que los jóvenes hacen preguntas de todo tipo a los expertos de la revista. En algunas, pueden encontrarse tests, que son muy populares entre los jóvenes. *Teen en español*, por ejemplo, trae varios tests de personalidad en cada número, con los que los jóvenes pueden averiguar si son compatibles con sus parejas, si sus amigos son para siempre, o simplemente, pequeñas pistas para conocerse mejor a sí mismos.

[1]chicos y chicas *(in Mexico)*  [2]What's up

## 18 ¿Qué leen los chavos?

1. ¿Qué temas se tratan en las revistas para jóvenes mexicanos?
2. Mencione tres revistas para jóvenes.
3. ¿Cómo es el lenguaje de estas revistas?
4. ¿Qué secciones fijas pueden encontrarse en estas revistas?

## Estrategia

**Using visuals to make predictions**
Before you read a story or an article, look at all the pictures to try to predict what the reading will be about. After you finish reading, see how your predictions compared with what you read.

## Idioma

### Otros usos del infinitivo

The infinitive can be used as a noun in an impersonal expression, such as *es bueno, es importante, es divertido.*

    *Es divertido **ir** de compras.*         **Going** shopping is fun.

It can also be used in proverbs.

    *Ver para **creer.***         **Seeing** is **believing.**

Note in the above examples that when the infinitive is used as a noun in Spanish, English uses the present participle ending *-ing.*

The infinitive is often used after a preposition. (In English the present participle would be used.) Some prepositions that are frequently used with the infinitive are: *antes de, después de, para, por, sin, en vez de.*

| | |
|---|---|
| *Me peiné **después de vestirme.*** | I combed my hair **after getting dressed.** |
| *No salgas **sin llevar** la chaqueta.* | Don't go out **without taking** your jacket. |
| *Llegué tarde **por no salir** a tiempo.* | I arrived late **because I didn't leave** on time. |

The contruction *al* + infinitive is used to show that two actions occur simultaneously. It is equivalent of the English *on (upon)* + past participle.

    *La botella se rompió **al abrir** la caja.*    The bottle broke **upon opening** the box.

## Práctica

### 19 Acciones al mismo tiempo

**Describa lo que pasó en el momento que ocurrió la acción que se describe. Comience las oraciones con *Al* + infinitivo.**

**MODELO**  Elena rompió el jarrón. (Elena / asustarse)
        Al romper el jarrón, Elena se asustó.

1. Yo compré el llavero. (yo / pensar en Roberto)
2. Ellos salieron de la tienda. (ellos / encontrarse con Marisa)
3. Julio perdió la medalla de la cadena. (Julio / ponerse triste)
4. Clara se puso el vestido nuevo. (Clara / sentirse muy bien)
5. Tú terminaste de escribir la carta. (tú / comprar estampillas)
6. Nosotros encontramos el broche de María.
   (nosotros / avisarle a ella enseguida)

Imagine que va de compras con sus amigos. Escoja la palabra que completa correctamente cada oración.

> **MODELO** Antes de *(comprar / comprando)* la bandeja, hay que averiguar cuánto cuesta.
> Antes de comprar la bandeja, hay que averiguar cuánto cuesta.

1. Es bueno *(iremos / ir)* a la tienda cuando está de rebaja.
2. No compres el joyero sin *(preguntarle / le preguntas)* a Virginia.
3. Después de *(escogemos / escoger)* el regalo para tu hermano, podemos ir a tomar un café.
4. Es divertido *(salir / saliendo)* de compras contigo.
5. En vez de *(gastando / gastar)* tanto dinero, ¿por qué no le compramos algo más barato hecho a mano?
6. Es importante *(avisarle / avisamos)* a tu amigo que estamos en la tienda de artesanías.

# ◈ Comunicación

## 21 Antes, durante y después

Trabajen en grupos de cinco para hablar de lo que hacen antes, durante y después de las siguientes acciones. Anoten las respuestas de su grupo para compararlas más tarde con las de otros grupos.

> **MODELO** escoger un regalo
>
> **A:** Antes de escoger un regalo, saco dinero del banco.
> **B:** Al escoger un regalo, comparo los precios.
> **C:** Después de escoger un regalo, lo compro.

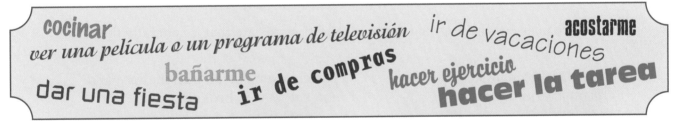

cocinar — ver una película o un programa de televisión — ir de vacaciones — acostarme — bañarme — ir de compras — hacer ejercicio — dar una fiesta — hacer la tarea

Antes de cocinar, compro los ingredientes.

Después de hacer la tarea, montamos en bicicleta.

### Usos del gerundio y del participio pasado

The present participle, or gerund, is used with *estar* to form the progressive tense. In this case, it stresses the fact that the action of the verb is continuing at the time.

| | |
|---|---|
| *No puedo ir a la zapatería ahora porque* **está lloviendo.** | I can't go to the shoe store now because **it is raining.** |

It can also stress a continuing action with *continuar, seguir,* and other verbs of motion (*venir, andar, entrar, ir*).

| | |
|---|---|
| ***Van corriendo*** *por la calle.* | They **are running** through the street. |
| *Él* ***seguía pensando*** *en el precio.* | He **kept thinking** about the price. |

It can also express the cause, manner or means of an action. In English, this is often accompanied by a word such as *by, as,* or *when.*

| | |
|---|---|
| ***Practicando,*** *aprendí a coser bien.* | **By practicing,** I learned how to sew well. |

It can also describe the background action of the main verb.

| | |
|---|---|
| ***Caminando*** *por la calle, me encontré con María.* | **While walking** through the street, I ran into María. |

The past participle's main use is forming compound tenses with *haber.*

| | |
|---|---|
| ***He comido*** *pollo.* | I **have eaten** chicken. |
| ***Habíamos comprado*** *unos vaqueros.* | We **had bought** some jeans. |

When used in forming compound tenses, the past participle always ends in *-o.* At all other times, the past participle functions as an adjective and must agree in number and gender with the noun it modifies.

| | |
|---|---|
| *Ella se peina* **parada** *delante del espejo.* | She combs he hair **standing** in front of the mirror. |

It can also be used with *estar* to express a condition or state that is generally the result of an action.

| | |
|---|---|
| *Los niños jugaron con el jarrón y ahora el jarrón* **está roto.** | The children played with the vase and now the vase **is broken.** |

El jarrón está roto.

# Práctica

## 22 ¿Cómo pudo hacerlo?

Use el gerundio del verbo entre paréntesis
para describir cómo hizo estas actividades.

**MODELO**   Pude comprar un broche de oro. (ahorrar)
Ahorrando, pude comprar un broche de oro.

1. Aprendí a tomar las medidas. (practicar)
2. Arreglé el cuello de mi vestido. (coser)
3. Pude conseguir un marco de fotos muy barato. (regatear)
4. Mejoré el color de mi pelo. (teñirme)
5. Me puse en forma. (hacer ejercicio)
6. Aprendí sobre las artesanías típicas de Oaxaca. (leer)

Artesanía de Oaxaca.

## 23 ¿Qué están comprando?

Imagine que fue con sus amigos de compras. Diga qué
palabra completa correctamente cada oración.

**MODELO**   He *comprado* artesanías muy bonitas en la tienda nueva. (comprado /
comprando / comprada)

1. El jarrón de cerámica que vimos está ___ a mano. (haciendo / hecha / hecho)
2. Claudia seguía ___ en el joyero de cristal. (pensando / pensado / pensada)
3. Los manteles están ___ por indígenas de México. (bordadas / bordando /
bordados)
4. Mi amigo y yo habíamos ___ un lugar donde vendían estampillas de todo el
mundo. (visto / viendo / vista)
5. Carla compró un suéter y se lo llevó ___. (poniendo / puesta / puesto)
6. Estamos ___ en regresar a la tienda de artesanías el fin de semana próximo.
(pensando / pensado / pensada)

# Comunicación

## 24 En una tienda de artesanías

Ud. es el/la dueño/a *(owner)* de una tienda de regalos de artesanía en Oaxaca,
México. Un(a) cliente/a le pregunta sobre varios artículos que hay en la
tienda y Ud. se los describe y le explica de qué están hechos. Con otro/a
estudiante, hagan los papeles de dueño/a y cliente/a. Pueden buscar más
información sobre las artesanías mexicanas en la internet y acompañar sus
diálogos con fotos o ilustraciones de los artículos que describen.

**MODELO**   una bandeja de madera
**Cliente/a:** ¿De qué está hecha la bandeja?
**Dueño/a:** La bandeja está hecha de madera. Está hecha a mano por indígenas
de la región. Los dibujos están pintados de diferentes colores.

# Lectura personal

---

**E-Mail**

Archivo  Ver  Mensajes  Ayuda

A... Mariana

Cc...

Asunto: Recuerdos de México

## Los tarahumara

Hola, Mariana,

Prometí escribirte a menudo, pero casi no he tenido tiempo. ¡No nos dejan ni descansar! El viaje es fascinante y cada día aprendemos cosas nuevas.

La semana pasada cruzamos el Río Grande, que los mexicanos llaman Río Bravo, y llegamos a México. Ahora estamos explorando los espectaculares paisajes de la Sierra Madre, en el norte del país. Están llenos de barrancos[1] y cascadas[2], lo cual no es bueno para mi vértigo. Lo pasé bastante mal cuando vimos la Barranca de la Sinforosa, uno de los barrancos más profundos del mundo, más aún que el Cañón del Colorado.

En esta zona viven los indios tarahumara. Estuvimos viviendo con ellos y aprendiendo muchas cosas sobre su cultura y sus costumbres. ¿Sabías que entre los tarahumara es la mujer quien escoge a un hombre tarahumara para que sea su pareja? La mujer le tira una piedrita al hombre que le gusta. Si él está interesado, él le vuelve a tirar la piedrita a ella, y la persigue. Después de pasar el día juntos, ya se consideran casados de por vida.

Los tarahumara tienen una gran reputación como corredores[3] de larga distancia. En 1993, un indio tarahumara ganó la carrera Leadville-100, en Colorado. ¡Tenía 55 años y no llevaba tenis, sino sus huaraches tradicionales, que es un tipo de zapato con suela de caucho[4]! Se llamaba Victoriano Churro y le ganó a atletas de alrededor de 20 años de edad y con entrenamiento[5] olímpico. ¡Él dijo que incluso se paró a mirar el paisaje…!

Bueno, me voy a dormir, porque mañana iremos al D.F., la capital. Ya te contaré más cosas muy pronto.
Besos, Luis

[1]canyons  [2]waterfalls  [3]runners  [4]rubber  [5]training

## 25 ¿Qué recuerda Ud.?

1. ¿Qué barranco en la Sierra Madre es más profundo que el Cañón del Colorado?
2. ¿Dónde viven los indios tarahumara?
3. ¿Cómo eligen pareja las mujeres tarahumara?
4. ¿Por qué se conoce a los indios tarahumara?

Una india tarahumara con su hija.

## 26 Algo personal

1. ¿Ha participado en alguna carrera? ¿Cuál?
2. ¿Qué le gustaría preguntarle a un indio tarahumara?

# ¿Qué aprendí?

**Visit the web-based activities at www.emcp.com**

## Autoevaluación
**Como repaso y autoevaluación, responda lo siguiente:**

1. Mencione cuatro razones para llevar prendas a la tintorería o al sastre.

2. ¿Quién es Macario Jiménez? ¿Cuál es su estilo?

3. Complete la siguiente oración: *No iré a la fiesta a menos que...*

4. Escriba dos oraciones con pronombres posesivos.

5. Mencione tres regalos que se pueden comprar en una tienda de artesanías.

6. ¿Cuáles son tres secciones que se pueden encontrar en una revista para chavos y chavas?

7. Mencione tres usos del infinitivo y dé una oración para cada uno.

8. Escriba dos oraciones con el gerundio y dos con el participio pasado.

## Palabras y expresiones

**Para arreglar la ropa**
- la aguja
- el alfiler
- la máquina de coser
- el hilo
- el metro
- el sastre, la sastre
- las tijeras

**Partes de la ropa**
- el bolsillo
- el botón, *pl.* los botones
- la cremallera
- la manga
- la solapa
- el cuello

**Descripciones**
- arrugado,-a
- gastado,-a
- manchado,-a
- suelto,-a

**En la joyería**
- el broche
- la cadena
- los gemelos
- el llavero
- la medalla

**Artesanías**
- la arcilla
- la artesanía
- bordado,-a
- la cerámica
- el cristal
- tejido,-a

**Regalos**
- la bandeja
- el jarrón
- el joyero
- el marco de fotos
- el papel de carta
- el sobre

**Verbos**
- acortar
- ajustar
- coser
- desteñirse
- encogerse
- tomar las medidas

**Otras palabras y expresiones**
- la cintura
- la estampilla
- hecho a mano
- la mancha
- no tener ni idea de
- ¿Qué tal si...?
- ¡Qué estafa!
- la tintorería
- verse bien

Los botones.

# ¡Viento en popa!

## Ud. lee

### Estrategia

**Imagining the action**

When you read a play, since almost everything is written as a dialog, sometimes it can be hard to imagine the action. To get a better understanding of what is going on, it is important to pay special attention to the stage directions. Stage directions are the notes written usually in italics at the beginning or in the middle of a scene, and also next to the characters' names. These are the instructions of the author on how the lines and the action should be performed. Reading the stage directions thoroughly will help you imagine the action while the characters are speaking.

### Preparación

**Lea el texto y después conteste las preguntas que siguen.**

Sergio Vodanovic nació en Chile, en 1926. Fue abogado de profesión, profesor de universidad y también periodista y dramaturgo[1]. Escribió su primera obra de teatro antes de cumplir los 20 años. Después escribió varias obras de teatro, algunas de las cuales también produjo y dirigió. La mayoría de sus obras tienen un contenido social y psicológico. Vodanovic se interesaba, especialmente, por los conflictos entre las clases sociales y entre las generaciones.

Además de *El delantal blanco*, otras de sus obras más conocidas son *Deja que los perros ladren, El Senador no es honorable, Perdón... ¡Estamos en guerra!* y *Tres comedias en traje de baño.*

[1]playwright

1. ¿De dónde era Sergio Vodanovic?
2. ¿Qué más hizo Vodanovic, además de escribir obras de teatro?
3. ¿Cuándo escribió su primera obra?
4. ¿Qué temas le interesaban especialmente?
5. Mencione tres obras de Sergio Vodanovic.

Delantales blancos.

# El delantal¹ blanco (Fragmento)

En esta obra de teatro, una señora, su hijo Alvarito y la empleada² están en la playa. La señora piensa que el mundo está dividido en dos grupos: el de los que tienen dinero y distinción, como ella, y el de los que no lo tienen, como su empleada.

Para demostrar que estas diferencias van más allá de la ropa que llevan, la señora le propone a la empleada, como juego, que se intercambien la ropa.

El fragmento que sigue está hacia el final de la obra. En él, la señora ya va vestida como la empleada, y la empleada lleva la ropa de la señora. Al final de la obra, la empleada se queda en la playa tranquilamente con Alvarito.

*Una pelota de goma³, impulsada por un niño que juega cerca, ha caído a los pies de LA EMPLEADA. Ella la mira y no hace ningún movimiento. Luego mira a LA SEÑORA. Ésta, instintivamente, se dirige a la pelota y la tira en la dirección en que vino. LA EMPLEADA busca en la bolsa de playa de LA SEÑORA y se pone sus anteojos para el sol⁴.*

**LA SEÑORA:** *(Molesta.)* ¿Quién te ha autorizado para que uses mis anteojos?

**LA EMPLEADA:** ¿Cómo se ve la playa vestida con un delantal blanco?

**LA SEÑORA:** Es gracioso⁵. ¿Y tú? ¿Cómo ves la playa ahora?

**LA EMPLEADA:** Es gracioso.

**LA SEÑORA:** *(Molesta.)* ¿Dónde está la gracia⁶?

**LA EMPLEADA:** En que no hay diferencia.

**LA SEÑORA:** ¿Cómo?

**LA EMPLEADA:** Ud. con el delantal blanco es la empleada, yo con este blusón⁷ y los anteojos oscuros soy la señora.

**LA SEÑORA:** ¿Cómo?... ¿Cómo te atreves⁸ a decir eso?

**LA EMPLEADA:** ¿Se habría molestado⁹ en recoger la pelota si no estuviese vestida de empleada?

**LA SEÑORA:** Estamos jugando.

**LA EMPLEADA:** ¿Cuándo?

**LA SEÑORA:** Ahora.

**LA EMPLEADA:** ¿Y antes?

**LA SEÑORA:** ¿Antes?

**LA EMPLEADA:** Sí. Cuando yo estaba vestida de empleada...

**LA SEÑORA:** Eso no es juego. Es la realidad.

**LA EMPLEADA:** ¿Por qué?

**LA SEÑORA:** Porque sí.

**LA EMPLEADA:** Un juego... un juego más largo... como el "paco-ladrón¹⁰". A unos les corresponde ser "pacos", a otros "ladrones."

**LA SEÑORA:** *(Indignada.)* ¡Ud. se está insolentando!

Señora y empleada.

---

¹apron  ²domestic  ³rubber  ⁴sunglasses  ⁵funny  ⁶What's funny about it?  ⁷oversized blouse
⁸do you dare  ⁹would you have bothered  ¹⁰cops and robbers

**LA EMPLEADA:** ¡No me grites! ¡La insolente eres tú!

**LA SEÑORA:** ¿Qué significa eso? ¿Ud. me está tuteando[11]?

**LA EMPLEADA:** ¿Y acaso tú no me tratas de tú?

**LA SEÑORA:** ¿Yo?

**LA EMPLEADA:** Sí.

**LA SEÑORA:** ¡Basta ya! ¡Se acabó este juego!

**LA EMPLEADA:** ¡A mí me gusta!

**LA SEÑORA:** ¡Se acabó! *(Se acerca violentamente a LA EMPLEADA.)*

**LA EMPLEADA:** *(Firme.)* ¡Retírese!

*LA SEÑORA se detiene sorprendida.*

**LA SEÑORA:** ¿Te has vuelto loca?

**LA EMPLEADA:** ¡Me he vuelto señora!

**LA SEÑORA:** Te puedo despedir[12] en cualquier momento.

¡Yo soy la patrona!

**LA EMPLEADA:** *(Explota en grandes carcajadas, como si lo que hubiera oído fuera el chiste más gracioso que jamás ha escuchado.)*

**LA SEÑORA:** ¿Pero de qué te ríes?

**LA EMPLEADA:** *(Sin dejar de reír.)* ¡Es tan ridículo!

**LA SEÑORA:** ¿Qué? ¿Qué es tan ridículo?

**LA EMPLEADA:** Que me despida... ¡vestida así! ¿Dónde se ha visto a una empleada despedir a su patrona[13]?

**LA SEÑORA:** ¡Sácate esos anteojos! ¡Sácate el blusón! ¡Son míos!

**LA EMPLEADA:** ¡Vaya a ver al niño!

**LA SEÑORA:** Se acabó el juego, te he dicho. O me devuelves mis cosas o te las saco.

**LA EMPLEADA:** ¡Cuidado! No estamos solas en la playa.

**LA SEÑORA:** ¿Y qué hay con eso? ¿Crees que por estar vestida con un uniforme blanco no van a reconocer quién es la empleada y quién la señora?

**LA EMPLEADA:** *(Serena.)* No me levante la voz.

*LA SEÑORA, exasperada, se lanza sobre LA EMPLEADA y trata de sacarle el blusón a viva fuerza.*

**LA SEÑORA:** *(Mientras forcejea[14])* ¡China! ¡Ya te voy a enseñar quién soy! ¿Qué te has creído? ¡Te voy a meter presa[15]!

*Un grupo de bañistas ha acudido a ver la riña. Dos JÓVENES, una MUCHACHA y un SEÑOR de edad madura y de apariencia muy distinguida. Antes que puedan intervenir, LA EMPLEADA ya ha dominado la situación manteniendo bien sujeta a LA SEÑORA contra la arena. Ésta sigue gritando ad libitum[16] expresiones como: "rota cochina"..."ya te la vas a ver con mi marido"... "te voy a mandar presa"... "esto es el colmo[17]," etc., etc.*

---

[11]addressing me in the familiar *tú* form   [12]fire you   [13]boss   [14]she struggles
[15]send you to jail   [16]improvising   [17]this is too much

**UN JOVEN:** ¿Qué sucede?

**EL OTRO JOVEN:** ¿Es un ataque?

**LA JOVENCITA:** Se volvió loca.

**UN JOVEN:** Puede que sea efecto de una insolación[18].

**EL OTRO JOVEN:** ¿Podemos ayudarla?

**LA EMPLEADA:** Sí, por favor. Llévensela. Hay una posta[19] por aquí cerca...

**EL OTRO JOVEN:** Yo soy estudiante de Medicina. Le pondremos una inyección para que se duerma por un buen tiempo.

**LA SEÑORA:** ¡Imbéciles! ¡Yo soy la patrona! Me llamo Patricia Hurtado, mi marido es Álvaro Jiménez, el político...

**LA JOVENCITA:** *(Riéndose.)* Cree ser la señora.

**UN JOVEN:** Está loca.

**EL OTRO JOVEN:** Un ataque de histeria.

**UN JOVEN:** Llevémosla.

**LA EMPLEADA:** Yo no los acompaño... Tengo que cuidar a mi hijito... Está ahí, bañándose...

**LA SEÑORA:** ¡Es una mentirosa! ¡Nos cambiamos de vestido sólo por jugar! ¡Ni siquiera tiene traje de baño! ¡Debajo del blusón está en calzones[20]! ¡Mírenla!

**EL OTRO JOVEN:** *(Haciéndole un gesto al JOVEN.)* ¡Vamos! Tú la tomas por los pies y yo por los brazos.

**LA JOVENCITA:** ¡Qué risa! ¡Dice que está en calzones!

*Los dos JÓVENES toman a LA SEÑORA y se la llevan, mientras ésta se resiste y sigue gritando.*

**LA SEÑORA:** ¡Suéltenme! ¡Yo no estoy loca! ¡Es ella! ¡Llamen a Alvarito! ¡Él me reconocerá!

[18]sunstroke   [19]first-aid station   [20]underwear

Una pelota de playa.

## A ¿Qué recuerda Ud.?

1. ¿A qué juego juegan la señora y la empleada?
2. ¿Qué hace la empleada que le molesta a la señora?
3. ¿Cuál es la actitud de la señora al final?
4. ¿Cómo acaba la obra?

## B Algo personal

1. ¿Le parece interesante el juego de la empleada y la señora? ¿Por qué?
2. ¿Qué cree que pasaría después, en la obra?
3. ¿Cree Ud. que es posible que haya igualdad en la relación entre la señora y la empleada? ¿Por qué sí o por qué no?

# Ud. escribe

## Estrategia

**Turning point in a story**

Almost all stories have a turning point, after which things change for the characters, or the characters themselves change. You have seen an example of this in *El delantal blanco*. In this play, the turning point is the fight between the domestic and the lady. Before the fight, each character was very different. After the fight, the situation is dramatically changed.

When you write a story, an anecdote or an episode, it is useful to make a diagram like the one below to keep track of what is the turning point and how the characters behave before and after it.

Escriba un episodio (en forma de narración o en forma de obra de teatro) que ocurra entre un/a cliente/a y el/la empleado/a de una tienda de ropa o de una peluquería. Piense en cómo son los personajes al principio del episodio, cuál es el clímax, es decir, el momento más importante de la historia, qué eventos causan el clímax, y cómo cambiaron los personajes al final del episodio. Use el vocabulario y la gramática de este capítulo.

Comparta su borrador con otro/a estudiante y pídale sus sugerencias o correcciones. Por último, escriba la versión final para incluir las sugerencias de su compañero/a y para corregir los errores en los tiempos verbales, el uso de las palabras o expresiones de transición y la ortografía.

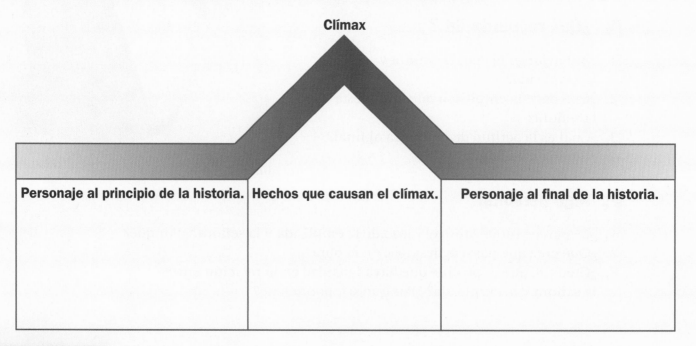

**Clímax**

| Personaje al principio de la historia. | Hechos que causan el clímax. | Personaje al final de la historia. |

# Proyectos adicionales

## A Conexión con otras disciplinas: artesanías

La artesanía mexicana de hoy muestra la influencia de varias culturas indígenas. Ejemplos típicos incluyen objetos de cerámica, piezas de arcilla, tejidos y prendas bordadas. Con un(a) compañero/a, busquen en la internet tres zonas o ciudades de México que se especializan en artesanías y escriban un corto informe para presentar a la clase. Incluyan lo siguiente:

- cultura indígena
- tipo de artesanía
- materiales que se usan

Acompañen su informe con un mapa que indique las zonas que se especializan en artesanías y fotos de los objetos de artesanía.

Un armadillo de Oaxaca.

## B Conexión con la tecnología

Haga una investigación en la internet sobre diseñadores de moda en México. Escoja uno y escriba un informe sobre él o ella. Diga de dónde es, cuál es su especialidad y, si puede, incluya fotos de algunos de sus modelos. Haga una presentación en clase de su informe.

## C Comparaciones

¿Cómo visten los jóvenes en México? Usando revistas o la internet, haga una comparación sobre cómo viste la gente joven en México y cómo se visten en Estados Unidos. Diga qué ropa hay en común, cuáles son algunas de las marcas favoritas y cuáles son los precios de la ropa. Comparta la información con sus compañeros y comenten los resultados.

Un desfile de modas.

# Repaso

**Now that I have completed this chapter, I can...**

**I can also...**

## Trabalenguas

Pedro Pérez peluquero prefiere
peines Pirámide
porque peines Pirámide
peinan perfectamente.
¡Prefiera peines Pirámide!

# Vocabulario

el **acondicionador** conditioner *9A*

**acortar** to shorten *9B*

la **aguja** needle *9B*

**ajustar** to fit *9B*

**al fin y al cabo** after all *9A*

el **alfiler** pin *9B*

**alisar(se)** to straighten (one's hair) *9A*

**ancho,-a** loose, wide *9A*

la **arcilla** clay *9B*

**arrugado,-a** wrinkled *9B*

la **artesanía** handicraft *9B*

**atractivo,-a** attractive *9A*

**azul marino** navy blue *9A*

la **bandeja** tray *9B*

**beige** beige *9A*

el **bolsillo** pocket *9B*

**bordado,-a** embroidered *9B*

el **botón,** button
*pl.* los **botones** *9B*

el **broche** pin, broach *9B*

la **cadena** chain *9B*

el **calzado** footwear *9A*

las **capas** layers *9A*

la **cerámica** ceramics, pottery *9B*

la **cintura** waist *9B*

**claro,-a** light *9A*

la **cola** ponytail *9A*

el **conjunto** (sweater) set *9A*

el **corte (de pelo)** haircut *9A*

**coser** to sew *9B*

la **cremallera** zipper *9B*

el **cristal** crystal *9B*

el **cuello** collar *9B*

**de buen/mal gusto** in good/bad taste *9A*

**de lunares** polka dot *9A*

**de rebaja** on sale *9A*

**desteñirse(i)** to fade, to discolor *9B*

**en vez de** instead of *9A*

**encogerse** to shrink *9B*

**estampado,-a** patterned, printed *9A*

la **estampilla** stamp *9B*

**estar de moda** to be in fashion *9A*

el **estilo** style *9A*

**estrecho,-a** narrow, tight *9A*

la **etiqueta** label *9A*

el **flequillo** bangs *9A*

**formal** formal *9A*

la **ganga** bargain *9A*

**gastado,-a** worn *9B*

el **gel** gel (hair) *9A*

los **gemelos** cuff links *9B*

**grasoso,-a** greasy *9A*

**hecho a mano** handmade *9B*

el **hilo** thread *9B*

**horroroso,-a** terrible *9A*

**informal** casual *9A*

**ir con** to go with, to match *9A*

el **jarrón** vase *9B*

el **joyero** jewelry box *9B*

**liso,-a** solid color *9A*

el **llavero** key ring, key chain *9B*

la **mancha** stain, spot *9B*

**manchado,-a** stained *9B*

la **manga** sleeve *9B*

la **máquina de coser** sewing machine *9B*

el **marco de fotos** picture frame *9B*

la **medalla** medal *9B*

**mediano,-a** medium *9A*

el **metro** measuring tape *9B*

la **moda** fashion *9A*

**morado,-a** purple *9A*

**no tener ni idea de** not have the faintest idea about, not have a clue *9B*

**ondulado,-a** wavy *9A*

**oscuro,-a** dark *9A*

**¡Padrísimo!** Great! *9A*

**pálido,-a** pale *9A*

el **papel de carta** stationery *9B*

el **peinado** hairdo *9A*

la **permanente** permanent *9A*

**¡Qué estafa!** What a rip-off! *9B*

**¿Qué tal si...?** How about if...? *9B*

**rapar(se)** to shave (one's hair) *9A*

la **raya** part (in hair) *9A*

la **rebaja** discount, sale *9A*

**rebajado,-a** reduced *9A*

**rebelde** unruly *9A*

**recogido,-a** gathered up *9A*

el **salón de belleza** beauty parlor *9A*

el **sastre,** la **sastre** tailor *9B*

**sin gracia** plain *9A*

el **sobre** envelope *9B*

la **solapa** lapel *9B*

la **sudadera** sweatshirt *9A*

**suelto,-a** loose (hair) *9A*

la **talla** size *9A*

**tejido,-a** knitted *9B*

**teñir(se)(i)** to dye *9A*

las **tijeras** scissors *9B*

la **tintorería** dry cleaners *9B*

**tomar las medidas** to take measurements *9A*

los **vaqueros** jeans *9A*

Las estampillas.

El sobre.

# Capítulo 10

# Nuestro futuro

## Objetivos

- ❖ talk about plans for the future
- ❖ talk about careers
- ❖ prepare for a job interview
- ❖ evaluate work conditions
- ❖ refer to indefinite or unknown subjects
- ❖ talk about future technologies
- ❖ express wishes and hopes for the future
- ❖ discuss environmental problems, their causes and solutions

Visit the web-based activities at www.emcp.com

# Vocabulario I
## Planes para el futuro

el especialista en informática

la diseñadora

Pablo

Aprendí informática el año pasado, pero quiero ir a la universidad para continuar mis estudios y ser especialista en ese campo.

Desde pequeña, quería ser diseñadora de moda y tener un puesto en una compañía famosa de ropa.

Beatriz

la arquitecta

el psicólogo

Solicité una beca en la universidad para estudiar psicología. Confío en que me la den.

Cuando me gradúe, quiero estudiar arquitectura y hacer prácticas en una empresa.

Víctor

Carolina

la empresaria

el electricista

el fontanero

Mi sueño es estudiar relaciones públicas y tener una empresa. Estoy segura de que valgo para ser empresaria.

Isabel

No sólo me gusta la ingeniería sino que también me especializo en construcción.

Francisco

## 1 ¿Qué carrera puedo seguir?

Escuche lo que dicen las siguientes personas sobre lo que les gustaría ser en el futuro. Diga a qué profesión o trabajo se refiere cada una.

1. A. cajero     B. bombero     C. arquitecto
2. A. electricista     B. fontanero     C. mecánico
3. A. empresaria     B. diseñadora     C. veterinaria
4. A. recepcionista     B. empresario     C. médico
5. A. periodista     B. psicólogo     C. repartidor
6. A. especialista en informática     B. empresaria     C. entrenadora de tenis

## 2 Planes para el futuro

Conteste las siguientes preguntas según la información en el Vocabulario I.

1. ¿Qué quería Beatriz desde pequeña?
2. ¿Por qué quiere ir Pablo a la universidad?
3. ¿Qué solicitó Víctor?
4. ¿Qué va a hacer Carolina cuando se gradúe?
5. ¿De qué está segura Isabel?
6. ¿Qué le gusta a Francisco?

Mi sueño es ir a la universidad.

# Diálogo I

## ¿Qué carrera piensas seguir?

EMILIO: ¿Qué carrera piensas seguir cuando te gradúes, Virginia?

VIRGINIA: Me voy a especializar en relaciones públicas. ¿Y tú?

EMILIO: Arquitectura. Como mi papá es arquitecto, podré hacer prácticas donde él trabaja.

LUCAS: A mí me gusta la construcción. Todavía no sé si quiero trabajar de fontanero o de electricista.

VIRGINIA: ¿Y no te gustaría estudiar ingeniería?

LUCAS: Quizás, pero necesitaría solicitar una beca en la universidad.

EMILIO: ¿Por qué no averiguas qué becas ofrece la universidad? O también puedes conseguir un trabajo mientras continúas tus estudios.

LUCAS: Es una buena idea. Gracias, Emilio.

## 3 ¿Qué recuerda Ud.?

1. ¿Qué carrera le interesa a Virginia?
2. ¿Qué va a estudiar Emilio?
3. ¿Qué le gusta a Lucas?
4. ¿Qué necesitaría Lucas para estudiar en la universidad?
5. ¿Qué otra cosa puede hacer Lucas?

## 4 Algo personal

1. ¿Qué carrera piensa seguir Ud.?
2. ¿Haría prácticas después de graduarse?
3. ¿Dónde le gustaría conseguir un puesto?
4. ¿Qué opina de las becas?

### ¡Extra!

**Graduarse y licenciarse**

En España, cuando una persona se *gradúa* quiere decir que acaba sus estudios secundarios. Cuando se *licencia* es que ha acabado un mínimos de cuatro años de estudios universitarios.

## 5 La gente y sus trabajos

 Indique la letra de la foto que corresponde con lo que oye.

**A**     **B**     **C**     **D**     **E**

# Cultura Viva

## Las primeras universidades de la Península Ibérica

Las primeras universidades de la historia surgieron[1] en la Edad Media, en Europa, en un momento de renacimiento cultural y desarrollo económico. En esa época comenzaron las asociaciones gremiales, es decir, de grupos que practicaban el mismo oficio. En este mismo contexto nace también la universidad, como la agrupación de maestros y aprendices, interesados en temas intelectuales. Los primeros estudios fueron de teología (religión) y filosofía. Los estudiantes recibían una licencia o graduación, aprobada por el Papa[2]. Estos gremios recibían también la protección de reyes y emperadores.

En esa época España aún no había nacido y la Península Ibérica estaba dividida en varios reinos[3], cada uno de los cuales tenía su rey. Se empieza a hablar de España cuando la reina Isabel I de Castilla y el rey Fernando el Católico de Aragón unieron sus reinos a finales del siglo XV.

En la Península Ibérica (el territorio que hoy ocupan España y Portugal), la primera universidad que se fundó fue la Universidad de Palencia, creada por Alfonso VIII de León en 1208. Después, Alfonso IX creó la Universidad de Salamanca, en 1218, que pasaría a ser una de las más importantes de Europa. Años más tarde, los reyes de Castilla apoyaron la creación de la Universidad de Valladolid (1297), mientras que Jaime II de Aragón ya había ayudado a crear la Universidad de Lérida en 1279.

La Universidad de Salamanca es una de las más antiguas de Europa.

[1]appeared  [2]Pope  [3]kingdoms

## 6 Universidades de España

**Conteste las siguientes preguntas.**

1. ¿Cuándo surgieron las primeras universidades de la historia?
2. ¿Cómo nacieron las universidades?
3. ¿Cuáles fueron los primeros estudios?
4. ¿Cuál fue la primera universidad de la Península Ibérica?

### ¡Oportunidades!

**Aprenda español en el extranjero**
Viajar al extranjero es siempre una buena oportunidad para practicar idiomas. Pero, ¿ha pensado alguna vez en hacer un curso de verano en un país de habla hispana? De este modo, no sólo estaría reforzando su español en clase sino que, al salir, podría ponerlo en práctica a diario, en situaciones reales. Un curso de verano le ofrece la inmersión total que hará que su conocimiento de español avance aún más deprisa. Puede pedir información sobre cursos de verano en la oficina cultural del consulado del país que le interese visitar.

### Verbos que terminan en *-iar, -uar*

Most verbs ending in *-iar* and *-uar* are regular verbs.

| | |
|---|---|
| Yo **estudio** arquitectura. | I **study** architecture. |
| Ellos **averiguan** cuándo es la entrevista. | They **are finding out** when the interview is. |

Some verbs break the dipthong and add an accent mark in all the present indicative, command, and present subjunctive forms except the *nosotros* form.

| | |
|---|---|
| **Confío** en ti. | I **trust** you. |
| **Continúe** con lo que está haciendo. | **Continue** with what you are doing. |
| Espero que él **se gradúe** este año. | I hope he **graduates** this year. |
| Nosotros **actuamos** en la obra de teatro. | We **act** in the play. |

| Verbos que terminan en *-iar* | |
|---|---|
| *cambiar *(to change)* | yo cambio |
| confiar *(to trust)* | tú confías |
| enviar *(to send)* | ellos envían |
| *estudiar *(to study)* | él estudia |
| esquiar *(to ski)* | nosotros esquiamos |
| fotografiar *(to photograph)* | vosotros fotografiáis |
| guiar *(to guide)* | ellos guían |
| *limpiar *(to clean)* | nosotros limpiamos |
| vaciar *(to empty)* | ella vacía |

| Verbos que terminan en *-uar* | |
|---|---|
| actuar *(to act)* | yo actúo |
| continuar *(to continue)* | tú continúas |
| evacuar *(to evacuate)* | él evacúa |
| evaluar *(to evaluate)* | nosotros evaluamos |
| graduarse *(to graduate)* | vosotros os graduáis |
| situar *(to locate)* | ellas sitúan |

Verbs that end in *-eír*, like *reír(se)* and *freír*, keep a written accent in all forms.

| | |
|---|---|
| Nosotros **freímos** las papas. | We **fry** the potatoes. |
| Todos **se ríen** en la foto. | Everybody **is laughing** in the picture. |

*These verbs do not carry an accent mark.

# Práctica

### 7 Escuela de Estudios Superiores

Complete el siguiente anuncio con el presente de los verbos entre paréntesis.

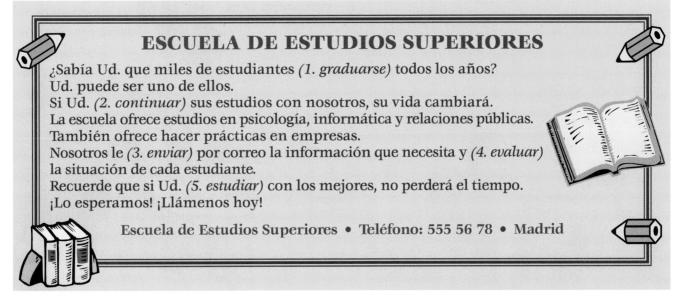

**ESCUELA DE ESTUDIOS SUPERIORES**

¿Sabía Ud. que miles de estudiantes *(1. graduarse)* todos los años?
Ud. puede ser uno de ellos.
Si Ud. *(2. continuar)* sus estudios con nosotros, su vida cambiará.
La escuela ofrece estudios en psicología, informática y relaciones públicas.
También ofrece hacer prácticas en empresas.
Nosotros le *(3. enviar)* por correo la información que necesita y *(4. evaluar)*
la situación de cada estudiante.
Recuerde que si Ud. *(5. estudiar)* con los mejores, no perderá el tiempo.
¡Lo esperamos! ¡Llámenos hoy!

Escuela de Estudios Superiores • Teléfono: 555 56 78 • Madrid

### 8 ¿Qué hacen?

Complete las oraciones usando los datos de las dos columnas. Use los verbos
en los tiempos verbales que se indican.

| I | II |
|---|---|
| 1. No puedo creer que Víctor ya tenga 17 años y que... | actuar en una compañía de teatro. (presente del indicativo) |
| 2. Susana es actriz y... | estudiar arquitectura. (presente del indicativo) |
| 3. Como estudio ingeniería, sugieren que... | evaluar el trabajo de nuestros compañeros. (presente del subjuntivo) |
| 4. Al hermano de María le gusta diseñar edificios y... | graduarse el año próximo. (presente del subjuntivo) |
| 5. La profesora nos pide que... | guiar a los estudiantes para solicitar becas. (presente del indicativo) |
| 6. Los consejeros del colegio... | continuar trabajando para la empresa de construcción. (presente del subjuntivo) |

# Comunicación

### 9 Planes para el futuro

Con su compañero/a, hablen sobre qué carrera piensan seguir. Investiguen dónde
pueden estudiar esas carreras, cuánto tiempo hay que estudiar y dónde pueden
trabajar después de que se gradúen. Comenten también por qué les gustaría
estudiar esas carreras y si conocen a alguien que esté trabajando en ese campo.

**MODELO** Cuando me gradúe, voy a estudiar ingeniería. Puedo estudiar esa carrera en la
Universidad de Madrid...

## 10 Hablando del trabajo

Escuche las oraciones. Escoja la palabra o frase que completa correctamente cada oración que sigue para que su significado sea similar al de la oración que oye.

1. Hace un año que mi hermano está *(trabajando / en paro)*.
2. En la entrevista, el jefe le dijo a Juan cuánto iba a ser
   *(su sueldo / sus beneficios)*.
3. Dudo que el trabajo sea *(de jornada completa / de media jornada)*.
4. Antes de la entrevista, hay que *(leer los conocimientos /*
   *rellenar un formulario)*.
5. *(Tengo requisitos / Tengo facilidad)* para las matemáticas.
6. Mis amigos dicen que soy una persona *(emprendedora / temporal)*.

## 11 Definiciones

Lea las definiciones y escoja la palabra que corresponde a cada una.

1. Lo que escribe una persona
   para recomendar a otra.
2. Dinero que gana una persona.
3. Trabajo de pocas horas por semana.
4. Trabajo de ocho horas por día.
5. Hoja con la información sobre los
   conocimientos y los estudios de
   una persona.
6. Cuando algo dura poco tiempo.

A. temporal
B. de media jornada
C. currículum vitae
D. sueldo
E. las referencias
F. de jornada completa

# Diálogo II

## ¿Tiene Ud. referencias?

**VIRGINIA:** Estoy interesada en el puesto de secretaria.

**JEFE:** Muy bien. ¿Rellenó ya el formulario?

**VIRGINIA:** Sí, aquí lo tengo.

**JEFE:** ¿Tiene su currículum vitae?

**VIRGINIA:** Sí, aquí está.

**JEFE:** Es importante que tenga conocimientos de informática.

**VIRGINIA:** Pues, estudié en el colegio. Y tengo facilidad para las matemáticas.

**JEFE:** ¿Ha trabajado en equipo antes?

**VIRGINIA:** Sí, el año pasado.

**JEFE:** ¿Qué tipo de trabajo busca?

**VIRGINIA:** De media jornada.

**JEFE:** Es posible que haya un puesto de media jornada. Otra pregunta: ¿Tiene referencias?

**VIRGINIA:** No, me las olvidé.

**JEFE:** Bueno, la pondré a prueba igualmente. Empieza mañana.

## 12 ¿Qué recuerda Ud.?

1. ¿Qué es lo primero que le pregunta el jefe a Virginia?
2. ¿Tiene Virginia su currículum vitae?
3. ¿Qué conocimientos tiene Virginia?
4. ¿Para qué tiene facilidad Virginia?
5. ¿Qué tipo de trabajo busca Virginia?
6. ¿Qué hace el jefe cuando Virginia le dice que se olvidó las referencias?

## 13 Algo personal

1. ¿Ha tenido alguna vez una entrevista de trabajo?
2. ¿Tiene ya su currículum vitae?
3. ¿Qué conocimientos tiene Ud.?
4. ¿Para qué tiene facilidad?
5. ¿Le gustaría trabajar en equipo o por su cuenta?
6. ¿Qué beneficios le gustaría tener en su trabajo?

## 14 ¿Cuál fue la pregunta?

Escuche las siguientes respuestas y escoja la pregunta que corresponde a cada una.

A. ¿En qué se especializa?

C. ¿Cuáles son los requisitos?

F. ¿Trabaja solo o en equipo?

D. ¿Qué necesito rellenar?

E. ¿Cómo es el trabajo?

B. ¿Cuánto tiempo hace que no trabaja?

## Cómo se hace un currículum en España

Un currículum o currículum vitae (que en latín quiere decir *carrera de vida*) puede ser muy distinto según el país. Una de las grandes diferencias entre un currículum estadounidense y uno español es que en España la persona debe incluir su fecha de nacimiento o edad, mientras que en Estados Unidos esto no se consideraría correcto. Un currículum español también debe incluir el estado civil[1] y el número de hijos si la persona es casada. Muchas empresas también requieren una foto con el currículum.

El de la derecha es un currículum al estilo español.

| Currículum vitae: Carolina García |
|---|
| **DATOS PERSONALES** |
| **Nombre:** Carolina García |
| **Dirección:** Calle Almendralejo, 28 4° 2ª, 08025 Barcelona |
| **Teléfono:** (93) 555-1234 |
| **Fecha de nacimiento:** 29 de febrero de 1985 |
| **Estado civil:** soltera |
| **FORMACIÓN ACADÉMICA** |
| ■ **2003 hasta la actualidad:** estudios de periodismo en la Universidad Autónoma de Barcelona |
| ■ **1998-2003:** Estudios de grado medio en el Instituto Pau Claris, Barcelona |
| ■ **1994-1998:** Estudios de primer y segundo ciclo de ESO en la escuela Víctor Català, Barcelona |
| ■ **1991-1994:** Estudios de Educación General Básica en la escuela Romeu, Barcelona |
| **IDIOMAS** |
| ■ Castellano |
| ■ Catalán |
| ■ Inglés |
| **AFICIONES** |
| ■ Informática y juegos de ordenador |
| ■ Natación y baloncesto |
| ■ Cine |

[1]marital status

## 15 ¿Cómo es su currículum?

**Conteste las siguientes preguntas.**

1. ¿En qué se diferencia su currículum del de Carolina García?
2. ¿Qué datos tendría que incluir en su currículum para buscar trabajo en España?
3. ¿Cuál es, según Ud., el dato más importante de su currículum?

- Use el currículum de esta página como modelo para escribir su propio currículum. Piense en sus aficiones como algo que complementa sus estudios y experiencia. Cuando termine de escribirlo, revíselo bien para que no tenga errores.

# Idioma

## Usos del subjuntivo y del indicativo

Use the subjunctive:

- after expressions of doubt

  *No creo que ellos tengan experiencia.*     I don't think they have experience.
  *Dudo que ella sea emprendedora.*           I doubt that she's enterprising.
  *No estoy seguro de que te conozca.*         I'm not sure I know you.

- after impersonal expressions of uncertainty or doubt

  *No es verdad que él tenga dos cartas        It's not true that he has two letters
  de referencia.*                              of recommendation.

- to give advice and make suggestions or recommendations

  *Jorge dijo que rellenáramos el formulario.*  Jorge told us to fill out the form.

- to refer to an indefinite or unknown person or object

  *Necesito una persona que sepa español.*     I need someone that speaks Spanish.

- after certain conjunctions such as *aunque, cuando, en cuanto, hasta que, tan pronto
  como,* if the outcome of the action is uncertain

  *Voy a comprar esa computadora aunque        I am going to buy that computer even
  sea cara.*                                   though it could be expensive.
                                               (It's possible that it may be expensive.)
  *Lo compraré cuando tenga dinero.*           I'll buy it when I have money.

Use the indicative:

- to express certainty

  *Creo que ellos tienen experiencia.*         I think they have experience.
  *No dudo que sea emprendedora.*              I don't doubt she is enterprising.
  *Estoy seguro de que te conozco.*            I am sure I know you.

- after impersonal expressions of certainty

  *Es cierto que ella es muy trabajadora.*     It's true she is hardworking.

- to report actions

  *Jorge dijo que su hermano aceptó el trabajo.*  Jorge said his brother accepted the job.

- to refer to known people or objects

  *Necesito a la profesora que sabe español.*  I need the teacher that speaks Spanish.
                                               (I know she exists.)

- after certain conjunctions if the outcome of the action is certain

  *Voy a comprar esa computadora aunque        I am going to buy that computer even
  es cara.*                                    though it is expensive. (I know the price.)
  *Lo compré cuando tenía dinero.*             I bought it when I had money.

 **Práctica**

 **16 Trabajos**

 Con su compañero/a, hablen sobre cómo conseguir un trabajo. Decidan si deben usar el indicativo o el subjuntivo en las siguientes oraciones.

**MODELO** La profesora quiere que *(hagamos / hacemos)* el currículum vitae.
La profesora quiere que hagamos el currículum vitae.

1. Las referencias que *(traes / traigas)* no son muy claras.
2. En la tienda necesitan una persona que *(vive / viva)* en el barrio.
3. Es cierto que Mario *(sea / es)* muy emprendedor.
4. Dicen que *(tenemos / tengamos)* facilidad para las matemáticas.
5. Hablaré con el jefe en cuanto *(puedo / pueda)*.
6. En el anuncio piden una persona que *(sepa / sabe)* hablar francés.

**17 En la empresa**

Imagine que trabaja en una empresa. Complete las oraciones con los verbos en subjuntivo o en indicativo, según corresponda.

**MODELO** Se necesita un contador que <u>trabaje</u> a tiempo completo. *(trabajar)*

1. No conozco al jefe que __ en tu sección. *(estar)*
2. En la entrevista, te piden que __ varios formularios. *(rellenar)*
3. Debo hablar con la empleada que __ informática. *(saber)*
4. El jefe me explicará mis beneficios después de que __ la entrevista. *(terminar)*
5. Dudo que __ a más empleados esta semana. *(contratar)*
6. No es verdad que la empresa __ a prueba a todos sus empleados. *(poner)*

**18 Consejos**

 Su amigo/a está muy nervioso/a porque tiene una entrevista de trabajo y le hace muchas preguntas. Dígale lo que debe hacer usando los verbos *aconsejar* y *recomendar* y el subjuntivo.

**MODELO** hablar sobre mi experiencia
**A:** ¿Hablo sobre mi experiencia?
**B:** Sí, te aconsejo (recomiendo) que hables sobre tu experiencia.

1. escribir un currículum vitae
2. averiguar qué clase de beneficios ofrecen
3. rellenar los formularios antes de la entrevista
4. pedirles cartas de referencia a mis profesores
5. explicarle mis conocimientos al jefe
6. preguntar si el trabajo es de media jornada o de jornada completa

# ◈ Comunicación

Con su compañero/a, imaginen que están en una entrevista de trabajo. Túrnense para hacer los papeles de jefe/a y candidato/a. Creen un diálogo usando las expresiones de la caja. Incluyan la siguiente información.

| | | |
|---|---|---|
| aunque | le recomiendo... | le sugiero... |
| cuando | tan pronto como | dudo que... |
| no creo que... | estoy seguro/a de que... | |

- para qué puesto de trabajo es la entrevista
- si es para un puesto temporal o fijo
- si tiene o no experiencia en ese campo
- por qué quiere trabajar en ese campo
- cuál será el sueldo
- qué beneficios ofrece
- si el trabajo será de media jornada o de jornada completa

Una entrevista de trabajo.

**MODELO** **A:** Tan pronto como me gradúe quiero un puesto en el campo de la informática.

**B:** Entonces, le sugiero que nos envíe su currículum vitae.

**A:** ¿Lo puedo enviar por correo electrónico?

**B:** Preferimos que lo haga por correo.

## **20** El futuro

En grupos de cuatro, hablen sobre eventos que puedan ocurrir en el futuro en las categorías que se mencionan. Usen frases como: *no creo que, dudo que, creo que, estoy seguro/a de que, niego que.* Recuerden que si existe certeza *(certainty)* deben usar el indicativo, y si no están seguros/as, deben usar el subjuntivo. Un miembro del grupo debe anotar las opiniones de los demás. Luego, comparen sus opiniones con las de otros grupos.

**MODELO** Dudo que en el futuro haya trabajos de jornada completa.

- los estudios
- las profesiones
- los trabajos
- la salud
- la comida
- la familia
- el entretenimiento

### Estrategia

**Group words into categories**

Whenever you're asked to talk about a variety of topics, you might find it useful to resort to word lists grouped by categories. For example, if you were to deliver an oral presentation about employment, you could group job-related words under categories such as professions, careers, places of work, job conditions, job requirements, qualifications, and so on.

# Repaso rápido: el subjuntivo con sujeto indefinido

The subjunctive is used with relative pronouns such as *que* or *donde* to refer to an indefinite or unknown person or object.

| | |
|---|---|
| *Hace meses que busco un puesto* **que pague** *un buen sueldo.* | I've been looking for a job **that pays** a good salary for months. |
| *Quiero un trabajo* **donde** *no* **haya** *que viajar.* | I want a job that **does** not **require** traveling. |
| *En esta empresa necesitan una persona* **que sepa** *diseñar programas.* | In this company they need a person **that knows** how to design programs. |

Note that when the indefinite subject is a person, the personal *a* is omitted. However, when the pronouns *alguien, nadie, alguno(a, os, as),* and *ninguno(a)* are the direct object, the personal *a* is required.

| | |
|---|---|
| *¿Conoces a alguien que cumpla con los requisitos de este puesto?* | ¿Do you know someone that has the qualifications for this job? |
| *No, no conozco a nadie que se especialice en construcción.* | No, I don't know anyone who specializes in construction work. |

## 21 Necesitamos...

**Imagine que Ud. trabaja en la sección de clasificados de un periódico. Escriba los anuncios según las indicaciones.**

**MODELO** necesitamos / diseñadora / tener experiencia / diseños de moda / gustar trabajar en equipo
Necesitamos una diseñadora que tenga experiencia en diseños de moda y que le guste trabajar en equipo.

1. busco / carpintero / trabajar media jornada / saber construir muebles
2. necesito / vendedora / ser emprendedora / querer trabajar por su cuenta
3. se solicitan / agentes de viaje / poder viajar con frecuencia / tener su propio coche
4. Buscamos / algún estudiante / ser amable y responsable / querer hacer prácticas en nuestra empresa
5. se solicita / psicóloga / especializarse / psicología infantil y juvenil / tener su propio consultorio
6. ¿necesita Ud. / alguien / enseñar español / poder trabajar tres días a la semana?

Busco trabajo en carpintería.

# Lectura cultural

## Carreras con futuro

Hay muchos puestos para ingenieros.

Los tiempos han cambiado y con la llegada de las nuevas tecnologías, también lo han hecho el mercado de trabajo y las profesiones. Ahora, el trabajo estable tradicional ya no es la única opción. Según opinan los expertos, hay una tendencia hacia los trabajos temporales, que serán lo más habitual en el futuro. También habrá más movilidad geográfica (es decir, que el trabajador tendrá que ser flexible a la hora de mudarse a otra ciudad o incluso país) y especialización.

Las profesiones y oficios en los que hoy en día hay más posibilidades de encontrar trabajo son las relacionadas con ingeniería, informática, química, farmacia y biología. Por el contrario, no hay muchos puestos para carreras de humanidades.

Los sectores con más futuro incluyen el medio ambiente, la comunicación, las telecomunicaciones, el ocio, el transporte, los servicios financieros, la construcción, los seguros[1] y la asistencia a la tercera edad[2].

A la hora de decidir qué carrera estudiar, es importante tener en cuenta si será fácil encontrar trabajo en ese campo. Mientras que las carreras tradicionales, como las de derecho, medicina y economía siempre tendrán demanda, hay nuevos estudios que también serán importantes. Entre ellos se encuentran la ingeniería de sistemas informáticos, la ingeniería de telecomunicaciones (que cubre las redes informáticas, la tecnología digital y la electrónica), el diseño industrial, que combina las artes con la tecnología, las ciencias ambientales, la biotecnología, la traducción, la cirugía médica con especialización en los transplantes de órganos, el comercio por la internet y la administración y mercadeo[3].

[1]insurance    [2]care of senior citizens    [3]marketing

- • **Haga una encuesta en clase para averiguar qué carreras y profesiones con futuro les interesan más a sus compañeros.**

### 22 ¿Qué recuerda Ud.?

1. ¿Cómo es el mercado de trabajo actual?
2. ¿Qué profesiones tienen más posibilidades de encontrar trabajo hoy?
3. Mencione tres nuevos estudios que serán importantes en el futuro.

### 23 Algo personal

1. ¿Cuál de las carreras y profesiones que se mencionan en el texto le interesa más? ¿Por qué?
2. En el futuro, ¿aceptaría Ud. un trabajo en el que tuviera que mudarse a otra ciudad? ¿En qué condiciones?

La cirugía tendrá demanda.

# ¿Qué aprendí?

## Autoevaluación

**Como repaso y evaluación, responda lo siguiente:**

1. Mencione las profesiones que Ud. asocia con estos campos: *arquitectura, moda, construcción, empresas, psicología.*

2. ¿Cuál fue la primera universidad que se fundó en la Península Ibérica? ¿En qué año se fundó?

3. Ponga el acento a las palabras que lo necesitan: *yo me graduo, el esquia, nosotros confiamos, ellos averiguan, tu continuas.*

4. ¿Qué documentos necesita llevar a una entrevista? ¿Qué necesita rellenar?

5. ¿Cómo definiría Ud. un trabajo de media jornada? ¿Y un trabajo de jornada completa?

6. Mencione un dato en un currículum español que generalmente no aparece en un currículum estadounidense.

7. Complete las siguientes oraciones. *Dudo que Marta... Estoy segura de que Marta...*

8. Escriba una oración usando el subjuntivo con sujeto indefinido.

9. Mencione dos estudios que serán importantes en el futuro.

Visit the web-based activities at www.emcp.com

## Vocabulario

**Los estudios**
- la arquitectura
- la beca
- el campo
- los estudios
- la ingeniería
- la informática
- la psicología
- las relaciones públicas

**Trabajos y profesiones**
- el arquitecto, la arquitecta
- el diseñador, la diseñadora
- el electricista, la electricista
- el empresario, la empresaria
- el especialista, la especialista
- el fontanero, la fontanera
- el jefe, la jefa
- el psicólogo, la psicóloga

**La entrevista**
- los beneficios
- los conocimientos
- el currículum vitae
- el formulario
- la jornada completa
- la media jornada
- el puesto
- las referencias
- los requisitos
- el sueldo

**Adjetivos**
- emprendedor,-a
- fijo,-a
- temporal

**Verbos**
- contratar
- cumplir con
- especializarse en
- graduarse
- rellenar
- solicitar

**Otras palabras y expresiones**
- la construcción
- en equipo
- estar en paro
- hacer prácticas
- poner a prueba
- por mi/su cuenta
- tener facilidad para...

Una electricista.

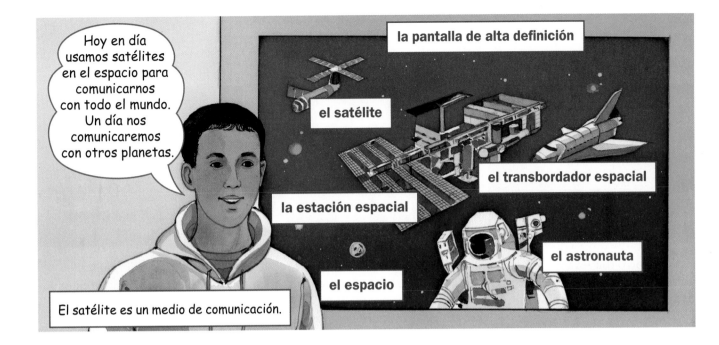

Hoy en día usamos satélites en el espacio para comunicarnos con todo el mundo. Un día nos comunicaremos con otros planetas.

la pantalla de alta definición

el satélite

la estación espacial

el transbordador espacial

el espacio

el astronauta

El satélite es un medio de comunicación.

## 1 En el futuro

Indique la letra de la foto que corresponde con lo que oye.

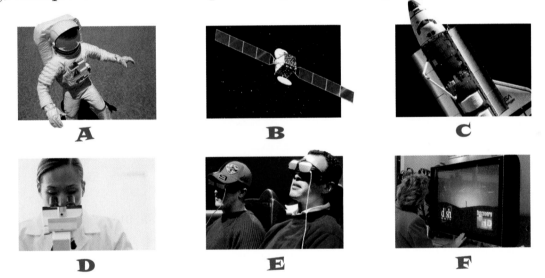

A

B

C

D

E

F

## 2 Hablemos del futuro

Complete las oraciones con las palabras de la caja.

1. En el futuro, se habrán desarrollado muchos ___ científicos en genética.
2. Los satélites son parte de los ___ de comunicación.
3. Tienes que ser más ___, todo saldrá bien.
4. Necesitaríamos una persona que pudiera ___ lo que sucederá en el futuro en la tecnología.
5. Me encantaría que estudiáramos los ___ que cambiaron el mundo en los siglos pasados.
6. La realidad virtual es un avance ___.

avances
inventos
medios
optimista
predecir
tecnológico

# Diálogo I

## ¿Qué piensas de las nuevas tecnologías?

**LUIS:** El otro día leí un artículo sobre cuáles habrán sido los avances tecnológicos en los próximos años.

**DELIA:** ¿Qué decía el artículo?

**LUIS:** Decía que en unos años habrán desarrollado una televisión de realidad virtual.

**DELIA:** ¡Qué fascinante! ¿Qué otras cosas decía el artículo?

**LUIS:** Predecía que en el futuro habrán instalado estaciones espaciales y que todas las personas podrán viajar usando transbordadores espaciales.

**DELIA:** Me gustaría que ya pudiéramos disfrutar de estos avances tecnológicos. Me encantaría volar al espacio.

**LUIS:** Tranquila… todavía faltan muchos años para eso.

**DELIA:** ¡Qué pesimista! El futuro está muy cerca.

## 3 ¿Qué recuerda Ud.?

1. ¿Qué habrán desarrollado en unos años, según el artículo?
2. ¿Qué predecía el artículo?
3. ¿Qué podrán hacer todas las personas?
4. ¿Qué le gustaría a Delia?
5. ¿Por qué Luis es pesimista, según Delia?

## 4 Algo personal

1. ¿Qué avance tecnológico de la actualidad es su preferido?
2. ¿Sobre qué avance tecnológico del futuro le interesaría saber más?
3. ¿Cómo se imagina Ud. que será el futuro?
4. ¿Le gustaría poder volar al espacio en un transbordador espacial?
5. ¿Qué avances científicos le gustaría a Ud. que hubiera en el futuro?

## 5 Nuevos inventos

 Escuche los siguientes diálogos y diga a qué foto se refiere cada uno.

**A**

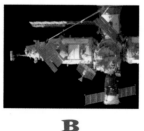

**B**

**C**

**D**

## Pedro Duque, un español en la Estación Espacial Internacional

En octubre de 2003, Pedro Duque se convirtió en el primer español que viajó a la Estación Espacial Internacional[1]. Era su segunda misión espacial y su primera visita a la estación. Durante esta misión, llamada "Cervantes", Duque y otros dos astronautas, de Rusia y de Estados Unidos, realizaron experimentos biológicos, físicos y tecnológicos, hicieron observaciones de la Tierra, y prepararon programas educativos.

Pedro Duque nació en Madrid en 1963 y es ingeniero aeronáutico[2]. Para él, que ya ha estado en el espacio en dos ocasiones, su sueño es pasar más tiempo en la Estación Espacial "para poder estar algún domingo sin trabajar", como él mismo explicó a los periodistas al volver de su último viaje.

Pedro Duque vivió 10 días en la Estación Espacial Internacional.

El astronauta español dice que la Estación Espacial está preparada para poder pasar allí el tiempo que se quiera, pero entre los defectos de estar allí señaló[3] la comida. "Falta la cocina mediterránea, como la española o la italiana", dijo Duque.

Para él, una de sus experiencias más hermosas fue despegar de la Tierra y aterrizar, después. "El despegue en un cohete[4] ruso va como sobre rieles[5], muy suave", explicó el astronauta. "El aterrizaje es bastante más brusco[6], pero también más espectacular. Es impresionante ver aparecer las primeras chispas[7] cuando el cohete entra de nuevo en la atmósfera".

[1]International Space Station    [2]aeronautical engineer
[3]pointed    [4]rocket    [5]smoothly    [6]rough    [7]sparks

## 6  Un astronauta español

**Conteste las siguientes preguntas.**

1. ¿Quién es Pedro Duque?
2. ¿Cuál fue su segunda misión espacial?
3. ¿Cuánto tiempo se puede pasar en la Estación Espacial, según Duque?
4. ¿Cómo es el aterrizaje, según Duque?

La Estación Espacial Internacional.

**Idioma**

## Repaso rápido: el futuro perfecto

The future perfect expresses a future event that will have been completed before another future event. To form the future perfect, use the future of the verb *haber* with the past participle of the verb.

| poder | |
|---|---|
| **habré** pod**ido** | **habremos** pod**ido** |
| **habrás** pod**ido** | **habréis** pod**ido** |
| **habrá** pod**ido** | **habrán** pod**ido** |

*Para el año 2030,* **se habrán desarrollado** *nuevas tecnologías.*

By 2030, they **will have developed** new technologies.

The future perfect tense is often used with *dentro de* + time.

**Dentro de veinte años,** *los astronautas* **habrán viajado** *a varios planetas.*

**In twenty years,** astronauts **will have traveled** to several planets.

The future perfect is also used to speculate about something that may have happened in the past.

**¿Se habrá enterado** *Julio de las noticias?*

**I wonder if** Julio **has learned** about the news.

### 7 Futuro y tecnología

**Imagine que lee un artículo sobre lo que habrá sucedido en el futuro con la nueva tecnología. Complete las oraciones con el futuro perfecto de los verbos de la caja.**

| | | |
|---|---|---|
| jugar | desarrollar | ser |
| comunicarse | tener | viajar |

1. Dentro de diez años, los médicos ___ remedios para curar muchas de las enfermedades que existen hoy día.
2. Para el año 2040, la gente ___ al espacio en transbordadores espaciales.
3. Los niños ___ con juegos de realidad virtual.
4. En treinta años, todas las familias ___ televisores con pantallas de alta definición en sus casas.
5. En el futuro, nosotros ___ con otros planetas a través de los satélites.
6. Para el año 2030, los avances en genética ___ muy grandes.

## 8 Predicciones

En grupos pequeños, hablen sobre el futuro. Hagan predicciones para el año 2020. ¿Qué habrá pasado en el mundo? ¿Qué habrán hecho Uds.? Piensen en sus metas *(goals)*, sus estudios, el lugar donde viven, la forma de viajar, los deportes, la moda y las comidas. Túrnense para decir sus predicciones.

**MODELO**   Para el año 2020, la gente habrá viajado a la Luna en un transbordador espacial.

## Estructura

### Más sobre el imperfecto del subjuntivo

Use the imperfect subjunctive:
- when the verb in the main clause is in the past (preterite or imperfect) or in the conditional

  | *Quería* que *vinieras* al Museo *del Espacio.* | I wanted you to come to the Space Museum. |
  |---|---|

- with *quisiera* and *me gustaría que*

  | *Me gustaría que tuviéramos* un televisor *con una pantalla de alta definición.* | I would like us to have a television with a high definition screen. |
  |---|---|

- in contrary-to-fact *si* clauses

  | *Si yo tuviera dinero, viajaría* en un *transbordador espacial.* | If I had the money, I would travel in a space shuttle. |
  |---|---|
  | *Si tuviera* un satélite, me *comunicaría con otros planetas.* | If I had a satellite, I would communicate with other planets. |

- always after *como si* (as if)

  | *Ellos hablan de las cámaras digitales como si tuvieran una.* | They talk about digital cameras as if they had one. |
  |---|---|

| el imperfecto del subjuntivo | |
|---|---|
| **cantar:** | cantara, cantaras, cantara, cantáramos, cantarais, cantaran |
| **correr:** | corriera, corrieras, corriera, corriéramos, corrierais, corrieran |
| **vivir:** | viviera, vivieras, viviera, viviéramos, vivierais, vivieran |

Stem changes for *-ir* verbs *(o → u, e → i)* and irregularities that appear in the preterite also occur in the imperfect subjunctive.

| *Quería* que él *viniera.* | I wanted him to come. |
|---|---|
| *¡Ojalá pudiéramos* viajar al espacio! | I wish we could travel through space! |

 **Práctica**

**9 Cosas que haríamos...**

**Complete las siguientes oraciones con el imperfecto del subjuntivo del verbo apropiado.**

> **MODELO** Si yo ___ *(levantarse / acostarse)* temprano por las mañanas, no llegaría tarde a la escuela.
>
> Si yo <u>me levantara</u> temprano por las mañanas, no llegaría tarde a la escuela.

1. A Laura le gustaría que tú la ___ *(visitar / comprar)* el próximo verano.
2. Si los ingenieros ___ *(escribir / desarrollar)* una máquina para viajar en el tiempo, la compraría.
3. Quería que ellos ___ *(salir / ir)* a la fiesta de fin de año.
4. Carla baila como si ella ___ *(ser / cantar)* una bailarina profesional.
5. Si yo ___ *(desarrollar / predecir)* el futuro, diría que habrá muchos avances tecnológicos.
6. Si nosotros no ___ *(poder / salir)* ir de viaje, nos sentiríamos muy tristes.
7. Jorge querría que yo no ___ *(predecir / enojarse)* tanto con él.
8. Si tú ___ *(comunicarse / desarrollar)* con tus parientes en Alicante, se pondrían muy contentos.

**10 Antes de que...**

**Imagine que durante la semana estuvo hablando con sus amigos sobre los avances en la tecnología. Conecte las dos oraciones, usando las palabras entre paréntesis.**

> **MODELO** Me compraron un libro sobre genes. / Estudio genética. (para que)
>
> Me compraron un libro sobre genes para que estudiara genética.

El rayo láser.

1. El desarrollo era lento. / Hay avances tecnológicos. (antes de que)
2. Me compraría un juego de realidad virtual. / Yo tengo dinero. (si)
3. Contrataron a varios ingenieros. / Ellos construyen una estación espacial. (para que)
4. Yo quisiera. / Mi hermano me regala un microscopio. (que)
5. Marcos hablaba sobre los transbordadores espaciales. / Él es un astronauta profesional. (como si)
6. Lo ayudé con su tarea de la escuela. / Él me presta el juego de realidad virtual. (para que)

**448** *cuatrocientos cuarenta y ocho*

# ◈ Comunicación

## 11 Si yo pudiera...

 Lea el siguiente anuncio sobre una exposición de los nuevos avances tecnológicos y científicos. Con su compañero/a, formen oraciones sobre el anuncio usando los verbos de la caja. Recuerden usar el imperfecto del subjuntivo en sus oraciones.

| | | | |
|---|---|---|---|
| ser | estudiar | vivir | comunicarse |
| usar | desarrollar | viajar | tener |

**MUSEO DE LA TECNOLOGÍA**

Exposición de los nuevos avances tecnológicos
y científicos del mundo.
Horarios de visita: lunes a sábado de 10:00 a 5:00.
Avenida Diagonal 123
Barcelona, España

> **MODELO** Si tuviera un juego de realidad virtual, invitaría a todos mis amigos a jugar conmigo.

## 12 Unas preguntas

Con su compañero/a, contesten las siguientes preguntas, usando el imperfecto del subjuntivo. Comparen sus respuestas.

> **MODELO** ¿Qué le gustaría que sucediera en el futuro?
> Me gustaría que las personas vivieran en el espacio.

1. ¿Qué avances científicos le gustaría que hubiera?
2. ¿Qué haría si desarrollaran un coche que volara?
3. ¿Adónde iría si pudiera viajar en un transbordador espacial?
4. ¿Qué prediciría si Ud. supiera qué sucederá en el futuro?
5. ¿Qué querrían sus padres que Ud. estudiara en el futuro?
6. ¿Cómo le gustaría a Ud. que fueran las escuelas del futuro?

## 13 Sobre el medio ambiente

Escoja la respuesta que contesta correctamente cada pregunta que oye.

1. **A.** Los desperdicios se encuentran en peligro de extinción.
   **B.** Las ballenas y las focas se encuentran en peligro de extinción.

2. **A.** Los aerosoles contaminan el medio ambiente.
   **B.** La energía solar contamina el medio ambiente.

3. **A.** Hoy en día, la capa de ozono tiene un derrame.
   **B.** Hoy en día, la capa de ozono tiene un agujero.

4. **A.** Las fábricas arrojan desperdicios químicos.
   **B.** Las escuelas arrojan desperdicios químicos.

5. **A.** Para que no se agoten los recursos naturales se debe dañar la atmósfera.
   **B.** Para que no se agoten los recursos naturales se deben conservar.

## 14 Grupos de palabras

Diga qué palabra no pertenece al grupo.

| | | | |
|---|---|---|---|
| 1. ballena | foca | águila | coche |
| 2. dañar | reírse | contaminar | agotarse |
| 3. vidrio | papel | fábrica | lata |
| 4. playa | agujero | capa de ozono | atmósfera |
| 5. plantas | microscopio | agua | recurso natural |

## 15 Protejamos el planeta

Haga una lista de seis cosas que Ud. sugiere que todos hagamos para proteger el planeta. Luego, escriba oraciones diciendo por qué cada cosa es importante o necesaria.

**MODELO** usar energía solar
Es importante que usemos energía solar para conservar otros recursos naturales.

# Diálogo II

## Cuidemos el medio ambiente

DELIA: Luis, cuando termines de tomar el refresco, recicla la lata.

LUIS: Yo siempre reciclo latas, aerosoles, papel y vidrio.

DELIA: Bien hecho. Es importante que todos protejamos el medio ambiente.

LUIS: También es necesario que conservemos los recursos naturales. Es posible que se agoten si no los cuidamos.

DELIA: ¿Esto nos afectaría a todos, verdad?

LUIS: Por supuesto... incluyendo a los animales.

LUIS: ¿Qué animales se encuentran ya en peligro de extinción?

DELIA: Pues, las ballenas y las focas.

LUIS: ¡Qué pena! Debemos hacer algo. No podemos seguir dañando nuestro planeta.

## 16 ¿Qué recuerda Ud.?

1. ¿Qué tiene que hacer Luis cuando termine de tomar el refresco?
2. ¿Qué recicla siempre Luis?
3. ¿Por qué es necesario que conservemos los recursos naturales?
4. ¿A quiénes afectaría si los recursos se agotaran?
5. Nombre dos animales que se encuentran en peligro de extinción.

## 17 Algo personal

1. ¿Qué hace Ud. para conservar el medio ambiente?
2. ¿Qué cosas recicla?
3. ¿Qué recursos naturales cree Ud. que se pueden agotar si no los conservamos?
4. ¿Qué otros animales conoce que estén en peligro de extinción?

## 18 ¿Qué sugieren?

Escriba en una hoja los nombres Enrique, Óscar y Amalia. Escuche lo que dicen ellos y haga una lista de las cosas que sugiere cada uno para proteger el planeta.

| Enrique | Óscar | Amalia |
| --- | --- | --- |
| | | |
| | | |
| | | |
| | | |
| | | |

## Ayudando a combatir una marea negra[1]

Jóvenes voluntarios ayudaron a limpiar las playas gallegas.

salió del barco *Prestige,* cuando se rompió frente a las costas gallegas en noviembre de 2002, dejando en el mar cientos de toneladas de petróleo.

No sólo las playas quedaron cubiertas de chapapote, sino que también toda la fauna y flora de la región se vio afectada. Miles de pájaros y peces murieron, se prohibió la pesca[5] en la zona y muchos pescadores se quedaron sin trabajo.

Ante esta catástrofe, llegaron de todas las regiones de España miles de voluntarios, dispuestos a[6] ayudar. La falta[7] de organización del gobierno, especialmente en las primeras semanas después de la tragedia, hizo que muchos de estos voluntarios tuvieran que comprarse ellos mismos los boletos hasta Galicia y los overoles de plástico, botas y guantes necesarios para trabajar en la limpieza.

A medida que las noticias sobre el *Prestige* iban llegando a otros países, voluntarios de toda Europa se movilizaron y fueron a colaborar. Ellos les demostraron a los gobiernos que los jóvenes pueden ser un instrumento clave[8] en la protección del medio ambiente.

En diciembre de 2002, miles de jóvenes voluntarios españoles ayudaron a limpiar las costas de Galicia, una región del noroeste de España que fue afectada por un derrame de petróleo.

En España, el primer fin de semana de diciembre suele coincidir con dos días festivos[2] y mucha gente se va de vacaciones. Pero ese año, los voluntarios dejaron a sus amigos y familiares y se olvidaron de las vacaciones para ir a luchar contra[3] el chapapote, el desecho petrolífero[4] que

[1]black tide  [2]holidays  [3]fight against  [4]oil residue  [5]fishing was forbidden  [6]willing to  [7]lack  [8]key

## 19 Un desastre en el océano

**Conteste las siguientes preguntas.**

1. ¿Qué pasó en las costas de Galicia en noviembre de 2002?
2. ¿Qué es el chapapote?
3. ¿Cómo afectó el derrame a la región?
4. ¿Qué tuvieron que hacer algunos voluntarios?

## Estructura

### Repaso de las formas del subjuntivo

The present subjunctive of most verbs is formed by dropping the *-o* from the *yo* form of the present tense and adding the following endings:

| For -ar verbs (cantar) | |
|---|---|
| -e | cante |
| -es | cantes |
| -e | cante |
| -emos | cantemos |
| -éis | cantéis |
| -en | canten |

| For –er and –ir verbs (comer, vivir) | | |
|---|---|---|
| -a | coma | viva |
| -as | comas | vivas |
| -a | coma | viva |
| -amos | comamos | vivamos |
| -áis | comáis | viváis |
| -an | coman | vivan |

Stem changes, irregularities, and spelling changes that occur in the present tense indicative also occur in the present subjunctive.

*Es importante que **busquemos** otros recursos naturales.*

It's important that **we look for** other natural resources.

*Espero que **puedan** conservar energía.*

I hope **you can** conserve energy.

*Dudo que **tenga** una pantalla de alta definición.*

I doubt that **he has** a high definition screen.

The following verbs have irregular present subjunctive forms: *estar (esté), saber (sepa), haber (haya), ser (sea), ir (vaya), ver (vea).*

*No creo que **vea** un planeta en el cielo esta noche.*

I don't think **I'll see** a planet in the sky tonight.

*Es imposible que ella **sepa** la respuesta.*

It's impossible that **she knows** the answer.

The subjunctive is most often used in sentences having two different subjects and two different verbs. The action of the subjunctive verb has not occurred yet and may or may not occur.

> *subject 1 + indicative verb + que + subject 2 + subjunctive verb*

The most common uses of the subjunctive indicate volition, desire, and giving advice.

**Quiero que Ud. nos ayude** a reciclar.

**I want you to help us** recycle.

**Espero que sigas** estudiando.

**I hope you** keep on studying.

**Te sugiero que seas** más optimista.

**I suggest that you be** more optimistic.

# Práctica

## 20 Situaciones

**Lea las siguientes situaciones. Luego, cambie la información en cursiva, usando las opciones dadas. Recuerde usar el presente del subjuntivo.**

**MODELO** Hay que cuidar el medio ambiente. Es importante que nosotros *reciclemos el vidrio y los papeles.*

    **A.** conservar los recursos naturales

    **B.** proteger a los animales

Es importante que nosotros conservemos los recursos naturales. / Es importante que nosotros protejamos a los animales.

1. Estoy muy ocupado y necesito silencio. Quiero que ustedes *no hablen tan alto.*
   **A.** irse de la habitación
   **B.** ayudarme con el trabajo
2. Me gustaría mucho ir a la fiesta. Espero que (yo) *tenga tiempo.*
   **A.** encontrar un regalo
   **B.** salir temprano de la clase
3. Dibujas muy bien. Te sugiero que *estudies arquitectura.*
   **A.** hablar con el profesor de arte
   **B.** aprender a dibujar con el ordenador
4. Para que no se agoten los recursos naturales es necesario que las personas *los cuiden.*
   **A.** protegerlos
   **B.** conservarlos
5. A Marta le encantan los animales. Espero que ella *vaya al zoológico nuevo de la ciudad.*
   **A.** ver el espectáculo de las focas y las ballenas
   **B.** hacer algo a favor de los animales en peligro de extinción

## 21 Protejamos el planeta

**Use elementos de cada columna para escribir oraciones usando el presente del subjuntivo.**

**MODELO** Es necesario que tú recicles las latas y el vidrio.

Es importante que limpiemos la playa.

| I | II | III |
|---|---|---|
| es necesario | Ud. | no dañar la atmósfera |
| sugiero | nosotros | proteger a los animales |
| quiero | todos los estudiantes | no arrojar desperdicios |
| me encanta | los niños | ser más optimista |
| recomiendo | tú | conservar la electricidad |
| espero | Uds. | reciclar las latas y el vidrio |
| | | no usar aerosoles |
| | | poder limpiar las playas |
| | | aprender más sobre la capa de ozono |

# Comunicación

**22 ¿Qué opina del medio ambiente?**

Con su compañero/a, conversen sobre el medio ambiente. Piensen en lo que pueden hacer para conservarlo. Empiecen sus oraciones usando las frases de la caja y el subjuntivo. Luego, hagan una encuesta en la clase para conocer la opinión de los demás estudiantes.

> es importante que  espero que  es mejor que
> es necesario que  quiero que  sugiero que

**MODELO**  **A:** Es importante que cuidemos los recursos naturales.
**B:** Es mejor que no arrojemos desperdicios en el agua.

## Estructura

### Repaso de los usos del subjuntivo I

The subjunctive may be used in a number of additional situations, as follows:

- with verbs indicating preference and liking

| | |
|---|---|
| *Prefiero que* Ud. *vaya* solo. | I **prefer that** you **go** by yourself. |
| A ellos **les encanta que** yo **tenga** *tantos amigos.* | They **love that I have** so many friends. |

- with verbs of hope and emotion, such as *sentir, esperar, molestar, complacer, agradar, tener miedo de* and *alegrarse de*

| | |
|---|---|
| *Espero que recicles* esas latas. | **I hope that you will recycle** those cans. |
| *Me molesta que contaminen* el aire. | **It bothers me that they are contaminating** the air. |

- with verbs of doubt

| | |
|---|---|
| *Dudo que desarrollen* otros inventos. | **I doubt that they'll develop** other inventions. |

- with impersonal expressions

| | |
|---|---|
| *Es importante que conservemos* los recursos naturales. | **It is important that we protect** the natural resources. |
| *Es necesario que uses* energía solar. | **It is necessary that you use** solar energy. |

- with expressions such as *ojalá (que)* and sometimes with *tal vez* and *quizás* to indicate uncertainty

| | |
|---|---|
| *Ojalá que consigas* ese puesto. | **I hope you'll get** that job. |
| *Tal vez estudie* genética. | **Maybe I'll study** genetics. |

#  Práctica

## 23 El medio ambiente

Imagine que le hacen las siguientes preguntas sobre el medio ambiente. Conteste usando la información entre paréntesis.

**MODELO** ¿De qué se alegra? (La gente usa energía solar.)
Me alegro de que la gente use energía solar.

1. ¿Qué siente? (Existen muchas especies en peligro de extinción.)
2. ¿Qué le molesta? (La gente contamina el medio ambiente.)
3. ¿Qué le agrada? (Los estudiantes aprenden información sobre el medio ambiente.)
4. ¿Qué prefiere? (Las personas no usan aerosoles.)
5. ¿Qué le gusta? (Él viaja a las reservas naturales.)
6. ¿De qué tiene miedo? (El agujero de ozono es muy grande.)

Es mejor que usemos energía solar.

## 24 En la clase de ciencias

Imagine que conversa con un(a) compañero/a sobre las tareas que tienen que hacer. Complete las siguientes oraciones, usando los verbos en subjuntivo.

**MODELO** Es necesario que... (nosotros / aprender más sobre las especies en peligro de extinción)
Es necesario que aprendamos más sobre las especies en peligro de extinción.

1. Dudo que... (yo / encontrar el libro que necesitamos)
2. Es importante que... (ella / buscar información sobre el calentamiento global)
3. Es mejor que... (tú / hablar con la profesora sobre el tema del medio ambiente)
4. Es posible que... (nosotros / hacer un viaje a una reserva natural)
5. Ojalá que... (Uds. / conseguir el artículo sobre las ballenas)
6. Tal vez... (ellos / ir a la biblioteca)

# Comunicación

## 25 Deseos

Con su compañero/a, conversen sobre los deseos que tiene cada uno/a con respecto al futuro y los siguientes temas. Expresen sus deseos usando *ojalá* y *tal vez*. Recuerden usar los verbos en subjuntivo.

**MODELO** Ojalá que yo pueda viajar por todo el mundo.

1. los estudios
2. los viajes
3. el trabajo
4. las relaciones con su familia o amigos
5. la salud
6. el medio ambiente
7. los inventos
8. las nuevas tecnologías

### Repaso de los usos del subjuntivo II

The subjunctive may also be used in the following situations:

- with words such as *cuando, como* and *donde,* when there is uncertainty about the future

| | |
|---|---|
| *Lo haré **como** ustedes me **pidan**.* | I'll do it **the way you ask** me. |
| *Podremos ir **cuando terminemos** el trabajo.* | We'll be able to go **when we finish** the job. |

- with relative pronouns such as *lo que, la que* and *que*

| | |
|---|---|
| *Averigua **lo que puedas**.* | Find out **whatever you can.** |

- with the word *aunque* when there is uncertainty about the facts

| | |
|---|---|
| *Dales una carta de referencia **aunque** no te la **pidan**.* | Give them a reference letter **even if** they **don't ask** for it. |

- with time expressions such as *antes (de) que, después (de) que, en cuanto, hasta que, mientras que* and *tan pronto como* when they indicate uncertainty about when an action may or may not take place

| | |
|---|---|
| *Debemos cuidar los recursos naturales **antes de que se agoten**.* | We have to take care of natural resources **before we run** out of them. |
| ***En cuanto me gradúe**, me mudaré a otra ciudad.* | **As soon as I graduate,** I'll move to another city. |

- with expressions that indicate intention or purpose, such as *para que, a fin de que, a menos que, con tal de que* and *sin que*

| | |
|---|---|
| *Ven a la reunión **para que te enteres** de lo que sucede.* | Come to the meeting **so that you'll find out** what's happening. |
| *No iré **a menos que hablen** del medio ambiente.* | I won't go **unless they speak** about the environment. |

- with clauses that describe what is indefinite or hypothetical

| | |
|---|---|
| ***No encuentro** ningún artículo **que hable** sobre la energía solar.* | I can't find any article **that talks** about the solar energy. |

- with clauses that describe somebody who may not exist, as in classified ads

| | |
|---|---|
| ***Busco** una persona **que sepa** de los últimos avances tecnológicos.* | **I am looking for** someone **who knows** about the latest technological advancements. |

Buscamos jóvenes que recojan basura de los bosques.

# Práctica

## 26 Sobre el medio ambiente

Imagine que va a una conferencia sobre el medio ambiente. Complete las siguientes oraciones con el subjuntivo de los verbos entre paréntesis.

**MODELO** Los recursos naturales se agotarán a menos que nosotros ___. (conservarlos)
Los recursos naturales se agotarán a menos que nosotros los conservemos.

1. Conservaremos los recursos naturales cuando nosotros ___ energía solar. (usar)
2. Explícame lo que tú ___ sobre el calentamiento global. (entender)
3. En cuanto las personas ___ menos productos en aerosoles, el agujero de la capa de ozono será más pequeño. (comprar)
4. Voy a hablar con las compañías químicas aunque yo no ___ hacer mucho para que no arrojen desperdicios químicos. (poder)
5. Hay que proteger a los animales antes de que todos ellos ___ en peligro de extinción. (encontrarse)
6. Las personas deben evitar hacer cosas que ___ el medio ambiente. (dañar)

# Comunicación

## 27 Predicciones

Con su compañero/a, completen las siguientes predicciones de una manera original, usando el subjuntivo.

**MODELO** Contaminaremos la atmósfera a menos que...
Contaminaremos la atmósfera a menos que dejemos de usar aerosoles.

1. Necesitaremos pantallas de alta definición para que...
2. Buscaremos trabajo tan pronto como...
3. Trabajaremos hasta que...
4. Viajaremos en transbordadores espaciales a menos que...
5. Resolveremos muchos problemas del medio ambiente en cuanto...
6. Encontraremos curas para muchas enfermedades cuando...

Trabajará hasta que encuentre una vacuna.

## 28 Temas del presente

Con su compañero/a, digan lo que opina sobre cada tema de la caja. Pueden sugerir una solución o bien hacer una predicción de lo que podría suceder. Usen el subjuntivo en sus opiniones.

**MODELO** Debemos evitar la contaminación antes de que dañe todo el planeta.

- la contaminación
- la capa de ozono
- los animales en peligro de extinción
- la escasez de recursos naturales
- el calentamiento global
- el tráfico en las ciudades
- el hambre en el mundo
- los desastres naturales

# Lectura personal

**E-Mail**

Archivo  Ver  Mensajes  Ayuda

A...       Papá y Mamá:

Cc...

Asunto:    Recuerdos de España

### El Coto de Doñana

Queridos Papá y Mamá,

Hoy volvimos a estar en contacto directo con la naturaleza, después de nuestros últimos días de ciudad en ciudad. Por la mañana, llegamos al Coto de Doñana, que está en Huelva, en el suroeste de España. Es el parque natural protegido más importante de España. El ecosistema de Doñana es fascinante. En este parque hay tres zonas: cotos[1], marismas[2] y dunas[3].

El guía nos asustó un poco, porque nos comenzó a explicar cómo evitar víboras[4], escorpiones y otras alimañas[5] que viven aquí. ¡Yo pensé que lo peor había quedado atrás, en las montañas de Costa Rica! Pero también nos habló de los bellos e interesantes animales que íbamos a ver en el parque. Y el más especial es el lince[6], un felino que vive en Doñana y que está en peligro de extinción.

En los cotos es donde hay más animales. Vimos toros y caballos salvajes, jabalíes[7], ciervos[8] y gamos[9]. La vegetación también es muy distinta. Me sorprenden especialmente los jaguarzos, unos arbustos de hermosas flores amarillas, y las plantas aromáticas, como el tomillo[10] y la lavándula[11].

En Trebujena, un pueblo cercano a Doñana, nos subimos a unos botes especiales para pescar angulas[12]. Estas barcas se llaman cuchareras y ¿saben por qué? ¡Porque antiguamente se pescaban las angulas con cucharas! ¡Vaya trabajo!

Al bajar de la barca, paseamos durante horas por la playa de Doñana, que es de una arena blanca finísima.

Las dunas también son muy bonitas. Caminando en medio de las dunas, ¡parecía que estábamos en el desierto! Y, de vez en cuando, entre estas montañas de arena, hay oasis de pinos, que se llaman corrales. ¡Es precioso!

Pero para mí, el momento más especial del día fue cuando el guía nos señaló entre unos arbustos un bello y extraño animal: ¡era un lince!

Besos y hasta muy pronto,
Esperanza

El lince es uno de los animales del Coto de Doñana.

[1]preserves  [2]swamps  [3]dunes  [4]snakes  [5]dangerous animals  [6]lynx
[7]boars  [8]deer  [9]bucks  [10]thyme  [11]kind of lavender  [12]baby eels

## 29  ¿Qué recuerda Ud.?

1. ¿Qué tres zonas tiene el Coto de Doñana?
2. ¿Qué animales se pueden ver en el coto?
3. ¿Qué son las cuchareras?
4. ¿Qué animal en peligro de extinción vive en Doñana?

## 30  Algo personal

1. ¿Cuál es el animal más especial que ha visto Ud.? ¿Dónde y cuándo lo vio?
2. ¿Le gustaría visitar el Coto de Doñana? ¿Por qué?

# ¿Qué aprendí?

## Autoevaluación
### Como repaso y evaluación, responda lo siguiente:

Visit the web-based activities at www.emcp.com

1. Mencione tres inventos que Ud. asocia con el futuro.

2. ¿Quién es Pedro Duque? ¿Qué hizo durante su segunda misión?

3. Complete las siguientes oraciones usando el futuro perfecto:
*Para el año 2030,...; Dentro de cinco años,...*

4. ¿Qué tiempo verbal se usa en la cláusula dependiente si en la cláusula principal el verbo está en condicional o en pasado?

5. Mencione cuatro problemas que afectan a nuestro planeta.

6. ¿Qué es *el chapapote*?

7. Escriba dos oraciones que expresen un consejo y una emoción usando el subjuntivo.

8. Mencione cuatro conjunciones que requieren el uso del subjuntivo.

## Vocabulario

**Los avances**
los avances
el invento
el medio de
  comunicación
la realidad virtual
la pantalla de alta
  definición
el satélite

**El espacio**
el astronauta,
  la astronauta
la estación espacial
el planeta
el transbordador
  espacial

**La ciencia**
la genética
los genes
el virus, los virus
el microscopio

**Adjetivos**
científico,-a
tecnológico,-a
contaminado,-a
optimista
pesimista
solar

**El medio ambiente**
el aerosol
el agujero
la atmósfera
el calentamiento
  global
la capa de ozono
el derrame
el desperdicio químico
la escasez
el recurso natural

**Las especies**
el águila calva
la ballena
la especie
la foca

**Verbos**
afectar
agotar(se)
arrojar
comunicarse
conservar
contaminar
dañar
desarrollar
predecir
reciclar

**Otras palabras y expresiones**
a menos que
en peligro de extinción
hoy en día
la fábrica
el uso
el vidrio

Una ballena.

# ¡Viento en popa!

## Ud. lee

### Estrategia

**Understanding the author's purpose**
Writers can have many reasons for writing, such as to entertain, to teach a lesson, to inform, to explain certain values or ideas, and so on. Look for clues in the text that help you understand what the author's purpose is. This will help you grasp the meaning of the text itself much better.

### Preparación

**Lea lo siguiente y después conteste las preguntas que siguen.**

Mariano José de Larra nació en Madrid, durante la ocupación francesa. Vivió los primeros años de su vida en Burdeos. De vuelta a España, Larra estudió en Valencia y Valladolid. Comenzó su carrera periodística en dos periódicos de los que era dueño. Luego escribió críticas de teatro para otros diarios, con el seudónimo *Fígaro*. Otro de sus seudónimos más conocidos era *El pobrecito hablador,* que también era el nombre de uno de sus periódicos. Fue uno de los periodistas más conocidos y mejor pagados de su época. Sus ensayos[1] más famosos son artículos de costumbres y escenas de la vida española, entre los que se destaca "Vuelva usted mañana", aunque también escribió una novela, *El doncel de Don Enrique el Doliente,* y una obra de teatro, *Macías.* Como muchos de los escritores románticos, no tuvo suerte en el amor, y acabó suicidándose, a los ventiocho años.

[1]essays

1. ¿Dónde nació Larra?
2. ¿Cuál era su profesión?
3. ¿Qué otros nombres usaba?
4. ¿Por qué se lo conoce mejor?

Mariano José de Larra.

# Vuelva usted mañana

*A continuación Ud. va a leer un fragmento del artículo de costumbre de Larra "Vuelva usted mañana". En él, el periodista comenta lo que le sucedió a un francés que fue a España a hacer negocios. Él pensaba que sus problemas se resolverían en quince días, pero Larra le dice que, debido a la forma de ser de los españoles dentro de 15 meses aún estaría en el país. Finalmente, el extranjero se marcha, después de 6 meses, sin haber conseguido nada.*

Un extranjero de éstos fué el que se presentó en mi casa, provisto de competentes cartas de recomendación para mi persona. Asuntos intrincados[2] de familia, reclamaciones futuras, y aun proyectos vastos concebidos en París de invertir[3] aquí sus cuantiosos caudales[4] en tal o cual especulación industrial o mercantil, eran los motivos que a nuestra patria le conducían.

Acostumbrado a la actividad en que viven nuestros vecinos, me aseguró formalmente que pensaba permanecer[5] aquí muy poco tiempo, sobre todo si no encontraba pronto objeto seguro en que invertir su capital. Parecióme el extranjero digno de alguna consideración, trabé presto amistad[6] con él, y lleno de lástima traté de persuadirle a que se volviese a su casa cuanto antes, siempre que seriamente trajese otro fin que no fuese el de pasearse. Admiróle la proposición, y fué preciso explicarme más claro.

—Mirad —le dije—, monsieur Sans-Délai[7], —que así se llamaba—; vos venís decidido a pasar quince días, y a solventar en ellos vuestros asuntos.

Un calendario español

—Ciertamente —me contestó—. Quince días, y es mucho. Mañana por la mañana buscamos un genealogista para mis asuntos de familia; por la tarde revuelve sus libros, busca mis ascendientes[8], y por la noche ya sé quién soy. En cuanto a mis reclamaciones, pasado mañana las presento fundadas en los datos que aquél me dé, legalizados en debida forma; y como será una cosa clara y de justicia innegable (pues sólo en este caso haré valer mis derechos), al tercer día se juzga el caso y soy dueño de lo mío. En cuanto a mis especulaciones, en que pienso invertir mis caudales, al cuarto día ya habré presentado mis proposiciones. Serán buenas o malas, y admitidas o desechadas[9] en el acto, y son cinco días; en el sexto, séptimo y octavo, veo lo que hay que ver en Madrid; descanso el noveno; el décimo tomo mi asiento en la diligencia[10], si no me conviene estar más tiempo aquí, y me vuelvo a mi casa; aún me sobran de los quince, cinco días.

---

[2]intricate matters   [3]investing   [4]large sums of money   [5]stay   [6]I quickly became his friend
[7]play on words from the French: "Mr. Without Delay"   [8]ancestors   [9]refused   [10]stagecoach

Al llegar aquí monsieur Sans-Délai, traté de reprimir una carcajada[11] que me andaba retozando ya hacía rato en el cuerpo, y si mi educación logró sofocar mi inoportuna jovialidad, no fué bastante a impedir que se asomase a mis labios

El viejo Madrid.

una suave sonrisa de asombro y de lástima que sus planes ejecutivos me sacaban al rostro mal de mi grado.

—Permitidme, monsieur Sans-Délai —le dije entre socarrón[12] y formal—, permitidme que os convide a comer para el día en que llevéis quince meses de estancia en Madrid.

—¿Cómo?

—Dentro de quince meses estáis aquí todavía.

—¿Os burláis[13]?

—No por cierto.

—¿No me podré marchar cuando quiera? ¡Cierto que la idea es graciosa!

—Sabed que no estáis en vuestro país, activo y trabajador.

—¡Oh!, los españoles que han viajado por el extranjero han adquirido la costumbre de hablar mal de su país por hacerse superiores a sus compatriotas.

—Os aseguro que en los quince días con que contáis, no habréis podido hablar siquiera a una sola de las personas cuya cooperación necesitáis.

—¡Hipérboles! Yo les comunicaré a todos mi actividad.

—Todos os comunicarán su inercia.

Conocí que no estaba el señor de Sans-Délai muy dispuesto a dejarse convencer sino por la experiencia, y callé[14] por entonces, bien seguro de que no tardarían mucho los hechos en hablar por mí.

Amaneció el día siguiente, y salimos entrambos a buscar un genealogista, lo cual sólo se pudo hacer preguntando de amigo en amigo y de conocido en conocido. Encontrámosle por fin, y el buen señor, aturdido de ver nuestra precipitación[15], declaró francamente que necesitaba tomarse algún tiempo; instósele, y por mucho favor nos dijo definitivamente que nos diéramos una vuelta por allí dentro de unos días. Sonreíme y marchámonos. Pasaron tres días: fuimos.

—Vuelva usted mañana —nos respondió la criada—, porque el señor no se ha levantado todavía.

—Vuelva usted mañana —nos dijo al siguiente día—, porque el amo acaba de salir.

—Vuelva usted mañana —nos respondió al otro—, porque el amo está durmiendo la siesta.

—Vuelva usted mañana —nos respondió el lunes siguiente—, porque hoy ha ido a los toros.

—¿Qué día, a qué hora se ve a un español? Vímosle por fin, y Vuelva usted mañana —nos dijo—, porque se me ha olvidado. Vuelva usted mañana, porque no está en limpio[16].

A los quince días ya estuvo; pero mi amigo le había pedido una noticia del apellido Díez, y él había entendido Díaz y la noticia no servía. Esperando nuevas pruebas, nada dije a mi amigo, desesperado ya de dar jamás con[17] sus abuelos.

Es claro que faltando este principio no tuvieron lugar las reclamaciones. [...]

No paró aquí; un sastre tardó veinte días en hacerle un frac, que le había mandado llevarle en veinticuatro horas; el zapatero le obligó con su tardanza a comprar botas hechas; la planchadora necesitó quince días para plancharle una camisola; y el sombrerero, a quien le había enviado su sombrero a variar el ala[18], le tuvo dos días con la cabeza al aire y sin salir de casa. [...]

A los cuatro días volvimos a saber el éxito de nuestra pretensión.

—Vuelva usted mañana —nos dijo el portero—. El oficial de la mesa no ha venido hoy.

[11]suppress laughing  [12]sarcastic  [13]Are you making fun of me?  [14]I kept quiet  [15]confused by our hastiness  [16]I haven't done the final draft  [17]never find  [18]to change the hat's brim

—Grande causa le habrá detenido —dije yo entre mí. Fuímonos a dar un paseo, y nos encontramos, ¡qué casualidad! al oficial de la mesa en el Retiro, ocupadísimo en dar una vuelta con su señora al hermoso sol de los inviernos claros de Madrid.

Martes era el día siguiente, y nos dijo el portero:

—Vuelva usted mañana, porque el señor oficial de la mesa no da audiencia hoy.

—Grandes negocios habrán cargado sobre él —dije yo.

Como soy el diablo[19] y aun he sido duende[20], busqué ocasión de echar una ojeada por el agujero de una cerradura[21]. Su señoría estaba echando un cigarrito al brasero, y con una charada del *Correo*[22] entre manos que le debía costar trabajo el acertar.

—Es imposible verle hoy —le dije a mi compañero—; su señoría está, en efecto, ocupadísimo. [...]

Por último, después de cerca de medio año de subir y bajar, y estar a la firma o al informe, o a la aprobación, o al despacho, o debajo de la mesa, y de *volver* siempre mañana, [el plan] salió con una notita al margen que decía: "A pesar de la justicia y utilidad del plan del exponente, negado".

—¡Ah, ah, monsieur Sans-Délai! —exclamé riéndome a carcajadas—; éste es nuestro negocio. [...]

—¿Para esto he echado yo viaje tan largo? ¿Después de seis meses no habré conseguido sino que me digan en todas partes diariamente: *Vuelva usted mañana?* ¿Y cuando este dichoso *mañana* llega, en fin, nos dicen redondamente que *no*? ¿Y vengo a darles dinero? ¿Y vengo a hacerles favor? Preciso es que la intriga más enredada[23] se haya fraguado para oponerse a nuestras miras.

Problemas de la burocracia.

—¿Intriga, monsieur Sans-Délai? No hay hombre capaz de seguir dos horas una intriga. La pereza es la verdadera intriga; os juro que no hay otra; ésa es la gran causa oculta: es más fácil negar las cosas que enterarse de ellas. [...]

[19]devil   [20]ghost   [21]look through a keyhole   [22]puzzle from the *Correo* newspaper   [23]tangled

## A   ¿Qué recuerda Ud.?

1. ¿Qué quiere hacer monsieur Sans-Délai?
2. ¿Cuánto tiempo piensa monsieur Sans-Délai que le va a tomar resolver sus asuntos en España?
3. ¿Qué predice el autor que pasará?
4. ¿Qué sucede a lo largo de la historia?
5. ¿Cuál es el verdadero problema de la sociedad española?

## B   Algo personal

1. ¿Alguna vez ha tenido Ud. problemas con la burocracia? ¿Qué pasó?
2. ¿Cómo se sentiría Ud. si estuviera en otro país y le pasara lo que le sucede al señor Sans-Délai?

# Ud. escribe

## Estrategia

**Present the pros and cons**

In order to show your position on a subject clearly, you need to present the pros and cons on the subject. To do this, you can gather details that support and are against your position. For example, you can think of a situation and then find the negative and positive outcomes of that situation. While you may be tempted to ignore the negative aspects of your position, your writing will be stronger if you address and refute them.

Escriba un discurso para presentar ante la clase sobre lo que nos traerá el futuro. Piense en los puntos a favor y en contra acerca de lo que sucederá en el futuro. Por ejemplo, un punto a favor sería que en el futuro se habrán descubierto vacunas o curas para muchas enfermedades. Un punto en contra sería que los recursos naturales serán escasos. Piense también en lo que puede hacer la gente hoy para prevenir las cosas negativas que nos traerá el futuro. Antes de escribir el borrador del discurso, complete dos tablas como las siguientes con los puntos a favor y en contra. Use el subjuntivo en su discurso. Cuando termine el borrador, compártalo con otro/a estudiante y pídale sus sugerencias o correcciones. Por último, escriba la versión final para incluir las sugerencias de su compañero/a y para corregir los errores en los tiempos de los verbos, el uso de las palabras o expresiones de transición y la ortografía.

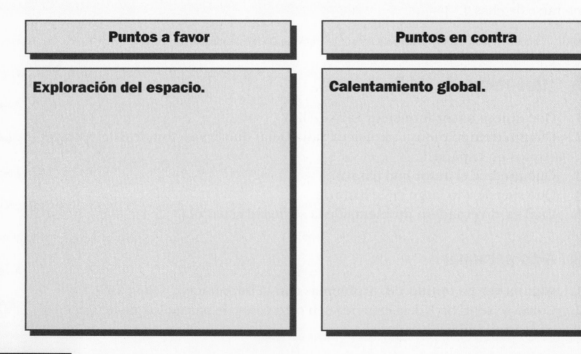

| Puntos a favor | Puntos en contra |
|---|---|
| Exploración del espacio. | Calentamiento global. |

# **P**royectos adicionales

## **A** Comparaciones

Haga una investigación en la internet sobre las universidades más antiguas de Estados Unidos y España. Busque información sobre cuándo se fundaron, quién las fundó, qué estudios ofrecían al principio y qué estudios ofrecen ahora. Complete una tabla como la siguiente con los datos que encuentre. Por último, escriba un informe sobre lo que Ud. opina acerca de la evolución de la educación en ambos países. Puede responder a las preguntas: ¿En qué país es más antigua la educación? ¿Por qué? Presente su informe a la clase.

| Universidades en Estados Unidos. | Universidades en España. |
| --- | --- |
| Harvard University | Universidad de Salamanca |
| | |
| | |
| | |

## **B** Conexión con otras disciplinas: ecología

Con su compañero/a, investiguen cuáles son los animales que se encuentran en peligro de extinción en España. Busquen información sobre dónde viven y por qué se encuentran en peligro de extinción. Pueden ubicar a los animales en un mapa de España. Por último, escojan uno de los animales en peligro de extinción e investiguen las características de ese animal.

## **C** ¡A escribir!

Para solicitar un trabajo, es necesario enviar el currículum vitae. Los currículum vitae son más largos que los *résumés* que se usan en Estados Unidos ya que, además de la experiencia de trabajo y los estudios, incluyen datos personales como la fecha y el lugar de nacimiento, el domicilio y el teléfono, los pasatiempos, las actividades que se realizan en otros campos y los premios recibidos. Con base a esta información, escriba su propio currículum vitae. Recuerde que puede agregar todos los detalles que sean necesarios para describir su personalidad, sus estudios y su experiencia de trabajo.

El lince está en peligro de extinción.

# Repaso

| Now that I have completed this chapter, I can... | Go to these pages for help: |
|---|---|
| talk about projects for the future. | 426, 427 |
| talk about careers. | 426, 427 |
| prepare for a job interview. | 432, 433 |
| evaluate work conditions. | 432, 433 |
| refer to indefinite or unknown subjects. | 436, 439 |
| talk about future technologies. | 442, 443 |
| express wishes and hopes for the future. | 447 |
| discuss environmental problems, their causes and solutions. | 450 |

**I can also...**

| | |
|---|---|
| talk about the first universities in the Iberian Peninsula. | 429 |
| describe the information that's included in a Spanish résumé. | 435 |
| comment on careers and technologies of the future. | 440 |
| read about a Spanish astronaut. | 445 |
| talk about how young Spanish volunteers helped clean out an oil spill. | 453 |
| describe some aspects of a national park in Spain. | 460 |
| read an article on 19th century Spanish customs. | 462 |

## Trabalenguas

Mariana Magaña
desenmañará mañaná
la maraña que enmarañará
Mariana Magaña.

# Vocabulario

**a menos que** unless *10B*
**aerosol** aerosol *10B*
**afectar** to affect *10B*
**agotar(se)** to run out, to exhaust *10B*
el **águila calva** bald eagle *10B*
el **agujero** hole, gap *10B*
el **arquitecto,** la **arquitecta** architect *10A*
la **arquitectura** architecture *10A*
**arrojar** to throw *10B*
el **astronauta,** la **astronauta** astronaut *10B*
la **atmósfera** atmosphere *10B*
los **avances** advances *10B*
la **ballena** whale *10B*
la **beca** scholarship *10A*
los **beneficios** benefits *10A*
el **calentamiento global** global warming *10B*
la **capa de ozono** ozone layer *10B*
**científico,-a** scientific *10B*
**comunicarse** to communicate *10B*
los **conocimientos** knowledge *10A*
**conservar** to conserve *10B*
la **construcción** construction work *10A*
**contaminado,-a** contaminated *10B*
**contaminar** to contaminate *10B*
**contratar** to hire *10A*
**cumplir con** to carry out, to perform *10A*
el **currículum vitae** résumé *10A*
**dañar** to harm *10B*
el **derrame** spill *10B*
**desarrollar** to develop *10B*
el **desperdicio químico** chemical waste *10B*
el **diseñador,** la **diseñadora** designer *10A*
el **electricista,** la **electricista** electrician *10A*
**emprendedor,-a** enterprising *10A*
el **empresario,** la **empresaria** business manager *10A*

**en equipo** team work *10A*
**en peligro de extinción** endangered *10B*
la **escasez** shortage *10B*
el **especialista,** la **especialista** specialist *10A*
**especializarse en** to specialize in *10A*
la **especie** species *10B*
la **estación espacial** space station *10B*
**estar en paro** to be unemployed *10A*
los **estudios** studies *10A*
la **fábrica** factory *10B*
**fijo,-a** permanent *10A*
la **foca** seal *10B*
el **fontanero,** la **fontanera** plumber *10A*
el **formulario** form *10A*
el **gen** *pl.* los **genes** gene, genes *10B*
la **genética** genetics *10B*
**graduarse** to graduate *10A*
**hacer prácticas** to have an internship *10A*
**hoy en día** nowadays *10B*
la **informática** computer science *10A*
la **ingeniería** engineering *10A*
el **invento** invention *10B*
el **jefe,** la **jefa** boss *10A*
la **jornada completa** full time *10A*
la **media jornada** part time *10A*
el **medio de comunicación** media *10B*
el **microscopio** microscope *10B*
**optimista** optimist *10B*
la **pantalla de alta definición** high definition screen *10B*
**pesimista** pessimist *10B*
el **planeta** planet *10B*
**poner a prueba** to employ someone on trial basis *10A*
**por mi/su cuenta** on my/his/her own *10A*
**predecir** to predict *10B*
la **psicología** psychology *10A*
el **psicólogo,** la **psicóloga** psychologist *10A*
el **puesto** job, position *10A*

la **realidad virtual** virtual reality *10B*
**reciclar** to recycle *10B*
el **recurso natural** natural resource *10B*
las **referencias** references *10A*
las **relaciones públicas** public relations *10A*
**rellenar** to fill in *10A*
los **requisitos** requirements *10A*
el **satélite** satellite *10B*
**solar** solar *10B*
**solicitar** to request *10A*
el **sueldo** salary *10A*
**tecnológico,-a** technological *10B*
**temporal** temporary *10A*
**tener facilidad para** to have an ability for *10A*
el **transbordador espacial** space shuttle *10B*
el **uso** use *10B*
**valer para** to be good at *10A*
el **vidrio** glass *10B*
el **virus** *pl.* los **virus** virus, viruses *10B*

Una foca.

# Appendices

## Appendix A

### Grammar Review

#### Definite articles

|  | Singular | Plural |
|---|---|---|
| **Masculine** | el | los |
| **Feminine** | la | las |

#### Indefinite articles

|  | Singular | Plural |
|---|---|---|
| **Masculine** | un | unos |
| **Feminine** | una | unas |

#### Adjective/noun agreement

|  | Singular | Plural |
|---|---|---|
| **Masculine** | El chico es alto. | Los chicos son altos. |
| **Feminine** | La chica es alta. | Las chicas son altas. |

#### Pronouns

| Singular | Subject | Direct object | Indirect object | Object of preposition | Reflexive | Reflexive object of preposition |
|---|---|---|---|---|---|---|
| **1st person** | yo | me | me | mí | me | mí |
| **2nd person** | tú | te | te | ti | te | ti |
|  | Ud. | lo/la | le | Ud. | se | sí |
| **3rd person** | él | lo | le | él | se | sí |
|  | ella | la | le | ella | se | sí |
| **Plural** |  |  |  |  |  |  |
| **1st person** | nosotros | nos | nos | nosotros | nos | nosotros |
|  | nosotras | nos | nos | nosotras | nos | nosotras |
| **2nd person** | vosotros | os | os | vosotros | os | vosotros |
|  | vosotras | os | os | vosotras | os | vosotras |
|  | Uds. | los/las | les | Uds. | se | sí |
| **3rd person** | ellos | los | les | ellos | se | sí |
|  | ellas | las | les | ellas | se | sí |

# Demonstrative pronouns

| Singular | | Plural | | |
|---|---|---|---|---|
| **Masculine** | **Feminine** | **Masculine** | **Feminine** | **Neuter** |
| éste | ésta | éstos | éstas | esto |
| ése | ésa | ésos | ésas | eso |
| aquél | aquélla | aquéllos | aquéllas | aquello |

# Demonstrative adjectives

| Singular | | Plural | |
|---|---|---|---|
| **Masculine** | **Feminine** | **Masculine** | **Feminine** |
| este | esta | estos | estas |
| ese | esa | esos | esas |
| aquel | aquella | aquellos | aquellas |

# Relative pronouns

| | |
|---|---|
| que | *who, whom, which, that* |
| quien | *who* |
| quienes | *who* |
| a quien | *whom* |
| a quienes | *whom* |
| cuyo, -a | *whose* |
| el que, la que | *who, which* |
| el cual, la cual | *who, which* |
| lo que | *what, that which* |

# Possessive pronouns

| Singular | Singular form | Plural form |
|---|---|---|
| **1st person** | el mío | los míos |
| | la mía | las mías |
| **2nd person** | el tuyo | los tuyos |
| | la tuya | las tuyas |
| **3rd person** | el suyo | los suyos |
| | la suya | las suyas |
| **Plural** | **Singular form** | **Plural form** |
| **1st person** | el nuestro | los nuestros |
| | la nuestra | las nuestras |
| **2nd person** | el vuestro | los vuestros |
| | la vuestra | las vuestras |
| **3rd person** | el suyo | los suyos |
| | la suya | las suyas |

# Interrogatives

| | |
|---|---|
| qué | *what* |
| cómo | *how* |
| dónde | *where* |
| cuándo | *when* |
| cuánto, -a, -os, -as | *how much, how many* |
| cuál/cuáles | *which (one)* |
| quién/quiénes | *who, whom* |
| por qué | *why* |
| para qué | *why, what for* |

# Possessive adjectives: short form

| Singular | Singular nouns | Plural nouns |
|---|---|---|
| **1st person** | mi hermano<br>mi hermana | mis hermanos<br>mis hermanas |
| **2nd person** | tu hermano<br>tu hermana | tus hermanos<br>tus hermanas |
| **3rd person** | su hermano<br>su hermana | sus hermanos<br>sus hermanas |
| **Plural** | **Singular nouns** | **Plural nouns** |
| **1st person** | nuestro hermano<br>nuestra hermana | nuestros hermanos<br>nuestras hermanas |
| **2nd person** | vuestro hermano<br>vuestra hermana | vuestros hermanos<br>vuestras hermanas |
| **3rd person** | su hermano<br>su hermana | sus hermanos<br>sus hermanas |

# Possessive adjectives: long form

| Singular | Singular nouns | Plural nouns |
|---|---|---|
| **1st person** | un amigo mío<br>una amiga mía | unos amigos míos<br>unas amigas mías |
| **2nd person** | un amigo tuyo<br>una amiga tuya | unos amigos tuyos<br>unas amigas tuyas |
| **3rd person** | un amigo suyo<br>una amiga suya | unos amigos suyos<br>unas amigas suyas |
| **Plural** | **Singular nouns** | **Plural nouns** |
| **1st person** | un amigo nuestro<br>una amiga nuestra | unos amigos nuestros<br>unas amigas nuestras |
| **2nd person** | un amigo vuestro<br>una amiga vuestra | unos amigos vuestros<br>unas amigas vuestras |
| **3rd person** | un amigo suyo<br>una amiga suya | unos amigos suyos<br>unas amigas suyas |

# Appendix B

## Verbs

### Present tense (indicative)

| Regular present tense | | |
|---|---|---|
| **hablar** *(to speak)* | hablo<br>hablas<br>habla | hablamos<br>habláis<br>hablan |
| **comer** *(to eat)* | como<br>comes<br>come | comemos<br>coméis<br>comen |
| **escribir** *(to write)* | escribo<br>escribes<br>escribe | escribimos<br>escribís<br>escriben |

### Present tense of reflexive verbs (indicative)

| | | |
|---|---|---|
| **lavarse** *(to wash oneself)* | me lavo<br>te lavas<br>se lava | nos lavamos<br>os laváis<br>se lavan |

### Present tense of stem-chaging verbs (indicative)

Stem-changing verbs are identified in this book by the presence of vowels in parentheses after the infinitive. If these verbs end in *-ar* or *-er*, they have only one change. If they end in *-ir*, they have two changes. The stem change of *-ar* and *-er* verbs and the first stem change of *-ir* verbs occur in all forms of the present tense, except *nosotros* and *vosotros*.

| | | | |
|---|---|---|---|
| **cerrar (ie)** *(to close)* | e → ie | cierro<br>cierras<br>cierra | cerramos<br>cerráis<br>cierran |

Verbs like **cerrar:** apretar *(to tighten)*, atravesar *(to cross)*, calentar *(to heat)*, comenzar *(to begin)*, despertar *(to wake up)*, despertarse *(to awaken)*, empezar *(to begin)*, encerrar *(to lock up)*, negar *(to deny)*, nevar *(to snow)*, pensar *(to think)*, quebrar *(to break)*, recomendar *(to recommend)*, regar *(to water)*, sentarse *(to sit down)*, temblar *(to tremble)*, tropezar *(to trip)*

| | | | |
|---|---|---|---|
| **contar (ue)** *(to tell)* | o → ue | cuento<br>cuentas<br>cuenta | contamos<br>contáis<br>cuentan |

Verbs like **contar:** acordar *(to agree)*, acordarse *(to remember)*, acostar *(to put to bed)*, acostarse *(to lie down)*, almorzar *(to have lunch)*, colgar *(to hang)*, costar *(to cost)*, demostrar *(to demonstrate)*, encontrar *(to find, to meet someone)*, mostrar *(to show)*, probar *(to taste, to try)*, recordar *(to remember)*, rogar *(to beg)*, soltar *(to loosen)*, sonar *(to ring, to sound)*, soñar *(to dream)*, volar *(to fly)*, volcar *(to spill, to turn upside down)*

| | | | |
|---|---|---|---|
| **jugar (ue)** *(to play)* | u → ue | juego<br>juegas<br>juega | jugamos<br>jugáis<br>juegan |

| perder (ie) *(to lose)* | e → ie | pierdo | perdemos |
| | | pierdes | perdéis |
| | | pierde | pierden |

Verbs like **perder:** defender *(to defend)*, descender *(to descend, to go down)*, encender *(to light, to turn on)*, entender *(to understand)*, extender *(to extend)*, tender *(to spread out)*

| volver (ue) *(to return)* | o → ue | vuelvo | volvemos |
| | | vuelves | volvéis |
| | | vuelve | vuelven |

Verbs like **volver:** devolver *(to return something)*, doler *(to hurt)*, llover *(to rain)*, morder *(to bite)*, mover *(to move)*, resolver *(to resolve)*, soler *(to be in the habit of)*, torcer *(to twist)*

| pedir (i, i) *(to ask for)* | e → i | pido | pedimos |
| | | pides | pedís |
| | | pide | piden |

Verbs like **pedir:** conseguir *(to obtain, to attain, to get)*, despedirse *(to say good-bye)*, elegir *(to choose, to elect)*, medir *(to measure)*, perseguir *(to pursue)*, repetir *(to repeat)*, seguir *(to follow, to continue)*, vestirse *(to get dressed)*

| sentir (ie, i) *(to feel)* | e → ie | siento | sentimos |
| | | sientes | sentís |
| | | siente | sienten |

Verbs like **sentir:** advertir *(to warn)*, arrepentirse *(to regret)*, convertir *(to convert)*, convertirse *(to become)*, divertirse *(to have fun)*, herir *(to wound)*, invertir *(to invest)*, mentir *(to lie)*, preferir *(to prefer)*, requerir *(to require)*, sugerir *(to suggest)*

| dormir (ue, u) *(to sleep)* | o → ue | duermo | dormimos |
| | | duermes | dormís |
| | | duerme | duermen |

## Present participle of regular verbs

The present participle of regular verbs is formed by replacing the *-ar* of the infinitive with *-ando* and the *-er* or *-ir* with *-iendo*.

## Present participle of stem-changing verbs

Stem-changing verbs that end in *-ir* use the second stem change in the present participle.

| dormir (ue, u) | durmiendo |
| seguir (i, i) | siguiendo |
| sentir (ie, i) | sintiendo |

## Progressive tenses

The present participle is used with the verbs *estar, continuar, seguir, andar* and some other motion verbs to produce the progressive tenses. They are reserved for recounting actions that are or were in progress at the time in question.

# Regular command forms

| | Affirmative | | | Negative |
|---|---|---|---|---|
| **-ar verbs** | habla | (tú) | | no hables |
| | hablad | (vosotros) | | no habléis |
| | hable Ud. | (Ud.) | | no hable Ud. |
| | hablen Uds. | (Uds.) | | no hablen Uds. |
| | hablemos | (nosotros) | | no hablemos |
| **-er verbs** | come | (tú) | | no comas |
| | comed | (vosotros) | | no comáis |
| | coma Ud. | (Ud.) | | no coma Ud. |
| | coman Uds. | (Uds.) | | no coman Uds. |
| | comamos | (nosotros) | | no comamos |
| **-ir verbs** | escribe | (tú) | | no escribas |
| | escribid | (vosotros) | | no escribáis |
| | escriba Ud. | (Ud.) | | no escriba Ud. |
| | escriban Uds. | (Uds.) | | no escriban Uds. |
| | escribamos | (nosotros) | | no escribamos |

## Commands of stem-changing verbs (indicative)

The stem change also occurs in *tú, Ud.* and *Uds.* commands, and the second change of *-ir* stem-changing verbs occurs in the *nosotros* command and in the negative *vosotros* command, as well.

| | | | | |
|---|---|---|---|---|
| **cerrar *(to close)*** | cierra | (tú) | | no cierres |
| | cerrad | (vosotros) | | no cerréis |
| | cierre Ud. | (Ud.) | | no cierre Ud. |
| | cierren Uds. | (Uds.) | | no cierren Uds. |
| | cerremos | (nosotros) | | no cerremos |
| **volver *(to return)*** | vuelve | (tú) | | no vuelvas |
| | volved | (vosotros) | | no volváis |
| | vuelva Ud. | (Ud.) | | no vuelva Ud. |
| | vuelvan Uds. | (Uds.) | | no vuelvan Uds. |
| | volvamos | (nosotros) | | no volvamos |
| **dormir *(to sleep)*** | duerme | (tú) | | no duermas |
| | dormid | (vosotros) | | no durmáis |
| | duerma Ud. | (Ud.) | | no duerma Ud. |
| | duerman Uds. | (Uds.) | | no duerman Uds. |
| | durmamos | (nosotros) | | no durmamos |

## Preterite tense (indicative)

| | | |
|---|---|---|
| **hablar** *(to speak)* | hablé | hablamos |
| | hablaste | hablasteis |
| | habló | hablaron |
| **comer** *(to eat)* | comí | comimos |
| | comiste | comisteis |
| | comió | comieron |
| **escribir** *(to write)* | escribí | escribimos |
| | escribiste | escribisteis |
| | escribió | escribieron |

# Preterite tense of stem-changing verbs (indicative)

Stem-changing verbs that end in *-ar* and *-er* are regular in the preterite tense. That is, they do not require a spelling change, and they use the regular preterite endings.

| pensar (ie) | |
|---|---|
| pensé | pensamos |
| pensaste | pensasteis |
| pensó | pensaron |

| volver (ue) | |
|---|---|
| volví | volvimos |
| volviste | volvisteis |
| volvió | volvieron |

Stem-changing verbs ending in *-ir* change their third-person forms in the preterite tense, but they still require the regular preterite endings.

| sentir (ie, i) | |
|---|---|
| sentí | sentimos |
| sentiste | sentisteis |
| sintió | sintieron |

| dormirse (ue, u) | |
|---|---|
| me dormí | nos dormimos |
| te dormiste | os dormisteis |
| se durmió | se durmieron |

## Imperfect tense (indicative)

| **hablar** *(to speak)* | hablaba | hablábamos |
|---|---|---|
| | hablabas | hablabais |
| | hablaba | hablaban |
| **comer** *(to eat)* | comía | comíamos |
| | comías | comíais |
| | comía | comían |
| **escribir** *(to write)* | escribía | escribíamos |
| | escribías | escribíais |
| | escribía | escribían |

## Future tense (indicative)

| **hablar** *(to speak)* | hablaré | hablaremos |
|---|---|---|
| | hablarás | hablaréis |
| | hablará | hablarán |
| **comer** *(to eat)* | comeré | comeremos |
| | comerás | comeréis |
| | comerá | comerán |
| **escribir** *(to write)* | escribiré | escribiremos |
| | escribirás | escribiréis |
| | escribirá | escribirán |

## Conditional tense (indicative)

| **hablar** *(to speak)* | hablaría | hablaríamos |
|---|---|---|
| | hablarías | hablaríais |
| | hablaría | hablarían |
| **comer** *(to eat)* | comería | comeríamos |
| | comerías | comeríais |
| | comería | comerían |
| **escribir** *(to write)* | escribiría | escribiríamos |
| | escribirías | escribiríais |
| | escribiría | escribirían |

## Past participle

The past participle is formed by replacing the *-ar* of the infinitive with *-ado* and the *-er* or *-ir* with *-ido*.

| | |
|---|---|
| hablar | hablado |
| comer | comido |
| vivir | vivido |

## Irregular past participles

| | |
|---|---|
| abrir | abierto |
| cubrir | cubierto |
| decir | dicho |
| escribir | escrito |
| hacer | hecho |
| morir | muerto |
| poner | puesto |
| romper | roto |
| ver | visto |
| volver | vuelto |

## Present perfect tense (indicative)

The present perfect tense is formed by combining the present tense of *haber* and the past participle of a verb.

| | | |
|---|---|---|
| **hablar** *(to speak)* | he hablado<br>has hablado<br>ha hablado | hemos hablado<br>habéis hablado<br>han hablado |
| **comer** *(to eat)* | he comido<br>has comido<br>ha comido | hemos comido<br>habéis comido<br>han comido |
| **vivir** *(to live)* | he vivido<br>has vivido<br>ha vivido | hemos vivido<br>habéis vivido<br>han vivido |

## Past perfect tense (indicative)

| | | |
|---|---|---|
| **hablar** | había hablado<br>habías hablado<br>había hablado | habíamos hablado<br>habíais hablado<br>habían hablado |

## Preterite perfect tense (indicative)

| | | |
|---|---|---|
| **hablar** | hube hablado<br>hubiste hablado<br>hubo hablado | hubimos hablado<br>hubisteis hablado<br>hubieron hablado |

## Future perfect tense (indicative)

| hablar | habré hablado | habremos hablado |
|---|---|---|
| | habrás hablado | habréis hablado |
| | habrá hablado | habrán hablado |

## Conditional perfect tense (indicative)

| hablar | habría hablado | habríamos hablado |
|---|---|---|
| | habrías hablado | habríais hablado |
| | habría hablado | habrían hablado |

## Present tense (subjunctive)

| hablar | hable | hablemos |
|---|---|---|
| | hables | habléis |
| | hable | hablen |
| **comer** | coma | comamos |
| | comas | comáis |
| | coma | coman |
| **escribir** *(to write)* | escriba | escribamos |
| | escribas | escribáis |
| | escriba | escriban |

## Imperfect tense (subjunctive)

| hablar | hablara (hablase) | habláramos (hablásemos) |
|---|---|---|
| | hablaras (hablases) | hablarais (hablaseis) |
| | hablara (hablase) | hablaran (hablasen) |
| **comer** | comiera (comiese) | comiéramos (comiésemos) |
| | comieras (comieses) | comierais (comieseis) |
| | comiera (comiese) | comieran (comiesen) |
| **escribir** | escribiera (escribiese) | escribiéramos (escribiésemos) |
| | escribieras (escribieses) | escribierais (escribieseis) |
| | escribiera (escribiese) | escribieran (escribiesen) |

## Present perfect tense (subjunctive)

| hablar | haya hablado | hayamos hablado |
|---|---|---|
| | hayas hablado | hayáis hablado |
| | haya hablado | hayan hablado |

## Past perfect tense (subjunctive)

| hablar | hubiera (hubiese) hablado | hubiéramos (hubiésemos) hablado |
|---|---|---|
| | hubieras (hubieses) hablado | hubierais (hubieseis) hablado |
| | hubiera (hubiese) hablado | hubieran (hubiesen) hablado |

# Verbs with irregularities

The following charts provide some frequently used Spanish verbs with irregularities.

| abrir *(to open)* | |
|---|---|
| past participle | abierto |
| Similar to: | cubrir *(to cover)* |

| andar *(to walk, to ride)* | |
|---|---|
| preterite | anduve, anduviste, anduvo, anduvimos, anduvisteis, anduvieron |

| buscar *(to look for)* | |
|---|---|
| preterite | busqué, buscaste, buscó, buscamos, buscasteis, buscaron |
| present subjunctive | busque, busques, busque, busquemos, busquéis, busquen |
| Similar to: | acercarse *(to get close, to approach)*, arrancar *(to start a motor)*, colocar *(to place)*, criticar *(to criticize)*, chocar *(to crash)*, equivocarse *(to make a mistake)*, explicar *(to explain)*, marcar *(to score a point)*, pescar *(to fish)*, platicar *(to chat)*, practicar *(to practice)*, sacar *(to take out)*, tocar *(to touch, to play an instrument)* |

| caber *(to fit into, to have room for)* | |
|---|---|
| present | quepo, cabes, cabe, cabemos, cabéis, caben |
| preterite | cupe, cupiste, cupo, cupimos, cupisteis, cupieron |
| future | cabré, cabrás, cabrá, cabremos, cabréis, cabrán |
| present subjunctive | quepa, quepas, quepa, quepamos, quepáis, quepan |

| caer *(to fall)* | |
|---|---|
| present | caigo, caes, cae, caemos, caéis, caen |
| preterite | caí, caíste, cayó, caímos, caísteis, cayeron |
| present participle | cayendo |
| present subjunctive | caiga, caigas, caiga, caigamos, caigáis, caigan |
| past participle | caído |

| conducir *(to drive, to conduct)* | |
|---|---|
| present | conduzco, conduces, conduce, conducimos, conducís, conducen |
| preterite | conduje, condujiste, condujo, condujimos, condujisteis, condujeron |
| present subjunctive | conduzca, conduzcas, conduzca, conduzcamos, conduzcáis, conduzcan |
| Similar to: | traducir *(to translate)* |

| conocer *(to know)* | |
|---|---|
| present | conozco, conoces, conoce, conocemos, conocéis, conocen |
| present subjunctive | conozca, conozcas, conozca, conozcamos, conozcáis, conozcan |
| Similar to: | complacer *(to please)*, crecer *(to grow, to increase)*, desaparecer *(to disappear)*, nacer *(to be born)*, ofrecer *(to offer)* |

## construir *(to build)*

| | |
|---|---|
| **present** | construyo, construyes, construye, construimos, construís, construyen |
| **preterite** | construí, construiste, construyó, construimos, construisteis, construyeron |
| **present participle** | construyendo |
| **present subjunctive** | construya, construyas, construya, construyamos, construyáis, construyan |

## continuar *(to continue)*

| | |
|---|---|
| **present** | continúo, continúas, continúa, continuamos, continuáis, continúan |

## convencer *(to convince)*

| | |
|---|---|
| **present** | convenzo, convences, convence, convencemos, convencéis, convencen |
| **present subjunctive** | convenza, convenzas, convenza, convenzamos, convenzáis, convenzan |
| **Similar to:** | vencer *(to win, to expire)* |

## cubrir *(to cover)*

| | |
|---|---|
| **past participle** | cubierto |
| **Similar to:** | abrir *(to open)*, descubrir *(to discover)* |

## dar *(to give)*

| | |
|---|---|
| **present** | doy, das, da, damos, dais, dan |
| **preterite** | di, diste, dio, dimos, disteis, dieron |
| **present subjunctive** | dé, des, dé, demos, deis, den |

## decir *(to say, to tell)*

| | |
|---|---|
| **present** | digo, dices, dice, decimos, decís, dicen |
| **preterite** | dije, dijiste, dijo, dijimos, dijisteis, dijeron |
| **present participle** | diciendo |
| **command** | di (tú) |
| **future** | diré, dirás, dirá, diremos, diréis, dirán |
| **present subjunctive** | diga, digas, diga, digamos, digáis, digan |
| **past participle** | dicho |

## dirigir *(to direct)*

| | |
|---|---|
| **present** | dirijo, diriges, dirige, dirigimos, dirigís, dirigen |
| **present subjunctive** | dirija, dirijas, dirija, dirijamos, dirijáis, dirijan |

## empezar *(to begin, to start)*

| | |
|---|---|
| **present** | empiezo, empiezas, empieza, empezamos, empezáis, empiezan |
| **present subjunctive** | empiece, empieces, empiece, empecemos, empecéis, empiecen |
| **Similar to:** | almorzar *(to eat lunch)*, aterrizar *(to land)*, comenzar *(to begin)*, gozar *(to enjoy)*, realizar *(to attain, to bring about)* |

## enviar *(to send)*

| | |
|---|---|
| **present** | envío, envías, envía, enviamos, enviáis, envían |
| **present subjunctive** | envíe, envíes, envíe, enviemos, enviéis, envíen |
| **Similar to:** | esquiar *(to ski)* |

## escribir *(to write)*

| | |
|---|---|
| **past participle** | escrito |
| **Similar to:** | describir *(to describe)* |

## escoger *(to choose)*

| | |
|---|---|
| **present** | escojo, escoges, escoge, escogemos, escogéis, escogen |
| **Similar to:** | coger *(to pick)*, recoger *(to pick up)* |

## estar *(to be)*

| | |
|---|---|
| **present** | estoy, estás, está, estamos, estáis, están |
| **preterite** | estuve, estuviste, estuvo, estuvimos, estuvisteis, estuvieron |
| **present subjunctive** | esté, estés, esté, estemos, estéis, estén |

## haber *(to have)*

| | |
|---|---|
| **present** | he, has, ha, hemos, habéis, han |
| **preterite** | hube, hubiste, hubo, hubimos, hubisteis, hubieron |
| **future** | habré, habrás, habrá, habremos, habréis, habrán |
| **present subjunctive** | haya, hayas, haya, hayamos, hayáis, hayan |

## hacer *(to do, to make)*

| | |
|---|---|
| **present** | hago, haces, hace, hacemos, hacéis, hacen |
| **preterite** | hice, hiciste, hizo, hicimos, hicisteis, hicieron |
| **command** | haz (tú) |
| **future** | haré, harás, hará, haremos, haréis, harán |
| **present subjunctive** | haga, hagas, haga, hagamos, hagáis, hagan |
| **past participle** | hecho |
| **Similar to:** | deshacer *(to undo)* |

## ir *(to go)*

| | |
|---|---|
| **present** | voy, vas, va, vamos, vais, van |
| **preterite** | fui, fuiste, fue, fuimos, fuisteis, fueron |
| **imperfect** | iba, ibas, iba, íbamos, ibais, iban |
| **present participle** | yendo |
| **command** | ve (tú) |
| **present subjunctive** | vaya, vayas, vaya, vayamos, vayáis, vayan |

## leer *(to read)*

| | |
|---|---|
| **preterite** | leí, leíste, leyó, leímos, leísteis, leyeron |
| **present participle** | leyendo |
| **past participle** | leído |
| **Similar to:** | creer *(to believe)* |

## llegar *(to arrive)*

| | |
|---|---|
| **preterite** | llegué, llegaste, llegó, llegamos, llegasteis, llegaron |
| **present subjunctive** | llegue, llegues, llegue, lleguemos, lleguéis, lleguen |
| **Similar to:** | agregar *(to add)*, apagar *(to turn off)*, colgar *(to hang up)*, despegar *(to take off)*, entregar *(to hand in)*, jugar *(to play)*, pagar *(to pay for)* |

## morir *(to die)*

| | |
|---|---|
| **past participle** | muerto |

## oír *(to hear, to listen)*

| | |
|---|---|
| **present** | oigo, oyes, oye, oímos, oís, oyen |
| **preterite** | oí, oíste, oyó, oímos, oísteis, oyeron |
| **present participle** | oyendo |
| **present subjunctive** | oiga, oigas, oiga, oigamos, oigáis, oigan |
| **past participle** | oído |

## poder *(to be able)*

| | |
|---|---|
| **present** | puedo, puedes, puede, podemos, podéis, pueden |
| **preterite** | pude, pudiste, pudo, pudimos, pudisteis, pudieron |
| **present participle** | pudiendo |
| **future** | podré, podrás, podrá, podremos, podréis, podrán |
| **present subjunctive** | pueda, puedas, pueda, podamos, podáis, puedan |

## poner *(to put, to place, to set)*

| | |
|---|---|
| **present** | pongo, pones, pone, ponemos, ponéis, ponen |
| **preterite** | puse, pusiste, puso, pusimos, pusisteis, pusieron |
| **command** | pon (tú) |
| **future** | pondré, pondrás, pondrá, pondremos, pondréis, pondrán |
| **present subjunctive** | ponga, pongas, ponga, pongamos, pongáis, pongan |
| **past participle** | puesto |

## proteger *(to protect)*

| | |
|---|---|
| **present** | protejo, proteges, protege, protegemos, protegéis, protegen |
| **present subjunctive** | proteja, protejas, proteja, protejamos, protejáis, protejan |

## querer *(to wish, to want, to love)*

| | |
|---|---|
| **present** | quiero, quieres, quiere, queremos, queréis, quieren |
| **preterite** | quise, quisiste, quiso, quisimos, quisisteis, quisieron |
| **future** | querré, querrás, querrá, querremos, querréis, querrán |
| **present subjunctive** | quiera, quieras, quiera, querramos, querráis, quieran |

## reír *(to laugh)*

| | |
|---|---|
| **present** | río, ríes, ríe, reímos, reís, ríen |
| **preterite** | reí, reíste, rió, reímos, reísteis, rieron |
| **present participle** | riendo |
| **present subjunctive** | ría, rías, ría, riamos, riáis, rían |
| **Similar to:** | freír *(to fry)*, sonreír *(to smile)* |

## romper *(to break)*

| | |
|---|---|
| **past participle** | roto |

## saber *(to know, to know how)*

| | |
|---|---|
| **present** | sé, sabes, sabe, sabemos, sabéis, saben |
| **preterite** | supe, supiste, supo, supimos, supisteis, supieron |
| **future** | sabré, sabrás, sabrá, sabremos, sabréis, sabrán |
| **present subjunctive** | sepa, sepas, sepa, sepamos, sepáis, sepan |

## salir *(to leave)*

| | |
|---|---|
| **present** | salgo, sales, sale, salimos, salís, salen |
| **command** | sal (tú) |
| **future** | saldré, saldrás, saldrá, saldremos, saldréis, saldrán |
| **present subjunctive** | salga, salgas, salga, salgamos, salgáis, salgan |

## seguir *(to follow, to continue)*

| | |
|---|---|
| **present** | sigo, sigues, sigue, seguimos, seguís, siguen |
| **present participle** | siguiendo |
| **present subjunctive** | siga, sigas, siga, sigamos, sigáis, sigan |
| **Similar to:** | conseguir *(to obtain, to attain, to get)* |

## ser *(to be)*

| | |
|---|---|
| **present** | soy, eres, es, somos, sois, son |
| **preterite** | fui, fuiste, fue, fuimos, fuisteis, fueron |
| **imperfect** | era, eras, era, éramos, erais, eran |
| **command** | sé (tú) |
| **present subjunctive** | sea, seas, sea, seamos, seáis, sean |

## tener *(to have)*

| | |
|---|---|
| **present** | tengo, tienes, tiene, tenemos, tenéis, tienen |
| **preterite** | tuve, tuviste, tuvo, tuvimos, tuvisteis, tuvieron |
| **command** | ten (tú) |
| **future** | tendré, tendrás, tendrá, tendremos, tendréis, tendrán |
| **present subjunctive** | tenga, tengas, tenga, tengamos, tengáis, tengan |
| **Similar to:** | contener *(to contain)*, detener *(to stop)*, mantener *(to maintain)*, obtener *(to obtain)* |

## torcer *(to twist)*

| | |
|---|---|
| **present** | tuerzo, tuerces, tuerce, torcemos, torcéis, tuercen |
| **present subjunctive** | tuerza, tuerzas, tuerza, torzamos, torzáis, tuerzan |

## traer *(to bring)*

| | |
|---|---|
| **present** | traigo, traes, trae, traemos, traéis, traen |
| **preterite** | traje, trajiste, trajo, trajimos, trajisteis, trajeron |
| **present participle** | trayendo |
| **present subjunctive** | traiga, traigas, traiga, traigamos, traigáis, traigan |
| **past participle** | traído |
| **Similar to:** | atraer *(to attract)* |

| valer *(to be worth)* | |
|---|---|
| **present** | valgo, vales, vale, valemos, valéis, valen |
| **preterite** | valí, valiste, valió, valimos, valisteis, valieron |
| **future** | valdré, valdrás, valdrá, valdremos, valdréis, valdrán |
| **present subjunctive** | valga, valgas, valga, valgamos, valgáis, valgan |

| venir *(to come)* | |
|---|---|
| **present** | vengo, vienes, viene, venimos, venís, vienen |
| **preterite** | vine, viniste, vino, vinimos, vinisteis, vinieron |
| **present participle** | viniendo |
| **command** | ven (tú) |
| **future** | vendré, vendrás, vendrá, vendremos, vendréis, vendrán |
| **present subjunctive** | venga, vengas, venga, vengamos, vengáis, vengan |
| **Similar to:** | convenir *(to suit, to agree)* |

| ver *(to see)* | |
|---|---|
| **present** | veo, ves, ve, vemos, veis, ven |
| **preterite** | vi, viste, vio, vimos, visteis, vieron |
| **imperfect** | veía, veías, veía, veíamos, veíais, veían |
| **present subjunctive** | vea, veas, vea, veamos, veáis, vean |
| **past participle** | visto |

| volver *(to return)* | |
|---|---|
| **past participle** | vuelto |
| **Similar to:** | resolver *(to solve)* |

# Appendix C

## Numbers

### Ordinal numbers

| | |
|---|---|
| 1—primero,-a (primer) | 6—sexto,-a |
| 2—segundo,-a | 7—séptimo,-a |
| 3—tercero,-a (tercer) | 8—octavo,-a |
| 4—cuarto,-a | 9—noveno,-a |
| 5—quinto,-a | 10—décimo,-a |

### Cardinal numbers 0–1.000

| | | | |
|---|---|---|---|
| 0—cero | 13—trece | 26—veintiséis | 90—noventa |
| 1—uno | 14—catorce | 27—veintisiete | 100—cien/ciento |
| 2—dos | 15—quince | 28—veintiocho | 200—doscientos,-as |
| 3—tres | 16—dieciséis | 29—veintinueve | 300—trescientos,-as |
| 4—cuatro | 17—diecisiete | 30—treinta | 400—cuatrocientos,-as |
| 5—cinco | 18—dieciocho | 31—treinta y uno | 500—quinientos,-as |
| 6—seis | 19—diecinueve | 32—treinta y dos | 600—seiscientos,-as |
| 7—siete | 20—veinte | 33—treinta y tres, etc. | 700—setecientos,-as |
| 8—ocho | 21—veintiuno | 40—cuarenta | 800—ochocientos,-as |
| 9—nueve | 22—veintidós | 50—cincuenta | 900—novecientos,-as |
| 10—diez | 23—veintitrés | 60—sesenta | 1.000—mil |
| 11—once | 24—veinticuatro | 70—setenta | |
| 12—doce | 25—veinticinco | 80—ochenta | |

# Appendix D

## Syllabification

Spanish vowels may be weak or strong. The vowels *a, e* and *o* are strong, whereas *i* (and sometimes *y*) and *u* are weak. The combination of one weak and one strong vowel or of two weak vowels produces a diphthong, two vowels pronounced as one.

A word in Spanish has as many syllables as it has vowels or diphthongs.

    al gu nas                lue go                pa la bra

A single consonant (including *ch, ll, rr*) between two vowels accompanies the second vowel and begins a syllable.

    a mi ga                fa vo ri to            mu cho

Two consonants are divided, the first going with the previous vowel and the second going with the following vowel.

    an tes                quin ce                ter mi nar

A consonant plus *l* or *r* is inseparable except for *rl, sl* and *sr.*

    ma dre         pa la bra         com ple tar       Car los         is la

If three consonants occur together, the last, or any inseparable combination, accompanies the following vowel to begin another syllable.

    es cri bir              som bre ro           trans por te

Prefixes should remain intact.

    re es cri bir

# Appendix E

## Accentuation

Words that end in *a, e, i, o, u, n* or *s* are pronounced with the major stress on the next-to-the-last syllable. No accent mark is needed to show this emphasis.

    octubre                refresco            señora

Words that end in any consonant except *n* or *s* are pronounced with the major stress on the last syllable. No accent mark is needed to show this emphasis.

    escribir               papel               reloj

Words that are not pronounced according to the above two rules must have a written accent mark.

    lógico           canción          después         lápiz

An accent mark may be necessary to distinguish identical words with different meanings.

    dé/de           qué/que         sí/si           sólo/solo

An accent mark is often used to divide a diphthong into two separate syllables.

    día                frío              Raúl

# Vocabulary Spanish / English

All active words introduced in *Navegando 1, 2* and *3* appear in this end vocabulary. The number and letter following an entry indicate the lesson in which an item is first actively used in *Navegando 3*. The vocabulary from *Navegando 1* and *2* and additional words and expressions are included for reference and have no number. Obvious cognates and expressions that occur as passive vocabulary for recognition only have been excluded from this end vocabulary.

**Abbreviations:**
*d.o.* direct object
*f.* feminine
*i.o.* indirect object
*m.* masculine
*pl.* plural
*s.* singular

## A

**a** to, at, in; *a caballo* on horseback; *a causa de* because of, due to; *a crédito* on credit; *a cuadros* plaid, checkered; *a favor (de)* in favor (of); *a fin de que* so that; *a la derecha* to the right; *a la izquierda* to the left; *a la(s)...* at... o' clock; *a lo mejor* maybe; *a menudo* often; *a pie* on foot; *a propósito* by the way; *¿a qué hora?* at what time?; *a rayas* striped; *a tiempo* on time; *a veces* sometimes, at times; *a ver* let's see, hello (telephone greeting); *A mí me tocó...* I got... *1A; a diferencia de* unlike, contrary to *2A; a punto de (salir)* about (to leave) *5B; a último momento* at the last moment *6A; a partir de* starting *8B; a menos que* unless *10B*
**a la parrilla** grilled *7B*
**abajo** downstairs, down
**abierto,-a** open; *vocales abiertas* open vowels
el **abogado,** la **abogada** lawyer
**abordar** to board
**abran:** see *abrir*
**abrazarse** to hug (each other) *2B*
el **abrazo** hug
**abre:** see *abrir*
el **abrelatas** can opener
la **abreviatura** abbreviation
el **abrigo** coat
**abril** April

**abrir** to open; *abran (Uds.* command) open; *abre (tú* command) open
**abrochar(se)** to fasten
la **abuela** grandmother
el **abuelo** grandfather
**aburrido,-a** bored, boring
**aburrir(se)** to bore, to get bored
**acá** here *2B*
**acabar** to finish, to complete, to terminate; *acabar de* (+ infinitive) to have just
**acampar** to camp *5B*
el **accidente** accident
el **aceite** oil
la **aceituna** olive
el **acelerador** gas pedal *5A*
**acelerar** to accelerate *5A*
el **acento** accent
la **acentuación** accentuation
**aceptado,-a** accepted
**aceptar** to accept *3A*
la **acera** sidewalk
**acerca de** about
**aclarar** to make clear, to explain
el **acondicionador** conditioner *9A*
**aconsejar** to advise, to suggest
el **acontecimiento** event, happening
**acordar(se) de (ue)** to remember
**acortar** to shorten *9B*
**acostar (ue)** to put (someone) in bed; *acostarse* to go to bed, to lie down
**acostumbrar(se)** to get used to

el **acróbata,** la **acróbata** acrobat
la **actitud** attitude
la **actividad** activity
**activo,-a** active *1B*
el **actor** actor (male)
la **actriz** actor (female), actress
la **actuación** performance *1B*
**actuar** to act *1B*
**acuático,-a** aquatic, pertaining to water
el **acuerdo** accord; *de acuerdo* agreed, okay; *estar de acuerdo* to agree
el **acusado,** la **acusada** accused person *3B*
**acusar** to accuse *4A*
**adelante** ahead, farther on
**además** besides, furthermore
**adentro** inside
el **aderezo** seasoning, flavoring, dressing
**adiós** good-bye
**adivinar** to guess
el **adjetivo** adjective; *adjetivo posesivo* possessive adjective
**admitir** to admit *4A*
**adonde** where
**¿adónde?** (to) where?
**adornar** to decorate
la **aduana** customs
el **adulto,** la **adulta** adult *4A*
el **adverbio** adverb
**aéreo,-a** air, pertaining to air
los **aeróbicos** aerobics; *hacer aeróbicos* to do aerobics
la **aerolínea** airline
el **aeropuerto** airport
el **aerosol** aerosol *10B*
**afectar** to affect *10B*

**afeitar(se)** to shave; *crema de afeitar* shaving cream

el **aficionado,** la **aficionada** fan

el **África** Africa

**africano,-a** African

**afuera** outside

las **afueras** suburbs *5A*

la **agencia** agency; *agencia de viajes* travel agency

el **agente,** la **agente** agent

**agosto** August

**agotar(se)** to run out, to exhaust *10B*

**agradable** nice, pleasing, agreeable

**agradar** to please

**agradecer** to thank *3A*

**agregar** to add

el **agricultor,** la **agricultora** farmer

**agrio,-a** sour *7A*

el **agua** *(f.)* water; *agua mineral* mineral water

el **aguacate** avocado

el **aguacero** (heavy) shower *6A*

el **águila calva** bald eagle *10B*

la **aguja** needle *9B*

el **agujero** hole, gap *10B*

**ahora** now; *ahora mismo* right now

**ahorrar** to save

**ahumado,-a** smoked *7B*

el **aire** air; *aire acondicionado* air conditioning; *al aire libre* outdoors

el **ajedrez** chess

el **ají,** pepper *(pl. ajíes) 7A*

el **ajo** garlic

**ajustar** to adjust *5A;* to fit *9B*

**al** to the; *al aire libre* outdoors; *al lado de* next to, beside; *al principio* at the beginning, start *3A; al fin y al cabo* after all *9A*

la **alarma** alarm; *alarma de incendios* fire alarm, smoke alarm

el **albergue juvenil** youth hostel *6B*

**alegrar (de)** to make happy; *alegrarse (de)* to be glad

**alegre** happy, merry, lively

**alemán, alemana** German

**Alemania** Germany

la **alergia** allergy *8A*

el **alfabeto** alphabet

el **alfiler** pin *9B*

la **alfombra** carpet, rug

el **álgebra** algebra

**algo** something, anything

el **algodón** cotton; *algodón de azúcar* cotton candy

**alguien** someone, anyone, somebody, anybody

**algún, alguno,-a** some, any

la **alimentación** diet *8B*

**alimentarse** to eat *8B*

el **alimento** food *8B*

**alisarse (el pelo)** to straighten (one's hair) *9A*

**allá** over there

**allí** there

el **almacén** department store, grocery store; warehouse

la **almeja** clam

la **almendra** almond *7B*

la **almohada** pillow *2B*

**almorzar (ue)** to have lunch, to eat lunch

el **almuerzo** lunch

**aló** hello (telephone greeting)

**alojar(se)** to lodge; *alojarse* to stay

**alquilar** to rent

**alrededor de** around

**alterna** *(tú command)* alternate

el **alto** stop

**alto,-a** tall, high

**amable** kind, nice

**amarillo,-a** yellow

**ambiguo,-a** ambiguous

la **ambulancia** ambulance *3B*

la **América** America; *América Central* Central America; *América del Norte* North America; *América del Sur* South America

**americano,-a** American; *fútbol americano* football

el **amigo,** la **amiga** friend; *amigo/a por correspondencia* pen pal

la **amistad** friendship

el **amor** love

**añade:** see *añadir*

**añadir** to add; *añade (tú command)* add

**anaranjado,-a** orange (color)

**ancho,-a** loose, wide *9A*

**andar** to walk, to go; to be

el **andén** train platform *5B*

**andino,-a** Andean, of the Andes Mountains

el **anfitrión,** la **anfitriona** host, hostess *7B*

el **anillo** ring

el **animal** animal

el **año** year; *Año Nuevo* New Year's (Day); *¿Cuántos años tienes?* How old are you?; *cumplir años* to have a birthday; *tener (+ number) años* to be (+ number) years old

**anoche** last night

**anochecer** to get dark, to turn to dusk

**anteayer** the day before yesterday

**anterior** preceding

**antes de** before

el **antibiótico** antibiotic *8A*

**antiguo,-a** antique, ancient, old

el **antiséptico** antiseptic *8A*

**anunciar** to announce *3B*

el **anuncio** announcement, advertisement; *anuncio comercial* commercial announcement, commercial, advertisement

**apagar** to turn off

el **aparato** appliance, apparatus

**aparecer** to appear, to turn up *1A*

el **apartamento** apartment

el **apellido** last name, surname

el **apodo** nickname

**apoyar** to support, to back (another person) *4A*

**aprender** to learn

**apropiado,-a** appropriate

**apunta:** see *apuntar*

**apuntar** to point; *apunta (tú command)* point (at); *apunten (Uds. command)* point (at)

**apunten:** see *apuntar*

**apurado,-a** in a hurry

**apurar(se)** to hurry up

**aquel, aquella** that (far away)

**aquél, aquélla** that (one)

**aquello** that

**aquellos, aquellas** those (far away)

**aquéllos, aquéllas** those (ones)

**aquí** here; *Aquí se habla español.* Spanish is spoken here.

**árabe** Arab

**Arabia Saudita** Saudi Arabia
el **árbitro, la árbitro**
  referee, umpire
el **árbol** tree; *árbol genealógico*
  family tree
el **arbusto** bush *5B*
la **arcilla** clay *9B*
la **arena** sand
el **arete** earring
la **Argentina** Argentina
  **argentino,-a** Argentinean
el **armario** closet,
  wardrobe; cupboard
el **arquitecto, la arquitecta**
  architect *10A*
la **arquitectura** architecture *10A*
  **arreglar** to arrange,
  to straighten, to fix
  **arrestar** to arrest *3B*
  **arriba** upstairs, up, above
la **arroba** at (the symbol @ used
  for e-mail addresses)
  **arrojar** to throw *10B*
el **arroz** rice
  **arrugado,-a** wrinkled *9B*
el **arte** art
la **artesanía** handicraft *9B*
el **artículo** article
el **artista, la artista** artist
  **asado,-a** roasted *7B*
la **asadora** baking pan *7A*
  **asaltar** to assault *3B*
  **asar** to roast *7A*
el **ascensor** elevator
  **así** thus, that way
el **Asia** Asia
  **asiático,-a** Asian
el **asiento** seat *5B*
la **asignatura** subject
  **asistir a** to attend
la **aspiración** aspiration,
  hope
la **aspiradora** vacuum; *pasar la*
  *aspiradora* to vacuum
la **aspirina** aspirin *8A*
el **astronauta, la astronauta**
  astronaut *10B*
  **asustarse** to get scared *6A*
el **atasco** traffic jam *5A*
  **atender (ie)** to take care of *1B*
  **atentamente** respectfully,
  yours truly
  **aterrizar** to land
el **ático** attic
el **Atlántico** Atlantic Ocean
el **atleta, la atleta** athlete *1B*

**atlético,-a** athletic *1B*
la **atmósfera** atmosphere *10B*
la **atracción** attraction;
  (amusement) ride; *parque de*
  *atracciones* amusement park
  **atractivo,-a** attractive *9A*
  **atravesado,-a** crossed
  **atravesar (ie)** to go across *6A*
el **atún** tuna
el **aumento** increase
  **aun** even
  **aunque** although
  **Australia** Australia
  **australiano,-a** Australian
el **autobús** bus; *estación de*
  *autobuses* bus station
el **autógrafo** autograph
la **autopista** highway *5A*
el **auxiliar de vuelo,**
  la **auxiliar de vuelo**
  flight attendant
los **avances** advances *10B*
el **ave** fowl, bird
la **avenida** avenue
la **aventuras** action (film) *1B*
  **averiguar** to find out *3A*
el **avión** airplane
  **avisar** to let someone
  know *4B*
el **aviso** printed advertisement
  **¡ay!** oh!
  **ayer** yesterday
la **ayuda** help
  **ayudar** to help
el **azafrán** saffron
la **azotea** flat roof
los **aztecas** Aztecs
el **azúcar** sugar
la **azucarera** sugar bowl
  **azul** blue; *azul marino* navy
  blue *9A*

## B

  **bailar** to dance
el **baile** dance, dancing
  **bajar** to lower *7B*; *bajar un*
  *programa* to download a
  software program
  **bajo** under
  **bajo,-a** short (not tall), low;
  *planta baja* ground floor;
  *zapato bajo* low-heel shoe
  **balanceado,-a** balanced
la **ballena** whale *10B*
el **baloncesto** basketball
la **balsa** raft *6B*

  **bañar(se)** to bathe
el **banco** bank
la **banda** band
la **bandeja** tray *9B*
la **bañera** bathtub *6B*
el **baño** bathroom; *baño de los*
  *caballeros* men's restroom;
  *cuarto de baño* bathroom; *traje*
  *de baño* swimsuit
  **barato,-a** cheap
la **barba** beard *2A*
el **barco** boat, ship
  **barrer** to sweep
la **barriga** belly *8A*
el **barril** barrel
el **barrio** neighborhood
  **basado,-a** based
el **básquetbol** basketball
el **basquetbolista,**
  la **basquetbolista**
  basketball player
  **bastante** rather, fairly,
  sufficiently; enough, sufficient
la **basura** garbage
el **basurero** garbage can *2A*
la **batería** battery *4B*
la **batidora** blender *7A*
  **batir** to beat *7A*
el **baúl** trunk
la **bebida** drink
la **beca** scholarship *10A*
  **beige** beige *9A*
el **béisbol** baseball
el **beisbolista, la beisbolista**
  baseball player *1B*
los **beneficios** benefits *10A*
las **bermudas** bermuda shorts
  **besarse** to kiss each other *2B*
el **beso** kiss
la **biblioteca** library
el **bibliotecario,**
  la **bibliotecaria** librarian
la **bicicleta** bicycle, bike
  **bien** well; *quedarle bien a uno*
  to fit, to be becoming
la **bienvenida** welcome
  **bienvenido,-a** welcome
el **bigote** mustache *2A*
el **billete** ticket
la **billetera** wallet
los **binoculares** binoculars *5B*
la **biología** biology
la **bisabuela** great-grandmother
el **bisabuelo** great-grandfather
el **bistec** steak *7B*
  **blanco,-a** white

blando,-a soft 6B
la blusa blouse
la boca mouth
la bocacalle street entrance 5A
el bocadillo sandwich 7B
la boda wedding
la boletería ticket office 5B
el boleto ticket
el bolígrafo pen
Bolivia Bolivia
el boliviano Bolivian
currency 7A
boliviano,-a Bolivian
la bolsa bag
el bolsillo pocket 9B
el bolso handbag, purse
la bomba bomb 3B
el bombero, la bombera
firefighter
la bombilla light bulb
bonito,-a pretty,
good-looking, attractive
bordado,-a embroidered 9B
borra: see borrar
el borrador eraser
borrar to erase; borra
(tú command) erase; borren
(Uds. command) erase
borren: see borrar
el bosque forest
bostezar to yawn
la bota boot
el bote boat
la botella bottle 7B
el botón button (pl. botones) 9B
el botones bellhop
el Brasil Brazil
brasileño,-a Brazilian
el brazo arm
el broche pin, broach 9B
la broma joke
broncear(se) to tan
la brújula compass 5B
bucear to scuba dive 6B
el buceo scuba diving
buen good (form of bueno
before a m., s. noun); hace buen
tiempo the weather is nice
bueno well, okay
(pause in speech); hello
(telephone greeting)
bueno,-a good; buena suerte
good luck; buenas noches
good night; buenas tardes
good afternoon; buenos días
good morning

la bufanda scarf
el burro burro, donkey
buscar to look for

## C

la cabalgata horseback ride 6B
el caballero gentleman; baño de
los caballeros men's restroom
el caballo horse; a caballo
on horseback
caber to fit (into)
la cabeza head
el cacahuete peanut 8B
cada each, every
la cadena chain 9B
caer(se) to fall (down)
café brown (color)
el café coffee
la cafetera coffee pot,
coffee maker
la cafetería cafeteria
la caja box 2A
la caja cashier's desk
el cajero, la cajera cashier
el calambre cramp 8B
el calcetín sock
el calcio calcium 8B
la calefacción heating 2A
el calendario calendar
el calentamiento global global
warming 10B
la calidad quality
caliente hot
la calle street; la calle de doble vía
two-way street 5A; la calle de
una sola vía one-way street 5A
el callejón sin salida blind
alley 5A
calmar(se) to calm down
el calor heat; hace calor it is hot;
tener calor to be hot
calvo,-a bald
el calzado footwear 9A
la cama bed; la cama doble
double bed 6B; la cama
sencilla single bed 6B
la cámara camera
la cámara digital digital
camera 3A
el camarero, la camarera
food server
el camarón shrimp
cambiar to change
el cambio change; en cambio
on the other hand
el camello camel

caminar to walk
el camino road, path
el camión truck
la camioneta station wagon 3B
la camisa shirt
la camiseta jersey, polo, t-shirt
el campamento camp site 5B
el campeonato championship
el camping camping
el campo field 5B
el Canadá Canada
canadiense Canadian
el canal channel
la cancelación cancellation 6A
cancelar to cancel 6A
la cancha de tenis tennis
court 6B
la canción song
el cangrejo crab
canoso,-a white-haired
cansado,-a tired
el cantante, la cantante singer
cantar to sing
la cantidad quantity
la capa de ozono ozone
layer 10B
las capas layers 9A
la capital capital
el capitán captain
el capítulo chapter
el capó hood
la cara face
la característica characteristic,
trait; características de
personalidad personality
traits; características físicas
physical traits
¡caramba! wow!
el carbohidrato carbohydrate 8B
la cárcel jail 3B
cargar to charge; cargar
la batería recharge the
battery 4B
el Caribe Caribbean
cariñoso,-a affectionate
el carnaval carnival
la carne meat; carne de res beef
la carnicería meat market,
butcher shop
caro,-a expensive
el carpintero, la carpintera
carpenter
la carrera career
la carretera highway
el carro car; carros chocones
bumper cars; en carro by car

el **carrusel** carrousel, merry-go-round

la **carta** letter; playing card

la **casa** home, house; *en casa* at home

**casado,-a** married 2A

el **casco** helmet 5B

el **casete** cassette

**casi** almost

**castaño,-a** brown or hazel 2A

la **catarata** waterfall

la **catástrofe** catastrophe

la **catedral** cathedral

**catorce** fourteen

**causar** to cause 3B

la **cebolla** onion

la **cebra** zebra

**ceder el paso** to yield 5A

la **celebración** celebration

**celebrar** to celebrate

**celoso,-a** jealous 4A

el **celular** cellular phone

la **cena** dinner, supper

**cenar** to have dinner, to have supper

el **centavo** cent

el **centro** downtown, center; *centro comercial* shopping center, mall

**centroamericano,-a** Central American

**cepillar(se)** to brush

el **cepillo** brush

el **cepillo de dientes** toothbrush 2B

la **cerámica** ceramics, pottery 9B

**cerca (de)** near

la **cerca** fence

el **cerdo** pig; pork

el **cereal** cereal

la **ceremonia** ceremony 3A

la **cereza** cherry 7A

**cero** zero

**cerrado,-a** closed; *vocales cerradas* closed vowels

la **cerradura** lock

**cerrar (ie)** to close; *cierra (tú command)* close; *cierren (Uds. command)* close

el **césped** lawn, grass; *cortadora de césped* lawn mower

el **cesto de papeles** wastebasket, wastepaper basket

el **ceviche** *ceviche* (marinated seafood dish) 7B

el **champú** shampoo

**chao** good-bye

la **chaqueta** jacket

**charlando** talking, chatting

el **cheque** check

el **cheque de viajero** traveler's check 6A

**¡Chévere!** Great! 1A

la **chica** girl

el **chico** boy, man, buddy

**Chile** Chile

**chileno,-a** Chilean

la **chimenea** chimney, fireplace

la **China** China

**chino,-a** Chinese

el **chisme** gossip

**chismear** to gossip 4A

**chismoso,-a** gossipy 4A

el **chiste** joke

**chistoso,-a** funny

**chocar** to crash 3B

el **choclo** ear of corn 7A

el **chocolate** chocolate

el **chofer, la chofer** chauffeur, driver

el **chorizo** sausage (seasoned with red peppers)

el **ciclista, la ciclista** cyclist 1B

el **cielo** sky

**cien** one hundred

la **ciencia ficción** science fiction 1B

la **ciencia** science

**científico,-a** scientific 10B

**ciento** one hundred (when followed by another number)

**cierra:** see *cerrar*

**cierren:** see *cerrar*

el **cigarrillo** cigarette

**cinco** five

**cincuenta** fifty

el **cine** movie theater

la **cintura** waist 9B

el **cinturón** belt; *cinturón de seguridad* seat belt, safety belt

el **circo** circus

la **ciruela** plum

la **cita** appointment, date

la **ciudad** city

la **civilización** civilization

la **clara** egg white 7A

**claro,-a** clear; light 9A

**¡claro!** of course!

la **clase** class

los **clasificados** classified ads 3A

**clasificar** to classify

**clavar** to nail 2A

el **clavo** nail 2A

el **claxon** horn

el **cliente, la clienta** customer 7B

el **clima** climate

la **clínica** clinic 8A

el **club** club

la **cobija** blanket 2B

**cocer (ue)** to cook 7A

el **coche cama** sleeping car 5B

el **coche** car; *en coche* by car

el **coche comedor** dining car 5B

**cocido,-a** cooked, done 7A

la **cocina** kitchen

**cocinar** to cook

el **cocinero, la cocinera** cook

el **código** (country) code 4B

el **codo** elbow

el **cognado** cognate

la **cola** ponytail 9A

**colaborar** to collaborate 1A

el **colchón** mattress 2B

la **colección** collection

el **colegio** school

**colgar (ue)** to hang; *colgar el teléfono* to hang up the phone 4B

la **colina** hill

el **collar** necklace

**colocar(se)** to put, to place

**Colombia** Colombia

**colombiano,-a** Colombian

la **colonia** colony

el **color** color

la **columna** column

**combinar** to combine

la **comedia** comedy, play

el **comedor** dining room

el **comentarista, la comentarista** commentator

**comenzar (ie)** to begin, to start

**comer** to eat; *dar de comer* to feed

**comercial** commercial; *anuncio comercial* commercial announcement, *commercial, advertisement*; *centro comercial* shopping center, mall

**comerse** to eat up, to eat completely

**cometer un error** to make a mistake 4A

**cómico,-a** comical, funny; *película cómica* (film) comedy 1B

la **comida** food; dinner

la **comida chatarra** junk food 8B

**como** like, since; such as
**¿cómo?** how?, what?; ¿Cómo? What (did you say)?; ¿Cómo está (Ud.)? How are you (formal)?; ¿Cómo están (Uds.)? How are you (pl.)?; ¿Cómo estás (tú)? How are you (informal)?; ¡Cómo no! Of course!; ¿Cómo se dice... ? How do you say... ?; ¿Cómo se escribe... ? How do you write (spell)... ?; ¿Cómo se llama (Ud./él/ella)? What is (your/his/her) name?; ¿Cómo te llamas? What is your name?

la **cómoda** chest of drawers, bureau 2B
**cómodo,-a** comfortable
el **compañero,** la **compañera** classmate, partner
la **compañía** company
**comparando** comparing
el **compartimiento** compartment
**compartir** to share
la **competencia** competition
**complacer** to please
**completa:** see completar
**completar** to complete; completa (tú command) complete
**completo,-a** complete
el **comportamiento** behavior 4B
**comportarse** to behave 7B
la **compra** purchase; ir de compras to go shopping
**comprar** to buy
**comprender** to understand; comprendo I understand
**comprendo:** see comprender
**comprensivo,-a** understanding 4A
la **computadora** computer
la **comunicación** communication
**comunicarse** to communicate 10B
**con** with; con (mucho) gusto I would be (very) glad to; con permiso excuse me (with your permission), may I; siempre salirse con la suya to always get one's way; con respecto a regarding 1B
el **concierto** concert

el **concurso** contest, competition; programa de concurso game show
el **condimento** seasoning 7A
**conducir** to drive, to conduct, to direct
el **conductor,** la **conductora** driver 3B
**conectado,-a** connected
**conectar** to connect 2A
el **conejo** rabbit
**confiar** to trust 4A
la **confirmación** confirmation 6A
**confirmar** to confirm 6A
el **conflicto** conflict 4B
la **conjunción** conjunction
el **conjunto** (sweater) set 9A
**conmigo** with me
**conocer** to know, to be acquainted with, to be familiar with; to meet
**conocido,-a** known, famous
los **conocimientos** knowledge 10A
**conseguir (i, i)** to obtain, to attain, to get
el **consejo** advice
el **consejo estudiantil** student council 1A
el **conserje,** la **conserje** concierge 6B
**conservar** to conserve 10B
**considerado,-a** thoughtful, considerate 4A
la **construcción** construction work 10A
**construir** to build 2A
**consultar** to check 4B
el **consultorio** doctor's office
la **contaminación** contamination, pollution; contaminación ambiental environmental pollution
**contaminado,-a** contaminated 10B
**contaminar** to contaminate 10B
**contar con** to count on (someone) 4A
**contar (ue)** to tell (a story); cuenta (tú command) tell; cuenten (Uds. command) tell
**contener** to contain
**contento,-a** happy, glad; estar contento,-a (con) to be satisfied (with)

**contesta:** see contestar
el **contestador automático** answering machine 4B
**contestar** to answer; contesta (tú command) answer; contesten (Uds. command) answer
**contesten:** see contestar
el **contexto** context
**contigo** with you (tú)
**continúa:** see continuar
**continuar** to continue; continúa (tú command) continue; continúen (Uds. command) continue
**continúen:** see continuar
**contra** against 3B
la **contracción** contraction
**contratar** to hire 10A
**contribuir** to contribute 3A
el **control remoto** remote control
**convencer** to convince 1A
**convenir** to be fitting, to agree
**copiar** to copy
el **corazón** heart; honey (term of endearment)
la **corbata** tie
el **cordero** lamb 7B
el **coro** choir 1A
**correcto,-a** right, correct
el **corredor** corridor, hallway
el **corredor,** la **corredora** runner
el **correo** mail; correo electrónico electronic mail; oficina de correos post office
**correr** to run
la **correspondencia** correspondence
la **corrida** bullfight
el **cortacésped** lawn mower 2A
la **cortadora de césped** lawn mower
**cortar** to cut, to mow
el **corte** cut 8A; el corte (de pelo) haircut 9A
la **cortesía** courtesy
la **cortina** curtain
**corto,-a** short (not long)
la **cosa** thing
**coser** to sew 9B
la **costa** coast
**Costa Rica** Costa Rica
**costar (ue)** to cost
**costarricense** Costa Rican
la **costilla** rib
la **costura** sewing

**crear** to create
**crecer** to grow
el **crédito** credit; *a crédito* on credit; *tarjeta de crédito* credit card
**creer** to believe
la **crema** cream; *crema de afeitar* shaving cream
la **cremallera** zipper *9B*
el **crimen** crime *3B*
el **cristal** crystal *9B*
**criticar** to criticize *4A*
el **cruce de peatones** pedestrian crossway *5A*
el **crucero** cruise ship
el **crucigrama** crossword puzzle *3A*
**crudo,-a** raw, underdone *7B*
**cruzar** to cross
el **cuaderno** notebook
la **cuadra** city block
el **cuadro** square; picture, painting; *a cuadros* plaid, checkered
**¿cuál?** which?, what?, which one?; *(pl. ¿cuáles?)* which ones?
**cualidad** quality
**cualquier, cualquiera** any
**cualquiera** any at all
**cuando** when
**¿cuándo?** when?
**¿cuánto,-a?** how much?; *(pl. ¿cuántos,-as?)* how many?; *¿Cuánto (+ time expression) hace que (+ present tense of verb)... ?* How long... ?; *¿Cuántos años tienes?* How old are you?
**cuarenta** forty
el **cuarto** quarter; room, bedroom; *cuarto de baño* bathroom; *cuarto de charla* chat room; *menos cuarto* a quarter to, a quarter before; *y cuarto* a quarter after, a quarter past
**cuarto,-a** fourth
**cuatro** four
**cuatrocientos,-as** four hundred
**Cuba** Cuba
**cubano,-a** Cuban
los **cubiertos** silverware
el **cubrecamas** bedcover *2B*
**cubrir** to cover
la **cuchara** tablespoon

la **cucharita** teaspoon
el **cuchillo** knife
el **cuello** neck; collar *9B*
la **cuenta** bill, check
**cuenta:** see *contar*
el **cuerno** horn
el **cuero** leather
el **cuerpo** body
el **cuidado** care; *tener cuidado* to be careful
**cuidar(se)** to take care of
la **culpa** fault *4A*
**culpable** guilty *3B*
**culto,-a** cultured, well-read
la **cultura** culture, knowledge
el **cumpleaños** birthday; *¡Feliz cumpleaños!* Happy birthday!
**cumplir** to become, to become (+ number) years old, to reach; *cumplir años* to have a birthday; *cumplir con* to carry out, to perform *10A*
la **cuñada** sister-in-law *2A*
el **cuñado** brother-in-law *2A*
**curar(se)** to cure, to recover *8A*
**curioso,-a** curious *1B*
la **curita** band-aid *8A*
el **currículum vitae** resume *10A*
la **curva** curve
**cuyo,-a** of which, whose

# D

la **dama** lady
las **damas** checkers; *baño de las damas* women's restroom
el **damasco** apricot *7A*
**dañar** to harm *10B*
**dar** to give; *dé (Ud. command)* give; *dar de comer* to feed; *darse prisa* to hurry *1A*; *dar clases (de)...* to give... classes *1B*; *dar un discurso* to give a speech *3A*; *darse cuenta* to realize *4A*; *dar un paseo/dar una caminata* to take a walk *5B*; *dar a* to look onto *6B*; *darse un golpe* to bang oneself *8A*
**de** from, of; *de acuerdo* agreed, okay; *de cerca* close up, from a short distance; *¿de dónde?* from where?; *¿De dónde eres?* Where are you from?; *¿De dónde es (Ud./él/ella)?* Where are you

(formal) from?, Where is (he/she/it) from?; *de habla hispana* Spanish-speaking; *de ida y vuelta* round-trip; *de la mañana* in the morning, A.M.; *de la noche* at night, P.M.; *de la tarde* in the afternoon, P.M.; *de nada* you are welcome, not at all; *de todos los días* everyday; *¿de veras?* really?; *¿Eres (tú) de... ?* Are you from... ?; *¿De qué se trata?* What is it about? *1B*; *de primera (segunda) clase* first (second) class *5B*; *de lunares* polka dot *9A*; *de rebajas* on sale *9A*; *de buen/mal gusto* in good/bad taste *9A*
**dé:** see *dar*
**deber** should, to have to, must, ought (expressing a moral duty)
**decidir** to decide
**décimo,-a** tenth
**decir** to tell, to say; *¿Cómo se dice...?* How do you say...?; *di (tú command)* tell, say; *díganme (Uds. command)* tell me; *dime (tú command)* tell me; *¡no me digas!* you don't say!; *¿Qué quiere decir... ?* What is the meaning (of)... ?; *querer decir* to mean; *quiere decir* it means; *se dice* one says
**declarar** to declare *3B*
**decorar** to decorate *2A*
**dedicar** to devote (time) *1A*
el **dedo** finger, toe
el **defensor, la defensora** defender
**dejar (de)** to leave; to stop, to quit; to let, to allow
**dejar plantado,-a a alguien** to stand someone up *4A*
**del** of the, from the
**delante de** in front of *2A*
el **delantero, la delantera** forward
**delgado,-a** thin
**delicioso,-a** delicious
**demasiado,-a** too many, too much
la **democracia** democracy
la **demora** delay

el **dentista,** la **dentista** dentist
**dentro de** inside of *2B*
el **departamento** department
**depender** to depend on *1A*
el **dependiente,**
la **dependiente** clerk
el **deporte** sport
el **deportista,** la **deportista**
athlete
**deportivo,-a** sporty
el **depósito** deposit *6B*
la **derecha** right; *a la derecha*
to the right
**derecho** straight ahead
**derecho,-a** right
el **derrame** spill *10B*
**desaparecer** to disappear *1A*
**desaparecido,-a** missing
**desarmar** to take apart *2A*
**desarrollar** to develop *10B*
el **desastre** disaster
**desayunar** to have breakfast
el **desayuno** breakfast
**descansar** to rest, to relax
**desconfiar** to mistrust *4A*
**describe:** see *describir*
**describir** to describe; *describe*
(*tú* command) describe
**descubrir** to find out,
to discover *4A*
el **descuento** discount *6A*
**desde** since, from; *desde luego*
of course
**desear** to wish
el **deseo** wish
el **desfile** parade
el **desierto** desert
**desmayarse** to faint *3B*
el **desodorante** deodorant
el **desorden** disorder *2B*
**desordenado,-a** messy *2B*
**despacio** slowly *5A*
la **despedida** farewell, good-bye
**despedir(se) (i, i)** to say
good-bye
**despegar** to take off
el **desperdicio químico**
chemical waste *10B*
el **despertador** alarm clock
**despertar(se) (ie)** to wake up
**después** afterwards, later,
then; *después de* after
**destacar(se)** to stand out
**desteñido,-a** faded
**desteñirse** to fade,
to discolor *9B*

el **destino** destination;
destiny, fate
el **destornillador**
screwdriver *2A*
la **destreza** skill, expertise
la **destrucción** destruction
**destruir** to destroy *3A*
la **desventaja** disadvantage *2B*
**desvestir(se)** to undress
el **detalle** detail *6A*
el **detector de humo** smoke
detector *2A*
**detrás de** behind, after
**devolver (ue)** to return *7B*
**di:** see *decir*
el **día** day; *buenos días* good
morning; *de todos los días*
everyday; *todos los días*
every day
el **diálogo** dialog
**diario,-a** daily
**dibuja:** see *dibujar*
**dibujar** to draw, to sketch;
*dibuja* (*tú* command) draw;
*dibujen* (*Uds.* command) draw
**dibujen:** see *dibujar*
el **dibujo** drawing, sketch;
*dibujo animado* cartoon
los **dibujos animados**
cartoons *1B*
la **dicha** happiness
**diciembre** December
el **dictado** dictation
**diecinueve** nineteen
**dieciocho** eighteen
**dieciséis** sixteen
**diecisiete** seventeen
el **diente** tooth
el **diente de ajo** clove of
garlic *7A*
la **dieta** diet *8B*
**diez** ten
la **diferencia de opinión**
difference of opinion *4B*
la **diferencia** difference
**diferente** different
**difícil** difficult, hard; *ser*
*difícil que* to be unlikely that
**diga** hello (telephone greeting)
**dígame** tell me, hello
(telephone greeting)
**díganme:** see *decir*
**dime:** see *decir*
el **dinero** money
la **dirección** instruction,
guidance; address; direction

el **director,** la **directora** director
**dirigir** to direct
el **disc jockey,** la **disc jockey**
disc jockey (DJ) *7B*
el **disco** record, disc; *disco*
*compacto* compact disc,
CD-ROM
**discúlpame** forgive me *4A*
la **discusión** discussion *4A*
**discutir** to argue, to discuss
el **diseñador,** la **diseñadora**
designer *10A*
**diseñar** to design
**disgustar** to dislike *6B*
el **diskette** diskette
**disminuir** to slow (down) *5A*
**disponible** available *6B*
**divertido,-a** fun
**divertir (ie, i)** to amuse;
*divertirse* to have fun
**doblada** dubbed *1B*
**doblar** to turn (a corner)
**doble** double
**doce** twelve
el **doctor,** la **doctora** doctor
(abbreviation: *Dr., Dra.*)
el **documental** documentary *1B*
el **dólar** dollar
**doler (ue)** to hurt
**domingo** Sunday; *el domingo*
on Sunday
**dominicano,-a** Dominican
**don** title of respect used
before a man's first name
**doña** title of respect used
before a woman's first name
**donde** where
**¿dónde?** where?; *¿de dónde?*
from where?; *¿Dónde está... ?*
Where are you (formal)... ?,
Where is... ?; *¿Dónde queda...?*
*¿Dónde se encuentra...?* Where
is... ? *5A*
**dondequiera** wherever
**dormir (ue, u)** to sleep;
*dormirse* to fall asleep
**dos** two
**doscientos,-as** two hundred
**Dr.** abbreviation for *doctor*
**Dra.** abbreviation for *doctora*
el **drama** drama *1B*
la **ducha** shower
**duchar(se)** to shower
**dudar** to doubt
**dudoso,-a** doubtful
el **dulce** candy

**dulce** sweet

la **dulcería** candy store

**durante** during

el **durazno** peach

# E

**e** and (used before a word beginning with *i* or *hi*)

**echar la culpa a otro,-a/ alguien** to blame someone else *4A*

la **ecología** ecology

la **economía** economy

**económico,-a** economic

el **Ecuador** Ecuador

**ecuatoriano,-a** Ecuadorian

la **edad** age

el **edificio** building

el **editorial** editorial

la **educación física** physical education

el **efectivo** cash; *en efectivo* in cash

los **efectos especiales** special effects *1B*

**egoísta** selfish

el **ejemplo** example; *por ejemplo* for example

el **ejercicio** exercise

**él** he; him (after a preposition); *Él se llama...* His name is...

**El Salvador** El Salvador

**el** the (*m., s.*)

el **electricista,** la **electricista** electrician *10A*

**eléctrico,-a** electric

el **elefante** elephant

**elegante** elegant

**ella** she; her (after a preposition); *Ella se llama...* Her name is...

**ello** it, that (neuter form)

**ellos,-as** they; them (after a preposition)

el **e-mail** e-mail

**embarcar** to board *6A*

la **emigración** emigration

la **emisora** radio station

**emocionado,-a** excited

**emocionante** exciting

**empatados:** see *empate*

**empatar** to tie (the score of a game)

el **empate** tie; *partidos empatados* games tied

**empezar (ie)** to begin, to start

el **empleado,** la **empleada** employee

el **empleo** job

**emprendedor,-a** enterprising *10A*

la **empresa** business

el **empresario,** la **empresaria** business manager *10A*

**en** in, on, at; *en* (+ vehicle) by (+ vehicle); *en cambio* on the other hand; *en carro* by car; *en casa* at home; *en coche* by car; *en cuanto* as soon as; *en efectivo* in cash; *en medio de* in the middle of, in the center of; *en resumen* in short; *en seguida* immediately; *en vivo* live; *en vez de* instead of *9A*

**en equipo** team work *10A*

**en peligro de extinción** endangered *10B*

**encantado,-a** delighted, the pleasure is mine

**encantar** to enchant, to delight

**encargar (de)** to make responsible (for), to put in charge (of); *encargarse (de)* to take care of, to take charge (of)

**encender (ie)** to light, to turn on (a light)

la **enchilada** enchilada

**enchufar** to plug in *2A*

**encima de** above, over, on top of

**encogerse** to shrink *9B*

**encontrar (ue)** to find

la **encuesta** survey, poll

la **energía** energy *8B*

**enero** January

el **énfasis** emphasis

la **enfermedad** disease *8A*

el **enfermero,** la **enfermera** nurse

**enfermo,-a** sick

**enfrente de** facing, in front of *2B*

**enfriar** to cool *7A*

**engordar** to become fat; to get fat

**enojarse** to get angry *2B*

la **ensalada** salad

**enseguida** right away *1A*

**enseñar** to teach, to show

**entender (ie)** to understand *1B*

**enterar(se) de** to find out, to become aware, to learn about

**entonces** then

**entrar** to go in, to come in

**entre** between, among

la **entrega de premios** awards ceremony *3A*

**entregar** to hand in

el **entrenador,** la **entrenadora** trainer, coach *1B*

**entrenarse** to train *1B*

la **entrevista** interview

**entrevistar** to interview *3A*

**entrometido,-a** nosy *4A*

**enviar** to send

**equilibrado,-a** balanced *8B*

el **equipaje** luggage; *equipaje de mano* carry-on luggage

el **equipo** team

**equivocar(se)** to be mistaken

**eres:** see *ser*

la **erupción** rash *8A*

**es:** see *ser*

la **escala** stopover

**escalar** to climb *5B*

la **escalera** stairway, stairs; *escalera mecánica* escalator

**escapar(se)** to escape

la **escasez** shortage *10B*

la **escena** scene

la **escoba** broom

**escoger** to choose; *escogiendo* choosing

**escogiendo:** see *escoger*

**escriban:** see *escribir*

**escribe:** see *escribir*

**escribir** to write; *¿Cómo se escribe... ?* How do you write (spell)... ?; *escriban* (*Uds.* command) write; *escribe* (*tú* command) write; *se escribe* it is written

el **escritor,** la **escritora** writer

el **escritorio** desk

**escucha:** see *escuchar*

**escuchar** to hear, to listen (to); *escucha* (*tú* command) listen; *escuchen* (*Uds.* command) listen

**escuchen:** see *escuchar*

la **escuela** school

**ese, esa** that

**ése, ésa** that (one)

el **esmalte de uñas** nail polish *2B*

eso that (neuter form)
esos, esas those
ésos, ésas those (ones)
el espacio space
la espalda back
España Spain
el español Spanish (language); *Aquí se habla español.* Spanish is spoken here.; *Se habla español.* Spanish is spoken.
español, española Spanish
especial special
el especialista, la especialista specialist *10A*
especializado,-a specialized
especializarse en to specialize in *10A*
las especias spices *7B*
la especie species *10B*
el espectáculo show
el espectador, la espectadora spectator
el espejo mirror; *el espejo retrovisor* rear-view mirror *5A*
esperar to wait (for); to hope
las espinacas spinach *7A*
la esposa wife, spouse
el esposo husband, spouse
el esquí skiing
el esquiador, la esquiadora skier
esquiar to ski
la esquina corner
está: see *estar*
establecer to establish *1A*
el establo stable
la estación season; station; *estación de autobuses* bus station; *estación del metro* subway station; *estación del tren* train station; *estación de servicio* gas station *5A; la estación espacial* space station *10B*
el estacionamiento parking lot *5A*
estacionar to park *5A*
el estadio stadium
el Estado Libre Asociado Commonwealth
los Estados Unidos United States of America
estadounidense something or someone from the United States
estampado,-a patterned, printed *9A*

la estampilla stamp *9B*
están: see *estar*
el estante shelving, bookcase *2B*
estar to be; *¿Cómo está (Ud.)?* How are you (formal)?; *¿Cómo están (Uds.)?* How are you (pl.)?; *¿Cómo estás (tú)?* How are you (informal)?; *¿Dónde está... ?* Where are you (formal)... ?, Where is... ?; *está* you (formal) are, he/she/it is; *está nublado,-a* it is cloudy; *está soleado,-a* it is sunny; *están* they are; *estar contento, -a (con)* to be satisfied (with); *estar de acuerdo* to agree; *estar en oferta* to be on sale; *estar listo,-a* to be ready; *estás* you (informal) are; *estoy* I am; *estar equivocado,-a* to be wrong *4B; estar motivado,-a* to be motivated *1A; estar de moda* to be fashionable *9A; estar en paro* to be unemployed *10A*
estás: see *estar*
el este east
este well, so (pause in speech)
éste, ésta this (one)
este, esta this; *esta noche* tonight
el estéreo stereo
el estilo style *9A*
estimado,-a dear
estirar to stretch *8B*
esto this
el estómago stomach
estornudar to sneeze *8A*
estos, estas these
éstos, éstas these (ones)
estoy: see *estar*
estrecho,-a narrow, tight
la estrella star
el estreno premiere *3A*
el estrés stress *8B*
estricto,-a strict *1A*
la estructura structure
estudia: see *estudiar*
el estudiante, la estudiante student
estudiar to study; *estudia (tú command)* study; *estudien (Uds. command)* study
estudien: see *estudiar*
el estudio study
los estudios studies *10A*

estudioso,-a studious *1A*
la estufa stove
estupendo,-a wonderful, marvelous
la etiqueta label *9A*
Europa Europe
europeo,-a European
evidente evident
evitar to avoid *8B*
exagerar to exaggerate
el examen exam, test
examinar to examine *8A*
exceder to exceed *5A*
excelente excellent
la excursión outing *6A*
el excusado toilet
la exhibición exhibition
exigente demanding
exigir to demand *5B*
el éxito success; *tener éxito* to be successful, to be a success
la experiencia experience
explica: see *explicar*
la explicación explanation, reason
explicar to explain; *explica (tú command)* explain
el explorador, la exploradora explorer
la explosión explosion *3B*
explotar to explode *3B*
la exportación exportation
exportador, exportadora exporting
expresar to express
la expresión expression
la extensión extension
el extinguidor de incendios fire extinguisher *2A*
extrañar to miss
extranjero,-a foreign

# F

la fábrica factory *10B*
fácil easy; *ser fácil que* to be likely that
la facultad school (of a university)
la falda skirt
falso,-a false
faltar to be missing *2B*
la familia family
famoso,-a famous
fantástico,-a fantastic, great
el faro headlight; lighthouse
fascinante fascinating
fascinar to fascinate

el **favor** favor; *por favor* please

**favorito,-a** favorite

el **fax** fax

**febrero** February

la **fecha** date

**felicitaciones** congratulations

**feliz** happy (*pl. felices*); *¡Feliz cumpleaños!* Happy birthday!

**femenino,-a** feminine

**feo,-a** ugly

**feroz** fierce, ferocious (*pl. feroces*)

el **ferrocarril** railway, railroad

el **festival** festival *3A*

la **fibra** fiber *8B*

los **fideos** noodles *7B*

la **fiesta** party

**fijarse** to notice *1A*

**fijo,-a** permanent *10A*

la **fila** line, row

el **filete** fillet, boneless cut of beef or fish

**filmar** to film

la **filosofía** philosophy

el **fin** end; *a fin de que* so that; *fin de semana* weekend; *por fin* finally

las **finanzas** finances *3A*

la **finca** ranch, farm

**firmar** to sign

**firme** firm *6B*

la **física** physics

el **flamenco** flamingo; type of dance

el **flan** custard

la **flauta** flute

el **flequillo** bangs *9A*

la **flor** flower

la **florcita** small flower

la **florería** flower shop

la **foca** seal *10B*

la **fogata** camp fire *5B*

el **folleto** brochure

el **fontanero, la fontanera** plumber *10A*

la **forma** form

**formal** formal *9A*

el **formulario** form *10A*

los **fósforos** matches *5B*

la **foto(grafía)** photo

el **fotógrafo, la fotógrafa** photographer

**fracasar** to fail

la **fractura** fracture *8A*

**francés, francesa** French

**Francia** France

la **frase** phrase, sentence

el **fregadero** sink

**freír (i, i)** to fry

el **freno** brake

la **fresa** strawberry

el **fresco** cool; *hace fresco* it is cool

**fresco,-a** fresh, chilly

el **frijol** bean *7A*

el **frío** cold; *hace frío* it is cold; *tener frío* to be cold

**frío,-a** cold

**frito,-a** fried *7B*

la **fruta** fruit

la **frutería** fruit store

**fue:** see *ser*

el **fuego** fire; *fuegos artificiales* fireworks

**fuera de** out of *2B*

**fueron:** see *ser*

**fuerte** strong

la **fuerza** strength *8B*

**fumar** to smoke

**funcionar** to function, to work *2A*

la **funda** pillowcase, cover *2B*

**fundar** to found

**furioso,-a** furious *2B*

el **fútbol** soccer; *fútbol americano* football

el **futbolista, la futbolista** soccer player

el **futuro** future

# G

las **gafas de sol** sunglasses

la **galleta** cookie, biscuit

la **gallina** hen

el **gallo** rooster

la **gana** desire; *tener ganas de* to feel like

**ganados:** see *ganar*

**ganar** to win, to earn; *los partidos ganados* games won

el **ganga** bargain *9A*

el **garaje** garage

el **garbanzo** chickpea *7A*

la **garganta** throat

la **gasolina** gas *5A*

**gastado,-a** worn *9B*

**gastar** to spend *6A*

el **gasto** expense

el **gato, la gata** cat

el **gel** gel (hair) *9A*

los **gemelos, las gemelas** twins *2A*; *gemelos* cuff links *9B*

el **gen** gene, genes (*pl. genes*) *10B*

el **género** gender

**generoso,-a** generous

la **genética** genetics *10B*

la **gente** people

la **geografía** geography

la **geometría** geometry

el **gerente, la gerente** manager

el **gerundio** present participle

el **gesto** gesture

el **gimnasio** gym

el **globo** balloon; globe

la **glorieta** rotary *5A*

el **gobernador, la gobernadora** governor

el **gobierno** government

el **gol** goal

la **golosina** sweets

**gordo,-a** fat

el **gorila** gorilla

la **gorra** cap

las **gotas** drops *8A*

**gozar** to enjoy

la **grabadora** tape recorder (machine)

**grabar** to record

**gracias** thanks; *muchas gracias* thank you very much

el **grado** degree

**graduarse** to graduate *10A*

el **gramo** gram *7A*

**gran** big (form of *grande* before a *m., s.* noun); great

**grande** big

la **grasa** fat *8B*

**grasoso,-a** greasy *9A*

**grave** serious, grave *3B*

el **grifo** faucet

la **gripe** flu

**gris** gray

**gritar** to shout

el **grupo** group; *grupo musical* musical group

el **guante** glove

**guapo,-a** good-looking, attractive, handsome, pretty

**guardar** to put away, to keep *2B*

**Guatemala** Guatemala

**guatemalteco,-a** Guatemalan

la **guíav** guidebook

la **guía telefónica** phone book *4B*

la **guía, la guía** guide

el **guión** script (*pl. guiones*) *1B*

el **guisante** pea

la **guitarra** guitar

**gustar** to like, to be pleasing to; *me/te/le/nos/os/les gustaría...* I/you/he/she/it/we/they would like...

**gustaría:** see *gustar*

el **gusto** pleasure; *con (mucho) gusto* I would be (very) glad to; *el gusto es mío* the pleasure is mine; *¡Mucho gusto!* Glad to meet you!; *Tanto gusto.* So glad to meet you.

## H

**haber** to have (auxiliary verb)

**había** there was, there were

la **habichuela** green bean

**hábil** skillful *1B*

la **habitación doble** double room

la **habitación** room; bedroom

la **habitación sencilla** single room

el **habitante,** la **habitante** inhabitant

el **hábito** habit *8B*

el **habla** (*f.*) speech, speaking; *de habla hispana* Spanish-speaking

**habla:** see *hablar*

**hablar** to speak; *Aquí se habla español.* Spanish is spoken here.; *habla (tú command)* speak; *hablen (Uds. command)* speak; *Se habla español.* Spanish is spoken.

**hablen:** see *hablar*

**hace:** see *hacer*

**hacer** to do, to make; *¿Cuánto (+ time expression) hace que (+ present tense of verb)...?* How long...?; *hace buen (mal) tiempo* the weather is nice (bad); *hace fresco* it is cool; *hace frío (calor)* it is cold (hot); *hace (+ time expression) que* ago; *hace sol* it is sunny; *hace viento* it is windy; *hacer aeróbicos* to do aerobics; *hacer falta* to be necessary, to be lacking; *hacer una pregunta* to ask a question; *hagan (Uds. command)* do, make; *haz (tú command)* do, make; *haz el papel* play the part; *hecha* made; *La práctica hace*

*al maestro.* Practice makes perfect.; *¿Qué temperatura hace?* What is the temperature?; *¿Qué tiempo hace?* How is the weather?; *hacerse miembro* to become a member *1A; hacer caso* to listen to, to pay attention, to obey *4B; hacer las paces* to make up with someone *4B; hacer un cumplido* to compliment someone *4A; hacer fila* to stand on line *6A; hacer flexiones* to do push-ups *8B; hacer un esfuerzo* make an effort *8B; hacer yoga* to do yoga *8B; hacer abdominales* to do sit-ups *8B; hacer bicicleta* to ride a stationary bike *8B; hacer natación* to practice swimming *8B; hacer cinta* to use a treadmill *8B; hacer prácticas* to have an internship *10A*

**hacia** toward

**hagan:** see *hacer*

el **hambre** (*f.*) hunger; *tener hambre* to be hungry

la **hamburguesa** hamburger *8B*

la **harina** flour *7A*

**harto,-a (de)** tired of *1A*

**hasta** until, up to, down to; *hasta la vista* so long, see you later; *hasta luego* so long, see you later; *hasta mañana* see you tomorrow; *hasta pronto* see you soon; *hasta que* until *6A*

**hay** there is, there are; *hay neblina* it is misty; *hay sol* it is sunny

**haz:** see *hacer*

**hecha:** see *hacer*

**hecho a mano** handmade *9B*

la **heladería** ice cream parlor

el **helado** ice cream

la **herencia** heritage; inheritance

la **herida** wound

**herido,-a** injured

la **hermana** sister

la **hermanastra** stepsister

el **hermanastro** stepbrother

el **hermano** brother

**hermoso,-a** beautiful, lovely

**hervir (ie)** to boil *7A*

el **hielo** ice; *patinar sobre hielo* to ice-skate

el **hierro** iron *8B*

la **hija** daughter

el **hijo** son

el **hilo** thread *9B*

el **hipopótamo** hippopotamus

**hispano,-a** Hispanic; *de habla hispana* Spanish-speaking

la **historia** history

el **historial médico** medical history *8A*

el **hogar** home

la **hoja** sheet; *hoja de papel* sheet of paper

**hola** hi, hello

el **hombre** man; *hombre de negocios* businessman

el **hombro** shoulder

**hondo,-a** deep(ly) *8A*

**Honduras** Honduras

**hondureño,-a** Honduran

**honesto,-a** honest *4A*

la **hora** hour; *¿a qué hora?* at what time?; *¿Qué hora es?* What time is it?

el **horario** schedule

**hornear** to bake *7A*

el **horno** oven; *horno microondas* microwave oven

**horrible** horrible

**horroroso,-a** terrible *9A*

el **hotel** hotel

**hoy** today; *hoy en día* nowadays *10B*

**hubo** there was, there were

el **huevo** egg

el **huracán** hurricane

## I

la **idea** idea

**ideal** ideal

la **iglesia** church

**ignorar** to not know

**Igualmente.** Me, too. *1A*

la **iguana** iguana

**imagina:** see *imaginar(se)*

la **imaginación** imagination

**imaginar(se)** to imagine; *imagina (tú command)* imagine

**impaciente** impatient *2B*

el **imperio** empire

el **impermeable** raincoat

**implicar** to imply

**importante** important

**importar** to be important, to matter

**imposible** impossible

los **incas** Incas

el **incendio** fire; *alarma de incendios* fire alarm, smoke alarm

**incluir** to include *6B*

**increíble** incredible *4A*

**indefinido,-a** indefinite

la **independencia** independence

**indica:** see *indicar*

la **indicación** cue

**indicado,-a** indicated

**indicar** to indicate; *indica (tú command)* indicate

**indígena** native

la **infección** infection *8A*

la **inflamación** inflammation *8A*

la **información** information

**informal** casual *9A*

**informar** to inform

la **informática** computer science *10A*

el **informe** report

la **ingeniería** engineering *10A*

el **ingeniero,** la **ingeniera** engineer

**Inglaterra** England

el **inglés** English (language)

**inglés, inglesa** English

el **ingrediente** ingredient

**inicial** initial

**inmenso,-a** immense

**inocente** innocent *3B*

**insistir (en)** to insist (on)

el **inspector,** la **inspectora** inspector *5B*

la **inspiración** inspiration

**instalar** to install

el **instructor,** la **instructora** instructor *1B*

**inteligente** intelligent

**interesante** interesting

**interesar** to interest

**internacional** international

la **Internet** Internet

**interrogativo,-a** interrogative

**interrumpir** to interrupt *7B*

la **inundación** flood *3B*

el **invento** invention *10B*

**investigar** to investigate *1B*

el **invierno** winter

la **invitación** invitation

el **invitado,** la **invitada** guest *7B*

**invitar** to invite

la **inyección** injection, shot *8A*

**ir** to go; *ir a* ( + infinitive) to be going to (do something); *ir a parar* to end up; *ir de compras* to go shopping; *irse* to leave, to go away; *irse de viaje* to go away on a trip; *¡vamos!* let's go!; *¡vamos a* ( + infinitive)*!* let's ( + infinitive)!; *vayan (Uds. command)* go to; *ve (tú command)* go to; *ir con* to go with, to match *9A*

la **isla** island

**Italia** Italy

**italiano,-a** Italian

el **itinerario** itinerary

la **izquierda** left; *a la izquierda* to the left

**izquierdo,-a** left

# J

el **jabón** soap

el **jaguar** jaguar *6B*

el **jamón** ham

el **Japón** Japan

**japonés, japonesa** Japanese

el **jarabe** syrup *8A*

el **jardín** garden; *jardín zoológico* zoo, zoological garden

el **jarrón** vase *9B*

la **jaula** cage

el **jefe,** la **jefa** boss *10A*

la **jirafa** giraffe

la **jornada completa** full-time *10A*

**joven** young

la **joya** jewel

la **joyería** jewelry store

el **joyero** jewelry box *9B*

el **juego** game

**jueves** Thursday; *el jueves* on Thursday

el **jugador,** la **jugadora** player

**jugar (ue)** to play; *jugar a ( + sport/game)* to play ( + sport/game)

el **jugo** juice

el **juicio** trial *3B*

**julio** July

**junio** June

**junto,-a** together

el **jurado** jury *3B*

# K

**Kenia** Kenya

**keniano,-a** Kenyan

el **kilo(gramo)** kilo (gram)

el **kiosco** kiosk *5A*

# L

la the *(f., s.)*; her, it, you *(d.o.)*; *a la una* at one o clock

**lacio** straight (hair) *2A*

el **lado** side; *al lado de* next to, beside; *por todos lados* everywhere

**ladrar** to bark

el **ladrillo** brick

el **ladrón,** la **ladrona** thief *3B*

el **lago** lake

las **lágrimas** tears *4A*

la **lámpara** lamp

la **lana** wool

la **langosta** lobster

el **lápiz de labios** lipstick *2B*

el **lápiz** pencil *(pl. lápices)*

**largo,-a** long

**las** the *(f., pl.)*; them, you *(d.o.)*; *a las...* at...o'clock

la **lástima** shame, pity; *¡Qué lástima!* What a shame!, Too bad!

**lastimar(se)** to injure, to hurt

la **lata** can

el **lavabo** bathroom sink

el **lavadero** laundry room

la **lavadora** washer

la **lavandería** laundry *6B*

el **lavaplatos eléctrico** dishwasher (machine)

**lavar(se)** to wash

**le** (to, for) him, (to, for) her, (to, for) it, (to, for) you (formal) *(i.o.)*

**lean:** see *leer*

la **lección** lesson

la **leche** milk

la **lechería** milk store, dairy (store)

la **lechuga** lettuce

la **lectura** reading

**lee:** see *leer*

**leer** to read; *lean (Uds. command)* read; *lee (tú command)* read

**lejos (de)** far (from)

la **lengua** tongue; language

la **lenteja** lentil *7A*

los **lentes** glasses *2A*

**lento,-a** slow

el **león** lion

**les** (to, for) them, (to, for) you *(i.o.)*

la **letra** letter

**levantar** to raise, to lift; *levantarse* to get up; *levántate* (*tú* command) get up; *levántense* (*Uds.* command) get up; *levantar la voz* to raise one's voice *4B*; *levantar pesas* to lift weights *8B*

**levantarse:** see *levantar*

**levántate:** see *levantar*

**levántense:** see *levantar*

la **libertad** liberty, freedom

la **libra** pound

**libre** free; *al aire libre* outdoors

la **librería** bookstore

el **libro** book

la **licencia de conducir** driver's license *5A*

la **licuadora** blender

el **líder** leader

**limitar** to limit

el **limón** lemon, lime

el **limpiaparabrisas** windshield wiper

**limpiar** to clean

**limpio,-a** clean

**lindo,-a** pretty

la **línea ocupada** busy line *4B*

la **linterna** flashlight *5B*

**liso,-a** solid *9A*

la **lista** list

**listo,-a** ready; smart; *estar listo,-a* to be ready; *ser listo,-a* to be smart

la **literatura** literature

el **litro** liter *7A*

**llama:** see *llamar*

la **llamada de cobro revertido** collect call *4B*

la **llamada de larga distancia** long distance phone call *4B*

**llamar** to call, to telephone; *¿Cómo se llama (Ud./él/ella)?* What is (your/his/her) name?; *¿Cómo te llamas?* What is your name?; *llamaron* they called (preterite of *llamar*); *llamarse* to be called; *me llamo* my name is; *se llaman* their names are; *te llamas* your name is; *(Ud./Él/Ella) se llama…* (Your [formal]/His/Her) name is…

**llamaron:** see *llamar*

**llamas:** see *llamar*

**llamo:** see *llamar*

la **llanta** tire

la **llave** key

el **llavero** key ring, key chain *9B*

la **llegada** arrival

**llegar** to arrive; *llegó* arrived (preterite of *llegar*)

**llegó:** see *llegar*

**llenar el tanque** to fill up the gas tank *5A*

**lleno,-a** full

**llevar** to take, to carry; to wear; to bring; *llevarse* to take away, to get along

**llorar** to cry *4A*

**llover (ue)** to rain

la **lluvia** rain

**lo hice sin querer** I didn't mean to do it *4A*

**lo** him, it, you (*d.o.*); *a lo mejor* maybe; *lo* (+ adjective/adverb) how (+ adjective/adverb); *lo más* (+ adverb) *posible* as (+ adverb) as possible; *lo menos* (+ adverb) *posible* as (+ adverb) as possible; *lo que* what, that which; *lo siento* I am sorry; *lo siguiente* the following; *por lo menos* at least

**loco,-a** crazy

**lógicamente** logically

**lógico,-a** logical

**lograr** to achieve, to obtain *3B*

**los** the (*m., pl.*); them, you (*d.o.*)

**luego** then, later, soon; *desde luego* of course; *hasta luego* so long, see you later; *luego que* as soon as

el **lugar** place

el **lujo** luxury

la **luna** moon

**lunes** Monday; *el lunes* on Monday

la **luz** light (*pl. luces*)

### M

la **madera** wood

la **madrastra** stepmother

la **madre** mother

la **madrina** godmother *2A*

**maduro,-a** ripe

el **maestro,** la **maestra** teacher, master; *La práctica hace al maestro.* Practice makes perfect.

**magnífico,-a** magnificent

el **maíz** corn

**mal** badly; bad; *hace mal tiempo* the weather is bad

el **malabarista,** la **malabarista** juggler

el **malentendido** misunderstanding *6A*

la **maleta** suitcase

el **maletín** overnight bag, handbag, small suitcase, briefcase

**malo,-a** bad

la **mamá** mother, mom

la **mañana** morning; *de la mañana* A.M., in the morning; *por la mañana* in the morning

**mañana** tomorrow; *hasta mañana* see you tomorrow; *pasado mañana* the day after tomorrow

la **mancha** stain, spot *9B*

**manchado,-a** stained *9B*

**mandar** to order

**mandón, mandona** bossy *2B*

**manejar** to drive

la **manera** manner, way

la **manga** sleeve *9B*

el **maní** peanut (*pl. maníes*) *7B*

la **mano** hand; *equipaje de mano* carry-on luggage

el **mantel** tablecloth

**mantener** to keep, to maintain; *mantenerse en forma* to keep in shape *8B*

la **mantequilla** butter; *mantequilla de maní* peanut butter

la **manzana** apple

el **mapa** map

el **maquillaje** makeup

**maquillar** to put makeup on (someone); *maquillarse* to put on makeup

la **máquina de coser** sewing machine *9B*

la **maquinita** little machine, video game

el **mar** sea

**maravilloso,-a** marvellous, fantastic

el **marcador** score

**marcar** to dial *4B*

**marcar** to score

la **marcha atrás** reverse gear *5A*

el **marco de fotos** picture frame *9B*

**mariachi** popular Mexican music and orchestra

el **marido** husband

**marinado,-a** marinated 7B

la **mariposa** butterfly 6B

el **marisco** seafood

**marroquí** Moroccan

**Marruecos** Morocco

**martes** Tuesday; *el martes* on Tuesday

el **martillo** hammer 2A

**marzo** March

**más allá** beyond 5A

**más** more, else; *el/la/los/las* (+ noun) *más* (+ adjective) the most (+ adjective); *lo más* (+ adverb) *posible* as (+ adverb) as possible; *más de* more than; *más* (+ noun/adjective/adverb) *que* more (+ noun/adjective /adverb) than; *más vale que* it is better that

**masculino,-a** masculine

**masticar** to chew 7B

**matar** to kill 3B

las **matemáticas** mathematics

el **material** material

**máximo,-a** maximum; *pena máxima* maximum penalty

**maya** Mayan

los **mayas** Mayans

**mayo** May

la **mayonesa** mayonnaise

**mayor** older, oldest; greater, greatest

la **mayoría** majority

la **mayúscula** capital letter

**me** (to, for) me (i.o.); me (d.o.); *me llaman* they call me; *me llamo* my name is

**me cae bien/mal** I like/don't like (someone) 1B

el **mecánico,** la **mecánica** mechanic

la **medalla** medal 9B

la **media jornada** part-time 10A

**mediano,-a** medium 9A

la **medianoche** midnight; *Es medianoche.* It is midnight.

la **medicina** medicine

el **médico,** la **médica** doctor

el **medio** means; middle, center; *en medio de* in the middle of, in the center of

**medio,-a** half; *y media* half past

el **medio ambiente** enviroment 6B

el **medio de comunicación** media 10B

el **mediocampista,** la **mediocampista** midfielder

el **mediodía** noon; *Es mediodía.* It is noon.

**mejor** better; *a lo mejor* maybe; *el/la/los/las mejor/mejores* (+ noun) the best (+ noun)

**mejorar** to improve

el **melón** melon, cantaloupe

**mencionar** to mention 3B

**menor** younger, youngest; lesser, least

**menos** minus, until, before, to (to express time); less; *el/la/los/las* (+ noun) *menos* (+ adjective) the least (+ adjective + noun); *lo menos* (+ adverb) *posible* as (+ adverb) as possible; *menos* (+ noun/adjective/adverb) *que* less (+ noun/adjective /adverb) than; *menos cuarto* a quarter to, a quarter before; *por lo menos* at least

el **mensaje** message 4B

**mentir (ie, i)** to lie

la **mentira** lie

el **menú** menu

el **mercado** market

**merecer** to deserve 1A

el **merengue** merengue (dance music)

el **mes** month

la **mesa de noche** night table 2B

la **mesa** table; *mesa de planchar* ironing board; *poner la mesa* to set the table; *recoger la mesa* to clear the table

el **mesero,** la **mesera** food server

la **mesita** tray table

el **metro** measuring tape 9B

el **metro** subway; *estación del metro* subway station

**mexicano,-a** Mexican

**México** Mexico

**mezclar** to mix 7B

**mí** me (after a preposition)

**mi** my; *(pl. mis)* my

el **micrófono** microphone

el **microscopio** microscope 10B

el **miedo** fear; *tener miedo de* to be afraid of

el **miembro** member

**mientras (que)** while

**miércoles** Wednesday; *el miércoles* on Wednesday

**mil** thousand

**mínimo,-a** minimum

la **minúscula** lowercase

el **minuto** minute

**mío,-a** my, (of) mine; *el gusto es mío* the pleasure is mine

**mira:** see *mirar*

**mirar** to look (at); *mira* (*tú* command) look; *mira* hey, look (pause in speech); *miren* (*Uds.* command) look; *miren* hey, look (pause in speech)

**miren:** see *mirar*

**mismo** right (in the very moment, place, etc.); *ahora mismo* right now

**mismo,-a** same

el **misterio** mystery

la **moda** fashion

los **modales** manners 7B

el **modelo** model

**moderno,-a** modern

**mojado,-a** wet 2B

**molestar** to bother

la **moneda** coin, money

el **mono** monkey

la **montaña** mountain; *montaña rusa* roller coaster

**montar** to ride; *montar en patineta* to skateboard; *montar en bicicleta* to ride a bicycle 1B

el **monumento** monument

**morado,-a** purple 9A

**morder (ue)** to bite

**moreno,-a** brunet, brunette, dark-haired, dark-skinned

**morir(se) (ue, u)** to die; *morirse de la risa* to die laughing

el **mosquito** mosquito 5B

la **mostaza** mustard

el **mostrador** counter

**mostrar (ue)** to show

la **moto(cicleta)** motorcycle

el **motor** motor, engine; *motor de búsqueda* search engine

**mover(se) (ue)** to move 6A

la **muchacha** girl, young woman

el **muchacho** boy, guy

**muchísimo** very much, a lot
**mucho** much, a lot, very, very much
**mucho,-a** much, a lot of, very; *(pl. muchos,-as)* many; *con (mucho) gusto* I would be (very) glad to; *muchas gracias* thank you very much; *¡Mucho gusto!* Glad to meet you!
**mudar(se)** to move
el **mueble** piece of furniture
el **muelle** concourse, pier
la **mujer** woman; wife; *mujer de negocios* businesswoman
las **muletas** crutches 8A
el **mundo** world; *todo el mundo* everyone, everybody
la **muñeca** wrist 8A
la **muralla** wall
el **muro** (exterior) wall
el **museo** museum
la **música** music; *la música bailable* dancing music 7B
el **musical** musical
el **músico**, la **música** musician 1B
**muy** very

## N

**nacer** to be born
la **nación** nation
**nacional** national
**nada** nothing; *de nada* you are welcome, not at all
**nadar** to swim
**nadie** nobody
la **naranja** orange
la **nariz** nose *(pl. narices)*
**narrar** to announce, to narrate
la **naturaleza** nature 6B
**navegar** to surf; *navegar por rápidos* to do white-water rafting 6B
la **Navidad** Christmas
la **neblina** mist; *hay neblina* it is misty
**necesario,-a** necessary
**necesitar** to need
**negar (ie)** to deny 6A
**negativo,-a** negative
los **negocios** business; *hombre de negocios* businessman; *mujer de negocios* businesswoman

**negro,-a** black
**nervioso,-a** nervous
**nevar (ie)** to snow
**ni** not even; *ni...ni* neither...nor
**Nicaragua** Nicaragua
**nicaragüense** Nicaraguan
la **niebla** fog 6A
la **nieta** granddaughter
el **nieto** grandson
la **nieve** snow
el **niñero**, la **niñera** baby sitter 1B
**ningún, ninguna** none, not any
**ninguno,-a** none, not any
el **niño**, la **niña** child
el **nivel** level
**no** no; *¡Cómo no!* Of course!; *No lo/la veo.* I do not see him (it)/her (it).; *¡no me digas!* you don't say!; *No sé.* I do not know.; *¡No es justo!* It's not fair! 1A; *¡No hay quien lo/la aguante!* Nobody can stand him/her! 1A; *No lo/la aguanto* I can't stand him/her 1B; *¡No faltaba más!* Don't mention it! 4A; *no tener ni idea de* to not have the faintest idea about, to not have a clue 9B
la **noche** night; *buenas noches* good night; *de la noche* P.M., at night; *esta noche* tonight; *por la noche* at night
el **nombre** name
el **noreste** northeast
la **noria** Ferris wheel
**normal** normal
las **normas de tránsito** traffic rules 5A
el **noroeste** northwest
el **norte** north; *América del Norte* North America
**norteamericano,-a** North American
**nos** (to, for) us *(i.o.)*; us *(d.o.)*
**nosotros,-as** we; us (after a preposition)
la **nota** note, grade 1A
la **noticia** news
el **noticiero** news program
**novecientos,-as** nine hundred
**noveno,-a** ninth
**noventa** ninety
la **novia** girlfriend
**noviembre** November

el **novio** boyfriend
la **nube** cloud 6A
**nublado,-a** cloudy; *está nublado* it is cloudy
la **nuera** daughter-in-law 2A
**nuestro,-a** our, (of) ours
**nueve** nine
**nuevo,-a** new; *Año Nuevo* New Year s (Day)
la **nuez** walnut *(pl. nueces)* 7B
el **número** number; *número de teléfono* telephone number
el **número equivocado** wrong number 4B
**numeroso,-a** large (in numbers) 2B
**nunca** never
la **nutrición** nutrition 8B
**nutritivo,-a** nutritious 8B

## O

**o** or; *o...o* either...or
**obedecer** to obey 1A
la **obligación** obligation 4B
la **obra en construcción** construction site 5A
la **obra** work, play
el **obrero**, la **obrera** worker
**observar** to observe 6A
**obvio,-a** obvious
la **ocasión** occasion
el **océano** ocean
**ochenta** eighty
**ocho** eight
**ochocientos,-as** eight hundred
el **ocio** free time 3A
**octavo,-a** eighth
**octubre** October
**ocupado,-a** busy, occupied
**ocupar** to occupy
**ocurrir** to occur
la **odisea** odyssey
el **oeste** west
la **oferta** sale; *estar en oferta* to be on sale
**oficial** official
la **oficina** office; *oficina de correos* post office
el **oficio** trade, job 1B
**ofrecer** to offer
el **oído** (inner) ear; sense of hearing
**oigan** hey, listen (pause in speech)
**oigo** hello (telephone greeting)

**oír** to hear, to listen (to); *oigan* hey, listen (pause in speech); *oigo* hello (telephone greeting); *oye* hey, listen (pause in speech)

**ojalá** would that, if only, I hope

el **ojo** eye

**olé** bravo

la **olla** pot, saucepan

**olvidar(se)** to forget

la **omisión** omission

**once** eleven

**ondulado,-a** wavy *9A*

el **operador, la operadora** operator *4B*

**opinar** to give an opinion; to form an opinion

la **opinión** opinion *3A*

la **oportunidad** opportunity

**optimista** optimist *10B*

el **opuesto** opposite

la **oración** sentence

el **orden** order

**ordenado,-a** neat *2B*

el **ordenador** computer *3A*

**ordenar** to give an order

el **orégano** oregano *7A*

la **oreja** (outer) ear

la **organización** organization

**organizado,-a** organized *1A*

**organizar** to organize

el **órgano** organ

**orgulloso,-a** proud of *1A*

la **orilla** shore

el **oro** gold

la **orquesta** orchestra *1A*

la **orquídea** orchid *6B*

**os** (to, for) you (Spain, informal, *pl., i.o.*), you (Spain, informal, *pl., d.o.*)

**oscuro,-a** dark *9A*

el **oso** bear; *oso de peluche* teddy bear

el **oso perezoso** sloth *6B*

el **otoño** autumn

**otro,-a** other, another *(pl. otros,-as); otra vez* again, another time

la **oveja** sheep

**oye** hey, listen (pause in speech)

## P

**paciencia** patience *5A*

**paciente** patient *2B*

el **paciente, la paciente** patient *8A*

el **Pacífico** Pacific Ocean

el **padrastro** stepfather

el **padre** father; parents *(pl. padres)*

el **padrino** godfather *2A*

**¡Padrísimo!** Great! *9A*

la **paella** paella (traditional Spanish dish with rice, meat, seafood and vegetables)

**pagar** to pay

la **página** page

el **país** country

el **paisaje** landscape, scenery

el **pájaro** bird

la **palabra** word; *palabra interrogativa* question word; *palabras antónimas* antonyms, opposite words

**pálido,-a** pale *9A*

las **palomitas de maíz** popcorn

el **pan** bread

la **panadería** bakery

**Panamá** Panama

**panameño,-a** Panamanian

la **pantalla** screen

la **pantalla de alta definición** high definition screen *10B*

el **pantalón** pants

la **pantera** panther

las **pantimedias** pantyhose, nylons

la **pantufla** slipper

el **pañuelo** handkerchief, hanky

el **papá** father, dad

la **papa** potato

las **papas fritas** French fries *7B*

los **papás** parents

la **papaya** papaya

el **papel** paper; role; *haz el papel* play the role; *hoja de papel* sheet of paper; *papel de carta* stationery *9B*

la **papelería** stationery store

**para** for, to, in order to; *para que* so that, in order that

**para serte sincero,-a...** to be honest *1B*

el **parabrisas** windshield

el **parachoques** fender

el **parador** inn

el **paraguas** umbrella

el **Paraguay** Paraguay

**paraguayo,-a** Paraguayan

el **paramédico, la paramédica** paramedic *3B*

**parar** to stop; *ir a parar* to end up

**pare** stop *5A*

**parecer** to seem; *¿Qué (te/le/les) parece?* What do/does you/he/she/they think?

**parecerse** to resemble, to look like *1A*

la **pared** wall

la **pareja** pair, couple

el **pariente, la pariente** relative

los **parlantes** speakers *7B*

el **parque nacional** national park *6B*

el **parque** park; *parque de atracciones* amusement park

el **parquímetro** parking meter *5A*

el **párrafo** paragraph

la **parte** place, part

**participar** to participate

el **partido** game, match; *partidos empatados* games tied; *partidos ganados* games won; *partidos perdidos* games lost

**partir** to leave *5B*

**pasado,-a** past, last; *pasado mañana* the day after tomorrow

el **pasaje** ticket

el **pasajero** passenger

**pásame:** see *pasar*

**Pasándola** getting by *1A*

el **pasaporte** passport

**pasar** to pass, to spend (time); to happen, to occur; *pásame* pass me; *pasar la aspiradora* to vacuum; *¿Qué te pasa?* What is wrong with you?

el **pasatiempo** pastime, leisure activity

la **Pascua** Easter

**pasear** to walk, to take a walk *1B*

el **paseo** walk, ride, trip; *dar un paseo* to take a walk

el **pasillo** hall, corridor *2A*

los **pasos (de baile)** (dance) steps *7B*

la **pasta de dientes** toothpaste *2B*

el **pastel** cake, pastry

la **pastilla** pill *8A*

la **pata** paw, leg (for an animal)

el **patinador, la patinadora** skater

**patinar** to skate; *patinar sobre hielo* to ice-skate
la **patineta** skateboard
el **patio** courtyard, patio, yard
el **pato** duck
el **pavo** turkey
el **payaso** clown
la **paz** peace
el **peatón**, la **peatona** pedestrian (*pl. peatones*) 5A
el **pecho** chest
la **pechuga de pavo** turkey breast 7B
el **pedazo** piece 7A
**pedir (i, i)** to ask for, to order, to request; *pedir perdón* to say you are sorry; *pedir permiso (para)* to ask for permission (to do something); *pedir prestado,-a* to borrow
el **peinado** hairdo 9A
**peinar(se)** to comb
el **peine** comb
**pelar** to peel 7A
la **pelea** fight 4A
**pelearse** to fight 2B
la **película** movie, film
**pelirrojo,-a** red-haired
el **pelo** hair; *tomar el pelo* to pull someone's leg
la **pelota** ball
el **peluquero**, la **peluquera** hairstylist
la **pena** punishment, pain, trouble; *pena máxima* penalty
**pensar (ie)** to think, to intend, to plan; *pensar de* to think about (i.e., to have an opinion); *pensar en* to think about (i.e., to focus one's thoughts on); *pensar en* (+ infinitive) to think about (doing something); *pensar en sí mismo,-a* to think of oneself 4A
**peor** worse; *el/la/los/las peor/peores* (+ noun) the worst (+ noun)
**pequeño,-a** small
la **pera** pear
la **percha** hanger 2B
**perder (ie)** to lose, to miss 6A; *partidos perdidos* games lost; *perder la paciencia* to lose one's patience 4A

**perdido,-a** lost 5A
**perdidos:** see *perder*
**perdón** excuse me, pardon me; *pedir perdón* to say you are sorry
**perdonar** to forgive 4A
el **perejil** parsley 7A
**perezoso,-a** lazy
**perfecto,-a** perfect
el **perfume** perfume
el **periódico** newspaper
el **periodismo** journalism 3A
el **periodista**, la **periodista** journalist
el **período** period
la **perla** pearl
la **permanente** permanent 9A
el **permiso** permission, permit; *con permiso* excuse me (with your permission), may I; *pedir permiso (para)* to ask for permission (to do something)
**permitir** to permit
**pero** but
el **perro**, la **perra** dog
la **persona** person
el **personaje** character
**personal** personal; *pronombre personal* subject pronoun
**pertenecer** to belong 1A
el **Perú** Peru
**peruano,-a** Peruvian
la **pesca** fishing
el **pescado** fish (fish that has been caught and will be served/eaten/used)
**pescar** to fish; *pescar (un resfriado)* to catch (a cold)
**pesimista** pessimist 10B
el **petróleo** oil
el **pez** fish (*pl. peces*)
el **piano** piano
**picante** hot 7A
**picar** to chop 7A
el **picnic** picnic
el **pie** foot; *a pie* on foot
la **piel** skin 8A
la **pierna** leg
la **pieza** piece
el **pijama** pajamas
el **piloto**, la **piloto** pilot
el **pimentero** pepper shaker
la **pimienta** pepper (seasoning)
el **pimiento** bell pepper
la **piña** pineapple

**pintar** to paint
**pintarse los labios** to put on lipstick 2B
la **pintura** painting
la **pirámide** pyramid
**pisar** to step on 5A
la **piscina** swimming pool
el **piso** floor; *primer piso* first floor
la **pista** clue
la **pizarra** blackboard
el **placer** pleasure
el **plan** plan
la **plancha** iron
**planchar** to iron; *mesa de planchar* ironing board
**planear** to plan 6A
el **planeta** planet 10B
la **planta** plant; *planta baja* ground floor
el **plástico** plastic
la **plata** silver
el **plátano** banana
el **plato** dish, plate; *plato de sopa* soup bowl
el **plato principal** main dish 7B
la **playa** beach
la **plaza** plaza, public square
la **pluma** feather; pen
la **población** population
**pobre** poor
**poco,-a** not very, little; *un poco* a little (bit)
**poder (ue)** to be able
**podrido,-a** rotten 7A
el **policía**, la **policía** police (officer)
**policiaca (película)** detective (film) 1B
la **política** politics
**políticamente** politically
el **pollo** chicken
el **polvo** dust
**poner** to put, to place, to turn on (an appliance); *poner la mesa* to set the table; *poner(se)* to put on; *ponerse* to become, to get 2B; *ponerse de acuerdo* to reach an agreement 4B; *poner una multa* to give a ticket 5A; *poner a prueba* to employ someone on trial basis 10A
**popular** popular
un **poquito** a very little (bit)

**por** for; through, by; in; along; *por ejemplo* for example; *por favor* please; *por fin* finally; *por la mañana* in the morning; *por la noche* at night; *por la tarde* in the afternoon; *por teléfono* by telephone, on the telephone; *por todos lados* everywhere; *por ahora* right now *1B;* *por suerte* luckily *3B;* *por supuesto* of course *3A; por adelantado* in advance *6A; por mi/su cuenta* on my/his/her own *10A*

**¿por qué?** why?

**porque** because

el **portero, la portera** goaltender, goalie

**Portugal** Portugal

**portugués, portuguesa** Portuguese

la **posibilidad** possibility *posible* possible; *lo más (+ adverb) posible* as (+ adverb) as possible; *lo menos (+ adverb) posible* as (+ adverb) as possible

la **posición** position

**posponer** to postpone *4A*

el **postre** dessert

**potable** drinkable

la **práctica** practice; *La práctica hace al maestro.* Practice makes perfect.

**practicar** to practice, to do

**práctico,-a** practical *1B*

el **precio** price

**preciso,-a** necessary

**predecir** to predict *10B*

**preferir (ie, i)** to prefer

la **pregunta** question; *hacer una pregunta* to ask a question

**preguntar** to ask; *preguntarse* to wonder, to ask oneself

el **premio** prize

la **prenda** garment

la **prensa** press *3A*

**preocupado,-a** worried *3B*

**preocupar(se)** to worry

**prepararse** to prepare, to get ready *2B*

el **preparativo** preparation

la **presentación** introduction

**presentar** to introduce, to present; *le presento a* let me

introduce you (formal, s.) to; *les presento a* let me introduce you *(pl.)* to; *te presento a* let me introduce you (informal, s.) to

**presentarse** to show up *6A*

**presente** present

**presento:** see *presentar*

**prestado,-a** on loan; *pedir prestado,-a* to borrow

**prestar atención** to pay attention *1A*

**prestar** to lend

la **primavera** spring

**primer** first (form of *primero* before a *m., s.* noun); *primer piso* first floor

**primero** first (adverb)

**primero,-a** first

los **primeros auxilios** first aid *3B*

el **primo, la prima** cousin

la **princesa** princess

**principal** principle, main

el **príncipe** prince

la **prisa** rush, hurry, haste; *tener prisa* to be in a hurry

**probable** probable

**probar(se) (ue)** to try (on); to test, to prove

el **problema** problem

**produce** produces

el **producto** product

el **profe** teacher

el **profesor, la profesora** teacher

**profundo,-a** deep *8A*

el **programa** program, show; *bajar un programa* to download a program; *programa de concurso* game show

la **programación de televisión** tv guide *3A*

el **programador, la programadora** computer programmer

**prohibido doblar** no turn *5A*

**prohibido,-a** not permitted, prohibited

**prometer** to promise

el **pronombre** pronoun; *pronombre personal* subject pronoun

el **pronóstico** forecast

**pronto** soon, quickly; *hasta pronto* see you soon

la **pronunciación** pronunciation

la **propina** tip

**propio,-a** one's own *2A*

el **propósito** aim, purpose; *a propósito* by the way

**proteger** to protect *6B*

la **proteína** protein *8B*

la **protesta** protest

**próximo,-a** next

**prudente** cautious *5B*

la **psicología** psychology *10A*

el **psicólogo, la psicóloga** psychologist *10A*

la **publicidad** publicity

el **público** audience

**público,-a** public

el **pueblo** village *5B*

**puede ser** maybe

el **puente** bridge

el **puerco** pig; pork

la **puerta** door

la **puerta de embarque** boarding gate

el **puerto** port

**Puerto Rico** Puerto Rico

**puertorriqueño,-a** Puerto Rican

**pues** thus, well, so, then (pause in speech)

el **puesto** stall *7A;* job, position *10A*

el **pulmón** lung *(pl. pulmones) 8A*

la **pulmonía** pneumonia *8A*

el **pulpo** octopus, squid

la **pulsera** bracelet

el **punto** dot, point

los **puntos** stitches *8A*

la **puntuación** punctuation

**puntual** on time *5B*

el **pupitre** desk

**puro,-a** pure, fresh

# Q

**que** that, which; *lo que* what, that which; *más (+ noun/adjective/adverb) que* more (+ noun/adjective /adverb) than; *que viene* upcoming, next

**¡qué (+ adjective)!** how (+ adjective)! *¡Qué raro!* How odd! *4A*

**¡qué (+ noun)!** what a (+ noun)!; *¡Qué lástima!* What a shame!, Too bad!; *¡Qué (+ noun) tan (+ adjective)!* What (a) (+ adjective) (+ noun)! *¡Qué va!* No way! *4A;* *¡Qué estafa!* What a rip-off! *9B;*

**¿qué?** what?; *¿a qué hora?* at what time?; *¿Qué comprendiste?* What did you understand?; *¿Qué hora es?* What time is it?; *¿Qué quiere decir... ?* What is the meaning (of)... ?; *¿Qué tal?* How are you?; *¿Qué (te/le/les) parece?* What do/does you/he/she/they think?; *¿Qué quiere decir... ?* What is the meaning (of)... ?; *¿Qué te pasa?* What is wrong with you?; *¿Qué temperatura hace?* What is the temperature?; *¿Qué (+ tener)?* What is wrong with (someone)?; *¿Qué tiempo hace?* How is the weather?

**quebrarse** to break *8A*

**quedar(se)** to remain, to stay; *quedarle bien a uno* to fit, to be becoming

el **quehacer** chore

**quejarse** to complain *7B*

**quemar** to burn; *quemarse* to get burned

**querer (ie)** to love, to want, to like; *¿Qué quiere decir... ?* What is the meaning (of)... ?; *querer decir* to mean; *quiere decir* it means; *quiero* I love; I want

**querido,-a** dear

el **queso** cheese

el **quetzal** quetzal *6B*

**quien** who, whom

**¿quién?** who?; *(pl. ¿quiénes?)* who?; *¿Quién habla?* Who is it? (telephone greeting) *4B*

**quienquiera** whoever

**quiere:** see *querer*

**quiero:** see *querer*

la **química** chemistry

**quince** fifteen

**quinientos,-as** five hundred

**quinto,-a** fifth

**quisiera** would like

**quitar(se)** to take off

**quizás** perhaps

## R

el **rabo** tail

el **radio** radio (apparatus)

la **radio** radio (broadcast)

la **radiografía** X-ray *8A*

**raparse** to shave one's hair *9A*

**rápidamente** rapidly

**rápido,-a** rapid, fast, quickly! *1A*

el **rascacielos** skyscraper

el **rasguño** scratch *8A*

el **ratón** mouse

la **raya** part (in hair) *9A*

la **raya** stripe; *a rayas* striped

**rayado,-a** scratched, striped

la **razón** reason; *tener razón* to be right

**reaccionar** to react *4B*

**real** royal; real

la **realidad** reality

la **realidad virtual** virtual reality *10B*

**realizar** to attain, to bring about

la **rebaja** discount, sale *9A*

**rebajado,-a** reduced *9A*

**rebelde** unruly *9A*

la **recepción** (telephone) reception *4B*

la **recepción** reception desk

el **recepcionista, la recepcionista** receptionist

la **receta** recipe

**recetar** to prescribe *8A*

**recibir** to receive

el **recibo** receipt

**reciclar** to recycle *10B*

el **recipiente** bowl *7A*

**recoger** to pick up; *recoger la mesa* to clear the table

**recogido,-a** gathered up *9A*

**recomendar** to recommend *5B*

**reconciliarse** to make up *4A*

**reconocer** to recognize *1A*

**recordar (ue)** to remember

el **recuerdo** memory *3A*

el **recurso natural** natural resource *10B*

la **Red** World Wide Web

**redondo,-a** round

las **referencias** references *10A*

**referir(se) (ie, i)** to refer

el **refrán** saying, proverb

el **refresco** soft drink, refreshment

el **refrigerador** refrigerator

el **refugio de vida silvestre** wildlife refuge *6B*

el **regalo** gift

**regañar** to scold

**regar (ie)** to water *2A*

**regatear** to bargain, to haggle

**registrar** to check in

el **registro** register *6B*

la **regla** ruler; rule

**regresar** to return, to go back, to come back

**regular** average, okay, so-so, regular

la **reina** queen

**reír(se) (i, i)** to laugh

la **reja** wrought-iron window grill; wrought-iron fence

la **relación** relation(ship) *4B*

**relacionado,-a** related

las **relaciones públicas** public relations *10A*

**relajarse** to relax *6B*

el **relámpago** lightning *6A*

**rellenar** to fill in *10A*

**relleno,-a** stuffed *7B*

el **reloj** clock, watch

el **remedio** remedy, medicine *8A*

**remoto,-a** remote

**reparar** to repair *1B*

el **repartidor, la repartidora** delivery person *1B*

**repartir** to deliver *1B*

**repasar** to reexamine, to review

el **repaso** review

el **repelente de insectos** insect repellent *5B*

**repetir (i, i)** to repeat; *repitan (Uds. command)* repeat; *repite (tú command)* repeat

**repitan:** see *repetir*

**repite:** see *repetir*

el **repollo** cabbage *7A*

el **reportaje** interview *3A*

**reportando** reporting

el **reportero, la reportera** reporter

el **reproductor de CDs** CD Player

la **República Dominicana** Dominican Republic

los **requisitos** requirements *10A*

**resbalarse** to slip *8A*

**resbaloso,-a** slippery

**rescatar** to rescue *3B*

la **reserva** reservation *6A*

la **reserva natural** natural reserve *6B*

la **reservación** reservation

el **resfriado** cold; *pescar un resfriado* to catch a cold

**resolver (ue)** to resolve, to solve

el **respaldar** seat-back

**respetar** to respect *4B*

respirar to breathe 8A
responder to answer
responsable responsible 1A
la respuesta answer
el restaurante restaurant
el resumen summary; *en resumen* in short
retrasado,-a delayed 6A
el retraso, -a delay 6A
la reunión meeting, reunion
reunir(se) to get together
revisar to check
la revista magazine
revolver (ue) to stir 7A
el rey king
rico,-a rich, delicious
el riel rail
el río river
la risa laugh; *morirse de la risa* to die laughing
el ritmo rhythm
rizado,-a curly 2A
el robo robbery
la roca rock 5B
rodear to surround 3B
la rodilla knee
rojo,-a red
romántico,-a romantic 1B
romper to break, to tear
la ropa clothing; *ropa interior* underwear
rosado,-a pink
el rubí ruby
rubio,-a blond, blonde
la rueda wheel; *rueda de Chicago* Ferris wheel
la rueda de prensa press conference 3A
el rugido roar
rugir to roar
el ruido noise
Rusia Russia
ruso,-a Russian; *montaña rusa* roller coaster
la rutina routine

## S

sábado Saturday; *el sábado* on Saturday
la sábana sheet 2B
saber to know; *No sé.* I do not know.; *sabes* you know; *sé* I know
sabes: see *saber*
el sabor flavor
saborear to taste, to savor

sabroso,-a tasty 7A
saca: see *sacar*
el sacapuntas pencil sharpener
sacar to take out; *saca (tú* command) stick out
sacar fotos to take pictures 2B
el saco de dormir sleeping bag 5B
la sal salt
la sala living room
la sala de emergencia emergency room 8A
salado,-a salty 7B
la salchicha hot dog, bratwurst
el salero salt shaker
la salida departure, exit
salir to go out; *siempre salirse con la suya* to always get one's way
el salmón salmon 7B
el salón de belleza beauty parlor 9A
la salsa salsa (dance music); salsa sauce; *salsa de tomate* ketchup
saltar to jump
saltarse (una comida) to skip (a meal) 8B
la salud health
saludable healthy 8B
saludar to greet, to say hello
el saludo greeting
salvadoreño,-a Salvadoran
salvaje wild
salvar to save 3B
las sandalias sandals
la sandía watermelon
el sándwich sandwich
la sangre blood
el santo saint's day; *Todos los Santos* All Saints Day
la sartén frying pan 7A
el sastre, la sastre tailor 9B
el satélite satellite 10B
saudita Saudi, Saudi Arabian
el saxofón saxophone
se ¿*Cómo se dice... ?* How do you say... ?; ¿*Cómo se escribe... ?* How do you write (spell)... ?; ¿*Cómo se llama (Ud./él/ella)?* What is (your/his/her) name?; *se considera* it is considered; *se dice* one says; *se escribe* it is written; *Se habla español.* Spanish is

spoken.; *se llaman* their names are; *(Ud./El/Ella) se llama...* (Your [formal] /His/Her) name is...
Se me hace tarde It's getting late 1A
el secador hair dryer 2B
la secadora (clothes) dryer
secarse to dry (oneself) 2B
la sección section
seco,-a dry 7B
el secretario, la secretaria secretary
el secreto secret
la sed thirst; *tener sed* to be thirsty
la seda silk
seguir (i, i) to follow, to continue, to keep, to go on, to pursue; *sigan (Uds.* command) follow; *sigue (tú* command) follow
según according to
segundo,-a second
la seguridad safety; *cinturón de seguridad* seat belt, safety belt
seguro,-a sure
seis six
seiscientos,-as six hundred
selecciona (*tú* command) select
la selva jungle; *selva tropical* tropical rain forest
el semáforo traffic light 5A
la semana week; *fin de semana* weekend; *Semana Santa* Holy Week
la señal sign
señalar to point to, to point at, to point out; *señalen (Uds.* command) point to
señalen: see *señalar*
sencillo,-a one-way, single
el sendero path 5B
el señor gentleman, sir, Mr.
la señora lady, madame, Mrs.
la señorita young lady, Miss
sentar (ie) to seat (someone); *sentarse* to sit down; *siéntate (tú* command) sit down; *siéntense (Uds.* command) sit down
la sentencia sentencing 3B
sentir (ie, i) to be sorry, to feel sorry, to regret; *lo siento* I am sorry; *sentir(se)* to feel

**septiembre** September
**séptimo,-a** seventh
**ser** to be; *eres* you are; *¿Eres (tú) de… ?* Are you from… ?; *es* you (formal) are, he/she/it is; *es la una* it is one o clock; *Es medianoche.* It is midnight.; *Es mediodía.* It is noon.; *fue* you (formal) were, he/she/it was (preterite of *ser*); *fueron* you *(pl.)* were, they were (preterite of *ser*); *puede ser* maybe; *¿Qué hora es?* What time is it?; *sea* it is; *ser difícil que* to be unlikely that; *ser fácil que* to be likely that; *ser listo,-a* to be smart; *son* they are; *son las* ( + number) it is ( + number) o'clock; *soy* I am; *Es increíble que…* It's incredible that… *5B*; *Es inútil que…* It's useless that… *5B*; *Es una lástima que…* It's a pity that… *6B*
**serio,-a** serious
la **serpiente** snake
el **servicio** service; *servicio de habitaciones* room service
los **servicios** services *6B*
la **servilleta** napkin
**servir (i, i)** to serve
**sesenta** sixty
la **sesión fotográfica** photo session *3A*
**setecientos,-as** seven hundred
**setenta** seventy
**sexto,-a** sixth
los **shorts** shorts
**si** if
**sí** yes
**siempre** always; *siempre salirse con la suya* to always get one's way
**siéntate:** see *sentar*
**siéntense:** see *sentar*
**siento:** see *sentir*
**siete** seven
**sigan:** see *seguir*
el **siglo** century
los **signos de puntuación** punctuation marks
**sigue:** see *seguir*
**siguiente** following; *lo siguiente* the following
la **silabificación** syllabification

el **silencio** silence
la **silla** chair
la **silla de ruedas** wheelchair *8A*
el **sillón** armchair, easy chair
el **símbolo** symbol
**similar** alike, similar
**simpático,-a** nice, pleasant
**sin** without; *sin embargo* however, nevertheless; *sin previo aviso* without previous notice *6A*; *sin gracia* plain *9A*
**sino** but (on the contrary), although, even though
**sintético,-a** synthetic
los **síntomas** symptoms *8A*
el **sistema de audio** audio system *7B*
la **situación** situation
el **sobre** envelope *9B*
**sobre** on, over; about
la **sobrina** niece
el **sobrino** nephew
**sociable** sociable, friendly *1B*
la **sociedad** society *3A*
**¡Socorro!** Help! *3B*
el **sofá** sofa *2B*
el **sol** sun; *hace sol* it is sunny; **hay sol** it is sunny
**solamente** only
la **solapa** lapel *9B*
**solar** solar *10B*
**soleado,-a** sunny; *está soleado* it is sunny
**soler (ue)** to be accustomed to, to be used to
**solicitar** to request *10A*
**sólo** only, just
**solo,-a** alone
el **soltero,** la **soltera** single *2A*
la **sombrerería** hat store
el **sombrero** hat
**son:** see *ser*
**soñar** to dream
**sonar (ue)** to ring *4B*
el **sondeo** poll
el **sonido** sound
**sonreír(se) (i, i)** to smile
la **sopa** soup; *plato de sopa* soup bowl
**sorprender** to surprise *6B*
la **sorpresa** surprise
el **sótano** basement
**soy:** see *ser*
**Sr.** abbreviation for *señor*
**Sra.** abbreviation for *señora*
**Srta.** abbreviation for *señorita*

**su, sus** his, her, its, your *(Ud./Uds.),* their
**suave** smooth, soft
el **subdesarrollo** underdevelopment
**subir** to climb, to go up, to go up stairs, to take up, to bring up, to carry up; to get in; to raise *7B*
los **subtítulos** subtitles *1B*
**suceder** to happen *3A*
el **suceso** event, happening
**sucio,-a** dirty
la **sudadera** sweatshirt *9A*
la **suegra** mother-in-law *2A*
el **suegro** father-in-law *2A*
el **sueldo** salary *10A*
el **suelo** floor *2A*
**suelto,-a** loose (hair) *9A*
el **sueño** sleep; dream; *tener sueño* to be sleepy
la **suerte** luck; *buena suerte* good luck
el **suéter** sweater
**sufrir** to suffer *8A*
**sugerir (ie)** to suggest *5B*
**sujeto a cambio** subject to change *6A*
el **supermercado** supermarket
el **suplemento dominical** Sunday supplement *3A*
el **sur** south; *América del Sur* South America
**suramericano,-a** South American
el **sureste** southeast
**surfear** to surf
el **suroeste** southwest
el **surtido** assortment, supply, selection
el **sustantivo** noun
**suyo,-a** his, (of) his, her, (of) hers, its, your, (of) yours, their, (of) theirs; *siempre salirse con la suya* to always get one's way

## T

la **tabla** chart
el **taco** taco
**tal** such, as, so; *¿Qué tal?* How are you?; *tal vez* maybe *1A*; *tal como soy* just as I am *4B*
**talentoso,-a** talented, gifted *1A*
la **talla** size *9A*
el **tamal** tamale
el **tamaño** size

**también** also, too

el **tambor** drum

**tampoco** either, neither

**tan** so; *¡Qué (+ noun) tan (+ adjective)!* What (a) (+ adjective) (+ noun)!; *tan (+ adjective/adverb) como (+ person/item)* as (+ adjective/adverb) as (+ person/item); *tan pronto como* as soon as *6A*

**tanto,-a** so much; *tanto,-a (+ noun) como (+ person/item)* as much/many (+ noun) as (+ person/item); *tanto como* as much as; *Tanto gusto.* So glad to meet you.

la **tapa** tidbit, appetizer

**tapar(se)** to cover *7B*

la **taquilla** box office, ticket office

**tardar** to delay; *tardar en (+ infinitive)* to be long, to take a long time

la **tarde** afternoon; *buenas tardes* good afternoon; *de la tarde* P.M., in the afternoon; *por la tarde* in the afternoon

**tarde** late

la **tarea** homework

la **tarifa** fare

la **tarjeta** card; *tarjeta de crédito* credit card; *tarjeta telefónica* calling card *4B*; *tarjeta de embarque* boarding pass *6A*

el **taxista, la taxista** taxi driver

la **taza** cup

**te** (to, for) you *(i.o.)*; you *(d.o.)*; *¿Cómo te llamas?* What is your name?; *te llamas* your name is

el **té** tea

el **teatro** theater

el **techo** roof

la **tecnología** technology

**tecnológico,-a** technological *10B*

**tejido,-a** knitted *9B*

la **tela** fabric, cloth

el **teléfono** telephone; *número de teléfono* telephone number; *por teléfono* by telephone, on the telephone; *teléfono público* public telephone; *teléfono inalámbrico* cordless phone *4B*

la **telenovela** soap opera

la **televisión** television; *ver (la) televisión* to watch television

el **televisor** television set

el **tema** theme, topic

el **temblor** tremor

**temer** to fear

la **temperatura** temperature; *¿Qué temperatura hace?* What is the temperature?

**temporal** temporary *10A*

**temprano** early

el **tenedor** fork

**tener** to have; *¿Cuántos años tienes?* How old are you?; *¿Qué (+ tener)?* What is wrong with (person)?; *tener calor* to be hot; *tener cuidado* to be careful; *tener éxito* to be successful, to be a success; *tener frío* to be cold; *tener ganas de* to feel like; *tener hambre* to be hungry; *tener miedo de* to be afraid; *tener (+ number) años* to be (+ number) years old; *tener prisa* to be in a hurry; *tener que* to have to; *tener razón* to be right; *tener sed* to be thirsty; *tener sueño* to be sleepy; *tengo* I have; *tengo (+ number) años* I am (+ number) years old; *tiene* it has; *tienes* you have; *tener confianza (en sí/ti mismo)* to have self-confidence *1A*; *tener lugar* to take place *3A*; *tener celos* to be jealous *4A*; *tener en común* to have in common *4A*; *tener la culpa* to be someone's fault *4A*; *tener facilidad para* to have an ability for *10A*

**tengo:** see *tener*

**teñir(se)** to dye *9A*

los **tenis** sneakers

el **tenis** tennis

el **tenista, la tenista** tennis player

**tercer** third (form of *tercero* before a *m., s.* noun)

**tercero,-a** third

**terminar** to end, to finish

la **ternera** veal

la **terraza** terrace *2A*

**terrible** terrible *3B*

de **terror (película)** horror (film) *1B*

el **testigo, la testigo** witness

**ti** you (after a preposition)

la **tía** aunt

el **tiempo** time; weather; verb tense; period; *a tiempo* on time; *hace buen (mal) tiempo* the weather is nice (bad); *¿Qué tiempo hace?* How is the weather?

la **tienda** store

la **tienda de acampar** tent *5B*

**tiene:** see *tener*

**tienes:** see *tener*

la **tierra** land, earth

el **tigre** tiger

las **tijeras** scissors *9B*

la **tina** bathtub

la **tintorería** dry cleaner *9B*

la **tintura** hair dye *9A*

el **tío** uncle

**típico,-a** typical

el **tipo** type, kind

la **tira cómica** comic strip

**tirar** to throw away

el **tiro** shot

el **titular** headline

la **tiza** chalk

la **toalla** towel

el **tobillo** ankle *8A*

**toca:** see *tocar*

el **tocador** dresser

**tocar** to play (a musical instrument); to touch; *toca (tú command)* touch; *toquen (Uds. command)* touch; to be someone's turn *2B*

el **tocino** bacon

**todavía** yet; still

**todo,-a** everything, all, every, whole, entire; *de todos los días* everyday; *por todos lados* everywhere; *todo el mundo* everyone, everybody; *todos los días* every day

**tolerante** tolerant

**tomar** to drink, to have; to take; *tomar el pelo* to pull someone's leg; *tomar la presión* to take someone's blood pressure *8A*; *tomar las medidas* to take measurements *9B*

el **tomate** tomato; *salsa de tomate* ketchup

**tonto,-a** silly

el **tópico** theme

**toquen:** see *tocar*
**torcer (ue)** to twist *8A*

la **tormenta** storm *3B*
el **tornillo** screw *2A*
el **toro** bull
la **toronja** grapefruit
la **torre** tower
la **tortilla** tortilla (cornmeal pancake from Mexico); omelet (Spain)
la **tortuga** turtle
**toser** to cough *8A*
la **tostadora** toaster
**trabajador,-a** hard-working *1A*
**trabajar** to work; *trabajando en parejas* working in pairs; *trabajar de...* to work as... *1B*
el **trabajo** work
**traducir** to translate
**traer** to bring
el **tráfico** traffic
el **traje** suit; *traje de baño* swimsuit
el **transbordador espacial** space shuttle *10B*
el **transbordo** transfer *5B*
la **transmisión** transmission, broadcast
el **transporte** transportation
el **trapecista, la trapecista** trapeze artist
**tratar (de)** to try (to do something)
**trece** thirteen
**treinta** thirty
**treinta y uno** thirty-one
el **tren** train; *estación del tren* train station; *tren local* local train *5B*; *tren rápido* express train *5B*
**tres** three
**trescientos,-as** three hundred
la **tripulación** crew
**triste** sad
el **trombón** trombone
la **trompeta** trumpet
**tropezar** to stumble, to trip *8A*
el **trueno** thunder *6A*
**tú** you (informal)
**tu** your (informal); your (informal) *(pl. tus)*
el **tucán** tucan *6B*

la **tumba** tomb
la **turbulencia** turbulence *6A*
el **turismo** tourism
el **turista, la turista** tourist
**turístico,-a** tourist
**tuyo,-a** your, (of) yours

# U

**u** or (used before a word that starts with *o* or *ho*)
**ubicado,-a** located
**Ud.** you (abbreviation of *usted*); you (after a preposition); *Ud. se llama...* Your name is...
**Uds.** you (abbreviation of *ustedes*); you (after a preposition)
**último,-a** last
**un, una** a, an, one; *a la una* at one o'clock
**único,-a** only, unique
**unido,-a** united, connected
la **universidad** university
**uno** one; *quedarle bien a uno* to fit, to be becoming
**unos, unas** some, any, a few
**urgente** urgent
el **Uruguay** Uruguay
**uruguayo,-a** Uruguayan
**usar** to use
el **uso** use *10B*
**usted** you (formal, s.); you (after a preposition)
**ustedes** you *(pl.)*; you (after a preposition)
la **uva** grape

# V

la **vaca** cow
las **vacaciones** vacation
**vaciar** to empty *2A*
**vacío,-a** empty *5A*
la **vacuna** vaccination *8A*
**vago,-a** lazy, idle *1A*
el **vagón** train car *5B*
la **vainilla** vanilla
**valer** to be worth; *más vale que* it is better that; *valer la pena* to be worth your while *8B; valer para* to be good at *10A*
el **valle** valley *5B*
**¡vamos!** let's go!; *¡vamos a (+ infinitive)!* let's (+ infinitive)!

los **vaqueros (película)** cowboy (film), western *1B*
los **vaqueros** jeans *9A*
la **variedad** variety
**varios,-as** several
el **vaso** glass
**vayan:** see *ir*
**ve:** see ir
el **vecino, la vecina** neighbor
**veinte** twenty
**veinticinco** twenty-five
**veinticuatro** twenty-four
**veintidós** twenty-two
**veintinueve** twenty-nine
**veintiocho** twenty-eight
**veintiséis** twenty-six
**veintisiete** twenty-seven
**veintitrés** twenty-three
**veintiuno** twenty-one
la **velocidad** speed *5A*
**vencer** to expire
la **venda** bandage *8A*
el **vendedor, la vendedora** salesperson
**vender** to sell
**venezolano,-a** Venezuelan
**Venezuela** Venezuela
**vengan:** see *venir*
**venir** to come; *vengan (Uds.* command) come
la **ventaja** advantage *2B*
la **ventana** window
la **ventanilla** window *5B*
el **ventilador** fan
**veo:** see *ver*
**ver** to see, to watch; *a ver* let's see, hello (telephone greeting); *No lo/la veo.* I do not see him (it)/her (it); *veo* I see; *ver (la) televisión* to watch television; *ves* you see
el **verano** summer
el **verbo** verb
**verdad** true
la **verdad** truth
**¿verdad?** right?
**verde** green (color); unripe *7A*
la **verdura** greens, vegetables
**verse bien** to look good *9B*
**vertical** vertical
**ves:** see *ver*
el **vestido** dress
el **vestidor** fitting room
**vestir (i, i)** to dress (someone); *vestirse* to get dressed

el **veterinario,** la **veterinaria**
veterinarian

la **vez** time *(pl. veces); a veces*
sometimes, at times;
*(number +) vez/veces al/a la*
( + time expression)
(number + ) time(s) per
( + time expression); *otra vez*
again, another time

**viajar** to travel

el **viaje** trip; *agencia de viajes*
travel agency; *irse de viaje* to
go away on a trip

el **viajero,** la **viajera** traveler *5B*

la **víctima** victim *3B*

la **vida** life

la **videocámara digital** digital
videocamera *3A*

el **videojuego** video game

el **vidrio** glass *10B*

**viejo,-a** old

el **viento** wind; *hace viento*
it is windy

**viernes** Friday; *el viernes*
on Friday

el **vinagre** vinegar

el **vínculo** link

**violento,-a** violent *3B*

el **virus** virus, viruses
*(pl. virus) 10B*

la **visa** visa

la **visibilidad** visibility *3B*

la **visita** visit

**visitar** to visit

la **vista** view; *hasta la vista* so
long, see you later

la **vitamina** vitamin *8B*

la **vitrina** store window;
glass showcase

la **viuda** widow *2A*

el **viudo** widower *2A*

**vivir** to live

**vivo,-a** bright *9A*

el **vocabulario** vocabulary

la **vocal** vowel; *vocales abiertas*
open vowels; *vocales cerradas*
closed vowels

el **volante** steering wheel

**volar (ue)** to fly

el **volcán** volcano *6A*

el **voleibol** volleyball

el **volumen** volume *7B*

**volver (ue)** to return, to go
back, to come back

**vosotros,-as** you (Spain,
informal, *pl.*); you
(after a preposition)

la **voz** voice *(pl. voces)*

el **vuelo** flight; *auxiliar de vuelo*
flight attendant

**vuestro,-a,-os,-as** your
(Spain, informal, *pl.*)

# W

la **Web** (World Wide) Web

# Y

**y** and; *y cuarto* a quarter
past, a quarter after; *y media*
half past

**ya** already; now

la **yema** egg yolk *7A*

el **yerno** son-in-law *2A*

el **yeso** cast *8A*

**yo** I

# Z

la **zanahoria** carrot

la **zapatería** shoe store

el **zapato** shoe; *zapato bajo* low-
heel shoe; *zapato de tacón*
high-heel shoe

la **zona verde** green space *5A*

el **zoológico** zoo; *jardín zoológico*
zoological garden

# Vocabulary English / Spanish

## A

**a** un, una; *a few* unos, unas; *a little (bit)* un poco; *a lot (of)* mucho, muchísimo; *a very little (bit)* un poquito

**about** sobre; acerca de; *about (to leave)* a punto de (salir) *5B*

**above** encima de, arriba

**to accelerate** acelerar *5A*

**accent** el acento

**to accept** aceptar *3A*

**accepted** aceptado,-a

**accident** el accidente

**according to** según

**to accuse** acusar *4A*

**accused** el acusado, la acusada *3B*

**to achieve** lograr

**acrobat** el acróbata, la acróbata

**to act** actuar *1B*

**action (film)** película de aventuras

**active** activo,-a *1B*

**activity** la actividad

**actor** el actor

**actress** la actriz

**to add** añadir; agregar

**address** la dirección

**to adjust** ajustar *5A*

**to admit** admitir *4A*

**adult** el adulto, la adulta *4A*

**advances** los avances *10B*

**advantage** la ventaja

**advertisement** el anuncio (comercial); *printed advertisement* el aviso

**advice** el consejo

**to advise** aconsejar

**aerobics** los aeróbicos; *to do aerobics* hacer aeróbicos

**aerosol** aerosol *10B*

**to affect** afectar *10B*

**affectionate** cariñoso,-a

**afraid** asustado,-a; *to be afraid of* tener miedo de

**Africa** el África

**African** africano,-a

**after** después de; detrás de; *a quarter after* y cuarto; *the day after tomorrow* pasado mañana

**after all** al fin y al cabo *9A*

**afternoon** la tarde; *good afternoon* buenas tardes; *in the afternoon* de la tarde, por la tarde

**afterwards** después

**again** otra vez

**against** contra *3B*

**age** la edad

**agency** la agencia; *travel agency* la agencia de viajes

**agent** el agente, la agente

**ago** hace *( + time expression)* que

**to agree** convenir, estar de acuerdo

**agreeable** agradable

**agreed** de acuerdo

**ahead** adelante; *straight ahead* derecho

**air** el aire; *air conditioning* el aire acondicionado; *pertaining to air* aéreo,-a

**airline** la aerolínea

**airplane** el avión; *by airplane* en avión

**airport** el aeropuerto

**alarm** la alarma; *fire alarm* la alarma de incendios; *alarm clock* el despertador; *smoke alarm* la alarma de incendios

**algebra** el álgebra

**all** todo,-a; *any at all* cualquiera

**allergy** la alergia *8A*

**to allow** dejar (de)

**almond** la almendra

**almost** casi

**alone** solo,-a

**along** por; *to get along* llevarse

**already** ya

**also** también

**although** sino, aunque

**always** siempre; *to always get one's way* siempre salirse con la suya

**ambulance** la ambulancia

**America** la América; *Central America* la América Central; *North America* la América del Norte; *South America* la América del Sur; *United States of America* los Estados Unidos

**American** americano,-a; *Central American* centroamericano,-a; *North American* norteamericano,-a; *South American* suramericano,-a

**to amuse** divertir *(ie, i)*

**amusement** la atracción; *amusement park* el parque de atracciones; *(amusement) ride* la atracción

**an** un, una

**ancient** antiguo,-a

**and** y; *(used before a word beginning with i or hi)* e

**animal** el animal

**ankle** el tobillo

**to announce** narrar, anunciar *3B*

**announcement** el anuncio; *commercial announcement* el anuncio comercial

**another** otro,-a; *another time* otra vez

**to answer** contestar

**answer** la respuesta

**answering machine** el contestador automático *4B*

**antibiotic** el antibiótico

**antique** antiguo,-a

**antiseptic** el antiséptico *8A*

**any** unos, unas; alguno,-a, algún, alguna; cualquier, cualquiera; *any at all* cualquiera; *not any* ninguno,-a, ningún, nunguna

**anybody** alguien

**anyone** alguien

**anything** algo

**apartment** el apartamento

**apparatus** el aparato

to appear aparecer 1A
apple la manzana
appliance el aparato; *to turn on (an appliance)* poner
appointment la cita
apricot el damasco
April abril
aquatic acuático,-a
Arab árabe
architect el arquitecto, la arquitecta 10A
architecture la arquitectura 10A
Argentina la Argentina
Argentinean argentino,-a
to argue discutir
arm el brazo
armchair el sillón
around alrededor de
to arrange arreglar
to arrest arrestar 3B
arrival la llegada
to arrive llegar
art el arte
article el artículo
artist el artista, la artista
as tal, como; *as (+ adverb) as possible* lo más/menos *(+ adverb)* posible; *as (+ adjective/adverb) as (+ person/item)* tan *(+ adjective/adverb)* como *(+ person/item); as much as* tanto como; *as much/many (+ noun) as (+ person/item)* tanto,-a *(+ noun)* como *(+ person/item); as soon as* en cuanto, luego que, tan pronto como
Asia el Asia
Asian asiático,-a
to ask preguntar; *to ask a question* hacer una pregunta; *to ask for* pedir *(i, i); to ask for permission (to do something)* pedir permiso (para); *to ask oneself* preguntarse
aspiration la aspiración
aspirin la aspirina
to assault asaltar 3B
assortment el surtido
astronaut el astronauta, la astronauta 10B
at en; *at (the symbol @ used for e-mail addresses)* arroba; *at home* en casa; *at night* de la

noche, por la noche; *at... o'clock* a la(s)...; *at times* a veces; *at what time?* ¿a qué hora?; *at once* ahora mismo; *at the beginning* al principio 3A; *at the last moment* a último momento 6A
athlete el deportista, la deportista, el atleta, la atleta 1B
athletic atlético,-a 1B
atmosphere la atmósfera 10B
to attain conseguir *(i, i);* realizar
to attend asistir a
attic el ático
attitude la actitud
attraction la atracción
attractive bonito,-a; guapo,-a; atractivo,-a 9A
audience el público
audio system el sistema de audio 7B
August agosto
aunt la tía
Australia Australia
Australian australiano,-a
autograph el autógrafo
automatic automático,-a
autumn el otoño
available disponible 6B
avenue la avenida
average regular
avocado el aguacate
to avoid evitar
awards ceremony la entrega de premios 3B

# B

baby sitter el niñero, la niñera 1B
back la espalda
bacon el tocino
bad malo,-a; *Too bad!* ¡Qué lástima!
bag la bolsa
to bake hornear 7A
bakery la panadería
baking pan la asadora 7A
balanced equilibrado,-a 8B
bald calvo,-a
bald eagle el águila calva 10B
ball la pelota
balloon el globo
banana el plátano
band la banda
bandage la venda 8A
band-aid la curita 8A

to bang oneself darse un golpe 8A
bangs el flequillo 9A
bank el banco
to bargain regatear
to bark ladrar
baseball el béisbol
baseball player el beisbolista, la beisbolista 1B
basement el sótano
basketball el básquetbol, el baloncesto; *basketball player* el basquetbolista, la basquetbolista
to bathe bañar(se)
bathroom el baño, el cuarto de baño; *bathroom sink* el lavabo
bathtub la bañera 6B, la tina
battery la batería 4B
to be ser; andar; *to be a success* tener éxito; *to be able to* poder *(ue); to be accustomed to* soler *(ue); to be acquainted with* conocer; *to be afraid of* tener miedo de; *to be born* nacer; *to be called* llamarse; *to be careful* tener cuidado; *to be cold* tener frío; *to be familiar with* conocer; *to be fitting* convenir; *to be glad* alegrarse (de); *to be going to (do something)* ir a *(+ infinitive); to be hot* tener calor; *to be hungry* tener hambre; *to be important* importar; *to be in a hurry* tener prisa; *to be lacking* hacer falta; *to be likely that* ser fácil que; *to be long* tardar en *(+ infinitive); to be mistaken* equivocar(se); *to be necessary* hacer falta; *to be (+ number) years old* tener *(+ number)* años; *to be on sale* estar en oferta; *to be pleasing to* gustar; *to be ready* estar listo,-a; *to be right* tener razón; *to be satisfied (with)* estar contento,-a (con); *to be sleepy* tener sueño; *to be smart* ser listo,-a; *to be sorry* sentir *(ie, i); to be successful* tener éxito; *to be thirsty* tener sed; *to be unlikely that* ser difícil que; *to be used to* soler *(ue); to be worth* valer; *to be honest* para serte

sincero,-a; *to be jealous* tener celos *4A*; *to be missing* faltar *2B*; *to be motivated* estar motivado,-a *1A*; *to be someone's turn* tocar (tocarle a alguien) *2B*; *to be someone's fault* tener la culpa *4A*; *to be wrong* estar equivocado,-a; *to be fashionable* estar de moda *9A*; *to be good at* valer para *10A*; *to be unemployed* estar en paro *10A*

**beach** la playa

**bean** el frijol

**bear** el oso; *teddy bear* el oso de peluche

**beard** la barba *2A*

to **beat** batir *7A*

**beautiful** hermoso,-a

**beauty parlor** el salón de belleza *9A*

**because** porque; *because of* a causa de

to **become** ponerse, cumplir; *to become aware* enterar(se) de; *to become (+ number) years old* cumplir; *to become a member* hacerse miembro *1A*

**bed** la cama; *to go to bed* acostarse *(ue)*; *to put (someone) in bed* acostar *(ue)*

**bedcover** el cubrecamas

**bedroom** el cuarto, la habitación

**beef** la carne de res; *boneless cut of beef* el filete

**before** antes de; *a quarter before* menos cuarto; *the day before yesterday* anteayer

to **begin** empezar *(ie)*; comenzar *(ie)*

to **behave** comportarse *7B*

**behavior** el comportamiento *4B*

**behind (of)** detrás de *2A*

**beige** beige *9A*

to **believe** creer

**bellhop** el botones

**belly** la barriga *8A*

to **belong** pertenecer *1A*

**belt** el cinturón; *safety belt* el cinturón de seguridad; *seat belt* el cinturón de seguridad

**benefits** los beneficios *10A*

**bermuda shorts** las bermudas

**beside** al lado (de)

**besides** además

**best** mejor; *the best (+ noun)* el/la/los/las mejor/mejores *(+ noun)*

**better** mejor; *it is better that* más vale que

**between** entre

**beyond** más allá

**bicycle** la bicicleta

**big** grande; *(form of* grande *before a m., s. noun)* gran

**bike** la bicicleta

**bill** la cuenta

**binoculars** los binoculares

**biology** la biología

**bird** el pájaro

**birthday** el cumpleaños; *Happy birthday!* ¡Feliz cumpleaños!; *to have a birthday* cumplir años

**biscuit** la galleta

to **bite** morder *(ue)*

**black** negro,-a

**blackboard** la pizarra

to **blame someone else** echar la culpa a otro,-a/alguien *4A*

**blanket** la cobija *2B*

**blender** la batidora *7A*

**blind alley** el callejón sin salida *5A*

**blond, blonde** rubio,-a

**blouse** la blusa

**blue** azul

to **board** abordar, embarcar *6A*

**boarding pass** la tarjeta de embarque *6A*

**boat** el barco, el bote

**body** el cuerpo

to **boil** hervir *(ie) 7A*

**Bolivia** Bolivia

**Bolivian** boliviano,-a

**Bolivian currency** el boliviano *7A*

**bomb** la bomba *3B*

**boneless (cut of beef or fish)** el filete

**book** el libro

**bookcase** el estante *2B*

**bookstore** la librería

**boot** la bota

to **bore** aburrir(se)

**bored** aburrido,-a

**boring** aburrido,-a

to **borrow** pedir prestado,-a

**boss** el jefe, la jefa *10A*

**bossy** mandón, mandona *2B*

to **bother** molestar, fastidiar

**bottle** la botella *7B*

**bowl** el recipiente *7A*

**box** la caja

**box office** la taquilla

**boy** el chico, el muchacho

**boyfriend** el novio

**bracelet** la pulsera

**brake** el freno

**bravo** olé

**Brazil** el Brasil

**Brazilian** brasileño,-a

**bread** el pan

to **break** romper, quebrarse

**breakfast** el desayuno; *to have breakfast* desayunar

to **breathe** respirar

**brick** el ladrillo

**bridge** el puente

**briefcase** el maletín

**bright** vivo,-a *(color) 9A*

to **bring** traer; llevar; *to bring about* realizar; *to bring up* subir

**broach** el broche *9B*

**broadcast** la transmisión

**brochure** el folleto

**broom** la escoba

**brother** el hermano

**brother-in-law** el cuñado *2A*

**brown** *(color)* café, castaño,-a *2A*, marrón

**brunet** moreno

**brunette** morena

to **brush** cepillar(se)

**brush** el cepillo

to **build** construir *2A*

**building** el edificio

**bull** el toro

**bullfight** la corrida

**bureau** la cómoda *2B*

to **burn** quemar

**burro** el burro

**bus** el autobús; *bus station* la estación de autobuses

**bush** el arbusto *5B*

**business** la empresa, los negocios

**business manager** el empresario, la empresaria *10A*

**businessman** el hombre de negocios

**businesswoman** la mujer de negocios

**busy line** la línea ocupada *4B*

**but** pero; *but (on the contrary)* sino

**butcher shop** la carnicería

**butter** la mantequilla
**butterfly** la mariposa *6B*
**button** el botón (*pl.* botones) *9B*
**to buy** comprar
**by** por; *by airplane* en avión; *by car* en carro, en coche; *by (+ vehicle)* en (+ *vehicle*); *by telephone* por teléfono; *by the way* a propósito

# C

**cabbage** el repollo *7A*
**cafeteria** la cafetería
**cage** la jaula
**cake** el pastel
**calcium** el calcio *8A*
**calendar** el calendario
**to call** llamar
**calling card** la tarjeta telefónica *4B*
**to calm down** calmar(se)
**camel** el camello
**camera** la cámara
**to camp** acampar *5B*
**camp fire** la fogata *5B*
**camp site** el campamento *5B*
**camping** el camping
**can** la lata
**can opener** el abrelatas
**Canada** el Canadá
**Canadian** canadiense
**to cancel** cancelar *6A*
**cancellation** la cancelación *6A*
**candy** el dulce; *candy store* la dulcería
**cantaloupe** el melón
**cap** la gorra
**capital** la capital; *capital letter* la mayúscula
**car** el carro; el coche; *bumper cars* carros chocones; *by car* en carro, en coche
**carbohydrate** el carbohidrato *8B*
**card** la tarjeta; *credit card* la tarjeta de crédito; *playing card* la carta
**care** el cuidado; *to take care of* cuidar(se), encargarse (de)
**career** la carrera
**Caribbean** el Caribe
**carpenter** el carpintero, la carpintera
**carpet** la alfombra
**carrot** la zanahoria
**carrousel** el carrusel

**to carry** llevar; *to carry up* subir *carry-on luggage* el equipaje de mano
**to carry out** cumplir con *10B*
**cartoon** el dibujo animado; *(film)* película de dibujos animados
**cash** el efectivo; *in cash* en efectivo
**cashier** el cajero, la cajera; *cashier's desk* la caja
**cassette** el casete
**cast** el yeso *8A*
**casual** informal *9A*
**cat** el gato, la gata
**catastrophe** la catástrofe
**to catch** coger; *to catch (a cold)* pescar (un resfriado)
**cathedral** la catedral
**to cause** causar *3B*
**cautious** prudente *5A*
**CD-ROM** el disco compacto
**to celebrate** celebrar
**celebration** la celebración
**cellular phone** el teléfono celular *4B*
**center** el centro; el medio; *in the center of* en medio de; *shopping center* el centro comercial
**Central America** la América Central
**Central American** centroamericano,-a
**century** el siglo
**ceramics** la cerámica *9B*
**cereal** el cereal
**ceremony** la ceremonia *3A*
**ceviche** el ceviche *(marinated seafood dish) 7B*
**chain** la cadena *9B*
**chair** la silla; *easy chair* el sillón
**chalk** la tiza
**championship** el campeonato
**to change** cambiar
**change** el cambio
**channel** el canal
**character** el personaje
**to charge** cargar *4B*
**chart** la tabla
**chat** la charla; *chat room* el cuarto de charla
**chauffeur** el chofer, la chofer
**cheap** barato,-a
**check** la cuenta, el cheque

**to check** revisar; *to check in* registrar; consultar
**checkered** a cuadros
**checkers** las damas
**cheese** el queso
**chemical waste** el desperdicio químico *10B*
**chemistry** la química
**cherry** la cereza *7A*
**chess** el ajedrez
**chest** el pecho
**chest of drawers** la cómoda *2B*
**to chew** masticar *7B*
**chicken** el pollo
**chickpea** el garbanzo *7A*
**child** el niño, la niña
**Chile** Chile
**Chilean** chileno,-a
**chilly** fresco,-a
**chimney** la chimenea
**China** la China
**Chinese** chino,-a
**chocolate** el chocolate
**choir** el coro *1A*
**to choose** escoger
**to chop** picar
**chore** el quehacer
**Christmas** la Navidad
**church** la iglesia
**cigarette** el cigarrillo
**circus** el circo
**city** la ciudad; *city block* la cuadra
**clam** la almeja
**class** la clase
**classified** los clasificados *3A*
**to classify** clasificar
**classmate** el compañero, la compañera
**clay** la arcilla *9B*
**to clean** limpiar
**clean** limpio,-a
**clear** claro,-a
**to clear** limpiar; *to clear the table* recoger la mesa
**clerk** el dependiente, la dependiente
**to climb** subir, escalar
**clinic** la clínica
**clock** el reloj; *(alarm) clock* el despertador
**to close** cerrar *(ie)*
**close up** de cerca
**closed** cerrado,-a
**closet** el armario
**cloth** la tela

**clothing** la ropa
**cloud** la nube *6A*
**cloudy** nublado,-a; *it is cloudy* está nublado
**clown** el payaso
**club** el club
**coat** el abrigo
**coffee** el café; *coffee maker* la cafetera; *coffee pot* la cafetera
**coin** la moneda
**cold** el frío; el resfriado; *it is cold* hace frío; *to be cold* tener frío; *to catch (a cold)* pescar (un resfriado)
**to collaborate** colaborar *1A*
**collar** el cuello *9B*
**collect call** la llamada de cobro revertido *4B*
**collection** la colección
**Colombia** Colombia
**Colombian** colombiano,-a
**color** el color
**column** la columna
**comb** el peine
**to comb** peinar(se)
**to combine** combinar
**to come** venir; *to come back* regresar, volver *(ue)*; *to come in* entrar
**comedy** la comedia; *(film)* película cómica *1B*
**comfortable** cómodo,-a
**comic strip** la tira cómica
**comical** cómico,-a
**commentator** el comentarista, la comentarista
**commercial** comercial; *commercial announcement* el anuncio comercial
**to communicate** comunicarse *10B*
**communication** la comunicación
**compact disc** el disco compacto; *compact disc player* el reproductor de CDs
**company** la compañía
**compartment** el compartimiento
**compass** la brújula *5B*
**competition** la competencia; el concurso
**to complain** quejarse *7B*
**to complete** completar, acabar
**complete** completo,-a
**to compliment someone** hacer un cumplido *4A*

**computer** la computadora, el ordenador *3A*; *computer programmer* el programador, la programadora
**computer science** la informática *10A*
**concert** el concierto
**concierge** el conserje, la conserje *6B*
**concourse** el muelle
**conditioner** el acondicionador *9A*
**to conduct** conducir
**to confirm** confirmar *6A*
**confirmation** la confirmación *6A*
**conflict** el conflicto *4B*
**congratulations** felicitaciones
**to connect** conectar *2A*
**connected** conectado,-a; unido,-a
**to conserve** conservar *10B*
**considerate** considerado,-a *4A*
**construction site** la obra en construcción *5A*
**construction work** la construcción *10A*
**to contaminate** contaminar *10B*
**contaminated** contaminado,-a *10B*
**contest** el concurso
**to continue** continuar, seguir *(i, i)*
**contrary to** a diferencia de *2A*
**to contribute** contribuir *3A*
**to convince** convencer *1A*
**to cook** cocinar, cocer *(ue) 7A*
**cook** el cocinero, la cocinera
**cooked** cocido,-a *7A*
**cookie** la galleta
**cool** el fresco; *it is cool* hace fresco
**to cool** enfriar
**to copy** copiar
**cordless phone** el teléfono inalámbrico *4B*
**corn** el maíz, *ear of corn* el choclo *7A*
**corner** la esquina; *to turn (a corner)* doblar
**cornmeal pancake** *(Mexico)* la tortilla
**correct** correcto,-a
**correspondence** la correspondencia
**corridor** el corredor

**to cost** costar *(ue)*
**Costa Rica** Costa Rica
**Costa Rican** costarricense
**cotton** el algodón; *cotton candy* el algodón de azúcar
**to cough** toser *8A*
**to count on someone** contar con alguien *4A*
**counter** el mostrador
**country** el país
**country code** el código *4B*
**couple** la pareja
**courtyard** el patio
**cousin** el primo, la prima
**to cover** cubrir(se), tapar(se)
**cow** la vaca
**cowboy film** la película de vaqueros *1B*
**crab** el cangrejo
**cramp** el calambre *8B*
**to crash** chocar *3B*
**crazy** loco,-a
**cream** la crema; *ice cream* el helado; *ice cream parlor* la heladería; *shaving cream* la crema de afeitar
**to create** crear
**credit** el crédito; *credit card* la tarjeta de crédito; *on credit* a crédito
**crew** la tripulación
**crime** el crimen *3B*
**to criticize** criticar *4A*
**to cross** cruzar
**crossed** atravesado,-a
**crossword puzzle** el crucigrama *3A*
**cruise** el crucero
**crutches** las muletas *8A*
**to cry** llorar *4A*
**crystal** el cristal *9B*
**Cuba** Cuba
**Cuban** cubano,-a
**cuff links** los gemelos *9B*
**culture** la cultura
**cultured** culto,-a
**cup** la taza
**cupboard** el armario
**to cure** curar(se) *8A*
**curious** curioso,-a *1B*
**curly** rizado,-a *2A*
**curtain** la cortina
**curve** la curva
**custard** el flan
**customer** el cliente, la clienta
**customs** la aduana

**to cut** cortar
**cut** el corte
**cyclist** el ciclista, la ciclista *1B*

# D

**dad** el papá
**dairy (store)** la lechería
**to dance** bailar
**dance** el baile
**dance steps** los pasos de
baile *7B*
**dancing** el baile;
*dancing music*
la música bailable *7B*
**dark** oscuro,-a *9A to get dark*
anochecer
**dark-haired** moreno,-a
**dark-skinned** moreno,-a
**date** la fecha; la cita
**daughter** la hija
**daughter-in-law** la nuera *9A*
**day** el día; *All Saints' Day*
Todos los Santos; *every day*
todos los días; *New Year's Day*
el Año Nuevo; *saint's day* el
santo; *the day after tomorrow*
pasado mañana; *the day before
yesterday* anteayer
**dear** querido,-a; estimado,-a
**December** diciembre
**to decide** decidir
**to declare** declarar *3B*
**to decorate** adornar, decorar *2A*
**deep** profundo,-a *8A*
**deeply** hondo,-a *8A*
**defender** el defensor,
la defensora
**degree** el grado
**delay** el retraso, la demora *6A*
**to delay** tardar
**delayed** con retraso,
retrasado,-a *5B*
**delicious** delicioso,-a, rico,-a
**to delight** encantar
**delighted** encantado,-a
**to deliver** repartir *1B*
**delivery person** el
repartidor, la repartidora *1B*
**to demand** exigir
**demanding** exigente
**dentist** el dentista, la dentista
**to deny** negar *(ie) 6A*
**deodorant** el desodorante
**department** el departamento;
*department store* el almacén
**departure** la salida

**to depend on** depender *1A*
**deposit** el depósito
**to describe** describir
**desert** el desierto
**to deserve** merecer *1A*
**to design** diseñar
**designer** el diseñador, la
diseñadora *10A*
**desire** la gana
**desk** el escritorio, el pupitre;
*cashier's desk* la caja; *reception
desk* la recepción
**dessert** el postre
**destination** el destino
**destiny** el destino
**to destroy** destruir *3A*
**destruction** la destrucción
**detail** el detalle *6A*
**detective film** la película
policiaca *1B*
**to develop** desarrollar *10B*
**to devote (time)** dedicar *1A*
**to dial** marcar *4B*
**to die** morir(se) *(ue, u); to die
laughing* morirse de la risa
**diet** la alimentación, la dieta *8B*
**difference of opinion** la
diferencia de opinión *4B*
**different** diferente
**difficult** difícil
**digital camera** la cámara
digital
**digital video camera** la
videocámara digital *3A*
**dining room** el comedor
**dinner** la comida, la cena; *to
have dinner* cenar
**dinning car** el coche
comedor *5B*
**to direct** dirigir, conducir
**direction** la dirección
**director** el director, la directora
**dirty** sucio,-a
**disadvantage** la desventaja *2B*
**to disappear** desaparecer *1A*
**disaster** el desastre
**disc jockey (DJ)** el disc
jockey, la disc jockey *7B*
**to discolor** desteñirse *9B*
**discount** el descuento,
la rebaja *9A*
**to discover** descubrir *4A*
**to discuss** discutir
**discussion** la discusión *4A*
**disease** la enfermedad *8A*
**dish** el plato

**dishwasher**
el lavaplatos eléctrico
**diskette** el diskette
**to dislike** disgustar *6B*
**disorder** el desorden *2B*
**to do** hacer; practicar; *to do
aerobics* hacer aeróbicos; *to do
push-ups* hacer flexiones *8B; to
do sit-ups* hacer abdominales
*8B; to do white-water rafting*
navegar por rápidos *6B; to do
yoga* hacer yoga *8B*
**doctor** el médico, la médica;
el doctor, la doctora
(*abbreviation:* Dr., Dra.);
*doctor's office* el consultorio
**documentary** el documental *1B*
**dog** el perro, la perra
**dollar** el dólar
**Dominican** dominicano,-a;
*Dominican Republic* la
República Dominicana
**donkey** el burro
**Don't mention it!** ¡No faltaba
más! *4A*
**door** la puerta
**dot** el punto
**double** doble
**double bed** la cama doble *6B*
**double room**
la habitación doble
**to doubt** dudar
**doubtful** dudoso,-a
**down** abajo
**to download a (software)
program** bajar un programa
**downstairs** abajo
**downtown** el centro
**drama** el drama *1B*
**to draw** dibujar
**drawing** el dibujo; *cartoon* el
dibujo animado *1B*
**dream** el sueño
**to dream** soñar *(ue)*
**to dress (someone)** vestir *(i, i)*
**dress** el vestido
**dresser** el tocador
**dressing** el aderezo
**drink** el refresco, la bebida;
*soft drink* el refresco
**to drink** tomar
**drinkable** potable
**to drive** conducir, manejar
**driver** el chofer, la chofer;
*taxi driver* el taxista, la taxista;
el conductor, la conductora

**driver's license** la licencia de conducir *5A*

**drops** las gotas *8A*

**drum** el tambor

**to dry (oneself)** secarse

**dry cleaner** la tintorería *9B*

**dry** seco,-a

**dryer** la secadora

**dubbed** doblado,-a *1B*

**duck** el pato

**due to** a causa de

**during** durante

**dust** el polvo

**to dye** teñir(se) *9A*

## E

**each** cada

**ear** *(inner)* el oído; *(outer)* la oreja

**ear of corn** el choclo *7A*

**early** temprano

**to earn** ganar

**earring** el arete

**earth** la tierra

**east** el este

**Easter** la Pascua

**easy** fácil; *easy chair* el sillón

**to eat** comer, alimentarse *8B*; *to eat completely* comerse; *to eat lunch* almorzar *(ue)*; *to eat up* comerse

**ecology** la ecología

**economic** económico,-a

**economy** la economía

**Ecuador** el Ecuador

**Ecuadorian** ecuatoriano,-a

**editorial** el editorial

**egg** el huevo; *egg white* la clara *7A*; *egg yolk* la yema *7A*

**eight** ocho; *eight hundred* ochocientos,-as

**eighteen** dieciocho

**eighth** octavo,-a

**eighty** ochenta

**either** tampoco; *either...or* o...o

**El Salvador** El Salvador

**elbow** el codo

**electric** eléctrico,-a

**electrician** el electricista, la electricista *10A*

**electronic mail** el correo electrónico

**elegant** elegante

**elephant** el elefante

**elevator** el ascensor

**eleven** once

**else** más

**e-mail** el e-mail, correo electrónico

**embroidered** bordado,-a *9A*

**emergency room** la sala de emergencias *8A*

**emigration** la emigración

**empire** el imperio

**to employ (someone on trial basis)** poner a prueba *10A*

**employee** el empleado, la empleada

**to empty** vaciar *2A*

**empty** vacío,-a

**to enchant** encantar

**enchilada** la enchilada

**end** el fin

**to end** terminar; *to end up* ir a parar

**endangered** en peligro de extinción *10B*

**energy** la energía *8B*

**engine** el motor; *search engine* el motor de búsqueda

**engineer** el ingeniero, la ingeniera

**engineering** la ingeniería *10A*

**England** Inglaterra

**English** el inglés *(language)*; inglés, inglesa *(people)*

**to enjoy** gozar

**enough** bastante

**enterprising** emprendedor,-a *10A*

**envelope** el sobre *9B*

**enviroment** el medio ambiente *10B*

**to erase** borrar

**eraser** el borrador

**escalator** la escalera mecánica

**to escape** escapar(se)

**to establish** establecer

**Europe** Europa

**European** europeo,-a

**even** aun; *even though* sino; *not even* ni

**event** el acontecimiento, el suceso

**every** todo,-a, cada; *every day* todos los días

**everybody** todo el mundo, todos,-as

**everyday** de todos los días

**everyone** todo el mundo, todos,-as

**everything** todo

**everywhere** por todos lados

**evident** evidente

**to exaggerate** exagerar

**exam** el examen

**to examine** examinar

**example** el ejemplo; *for example* por ejemplo

**to exceed** exceder *5A*

**excellent** excelente

**excited** emocionado,-a

**exciting** emocionante

**excuse me** perdón, con permiso

**exercise** el ejercicio

**to exhaust** agotar(se) *10B*

**exhibition** la exhibición

**exit** la salida

**expense** el gasto

**expensive** caro,-a

**experience** la experiencia

**expertise** la destreza

**to expire** vencer, caducar

**to explain** explicar, aclarar

**explanation** la explicación

**to explode** explotar *3B*

**explosion** la explosión *3B*

**express train** el tren rápido *3B*

**exterior wall** el muro

**eye** el ojo

## F

**fabric** la tela

**face** la cara

**facilities** las facilidades

**facing** enfrente de

**factory** la fábrica *10B*

**to fade** desteñirse *9B*

**faded** desteñido,-a

**to fail** fracasar

**to faint** desmayarse *3B*

**fairly** bastante

**to fall (down)** caer(se); *to fall asleep* dormirse *(ue, u)*

**family** la familia; *family tree* el árbol genealógico

**famous** conocido,-a; famoso,-a

**fan** el aficionado, la aficionada; el ventilador

**fantastic** fantástico,-a; maravilloso,-a

**far (from)** lejos (de)

**fare** la tarifa

**farewell** la despedida

**farm** la finca

**farmer** el agricultor, la agricultora

**farther on** adelante

to **fascinate** fascinar
**fascinating** fascinante
**fashion** la moda *9A*
**fast** rápido,-a *1A*
to **fasten** abrochar(se)
**fat** gordo,-a; *to get fat, to make fat* engordar; la grasa
**fate** el destino
**father** el padre, el papá
**father-in-law** el suegro *2A*
**faucet** el grifo
**fault** la culpa *4A*
**favorite** favorito,-a
**fax** el fax
**fear** el miedo
to **fear** temer
**feather** la pluma
**February** febrero
to **feed** dar de comer
to **feel** sentir(se) *(ie, i); to feel like* tener ganas de; *to feel sorry* sentir *(ie, i)*
**fence** la cerca; *wrought-iron fence* la reja
**fender** el parachoques
**ferocious** feroz *(pl. feroces)*
**festival** el festival
**fiber** la fibra
**field** el campo
**fierce** feroz *(pl. feroces)*
**fifteen** quince
**fifth** quinto,-a
**fifty** cincuenta
to **fight** pelear(se)
**fight** la pelea *4A*
to **fill in** rellenar *10A*
to **fill up the gas tank** llenar el tanque *5A*
**fillet** el filete
to **film** filmar
**film** la película
**finally** por fin
**finances** las finanzas *3A*
to **find** encontrar *(ue)*
to **find out** averiguar *3A*, enterar(se) de, descubrir *4A*
**finger** el dedo
to **finish** terminar, acabar
**fire** el fuego; el incendio; *fire alarm* la alarma de incendios; *fire fighter* el bombero, la bombera
**fire extinguisher** el extinguidor de incendios *2A*
**fireplace** la chimenea
**fireworks** los fuegos artificiales

**firm** firme *6B*
**first (second) class** de primera (segunda) clase *5B*
**first aid** los primeros auxilios *3B*
**first** primero,-a; primero; *(form of* primero *before a m., s. noun)* primer; *first floor* el primer piso
**fish** el pescado; *boneless cut of fish* el filete, el pez *(when alive, before being fished)*
to **fish** pescar
**fishing** la pesca
to **fit** ajustar *9B*
to **fit** quedarle bien a uno; *to fit (into)* caber
**fitting room** el vestidor
**five** cinco; *five hundred* quinientos,-as
to **fix** arreglar
**flamingo** el flamenco
**flashlight** la linterna *5B*
**flat roof** la azotea
**flavor** el sabor
**flavoring** el aderezo
**flight** el vuelo; *flight attendant* el auxiliar de vuelo, la auxiliar de vuelo
**flood** la inundación *3B*
**floor** el piso, el suelo; *first floor* el primer piso; *ground floor* la planta baja
**flour** la harina *7A*
**flower** la flor; *flower shop* la florería
**flu** la gripe
**flute** la flauta
to **fly** volar *(ue)*
**fog** la niebla *6A*
to **follow** seguir *(i, i)*
**following: the following** lo siguiente
**food** la comida, el alimento *8B; food server* el camarero, la camarera, el mesero, la mesera; *little food item* la golosina
**foot** el pie; *on foot* a pie
**football** el fútbol americano
**footwear** el calzado *9A*
**for** por, para; *for example* por ejemplo
**foreign** extranjero,-a
**forest** el bosque
to **forget** olvidar(se)

to **forgive** perdonar; *forgive me* discúlpame *4A*
**fork** el tenedor
**form** el formulario *10A*
to **form** formar; *to form an opinion* opinar
**formal** formal *9A*
**forty** cuarenta
**forward** el delantero, la delantera
to **found** fundar
**four** cuatro; *four hundred* cuatrocientos,-as
**fourteen** catorce
**fourth** cuarto,-a
**fowl** el ave
**fracture** la fractura *8A*
**France** Francia
**free** libre
**free time** el ocio *3A*
**French** francés, francesa
**French fries** las papas fritas *7B*
**fresh** fresco,-a; puro,-a
**Friday** viernes; *on Friday* el viernes
**fried** frito,-a *7B*
**friend** el amigo, la amiga
**friendly** sociable
**friendship** la amistad
**from** de, desde; *from a short distance* de cerca; *from the* de la/del (de + el); *from where?* ¿de dónde?
**fruit** la fruta; *fruit store* la frutería
to **fry** freír *(i, i)*
**frying pan** la sartén *7A*
**full** lleno,-a
**full time** la jornada completa *10A*
**fun** divertido,-a; *to have fun* divertirse
to **function** funcionar *2A*
**funny** cómico,-a; chistoso,-a
**furious** furioso,-a
**furthermore** además
**future** el futuro

## G

**game** el partido, el juego; *game show* el programa de concurso; *games won* los partidos ganados; *to play (a game)* jugar a; *video game* el videojuego

**gap** el agujero *10B*
**garage** el garaje
**garbage** la basura
**garbage can** el basurero *2A*
**garden** el jardín; *zoological garden* el jardín zoológico
**garlic** el ajo; *garlic clove* el diente de ajo *7A*
**garment** la prenda
**gas** la gasolina *5A*
**gas pedal** el acelerador *5A*
**gas station** la estación de servicio *5A*
**gathered up** recogido,-a *9A*
**gel (hair)** el gel *9A*
**gene** el gen (*pl.* genes) *10B*
**generous** generoso,-a
**genetics** la genética *10B*
**gentleman** el caballero
**geography** la geografía
**geometry** la geometría
**German** alemán, alemana
**Germany** Alemania
**to get** conseguir *(i, i)*; *to always get one's way* siempre salirse con la suya; *to get along* llevarse bien; *to get burned* quemarse; *to get connected* conectarse; *to get dark* anochecer; *to get dressed* vestirse; *to get fat* engordar; *to get in* subir; *to get together* reunir(se); *to get up* levantarse; *to get used to* acostumbrar(se); *to get angry* enojarse; *to get* ponerse; *to get scared* asustarse *6A*; *to get ready* prepararse *2B*
**getting by** pasándola *1A*
**gift** el regalo
**gifted** talentoso,-a *1A*
**giraffe** la jirafa
**girl** la chica, la muchacha
**girlfriend** la novia
**to give** dar; *to give an opinion* opinar; *to give a speech* dar un discurso *3A*; *to give a ticket* poner una multa *5A*; *to give... classes* dar clases (de)... *1B*
**glad** contento,-a; *Glad to meet you!* ¡Mucho gusto!; *I would be (very) glad to* con (mucho) gusto; *So glad to meet you.* Tanto gusto.; *to be glad* alegrarse (de)
**glass** el vaso; el vidrio *10B*; *glass showcase* la vitrina

**glasses** los lentes
**global warming** el calentamiento global *10B*
**globe** el globo
**glove** el guante
**to go** ir; andar; *to go away* irse; *to go away on a trip* irse de viaje; *to go back* regresar, volver *(ue)*; *to go in* entrar; *to go on* seguir *(i, i)*; *to go out* salir; *to go shopping* ir de compras; *to go to bed* acostarse *(ue)*; *to go up/upstairs* subir; *to go across* atravesar *(ie) 6A*; *to go with* ir con *9A*
**goal** el gol
**goalie** el portero, la portera
**goaltender** el portero, la portera
**godfather** el padrino *2A*
**godmother** la madrina *2A*
**gold** el oro
**good** bueno,-a, *(form of* bueno *before a m., s. noun)* buen; *good afternoon* buenas tardes; *good luck* buena suerte; *good morning* buenos días; *good night* buenas noches
**good-bye** adiós; *to say good-bye* despedir(se) *(i, i)*, la despedida
**good-looking** guapo,-a, bonito,-a
**gorilla** el gorila
**to gossip** chismear *4A*
**gossip** el chisme
**gossipy** chismoso,-a *4A*
**government** el gobierno
**grade** la nota *1A*
**to graduate** graduarse *10A*
**gram** el gramo *7A*
**granddaughter** la nieta
**grandfather** el abuelo
**grandmother** la abuela
**grandson** el nieto
**grape** la uva
**grapefruit** la toronja
**grass** el césped
**grave** grave
**gray** gris
**greasy** grasoso,-a *9A*
**great** fantástico,-a; gran
**Great!** ¡Padrísimo! *9A*; ¡Chévere! *1A*
**greater** mayor
**greatest** mayor
**great-grandfather** el bisabuelo

**great-grandmother** la bisabuela
**green space** la zona verde *5A*
**green** verde; *green bean* la habichuela
**greens** la verdura
**to greet** saludar
**grilled** a la parrilla *7B*
**grocery store** el almacén
**group** el grupo; *musical group* el grupo musical
**to grow** crecer
**Guatemala** Guatemala
**Guatemalan** guatemalteco,-a
**to guess** adivinar
**guest** el invitado, la invitada *7B*
**guidance** la dirección
**guide** el guía, la guía
**guidebook** la guía
**guilty** culpable *3B*
**guitar** la guitarra
**guy** el muchacho
**gym** el gimnasio

## H

**habit** el hábito
**hair dryer** el secador de pelo *2B*
**hair dye** la tintura *9A*
**hair** el pelo
**haircut** el corte de pelo *9A*
**hairdo** el peinado *9A*
**hairstylist** el peluquero, la peluquera
**half** medio,-a; *half past* y media
**hall** el pasillo *2A*
**hallway** el corredor
**ham** el jamón
**hamburger** la hamburguesa *8B*
**hammer** el martillo *2A*
**to hand in** entregar
**hand** la mano; *on the other hand* en cambio
**handbag** el bolso; el maletín
**handicraft** la artesanía *9B*
**handkerchief** el pañuelo
**handmade** hecho a mano *9B*
**handsome** guapo,-a
**to hang** colgar *(ue)*
**to hang up** colgar *4B*
**hanger** la percha *2B*
**to happen** pasar, suceder *3A*
**happening** el acontecimiento, el suceso

**happiness** la dicha

**happy** contento,-a, feliz (*pl.* felices), alegre; *Happy birthday!* ¡Feliz cumpleaños!; *to make happy* alegrar (de)

**hard** difícil

**hard working** trabajador,-a *1A*

**to harm** dañar *10B*

**hat** el sombrero; *hat store* la sombrerería

**to have** tomar, tener; *(auxiliary verb)* haber; *to have a birthday* cumplir años; *to have breakfast* desayunar; *to have dinner* cenar; *to have fun* divertirse; *to have just* acabar de (+ infinitive); *to have lunch* almorzar *(ue); to have supper* cenar; *to have to* deber, tener que; *to have in common* tener en común *4A; to have self-confidence* tener confianza (en sí/ti mismo) *1A; to have an ability for* tener facilidad para *10A; to have an internship* hacer prácticas *10A*

**hazel** castaño,-a *2A*

**he** él

**head** la cabeza

**headlight** el faro

**headline** el titular

**health** la salud

**healthy** saludable *8B*

**to hear** oír; escuchar

**heart** el corazón

**heat** el calor

**heating** la calefacción *2A*

**hello** hola; *(telephone greeting)* aló, diga; *to say hello* saludar

**helmet** el casco *5B*

**to help** ayudar

**help** la ayuda

**Help!** ¡Socorro! *3B*

**hen** la gallina

**her** su, sus; *(d.o.)* la; *(i.o.)* le; *(after a preposition)* ella; suyo,-a; *(of) hers* suyo,-a

**here** aquí, acá *2B*

**heritage** la herencia

**hey** mira, miren, oye, oigan

**hi** hola

**high definition screen** la pantalla de alta definición *10B*

**high-heel shoe** el zapato de tacón

**highway** la carretera, la autopista *5A*

**hill** la colina

**him** *(d.o.)* lo; *(i.o.)* le; *(after a preposition)* él

**hippopotamus** el hipopótamo

**to hire** contratar *10A*

**his** su, sus; suyo,-a; *(of) his* suyo,-a

**Hispanic** hispano,-a

**history** la historia

**hockey** el hockey

**hole** el agujero *10B*

**home** la casa; el hogar; *at home* en casa

**homework** la tarea

**Honduran** hondureño,-a

**Honduras** Honduras

**honest** honesto,-a

**honey** miel; *honey (term of endearment)* corazón

**hood** el capó

**to hope** esperar

**hope** la aspiración

**horn** el claxon; el cuerno

**horrible** horrible

**horror (film)** película de terror *1B*

**horse** el caballo; *on horseback* a caballo

**horseback ride** la cabalgata *6B*

**host** el anfitrión *7B*

**hostess** la anfitriona *7B*

**hot** caliente; *it is hot* hace calor; *to be hot* tener calor, *spicy* picante *7A*

**hot dog** la salchicha

**hotel** el hotel

**hour** la hora

**house** la casa

**how (+ adjective)!** ¡qué (+ *adjective*)! *How odd!* ¡Qué raro! *4A*

**how (+ adjective/adverb)** lo (+ *adjective/adverb*)

**how?** ¿cómo?; *How are you? ¿Qué tal?; How are you (formal)? ¿Cómo está (Ud.)?; How are you (informal)? ¿Cómo estás (tú)?; How are you (pl.)? ¿Cómo están (Uds.)?; How do you say...? ¿Cómo se dice...?; How do you write (spell)...? ¿Cómo se escribe...?; How is the*

*weather? ¿Qué tiempo hace?; How long...? ¿Cuánto (+ time expression) hace que (+ present tense of verb)...?; how many? ¿cuántos,-as?; how much? ¿cuánto,-a?; How old are you? ¿Cuántos años tienes?*

**however** sin embargo

**to hug (each other)** abrazarse *2B*

**hug** el abrazo

**hunger** el hambre (*f.*)

**hurricane** el huracán

**hurry** la prisa; *in a hurry* apurado,-a; *to be in a hurry* tener prisa

**to hurry up** apurar(se), darse prisa *1A*

**to hurt** doler *(ue)*; lastimar(se)

**husband** el esposo, el marido

# I

**I** yo; *I am sorry* lo siento; *I do not know.* No sé.; *I hope* ojalá

**I can't stand him/her** No lo/la aguanto *1B*

**I didn't mean to do it** lo hice sin querer *4A*

**I got...** A mí me tocó... *1A*

**I like/don't like (someone)** Me cae bien/mal *1B*

**ice** el hielo; *ice cream* el helado; *ice cream parlor* la heladería

**to ice-skate** patinar sobre hielo

**idea** la idea

**ideal** ideal

**idle** vago,-a *1A*

**if** si; *if only* ojalá

**iguana** la iguana

**to imagine** imaginar(se)

**immediately** en seguida

**impatient** impaciente

**to imply** implicar

**important** importante; *to be important* importar

**impossible** imposible

**to improve** mejorar

**in** en, por; *in a hurry* apurado, -a; *in cash* en efectivo; *in favor (of)* a favor (de); *in order to* para; *in order that* para que; *in short* en resumen; *in the afternoon* de la tarde, por la tarde; *in the center of* en medio de; *in the* *middle of* en medio de; *in the morning* de la mañana, por la mañana; *in advance* por adelantado; *in front of* delante de, enfrente de *2A; in good/bad taste* de buen/mal gusto *9A*

**to include** incluir *6B*
**increase** el aumento
**incredible** increíble
**infection** la infección *8A*
**inflammation** la inflamación *8A*
**to inform** informar
**information** la información
**ingredient** el ingrediente
**inhabitant** el habitante, la habitante
**injection** la inyección *8A*
**to injure** lastimar(se)
**injured** herido,-a ; *injured (person)* el herido, la herida
**inn** el parador
**innocent** inocente *3B*
**insect repellent** el repelente de insectos *5B*
**inside** adentro; *inside of* dentro de *2B*
**to insist (on)** insistir (en)
**inspector** el inspector, la inspectora *5B*
**to install** instalar
**instead of** en vez de *9A*
**instruction** la dirección
**instructor** el instructor, la instructora *1B*
**intelligent** inteligente
**to intend** pensar *(ie)*
**to interest** interesar
**interesting** interesante
**international** internacional
**Internet** la internet
**to interrupt** interrumpir *7B*
**to interview** entrevistar *3A*
**interview** la entrevista, el reportaje
**to introduce** presentar
**invention** el invento *10B*
**to investigate** investigar
**invitation** la invitación
**to invite** invitar
**iron** la plancha, el hierro
**to iron** planchar
**ironing board** la mesa de planchar
**island** la isla

**it** *(d.o.)* la, *(d.o.)* lo; *(neuter form)* ello; *it is better that* más vale que; *it is cloudy* está nublado; *it is cold* hace frío; *it is cool* hace fresco; *it is hot* hace calor; *It is midnight.* Es medianoche.; *it means* quiere decir; *It is noon.* Es mediodía; *it is (+ number) o'clock* son las (+ *number*); *it is one o'clock* es la una; *it is sunny* está soleado, hay sol, hace sol; *it is windy* hace viento; *it is written* se escribe; *It's a pity that...* Es una lástima que...; *It's getting late* Se me hace tarde; *It's incredible that...* Es increíble que... *5B; It's not fair!* ¡No es justo! *1A; It's useless that...* Es inútil que... *5B*
**Italian** italiano,-a
**Italy** Italia
**itinerary** el itinerario
**its** su, sus; suyo,-a

## J

**jacket** la chaqueta
**jaguar** el jaguar *6B*
**jail** la cárcel *3B*
**January** enero
**Japan** el Japón
**Japanese** japonés, japonesa
**jealous** celoso,-a *4A*
**jeans** los vaqueros *9A*
**jersey** la camiseta
**jewel** la joya
**jewelry box** el joyero *9B*
**jewelry store** la joyería
**job** el empleo, el oficio *1B;* el puesto *10A*
**joke** el chiste, la broma
**journalism** el periodismo
**journalist** el periodista, la periodista
**juggler** el malabarista, la malabarista
**juice** el jugo
**July** julio
**to jump** saltar
**June** junio
**jungle** la selva
**junk food** la comida chatarra *8B*
**jury** el jurado *3B*
**just as I am** tal como soy *4B*
**just** sólo

## K

**to keep** seguir *(i,i)*; mantener, guardar, *to keep in shape* mantenerse en forma *8B*
**Kenya** Kenia
**Kenyan** keniano,-a
**ketchup** la salsa de tomate
**key** la llave; *key chain* el llavero *9B; key ring* el llavero *9B*
**kilo(gram)** el kilo(gramo)
**kind** amable; el tipo
**king** el rey
**kiosk** el kiosco *5A*
**to kiss each othe**r besarse *2B*
**kiss** el beso
**kitchen** la cocina
**knee** la rodilla
**knife** el cuchillo
**knitted** tejido,-a *9B*
**to know** saber; conocer; *I do not know.* No sé.
**knowledge** la cultura; los conocimientos *10A*
**known** conocido,-a

## L

**label** la etiqueta *9A*
**lady** la señora, Sra., la dama; *young lady* la señorita
**lake** el lago
**lamb** el cordero *7B*
**lamp** la lámpara
**to land** aterrizar
**land** la tierra
**landscape** el paisaje
**language** la lengua, el idioma
**lapel** la solapa *9B*
**large (in numbers)** numeroso,-a *2B*
**last** pasado,-a, último,-a; *last name* el apellido; *last night* anoche
**late** tarde
**later** luego, después; *see you later* hasta luego, hasta la vista
**laugh** la risa
**to laugh** reír(se) *(i, i)*
**laundry room** el lavadero
**lawn** el césped; *lawn mower* la cortadora de césped, el cortacésped *2A*
**lawyer** el abogado, la abogada
**layers** las capas *9A*
**lazy** perezoso,-a, vago,-a *1A*

**to learn** aprender; *to learn about* enterar(se) de

**least: the least (+ adjective + noun)** el/la/los/las (+ *noun*) menos (+ *adjective*)

**leather** el cuero

**to leave** dejar; irse, partir

**left** izquierdo,-a; la izquierda; *to the left* a la izquierda

**leg** la pierna; la pata *(for an animal); to pull someone's leg* tomar el pelo

**lemon** el limón

**to lend** prestar

**lentil** la lenteja *7A*

**less** menos; *less (+ noun/ adjective/adverb) than* menos (+ *noun/adjective/adverb*) que

**to let** dejar (de); *let me introduce you to (formal, s.)* le presento a, *(informal, s.)* te presento a, *(pl.)* les presento a; *to let someone know* avisar

**let's (+ infinitive)!** ¡vamos a (+ *infinitive*)!; *let's go!* ¡vamos!; *let's see* a ver

**letter** la carta, la letra; *capital letter* la mayúscula; *lowercase letter* la minúscula

**lettuce** la lechuga

**level** el nivel

**librarian** el bibliotecario, la bibliotecaria

**library** la biblioteca

**to lie down** acostarse *(ue)*

**lie** la mentira

**to lie** mentir *(ie, i)*

**life** la vida

**to lift** levantar

**to lift weights** levantar pesas *8B*

**to light** encender *(ie)*

**light** la luz *(pl.* luces); *light bulb* la bombilla; claro,-a *9A*

**lighthouse** el faro

**lightning** el relámpago *6A*

**like** como

**to like** gustar; querer; *I/you/he/ she/it/we/they would like...* me/te/le/nos/os/les gustaría...

**lime** la lima

**line** la fila; *stand on line* hacer fila *6A*

**link** el vínculo

**lion** el león

**lipstick** el lápiz de labios *2B*

**list** la lista

**to listen to** oír; escuchar, hacer caso *4B*

**liter** el litro *7A*

**little** poco,-a; *a little (bit)* un poco; *a very little (bit)* un poquito; *little food item* la golosina; *little machine* la maquinita

**live** en vivo

**to live** vivir

**living room** la sala

**lobster** la langosta

**local train** el tren local *5B*

**located** ubicado,-a

**lock** la cerradura

**to lodge** alojar(se)

**long distance phone call** la llamada de larga distancia *4B*

**long** largo,-a

**to look (at)** mirar; *to look for* buscar; *to look onto (a place)* dar a (un lugar) *6B; to look good* verse bien *9B; to look like* parecerse a

**loose** ancho,-a *9A; loose (hair)* suelto,-a *9A*

**to lose** perder *(ie); to lose patience* perder la paciencia

**lost** perdido,-a *5A*

**love** el amor

**to love** querer

**lovely** hermoso,-a

**to lower** bajar *7B*

**lowercase letter** la minúscula

**low-heel shoe** el zapato bajo

**luck** la suerte; *good luck* buena suerte

**luckily** por suerte

**luggage** el equipaje; *carry-on luggage* el equipaje de mano

**lunch** el almuerzo; *to eat lunch* almorzar *(ue); to have lunch* almorzar *(ue)*

**lung** el pulmón *(pl.* pulmones) *8A*

**luxury** el lujo

## M

**machine** la máquina; *little machine* la maquinita

**magazine** la revista

**magnificent** magnífico,-a

**mail** el correo; *electronic mail* el correo electrónico

**main dish** el plato principal

**main** principal

**to maintain** mantener

**majority** la mayoría

**to make** hacer; *to make happy* alegrar (de); *to make responsible (for)* encargar (de); *to make a mistake* cometer un error *4A; to make an effort* hacer un esfuerzo *8B; to make up (with someone)* reconciliarse, hacer las paces *4B*

**makeup** el maquillaje; *to put makeup on (someone)* maquillar; *to put on makeup* maquillarse

**mall** el centro comercial

**man** el hombre

**manager** el gerente, la gerente

**manners** los modales

**many** mucho,-a; *how many?* ¿cuántos,-as?; *too many* demasiado,-a

**map** el mapa

**March** marzo

**marinated** marinado,-a *7B*

**market** el mercado; *meat market* la carnicería

**married** casado,-a *2A*

**marvelous** maravilloso,-a

**match** el partido

**to match** ir con *9A*

**matches** los fósforos *5B*

**material** el material

**mathematics** las matemáticas

**to matter** importar

**mattress** el colchón *2B*

**maximum** máximo,-a

**May** mayo

**maybe** a lo mejor, puede ser, tal vez

**mayonnaise** la mayonesa

**me** *(i.o.)* me; *(d.o.)* me; *(after a preposition)* mí; *they call me...* me llaman...

**me too** igualmente

**to mean** querer decir; *it means* quiere decir; *What is the meaning (of)...?* ¿Qué quiere decir...?

**measurement** la medida *9B*

**measuring tape** el metro *9B*

**meat** la carne; *meat market* la carnicería

**mechanic** el mecánico, la mecánica

**medal** la medalla *9B*

**media** el medio de comunicación *10B*
**medical history form** el historial médico *8A*
**medicine** la medicina, el remedio *8A*
**medium** mediano,-a *9A*
**to meet** conocer; *Glad to meet you!* ¡Mucho gusto!
**meeting** la reunión
**melon** el melón
**member** el miembro
**memory** el recuerdo
**men's restroom** el baño de los caballeros
**to mention** mencionar
**menu** el menú
**merry-go-round** el carrusel
**message** el mensaje
**messy** desordenado,-a *2B*
**Mexican** mexicano,-a
**Mexico** México
**microphone** el micrófono
**microscope** el microscopio *10B*
**microwave oven** el horno microondas
**middle** el medio; *in the middle of* en medio de
**midfielder** el mediocampista, la mediocampista
**midnight** la medianoche; *It is midnight.* Es medianoche.
**milk** la leche; *milk store* la lechería
**mine** mío,-a; *(of) mine* mío,-a; *the pleasure is mine* el gusto es mío
**mineral water** el agua mineral *(f.)*
**minimum** mínimo,-a
**minus** menos
**minute** el minuto
**mirror** el espejo
**to miss** extrañar, perder
**Miss** la señorita, Srta.
**to miss** perder *(ie)*
**mist** la neblina
**to mistrust** desconfiar *4A*
**misunderstanding** el malentendido *6A*
**to mix** mezclar *7B*
**modern** moderno,-a
**mom** la mamá
**Monday** lunes; *on Monday* el lunes

**money** el dinero; la moneda
**monkey** el mono
**month** el mes
**monument** el monumento
**moon** la luna
**more** más; *more (+ noun/adjective/adverb) than* más (+ noun/adjective/adverb) que; *more than* más de
**morning** la mañana; *good morning* buenos días; *in the morning* de la mañana, por la mañana
**Moroccan** marroquí
**Morocco** Marruecos
**mosquito** el mosquito
**most: the most (+ adjective + noun)** el/la/los/las (+ noun) más (+ adjective)
**mother** la madre; la mamá
**mother-in-law** la suegra *2A*
**motor** el motor
**motorcycle** la moto(cicleta)
**mountain** la montaña
**mouse** el ratón
**mouth** la boca
**to move** mudar(se), mover(se)*(ue)*
**movie** la película; *movie theater* el cine
**to mow** cortar
**mower** la cortadora de césped; el cortacésped *2A*
**Mr.** el señor, Sr.
**Mrs.** la señora, Sra.
**much** mucho,-a; mucho; *as much as* tanto como; *as much (+ noun) as (+ person/item)* tanto,-a (+ noun) como (+ person/item); *how much?* ¿cuánto,-a?; *too (much)* demasiado; *too much* demasiado,-a; *very much* muchísimo
**museum** el museo
**music** la música
**musical** el musical; *musical group* el grupo musical
**musician** el músico, la música *1B*
**must** deber
**mustache** el bigote *2A*
**mustard** la mostaza

**my** mi, *(pl.)* mis; mío,-a; *my name is* me llamo
**mystery** el misterio

# N

**to nail** clavar *2A*
**nail** el clavo *2A*
**nail polish** el esmalte de uñas *2B*
**name** el nombre; *last name* el apellido; *my name is* me llamo; *their names are* se llaman; *What is your name?* ¿Cómo te llamas?; *What is (your/his/her) name?* ¿Cómo se llama (Ud./él/ella)?; *(Your [formal]/His/Her) name is....* (Ud./Él/Ella) se llama....; *your name is* te llamas
**napkin** la servilleta
**to narrate** narrar
**narrow** estrecho,-a *9A*
**national** nacional
**national park** el parque nacional *6B*
**native** el indígena, la indígena
**natural reserve** la reserva natural *6B*
**natural resource** el recurso natural *10B*
**nature** la naturaleza
**navy blue** azul marino *9A*
**near** cerca (de)
**neat** ordenado,-a *2B*
**necessary** necesario,-a, preciso,-a; *to be necessary* hacer falta
**neck** el cuello
**necklace** el collar
**to need** necesitar
**needle** la aguja *9B*
**neighbor** el vecino, la vecina
**neighborhood** el barrio
**neither** tampoco; *neither...nor* ni...ni
**nephew** el sobrino
**nervous** nervioso,-a
**never** nunca
**nevertheless** sin embargo
**new** nuevo,-a; *New Year's (Day)* el Año Nuevo
**news** la noticia
**news program** el noticiero
**newspaper** el periódico
**next** próximo,-a, que viene; *next to* al lado (de)

**Nicaragua** Nicaragua
**Nicaraguan** nicaragüense
**nice** simpático,-a, amable; agradable; *the weather is nice* hace buen tiempo
**nickname** el apodo
**niece** la sobrina
**night** la noche; *at night* de la noche, por la noche; *good night* buenas noches; *last night* anoche
**night table** la mesa de noche *2B*
**nine** nueve; *nine hundred* novecientos,-as
**nineteen** diecinueve
**ninety** noventa
**ninth** noveno,-a
**no** no
**no turn** prohibido doblar *5A*
**No way!** ¡Qué va! *4A*
**nobody** nadie
**Nobody can stand him/her!** ¡No hay quien lo/la aguante! *1A*
**noise** el ruido
**none** ninguno,-a, ningún, ninguna
**noodles** los fideos *7B*
**noon** el mediodía; *It is noon.* Es mediodía.
**normal** normal
**north** el norte; *North America* la América del Norte; *North American* norteamericano,-a
**northeast** el noreste
**northwest** el noroeste
**nose** la nariz (*pl.* narices)
**nosy** entrometido,-a
**not any** ninguno,-a, ningún, ninguna
**not even** ni
to **not have a clue** no tener ni idea de *9B*
to **not have the faintest idea about** no tener ni idea de *9B*
**not very** poco,-a
**note** la nota
**notebook** el cuaderno
**nothing** nada
to **notice** fijarse
**November** noviembre
**now** ahora; ya; *right now* ahora mismo
**nowadays** hoy en día *10B*
**number** el número; *telephone number* el número de teléfono

**nurse** el enfermero, la enfermera
**nutrition** la nutrición *8B*
**nutritious** nutritivo,-a *8B*

## O

**o'clock** a la(s)...; *it is (+ number) o'clock* son las (+ *number*); *it is one o'clock* es la una
to **obey** hacer caso, obedecer
**obligation** la obligación
to **observe** observar
to **obtain** conseguir *(i, i)*, lograr
**obvious** obvio,-a
**occasion** la ocasión
**occupied** ocupado,-a
to **occur** pasar; ocurrir
**ocean** el océano
**October** octubre
**octopus** el pulpo
**of** de; *of the* de la/del (de + el); *of course* desde luego, por supuesto; *of course!* ¡claro!, ¡Cómo no!; *(of) hers* suyo,-a; *(of) his* suyo,-a; *(of) mine* mío,-a; *(of) ours* nuestro,-a; *of which* cuyo,-a; *(of) yours* tuyo,-a
to **offer** ofrecer
**office** la oficina; *box office* la taquilla; *post office* la oficina de correos; *ticket office* la taquilla; la boletería *5B*; *doctor's office* el consultorio
**official** oficial
**often** a menudo
**oh!** ¡ay!
**oil** el aceite, el petróleo
**okay** de acuerdo, *regular; (pause in speech)* bueno
**old** viejo,-a; antiguo,-a; *How old are you?* ¿Cuántos años tienes?; *to be (+ number) years old* tener (+ *number*) años; *to become (+ number) years old* cumplir
**older** mayor
**oldest** el/la mayor
**on** en, sobre; *on credit* a crédito; *on foot* a pie; *on Friday* el viernes; *on horseback* a caballo; *on loan* prestado,-a; *on Monday* el lunes; *on Saturday* el sábado; *on Sunday* el domingo; *on the other hand* en cambio; *on the telephone* por teléfono; *on*

*Thursday* el jueves; *on time* a tiempo, puntual; *on top of* encima de; *on Tuesday* el martes; *on Wednesday* el miércoles; *on sale* de rebajas *9A*; *on my/his/her own* por mi/su cuenta *10A*
**one** un, una, uno; *one hundred* cien, *(when followed by another number)* ciento
**one's own** propio,-a *2A*
**one-way** sencillo,-a; *one-way street* la calle de una sola vía *5A*
**onion** la cebolla
**only** único,-a, sólo, solamente; *if only* ojalá
**open** abierto,-a
to **open** abrir; *open (command)* abre
**operator** el operador, la operadora *4B*
**opinion** la opinión *3A*
**opportunity** la oportunidad
**optimist** optimista *10B*
**or** o, *(used before a word that starts with o or ho)* u; *either...or* o...o
**orange (color)** anaranjado,-a
**orange** la naranja
**orchestra** la orquesta *1A*
**orchid** la orquídea *6B*
to **order** pedir *(i, i)*; mandar; ordenar
**oregano** el orégano *7A*
**organ** el órgano
to **organize** organizar
**organized** organizado,-a *1A*
**other** otro,-a
**ought** deber
**our** nuestro,-a
**out of** fuera de
**outdoors** al aire libre
**outing** la excursión *6A*
**outside** afuera
**oven** el horno; *microwave oven* el horno microondas
**over** sobre; encima de; *over there* allá
**overnight bag** el maletín
**ozone layer** la capa de ozono *10B*

## P

**paella** la paella
**page** la página
**pain** el dolor

to paint pintar
  painting el cuadro, la pintura
  pair la pareja
  pajamas el pijama
  pale pálido,-a *9A*
  Panama Panamá
  Panamanian panameño,-a
  panther la pantera
  pants el pantalón
  pantyhose las pantimedias
  papaya la papaya
  paper el papel; *sheet of paper*
    la hoja de papel
  parade el desfile
  Paraguay el Paraguay
  Paraguayan paraguayo,-a
  paramedic el paramédico,
    la paramédica *3B*
  pardon me perdón
  parents los padres, los papás
  park el parque; *amusement*
    *park* el parque de atracciones
to park estacionar *5A*
  parking lot
    el estacionamiento *5A*
  parking meter el
    parquímetro *5A*
  parsley el perejil *7A*
  part la parte
  part (in hair) la raya *9A*
  part-time la media
    jornada *10A*
to participate participar
  partner el compañero,
    la compañera
  party la fiesta
to pass pasar; *pass me* pásame
  passenger el pasajero,
    la pasajera
  passport el pasaporte
  past pasado,-a; *a quarter past*
    y cuarto; *half past* y media
  pastime el pasatiempo
  pastry el pastel
  path el camino, el sendero *5B*
  patience la paciencia
  patient el paciente,
    la paciente *8A*
  patient paciente *2B*
  patio el patio
  patterned estampado,-a *9A*
  paw la pata
to pay attention hacer caso,
    prestar atención *4B*
to pay pagar
  pea el guisante

peace la paz
peach el durazno
peanut butter la mantequilla
  de maní
peanut el cacahuete *8B*, el
  maní (*pl.* maníes) *7B*
pear la pera
pearl la perla
pedestrian crossway el
  cruce de peatones *5A*
pedestrian el peatón, la
  peatona (*pl.* peatones) *5A*
to peel pelar *7A*
pen el bolígrafo, la pluma
penalty la pena máxima
pencil el lápiz (*pl.* lápices);
  *pencil sharpener* el sacapuntas
people la gente
pepper el ají (*pl.* ajíes) *7A*
pepper la pimienta
  (*seasoning); bell pepper*
  el pimiento; *pepper shaker*
  el pimentero
perfect perfecto,-a
to perform cumplir con *10A*
performance la actuación *1B*
perfume el perfume
perhaps quizás
period el tiempo
permanent fijo,-a (*job) 10A;* la
  permanente (*hair) 9A*
permission el permiso; *to ask*
  *for permission (to do something)*
  pedir permiso (para)
permit el permiso
to permit permitir
person la persona
personal personal
pertaining to air aéreo,-a
pertaining to water acuático,-a
Peru el Perú
Peruvian peruano,-a
pessimist pesimista *10B*
philosophy la filosofía
phone book la
  guía telefónica *4B*
photo la foto(grafía)
photo session la
  sesión fotográfica *3A*
photographer el fotógrafo,
  la fotógrafa
physics la física
piano el piano
to pick up recoger
picnic el picnic
picture el cuadro

picture frame el marco de
  fotos *9B*
piece la pieza; *piece of*
  *furniture* el mueble;
  el pedazo *7A*
pier el muelle
pig el cerdo; el puerco
pill la pastilla *8A*
pillow la almohada *2B*
pillowcase la funda *2B*
pilot el piloto, la piloto
pin el alfiler *9B*, el broche *9B*
pineapple la piña
pink rosado,-a
pity la lástima
place el lugar, la posición;
  la parte
to place poner(se); colocar(se)
plaid a cuadros
plain sin gracia *9A*
plan el plan
to plan pensar (*ie*), planear
planet el planeta *10B*
plant la planta
plastic el plástico
plate el plato; *license plate*
  la placa
to play jugar (*ue*);
  *(a musical instrument)* tocar;
  *(a sport/game)* jugar a
play la comedia
player el jugador,
  la jugadora; *basketball player*
  el basquetbolista, la
  basquetbolista; *soccer player* el
  futbolista, la futbolista; *tennis*
  *player* el tenista, la tenista
playing card la carta
plaza la plaza
pleasant simpático,-a
to please agradar, complacer
please por favor
pleasing agradable; *to be*
  *pleasing to* gustar
pleasure el gusto; el placer;
  *the pleasure is mine*
  encantado,-a, el gusto es mío
to plug in enchufar *2A*
plum la ciruela
plumber el fontanero,
  la fontanera *10A*
plural el plural
pneumonia la pulmonía *8A*
pocket el bolsillo *9A*
to point apuntar; *to point to*
  *(at, out)* señalar

**point** el punto
**police (officer)** el policía, la policía
**politically** políticamente
**politics** la política
**polka dot** de lunares *9A*
**poll** la encuesta
**pollution (environmental)** la contaminación ambiental
**ponytail** la cola *9A*
**poor** pobre
**popcorn** las palomitas de maíz
**popular** popular
**population** la población
**pork** el cerdo; el puerco
**port** el puerto
**Portugal** el Portugal
**Portuguese** portugués, portuguesa
**position** la posición, el puesto *10A*
**possible** posible; *as (+ adverb) as possible* lo más/menos (*+ adverb*) posible
**post office** la oficina de correos
**to postpone** posponer
**pot** la olla; *coffee pot* la cafetera
**potato** la papa
**pottery** la cerámica *9B*
**pound** la libra
**practical** práctico,-a
**practice** la práctica
**to practice** practicar
**to practice swimming** hacer natación *8B*
**to predict** predecir *10B*
**to prefer** preferir *(ie, i)*
**premiere** el estreno *3A*
**to prepare** preparar, prepararse
**to prescribe** recetar *8A*
**press conference** la rueda de prensa *3A*
**press** la prensa *3A*
**pretty** bonito,-a, lindo,-a
**price** el precio
**prince** el príncipe
**princess** la princesa
**principle** principal
**printed advertisement** el aviso
**printed** estampado,-a *9A*
**prize** el premio
**probable** probable
**problem** el problema

**program** el programa; *to download a program* bajar un programa
**prohibited** prohibido,-a
**to promise** prometer
**to protect** proteger
**protein** la proteína *8B*
**protest** la protesta
**proud** orgulloso,-a *1A*
**to prove** probar *(ue)*
**psychologist** el sicólogo, la sicóloga *10A*
**psychology** la sicología *10A*
**public** público,-a; *public square* la plaza; *public telephone* el teléfono público; *public relations* las relaciones públicas *10A*
**Puerto Rican** puertorriqueño,-a
**Puerto Rico** Puerto Rico
**to pull (someone's leg)** tomar el pelo
**punishment** la pena
**purchase** la compra
**pure** puro,-a
**purple** morado,-a *9A*
**purpose** el propósito
**purse** el bolso
**to pursue** seguir *(i, i)*
**to put** poner(se); colocar(se); *to put (someone) in bed* acostar (*ue*); *to put in charge (of)* encargar (de); *to put makeup on (someone)* maquillar; *to put on* poner(se); *to put on makeup* maquillarse; *to put away* guardar *2B*; *to put on lipstick* pintarse los labios *2B*

## Q

**quality** la calidad
**quarter** el cuarto; *a quarter after, a quarter past* y cuarto; *a quarter to, a quarter before* menos cuarto
**queen** la reina
**question** la pregunta; *to ask a question* hacer una pregunta
**quetzal** el quetzal *6B*
**quickly** pronto, ¡Rápido! *1A*
**to quit** dejar (de)

## R

**rabbit** el conejo
**radio (apparatus)** el radio;

*(broadcast)* la radio; *radio station* la emisora
**raft** la balsa *6B*
**rain** la lluvia; *heavy rain* el aguacero *6A*
**to rain** llover *(ue)*
**raincoat** el impermeable
**to raise** levantar, subir; *to raise one's voice* levantar la voz *4B*
**ranch** la finca
**rapid** rápido
**rapidly** rápidamente
**rash** la erupción *8B*
**rather** bastante
**raw** crudo,-a *7B*
**to reach an agreement** ponerse de acuerdo *4B*
**to reach** cumplir
**to react** reaccionar *4B*
**to read** leer
**reading** la lectura
**ready** listo,-a; *to be ready* estar listo,-a
**real** real
**reality** la realidad
**to realize** darse cuenta *4A*
**really?** ¿de veras?
**rear-view mirror** el espejo retrovisor *5A*
**reason** la razón
**receipt** el recibo
**to receive** recibir
**reception desk** la recepción
**reception (telephone)** la recepción *4B*
**receptionist** el recepcionista, la recepcionista
**recharge (the battery)** cargar (la batería) *4B*
**recipe** la receta
**to recognize** reconocer
**to recommend** recomendar *(ie)*
**record** el disco
**to record** grabar
**to recover** curar(se) *8A*
**to recycle** reciclar *10B*
**red** rojo,-a
**red-haired** pelirrojo,-a
**reduced** rebajado,-a *9A*
**to refer** referir(se) *(ie, i)*
**referee** el árbitro, la árbitro
**references** las referencias *10A*
**refreshment** el refresco
**refrigerator** el refrigerador
**regarding** con respecto a *1B*
**register** el registro *6B*

to regret sentir *(ie, i)*
regular regular
relationship la relación
relative el pariente,
la pariente
to relax descansar, relajarse *6B*
to remain quedar(se)
remedy el remedio *8A*
to remember recordar *(ue)*;
acordar(se) (de) *(ue)*
remote remoto,-a; *remote
control* el control remoto
to rent alquilar
to repair reparar *1B*
to repeat repetir *(i, i)*
report el informe
reporter el periodista, la
periodista; el reportero,
la reportera
to request pedir *(i, i)*,
solicitar *10A*
requirements los requisitos *10A*
to rescue rescatar *3B*
to resemble parecerse
reservation la reservación,
la reserva *6A*
to resolve resolver *(ue)*
to respect respetar *4B*
respectfully atentamente
responsible responsable
to rest descansar
restaurant el restaurante
resume el currículum
vitae *10A*
to return volver *(ue)*; regresar;
devolver *(ue) 4A*
reunion la reunión
reverse (gear) la marcha
atrás *5A*
to review repasar
rib la costilla
rice el arroz
rich rico,-a
ride el paseo; *(amusement)
ride* la atracción
to ride montar; *to ride a bicycle*
montar en bicicleta; *to ride a
stationary bike* hacer bicicleta *8B*
right correcto,-a; derecho,-a,
la derecha; *to the right* a la
derecha; *right?* ¿verdad?; *right
now* ahora mismo *2B*, por
ahora; *to be right* tener razón;
*right away* enseguida *1A*
ring el anillo
to ring sonar *(ue) 4B*

ripe maduro,-a
river el río
road el camino
roar el rugido
to roar rugir
to roast asar *7A*
roasted asado,-a *7B*
robbery el robo
rock la roca *5B*
roller coaster la
montaña rusa
romantic romántico,-a *1B*
roof el techo; *flat roof*
la azotea
room el cuarto; la habitación;
*chat room* el cuarto de charla;
*dining room* el comedor;
*laundry room* el lavadero;
*living room* la sala; *room service*
el servicio de habitaciones
rooster el gallo
rotary la glorieta *5A*
rotten podrido,-a *7A*
round-trip de ida y vuelta
routine la rutina
row la fila
ruby el rubí
rug la alfombra
rule la regla
ruler la regla
to run correr
to run out agotar(se)
runner el corredor, la
corredora
rush la prisa
Russia Rusia
Russian ruso,-a

## S

sad triste
safety la seguridad; *safety belt*
el cinturón de seguridad
saint's day el santo; *All
Saints' Day* Todos los Santos
salad la ensalada
salary el sueldo *10A*
sale la oferta, la rebaja *9A; to
be on sale* estar en oferta
salesperson el vendedor,
la vendedora
salmon el salmón
salt la sal; *salt shaker* el salero
salty salado,-a
Salvadoran salvadoreño,-a
same mismo,-a
sand la arena

sandals las sandalias
sandwich el sandwich,
el bocadillo *7B*
satellite el satélite *10B*
Saturday sábado; *on Saturday*
el sábado
sauce la salsa
saucepan la olla
Saudi saudita; *Saudi Arabia*
Arabia Saudita; *Saudi
Arabian* saudita
sausage (seasoned with red
pepper) el chorizo
to save ahorrar, salvar *3B*
to savor saborear
saxophone el saxofón
to say decir; *How do you say...?*
¿Cómo se dice...?; *one says* se
dice; *say (command)* di; *to say
good-bye* despedir(se) *(i, i)*; *to
say hello* saludar; *to say you
are sorry* pedir perdón
scarf la bufanda
scenery el paisaje
schedule el horario
scholarship la beca *10A*
school el colegio, la escuela;
*(university)* la facultad
science fiction film la
película de ciencia ficción
science la ciencia
scientific científico,-a *10B*
scissors las tijeras *9B*
to scold regañar
score el marcador
to score marcar
scratch el rasguño *8A*
scratched rayado,-a
screen la pantalla
screw el tornillo *2A*
screwdriver
el destornillador *2A*
script el guión *(pl. guiones)*
to scuba dive bucear *6B*
scuba diving el buceo
sea el mar
seafood el marisco
seal la foca *10B*
search la búsqueda; *search
engine* el motor de búsqueda
season la estación
seasoning el aderezo,
el condimento *7A*
to seat (someone) sentar *(ie)*
seat belt el cinturón
de seguridad

**seat** el asiento *5B*
**seat-back** el respaldar
**second** el segundo; segundo,-a
**secret** el secreto
**secretary** el secretario, la secretaria
**section** la sección
**to see** ver; *let's see* a ver; *see you later* hasta luego, hasta la vista; *see you soon* hasta pronto
**to seem** parecer
**selection** el surtido
**selfish** egoísta
**to sell** vender
**to send** enviar
**sense (of hearing)** el oído
**sentence** la oración, la frase
**sentencing** la sentencia
**September** septiembre
**serious** serio,-a, grave
**to serve** servir *(i, i)*
**service** el servicio; *room service* el servicio de habitaciones
**services** los servicios *6B*
**to set** poner; *to set the table* poner la mesa
**seven** siete; *seven hundred* setecientos,-as
**seventeen** diecisiete
**seventh** séptimo,-a
**seventy** setenta
**several** varios,-as
**to sew** coser *9B*
**sewing** la costura
**sewing machine** la máquina de coser *9B*
**shame** la lástima
**shampoo** el champú
**to share** compartir
**to shave** afeitar(se); *to shave one's hair* raparse *9A*
**shaving cream** la crema de afeitar
**she** ella
**sheep** la oveja
**sheet** la hoja; *sheet of paper* la hoja de papel; la sábana *2B*
**shelving** el estante *2B*
**ship** el barco
**shirt** la camisa; *polo shirt* la camiseta
**shoe** el zapato; *high-heel shoe* el zapato de tacón; *low-heel shoe* el zapato bajo; *shoe store* la zapatería

**shopping center** el centro comercial
**shore** la orilla
**short (not tall)** bajo,-a, *(not long)* corto,-a; *from a short distance* de cerca; *in short* en resumen
**shortage** la escasez *10B*
**to shorten** acortar *9B*
**shorts** los shorts; *bermuda shorts* las bermudas
**shot** el tiro, la inyección *8A*
**should** deber
**shoulder** el hombro
**to shout** gritar
**show** el programa; *game show* el programa de concurso
**to show** enseñar; mostrar *(ue)*
**to show up** presentarse
**to shower** duchar(se)
**shower** la ducha
**shrimp** el camarón
**to shrink** encogerse *9B*
**sick** enfermo,-a
**side** el lado
**sidewalk** la acera
**to sign** firmar
**sign** la señal
**silk** la seda
**silly** tonto,-a
**silver** la plata
**silverware** los cubiertos
**since** desde, como
**to sing** cantar
**singer** el cantante, la cantante
**single bed** la cama sencilla *6B*
**single room** la habitación sencilla
**single** sencillo,-a, soltero,-a *2A*
**sink** el fregadero; *bathroom sink* el lavabo
**sir** el señor, Sr.
**sister** la hermana
**sister-in-law** la cuñada *2A*
**to sit down** sentarse; *sit down (command)* siéntate
**six** seis; *six hundred* seiscientos,-as
**sixteen** dieciséis
**sixth** sexto,-a
**sixty** sesenta
**size** el tamaño, la talla *9A*
**to skate** patinar; *to ice-skate* patinar sobre hielo; *to in-line skate* patinar sobre ruedas
**skateboard** la patineta

**to skateboard** montar en patineta
**skater** el patinador, la patinadora
**to sketch** dibujar
**sketch** el dibujo
**to ski** esquiar
**skier** el esquiador, la esquiadora
**skiing** el esquí
**skill** la destreza
**skillful** hábil *1B*
**skin** la piel
**skip (a meal)** saltarse (una comida) *8B*
**skirt** la falda
**sky** el cielo
**skyscraper** el rascacielos
**to sleep** dormir *(ue, u)*
**sleep** el sueño
**sleeping bag** el saco de dormir *5B*
**sleeping car** el coche cama *5B*
**sleeve** la manga *9B*
**to slip** resbalarse *8A*
**slipper** la pantufla
**slippery** resbaloso,-a
**sloth** el oso perezoso *6B*
**to slow (down)** disminuir *5A*
**slow** lento,-a
**slowly** despacio *5A*
**small** pequeño,-a; *small suitcase* el maletín
**smart** listo,-a; *to be smart* ser listo,-a
**to smile** sonreír(se) *(i, i)*
**smoke alarm** la alarma de incendios
**smoke detector** el detector de humo *2A*
**to smoke** fumar
**smoked** ahumado,-a *7B*
**smooth** suave
**snake** la serpiente
**sneakers** los tennis
**to sneeze** estornudar *8A*
**snow** la nieve
**to snow** nevar *(ie)*
**so** tal, tan; *So glad to meet you.* Tanto gusto.; *so long* hasta luego; *so that* a fin de que, para que
**soap** el jabón; *soap opera* la telenovela
**soccer** el fútbol; *soccer player* el futbolista, la futbolista
**sociable** sociable *1B*
**society** la sociedad

**sock** el calcetín
**sofa** el sofá *2B*
**soft** suave; *soft drink* el refresco; blando,-a *6B*
**solar** solar *10B*
**solid** liso,-a *9A*
to **solve** resolver *(ue)*
**some** unos, unas; alguno,-a, algún, alguna
**somebody** alguien
**someone** alguien; *someone from the United States* estadounidense
**something** algo; *something from the United States* estadounidense
**sometimes** a veces
**son** el hijo
**song** la canción
**son-in-law** el yerno *2A*
**soon** luego, pronto; *as soon as* en cuanto, luego que; *see you soon* hasta pronto
**so-so** regular
**soup** la sopa; *soup bowl* el plato de sopa
**sour** agrio,-a *7A*
**south** el sur; *South America* la América del Sur; *South American* suramericano,-a
**southeast** el sureste
**southwest** el suroeste
**space shuttle** el transbordador espacial *10B*
**space station** la estación espacial *10B*
**Spain** España
**Spanish** el español (language)
**Spanish** español, española
**Spanish-speaking** de habla hispana
to **speak** hablar
**speakers** los parlantes *7B*
**speaking** el habla *(f.)*
**special effects** los efectos especiales *1B*
**special** especial
**specialist** el especialista, la especialista *10A*
to **specialize in** especializarse en *10A*
**species** la especie *10A*
**spectator** el espectador, la espectadora
**speech** el habla *(f.)*
**speed** la velocidad *5A*

to **spend (time)** pasar
to **spend** gastar
**spices** las especias *7B*
**spill** el derrame *10B*
**spinach** las espinacas *7A*
**sport** el deporte; *to play (a sport)* jugar a
**sporty** deportivo,-a
**spot** la mancha *9B*
**spring** la primavera
**square** el cuadro; *public square* la plaza
**squid** el pulpo
**stable** el establo
**stadium** el estadio
**stain** la mancha *9B*
**stained** manchado,-a *9B*
**stairway** la escalera
**stall** el puesto
**stamp** la estampilla *9B*
to **stand on line** hacer fila *6A*
to **stand out** destacar(se)
to **stand someone up** dejar plantado/a a alguien *4A*
**star** la estrella
to **start** empezar *(ie)*; comenzar *(ie)*
**starting** a partir de *8B*
**station** la estación; *bus station* la estación de autobuses; *radio station* la emisora; *subway station* la estación del metro; *train station* la estación del tren; *station wagon* la camioneta
**stationery** el papel de carta *9B*
**stationery store** la papelería
to **stay** alojarse, quedar(se)
**steak** el bistec
**steering wheel** el volante
to **step on** pisar *5A*
**stepbrother** el hermanastro
**stepfather** el padrastro
**stepmother** la madrastra
**stepsister** la hermanastra
**stick out (command)** saca
**still** todavía
to **stir** revolver *(ue)* *7A*
**stitches** los puntos *8A*
**stomach** el estómago
to **stop** dejar (de); parar
**stop** pare *5A*
**stopover** la escala
**store** la tienda; *candy store* la dulcería; *dairy (store)* la lechería; *department store* el

almacén; *fruit store* la frutería; *hat store* la sombrerería; *jewelry store* la joyería; *milk store* la lechería; *shoe store* la zapatería; *stationery store* la papelería; *store window* la vitrina
**storm** la tormenta *3B*
**stove** la estufa
**straight (hair)** lacio
**straight ahead** derecho
to **straighten** arreglar, *to straighten ones' hair* alisarse el pelo *9A*
**strawberry** la fresa
**street entrance** la bocacalle *5A*
**street** la calle
**strength** la fuerza *8B*
**stress** el estrés *8B*
to **stretch** estirarse *8B*
**strict** estricto,-a *1A*
**stripe** la raya
**striped** a rayas, rayado,-a
**strong** fuerte
**student** el estudiante, la estudiante
**student council** el consejo estudiantil *1A*
**studies** los estudios *10A*
**studious** estudioso,-a *1A*
**study** el estudio
to **study** estudiar
**stuffed** relleno,-a *7B*
to **stumble** tropezar *8A*
**style** el estilo *9A*
**subject** la asignatura
**subject to change** sujeto a cambio *6A*
**subtitles** los subtítulos *1B*
**suburbs** las afueras *5A*
**subway** el metro; *subway station* la estación del metro
**success** el éxito; *to be a success* tener éxito
**such** tal; *such as* como
to **suffer** sufrir *8A*
**sufficient** bastante
**sufficiently** bastante
**sugar** el azúcar; *sugar bowl* la azucarera
to **suggest** aconsejar, sugerir *(ie)* *5B*
**suit** el traje
**suitcase** la maleta
**summer** el verano

**sun** el sol

**sunglasses** las gafas de sol

**Sunday** domingo; *on Sunday* el domingo; *Sunday supplement* el suplemento dominical

**sunny** soleado,-a; *it is sunny* está soleado, hay sol, hace sol

**supermarket** el supermercado

**supper** la cena; *to have supper* cenar

**supply** el surtido

**to support** apoyar *4A*

**sure** seguro,-a

**to surf** navegar

**surname** el apellido

**surprise** la sorpresa

**to surprise** sorprender

**to surround** rodear *3B*

**survey** la encuesta

**sweater** el suéter

**sweater set** el conjunto *9A*

**sweatshirt** la sudadera *9A*

**to sweep** barrer

**sweet** dulce, golosina

**to swim** nadar

**swimming pool** la piscina

**swimsuit** el traje de baño

**symptoms** los síntomas *8A*

**synthetic** sintético,-a

**syrup** el jarabe *8A*

### T

**table** la mesa; *to clear the table* recoger la mesa; *to set the table* poner la mesa; *tray table* la mesita

**tablecloth** el mantel

**tablespoon** la cuchara

**taco** el taco

**tail** el rabo

**tailor** el sastre, la sastre *9B*

**to take** tomar, llevar; *to take a long time* tardar en (+ *infinitive*); *to take a walk* dar un paseo, dar una caminata, pasear *5B*; *to take away* llevarse; *to take care of* cuidar(se) *1B*; *to take charge (of)* encargarse (de); *to take off* despegar, quitar(se); *to take out* sacar; *to take up* subir; *to take apart* desarmar *2A*; *to take care of* atender (ie) *1B*; *to take measurements* tomar las medidas *9B*; *to take pictures*

sacar fotos *2A*; *to take place* tener lugar *3A*; *to take (someone's) blood pressure* tomar la presión *8A*

**talented** talentoso,-a *1A*

**tall** alto,-a

**to tan** broncear(se)

**tape recorder** la grabadora

**to taste** saborear

**tasty** sabroso,-a

**taxi driver** el taxista, la taxista

**tea** el té

**to teach** enseñar

**teacher** el profesor, la profesora

**team** el equipo

**team work** en equipo *10A*

**to tear** romper

**tears** las lágrimas *4A*

**teaspoon** la cucharita

**technological** tecnológico,-a *10B*

**technology** la tecnología

**teddy bear** el oso de peluche

**to telephone** llamar

**telephone** el teléfono; *by telephone* por teléfono; *on the telephone* por teléfono; *public telephone* el teléfono público; *telephone number* el número de teléfono

**television** la televisión; *television set* el televisor; *to watch television* ver (la) televisión

**to tell** decir; *(a story)* contar (ue); *tell (command)* di; *tell me (Ud. command)* dígame

**temperature** la temperatura; *What is the temperature?* ¿Qué temperatura hace?

**temporary** temporal *10A*

**ten** diez

**tennis court** la cancha de tenis *6B*

**tennis** el tenis; *tennis player* el tenista, la tenista

**tennis shoes** los tenis

**tent** la tienda de acampar *5B*

**tenth** décimo,-a

**to terminate** acabar

**terrace** la terraza *2A*

**terrible** horroroso,-a, terrible *9A*

**test** el examen

**to test** probar *(ue)*

**to thank** agradecer *3A*

**thank you very much** muchas gracias

**thanks** gracias

**that** que, ese, esa, *(far away)* aquel, aquella; aquello; *(neuter form)* eso, ello; *that (one)* aquél, aquélla, ése, ésa; *that way* así; *that which* lo que

**the** *(m., s.)* el, *(f., s.)* la, *(f., pl.)* las, *(m., pl.)* los; *to the* al

**theater** el teatro; *movie theater* el cine

**their** su, sus; suyo,-a; *(of) theirs* suyo,-a

**them** *(i.o.)* les; *(d.o.)* los/las; *(after a preposition)* ellos,-as

**theme** el tema, el tópico

**then** luego, después, entonces; *(pause in speech)* pues

**there** allí; *over there* allá; *there is* hay; *there are* hay; *there was* había, hubo; *there were* había, hubo

**these** estos, estas; *these (ones)* éstos, éstas

**they** ellos,-as; *they are* son; *they were* fueron

**thief** el ladrón, la ladrona *3B*

**thin** delgado,-a

**thing** la cosa

**to think** pensar (ie); *to think about (i.e., to have an opinion)* pensar de; *to think about (i.e., to focus one's thoughts)* pensar en; *to think about (doing something)* pensar en (+ *infinitive*); *to think of oneself* pensar en sí mismo,-a *4A*

**third** tercero,-a; *(form of tercero before a m., s. noun)* tercer

**thirst** la sed

**thirteen** trece

**thirty** treinta

**thirty-one** treinta y uno

**this** *(m., s.)* este, *(f., s.)* esta; esto; *this (one)* éste, ésta

**those** esos, esas, *(far away)* aquellos, aquellas; *those (ones)* aquéllos, aquéllas, ésos, ésas

**thoughtful** considerado,-a *4A*

**thousand** mil

**thread** el hilo *9B*

**three** tres; *three hundred* trescientos,-as

**throat** la garganta

**through** por
**to throw** arrojar
**to throw away** tirar *10B*
   **thunder** el trueno *6A*
   **Thursday** jueves; *on
   Thursday* el jueves
   **thus** pues; así
   **ticket** el boleto; el billete; el
   pasaje; *ticket office* la taquilla
   **ticket office** la boletería *5B*
   **tidbit** la golosina
**to tie (the score of a game)**
   empatar
   **tie** la corbata
   **tiger** el tigre
   **tight** estrecho,-a *9A*
   **time** el tiempo, la vez
   (*pl.* veces); *another time*
   otra vez; *at times* a veces;
   *at what time?* ¿a qué hora?;
   *(number +) time(s)* per
   *( + time expression) (number +)*
   vez/veces al/a la *( + time
   expression);* on time* a tiempo;
   *to spend (time)* pasar; *to take
   a long time* tardar en
   *( + infinitive); What time is it?*
   ¿Qué hora es?
   **tip** la propina
   **tire** la llanta
   **tired** cansado,-a
   **tired of** harto,-a (de) *1A*
   **to** a; *to the left* a la izquierda;
   *to the right* a la derecha
   **toaster** la tostadora
   **today** hoy
   **toe** el dedo, del pie
   **together** junto,-a; *to get
   together* reunir(se)
   **toilet** el excusado
   **tomato** el tomate
   **tomorrow** mañana; *see
   you tomorrow* hasta mañana;
   *the day after tomorrow*
   pasado mañana
   **tongue** la lengua
   **tonight** esta noche
   **too** también; *Too bad!*
   ¡Qué lástima!; *too many
   demasiado,-a; too (much)*
   demasiado; *too much*
   demasiado,-a
   **tooth** el diente
   **toothbrush** el cepillo
   de dientes
   **toothpaste** la pasta de dientes

**to touch** tocar; *touch
   (command)* toca
   **tourism** el turismo
   **tourist** turístico,-a
   **toward** hacia
   **towel** la toalla
   **tower** la torre
   **traffic** el tráfico
   **traffic jam** el atasco *5A*
   **traffic light** el semáforo *5A*
   **traffic rules** las normas
   de tránsito *5A*
**to train** entrenarse *1B*
   **train** el tren; *train station* la
   estación del tren
   **train car** el vagón *5B*
   **train platform** el andén *5B*
   **trainer** el entrenador,
   la entrenadora *1B*
   **transfer** el transbordo *5B*
**to translate** traducir
   **transmission** la transmisión
   **transportation** el transporte
   **trapeze artist** el trapecista,
   la tapecista
   **travel agency** la agencia
   de viajes
**to travel** viajar
   **traveler** el viajero, la viajera *5B*
   **traveler's check** el cheque
   de viajero *6A*
   **tray** la bandeja *9B*
   **tray table** la mesita
   **tree** el árbol; *family tree* el
   árbol genealógico
   **tremor** el temblor
   **trial** el juicio *3B*
   **trip** el paseo, el viaje; *to go
   away on a trip* irse de viaje
**to trip** tropezar con *8A*
   **trombone** el trombón
   **trouble** la pena
   **truck** el camión
   **trumpet** la trompeta
   **trunk** el baúl
**to trust** confiar *4A*
   **truth** la verdad
**to try (on)** probar(se) *(ue); to try
   (to do something)* tratar (de)
   **tucan** el tucán
   **Tuesday** martes; *on Tuesday*
   el martes
   **tuna** atún
   **turbulence** la turbulencia *6A*
   **turkey** el pavo; *turkey breast*
   la pechuga de pavo *7B*

**to turn (a corner)** doblar; *to
   turn off* apagar; *to turn on*
   encender *(ie); to turn on
   (an appliance)* poner; *to turn
   to dusk* anochecer
**to turn up** aparecer *1A*
   **turtle** la tortuga
   **tv guide** la programación
   de televisión *3A*
   **twelve** doce
   **twenty** veinte
   **twenty-eight** veintiocho
   **twenty-five** veinticinco
   **twenty-four** veinticuatro
   **twenty-nine** veintinueve
   **twenty-one** veintiuno
   **twenty-seven** veintisiete
   **twenty-six** veintiséis
   **twenty-three** veintitrés
   **twenty-two** veintidós
   **twins** los gemelos,
   las gemelas *2A*
**to twist** torcer *(ue) 8A*
   **two** dos; *two hundred*
   doscientos,-as
   **two-way street** la calle de
   doble vía *5A*
   **type** el tipo

# U

   **ugly** feo,-a
   **umbrella** el paraguas
   **umpire** el árbitro, la árbitro
   **uncle** el tío
   **under** bajo
   **undershirt** la camiseta
**to understand** comprender,
   entender *(ie)*
   **understanding**
   comprensivo,-a *4A*
   **underwear** la ropa interior
   **undone** crudo,-a *7B*
**to undress** desvestir(se) *(i, i)*
   **unique** único,-a
   **united** unido,-a; *someone or
   something from the United
   States* estadounidense;
   *United States of America* los
   Estados Unidos
   **university** la universidad;
   *school (of a university)*
   la facultad
   **unless** a menos que *10B*
   **unlike** a diferencia de *2A*
   **unripe** verde *7A*
   **unruly** rebelde *9A*

**until** hasta, *(to express time)* menos, hasta que
**up** arriba
**upcoming** que viene
**upstairs** arriba; *to go upstairs* subir
**urgent** urgente
**Uruguay** el Uruguay
**Uruguayan** uruguayo,-a
**us** *(i.o.)* nos; *(d.o.)* nos; *(after a preposition)* nosotros
**use** el uso *10B*
**to use a treadmill** hacer cinta
**to use** usar

## V

**vacation** las vacaciones
**vaccination** la vacuna *8A*
**vacuum** la aspiradora
**to vacuum** pasar la aspiradora
**valley** el valle *5B*
**vanilla** la vainilla
**vase** el jarrón *9B*
**veal** la ternera
**vegetable** la verdura
**Venezuela** Venezuela
**Venezuelan** venezolano,-a
**verb** el verbo
**vertical** vertical
**very** muy, mucho,-a; *not very* poco,-a; *very much* muchísimo
**veterinarian** el veterinario, la veterinaria
**victim** la víctima *3B*
**video game** el videojuego
**village** el pueblo *5B*
**vinegar** el vinagre
**violent** violento,-a *3B*
**virtual reality** la realidad virtual *10B*
**virus** virus *(pl. virus) 10B*
**visa** la visa
**visibility** la visibilidad *3B*
**visit** la visita
**to visit** visitar
**vitamin** la vitamina *8B*
**voice** la voz *(pl. voces)*
**volcano** el volcán *6A*
**volleyball** el voleibol
**volume** el volumen *7B*

## W

**waist** la cintura *9B*
**to wait (for)** esperar
**to wake up** despertar(se) *(ie)*

**to walk** caminar; andar, pasear; *to take a walk* dar un paseo *5B*
**walk** el paseo
**wall** la pared, la muralla; *(exterior) wall* el muro
**wallet** la billetera
**walnut** la nuez *(pl.* nueces) *7B*
**to want** querer
**wardrobe** el armario
**warehouse** el almacén
**to wash** lavar(se)
**washer** la lavadora
**wastebasket** el cesto de papeles
**wastepaper basket** el cesto de papeles
**watch** el reloj
**to watch** ver; *to watch television* ver (la) televisión
**to water** regar *(ie)*
**water** el agua *(f.); mineral water* el agua mineral *(f.); pertaining to water* acuático,-a
**waterfall** la catarata
**watermelon** la sandía
**wavy** ondulado,-a *9A*
**way** la manera; *to always get one's way* siempre salirse con la suya; *by the way* a propósito
**we** nosotros
**to wear** llevar
**weather** el tiempo; *How is the weather?* ¿Qué tiempo hace?; *the weather is nice (bad)* hace buen (mal) tiempo
**Web** la Web
**Wednesday** miércoles; *on Wednesday* el miércoles
**week** la semana
**weekend** el fin de semana
**welcome** bienvenido,-a; *you are welcome* de nada
**welcome** la bienvenida
**well** bien; *(pause in speech)* bueno, este, pues
**well-read** culto,-a
**west** el oeste
**wet** mojado,-a
**whale** la ballena *10B*
**what!** ¡qué!; *What (a) (+ adjective) (+ noun)!* ¡Qué *(+ noun)* tan *(+ adjective)*!; *what a (+ noun)!* ¡qué *(+ noun)*!;

*What a shame!* ¡Qué lástima!; *What a rip-off!* ¡Qué estafa! *9B*
**what?** ¿qué?, ¿cuál?; *at what time?* ¿a qué hora?; *What do/does you/he/she/they think?* ¿Qué (te, le, les) parece?; *What is the meaning (of)...?* ¿Qué quiere decir...?; *What is the temperature?* ¿Qué temperatura hace?; *What is wrong with (someone)?* ¿Qué *(+ tener)?; What is wrong with you?* ¿Qué te pasa?; *What is your name?* ¿Cómo te llamas?; *What is (your/his/her) name?* ¿Cómo se llama (Ud./él/ella)?; *What time is it?* ¿Qué hora es?; *What is it about?* ¿De qué se trata? *1B*
**wheel** la rueda; *steering wheel* el volante; *Ferris wheel* rueda de Chicago
**wheelchair** la silla de ruedas *8A*
**when** cuando
**when?** ¿cuándo?
**where** donde; adonde
**where?** ¿dónde?; *from where?* ¿de dónde?; *(to) where?* ¿adónde?; *Where are you from?* ¿De dónde eres?; *Where are you (formal) from?, Where is (he/she/it) from?* ¿De dónde es (Ud./él/ella)?; *Where is...?* ¿Dónde queda...? ¿Dónde se encuentra...? *5A*
**wherever** dondequiera
**which** que; *of which* cuyo,-a; *that which* lo que
**which?** ¿cuál?; *which one?* ¿cuál?; *which ones?* ¿cuáles?
**while** mientras (que)
**white** blanco,-a
**white-haired** canoso,-a
**Who is it?** *(telephone greeting)* ¿Quién habla? *4B*
**who** quien
**who?** ¿quién?, *(pl.)* ¿quiénes?
**whoever** quienquiera
**whom** quien
**whose** cuyo,-a
**why?** ¿por qué?
**wide** ancho,-a *9A*
**widow** viuda *2A*
**widower** viudo *2A*

**wife** la esposa; la mujer

**wild** salvaje

**wildlife refuge** el refugio de vida silvestre *6B*

**to win** ganar; *games won* los partidos ganados

**wind** el viento; *it is windy* hace viento

**window** la ventana; la ventanilla *5B, store window* la vitrina

**windshield** el parabrisas

**windshield wiper** el limpiaparabrisas

**winter** el invierno

**to wish** desear

**with** con; *with me* conmigo; *with you* (tú) contigo

**without** sin; *without previous notice* sin previo aviso *6A*

**witness** el testigo, la testigo

**woman** la mujer; *young woman* la muchacha

**women's restroom** el baño de damas

**to wonder** preguntarse

**wonderful** estupendo,-a

**wood** la madera

**wool** la lana

**word** la palabra

**work** el trabajo, la obra

**to work** trabajar, funcionar; *to work as* trabajar de *1B*

**worker** el obrero, la obrera

**world** el mundo; *World Wide Web* la Red

**worn** gastado,-a *9B*

**worried** preocupado,-a *3B*

**to worry** preocupar(se)

**worse** peor

**worst: the worst ( + noun)** el/la/los/las peor/peores

**worth your while** valer la pena

**would like** quisiera

**would that** ojalá

**wound** la herida

**wow!** ¡caramba!

**wrinkled** arrugado,-a *9B*

**wrist** la muñeca *8A*

**to write** escribir; *How do you write...?* ¿Cómo se escribe...?; *it is written* se escribe

**writer** el escritor, la escritora

**wrong number** el número equivocado *4B*

**wrought iron fence** la reja

**wrought-iron window** grill la reja

# X

**X-ray** la radiografía *8A*

# Y

**yard** el patio

**to yawn** bostezar

**year** el año; *New Year's (Day)* el Año Nuevo; *to be ( + number) years old* tener ( + number) años

**yellow** amarillo,-a

**yes** sí

**yesterday** ayer; *the day before yesterday* anteayer

**yet** todavía

**to yield** ceder el paso *5A*

**you** (informal) tú; (formal, s.) usted (Ud.); (pl.), ustedes (Uds.); (Spain, informal, pl.) vosotros,-as; (after a preposition) ti, usted (Ud.), ustedes (Uds.), vosotros,-as; (d.o.) la, lo, las, los, te; (Spain, informal, pl., d.o.) os; (formal, i.o.) le; (pl., i.o.) les; (Spain, informal, pl., i.o.) os; (i.o.) te; *Are you from...?* ¿Eres (tú) de...?; *you are* eres; *you (formal) are* es; *you don't say!* ¡no me digas!; *you (pl.) were* fueron

**young** joven; *young lady* la señorita; *young woman* la muchacha

**younger** menor

**youngest** el/la menor

**your** (informal) tu; (informal, pl.) tus; su, sus (Ud./Uds.), (Spain, informal, pl.) vuestro,-a,-os,-as; suyo,-a; tuyo,-a; (of) yours suyo,-a

**yours truly** atentamente

**youth hostel** el albergue juvenil *6B*

# Z

**zebra** la cebra

**zero** cero

**zipper** la cremallera *9B*

**zoo** el zoológico

**zoological garden** el jardín zoológico

# Index

# Credits

## Acknowledgments

The authors wish to thank the many people in the Caribbean Islands, Central America, South America, Spain and the United States who assisted in the photography used in the textbook. Credit is given to photographers and agencies below.

We would also like to thank the following publishers, authors, and holders of copyright for permission to include copyrighted material in *Navegando 3*: p. 205 *Mafalda* six characters by Joaquín Salvador Lavado (Quino), reprinted by permission of his agent; p. 90 "¿No oyes ladrar los perros?" by Juan Rulfo from the story collection *El llano en llamas,* reprinted by permission of Agencia Literaria Carmen Balcells, S.A.; p. 141 "De la segunda salida de Don Quijote," by Miguel de Cervantes Saavedra, excerpt from the Easy Reader entitled *Don Quijote de la Mancha* (Primera parte), published by EMC Publishing; p. 186 "A Julia de Burgos" by Julia de Burgos reprinted by permission of Ediciones Huracán; p. 230 *El Sur* by Jorge Luis Borges reprinted by permission of the Wylie Agency, Inc.; p. 328 "Oda a la alcachofa" by Pablo Neruda, reprinted by permission of Agencia Literaria Carmen Balcells, S.A.; p. 368 "Un día de éstos" by Gabriel García Márquez from *Los funerales de la Mamá Grande,* reprinted by permission of Agencia Literaria Carmen Balcells, S.A.; p. 416 *El delantal blanco* (excerpt) by Sergio Vodanovic reprinted by permission of the author's agent.

## Art Credits

p. 22 (l) *Forum,* 1986, Fernando Botero (b. 1932). Private collection. © Fernando Botero, courtesy Marlborough Gallery, NY. Photo credit: Art Resource, NY. p. 22 (r) *Una pareja (A Couple),* 1982, Fernando Botero (b. 1932). © Fernando Botero, courtesy Marlborough Gallery, NY. Photo credit: Christie's Images/Corbis. p. 68 *Sandía,* 1986, and *Camas para sueños,* 1985, Carmen Lomas Garza (b. 1948). Both paintings © Carmen Lomas Garza. Photo credit: Wolfgang Dietze. p. 141 *Don Quixote and Sancho Panza,* Honoré Daumier (1808–79). Photo credit: Agnew & Sons, London, UK/Bridgeman Art Library. p. 142 *Don Quixote and Sancho,* Alexandre Gabriel Decamps (1803–60). Photo credit: Musée des Beaux Arts, Pau, France/Bridgeman Art Library. p. 143 *Don Quixote and the Windmill,* Francisco J. Torromé (fl. 1890–1908). Photo credit: Bonhams, London, UK/Bridgeman Art Library. p. 396 (t) *Sueño de una tarde dominical en la Alameda Central (Dream of a Sunday Afternoon in the Alameda Park)* [detail], 1947, Diego Rivera (1866–1957). © Banco de México Diego Rivera & Frida Kahlo Museums Trust.

Av. Cinco de Mayo No. 2, Col. Centro, Del. Cuauhtémoc 06059, México, D.F. Photo credit: Schalkwijk/Art Resource, NY. Permission also granted by the Instituto Nacional de Bellas Artes y Literatura, México, D.F. p. 396 (c) *Dialéctica de la revolución (The Dialectic of Revolution)* [detail], c.1926, José Clemente Orozco (1883–1949). © Clemente Orozco V. Photo credit: Schalkwijk/Art Resource, NY. Permission also granted by the Instituto Nacional de Bellas Artes y Literatura, México, D.F. p. 396 (b) *Por una seguridad integral al servicio del pueblo (For the Complete Safety of All Mexicans at Work)* [detail], 1952–54, David Alfaro Siqueiros (1896–1974). © Estate of David Alfaro Siqueiros/SOMAAP, Mexico City/VAGA, NY. Photo credit: Schalkwijk/Art Resource, NY. Permission also granted by the Instituto Nacional de Bellas Artes y Literatura, México, D.F. p. 413 Lizard woodcarving by Billi Mendoza © Oaxacanwoodcarving.com. p. 421 Armadillo woodcarving by Jacobo and María Angeles © Oaxacanwoodcarving.com.

## Photo Credits

*Able Stock / Index Stock Imagery:* 315, 402 • *AFP / Corbis:* 53 (t), 111 (C, E, F), 131 (E), 210 (l), 334 (l) • *Allen, Bryan / Corbis:* 412 • *Allofs, Theo / Corbis:* viii (l), 192–93 • *Alvarez, Carlos / Getty Images:* 113 (l) • *Amet, Jean Pierre / Corbis Sygma:* 35 (t) • *Anderson, Jennifer J.:* 157 (CDs), 271 (F), 272 (b) • *AP Wide World Photos:* 5, 23, 27 (l), 90, 102 (l), 108, 115, 131 (b), 139 (c), 161 (r), 171 (t), 189 (l), 210 (tr), 328, 444 (A), 445 (t), 449 (space shuttle), 453 • *Aquino, Andres / FashionSyndicatePress.com:* 401 (l, r), 421 (b) • *Archivo Iconográfico, S.A. / Corbis:* 381 (t, b) • *Artville Stock Images:* 337 (A, B) • *Azzara, Steve / Corbis Sygma:* 111 (D) • *Bachmann, Bill / Alamy:* 277 (r) • *Bachmann, Bill / Index Stock Imagery:* 376 (l) • *BananaStock / Alamy:* 346 (D), 348, 379 (E), 407 (E) • *Barton, Paul / Corbis:* 62 • *Beebe, Morton / Corbis:* 57 (b) • *Béjar Latonda, Mónica:* 4 (tl, tc, tr), 16 (tl, tc, tr), 26 (tl, tc, tr), 34 (tl, tc, tr), 52 (tl, tc, tr), 60 (tl, tc, tr), 72 (tl, tc, tr), 82 (tl, tc, tr), 102 (tl, tc, tr), 112 (tl, tc, tr), 122 (tl, tc, tr), 132 (tl, tc, tr), 244 (tl, tc, tr), 252 (tl, tc, tr), 264 (tl, tc, tr), 272 (tl, tc, tr) • *Bettmann / Corbis:* 91, 123 (t), 140, 230, 260 (t),

368 • *Braasch, Gary / Corbis:* 273 (l) • *Brand X Pictures / Alamy:* 271 (B), 319 (C), 369, 403, 438 • *Brand X Pictures / Creatas:* 252 (B) • *Brenner, Robert / PhotoEdit:* 444 (A) • *Bridwell, Michelle D. / PhotoEdit:* 81 (B) • *Bruderer, Rolf / Corbis:* 428 (A) • *Buffington, David / Getty Images:* 25 (C) • *Buss, Gary / Getty Images:* 71 (E) • *Butchofsky-Houser, Jan / Corbis:* 74 • *Carmichael, Bethune / Lonely Planet Images:* 429 • *Charnock, Tony / Alamy:* 443 (E) • *Clark, John H. / Corbis:* 252 (D) • *Cohen, Stuart / The Image Works:* 27 (r) • *Comstock Images / Alamy:* 294, 351 (l), 407 (A), 415 • *Conway, W. Perry / Corbis:* 275 • *Cooper, Ashley / Picimpact / Corbis:* 131 (B) • *Cooperphoto / Corbis:* 157 (digital camera) • *Corbis:* 215 (t) • *Corbis Royalty-Free:* vii (t), xiv (l, r), 3 (B, D, F), 16 (b), 25 (A, D, F), 26 (b), 30, 31 (#2, 4), 33 (A–F), 34 (b), 43, 47 (l, r), 51 (A), 54, 59 (E), 60 (A, C, D, E), 69, 71 (B, D), 75 (t, #2, 4, 5, 6), 78, 81 (A), 89 (l, r, b), 97 (r), 102 (#3, 4), 111 (A, B), 121 (A, B), 124 (t), 132 (A), 139 (l), 145 (ml), 154, 155, 157 (bicycle, books, dictionary), 160 (A), 167 (l), 179 (A, B, C), 182, 195 (A, B, C, E), 203 (E), 204 (C, D), 213 (C, F), 221 (A, D, E, F), 222 (D, E), 239 (r), 251 (A, B), 251 (b),

255, 261, 263 (C, D, E), 271 (E), 274, 279, 283 (br), 285 (l), 289 (A–F), 290 (b), 299 (cheese, lemons), 303 (b), 311 (B), 317, 319 (A, B, D, E), 321 (potatoes, onions, oregano, mint), 322, 327 (r), 329, 333 (l, r), 337 (C, D, F), 339 (b), 346 (C, E), 353 (B–F), 356, 367 (r), 389 (D), 393 (red bowl), 394 (l), 395, 397, 407 (B), 428 (B, C), 440 (t), 441, 443 (A, D), 449 (microscope) • *Corel Images:* 222 (B) • *Corral V, Pablo / Corbis:* 303 (t) • *Creatas Royalty-Free:* 51 (B), 221 (B), 222 (C), 379 (B) • *Cristofori, Marco / Corbis:* 118 • *Curtes, Jeff / Corbis:* xii (r), 389 (F) • *Daemmrich, Bob:* 61 (b), 156 (t), 258 • *Daemmrich, Bob / PhotoEdit:* 61 (t) • *de Freitas, Gabriel / PhotographersDirect.com:* 98 (l) • *Degnan, Dennis / Corbis:* xv (l), 97 (l), 192 (l) • *Delessio, Len / Index Stock Imagery:* 222 (A) • *Denny, Mary Kate / PhotoEdit:* 160 (B, C), 458 • *Dex Image / Alamy:* 132 (D) • *Dex Images / Corbis:* 21 • *Diaphor Agency / Index Stock Imagery:* 337 (E) • *Diehl, Lon C. / PhotoEdit:* 132 (B) • *Digital Stock:* 11, 179 (E), 191, 319 (F) • *Digital Vision:* 342, 346 (A, F) • *Digital Vision / Getty Images:* 85 • *Disario, George / Corbis:* 31 (#6) • *Dominguez-Madrid, L.:* 135 • *Donnezan, Herve / age fotostock:* vi (l), 98–99 • *Dwight, Laura / Corbis:* 169 • *Eastman, Donald C. and Priscilla Alexander / Lonely Planet Images:* 211 (r) • *Eisele, Reinhard / Corbis:* 184 • *Else, David / Lonely Planet Images:* 153 • *Englebert, Victor:* x (l), 126 (b), 136, 145 (tr), 207, 237 (b), 263 (A), 265 (b), 286–87, 308 (t), 309 (l), 331 (r), 384 • *Etra, Amy / PhotoEdit:* 49 (l) • *Everton, Macduff / Corbis:* 370 • *Eyebyte / Alamy:* 419 • *Faris, Randy / Corbis:* 20, 281 • *Fletcher, Kevin / Corbis:* 203 (F) • *Fogden, Michael and Patricia / Corbis:* 285 (r) • *Fotopic / Index Stock Imagery:* 77 • *Foxx, John / Alamy:* 185, 341 • *Francisco, Timothy:* 93 • *Franken, Owen / Corbis:* 123 (b), 216, 301 (r), 366 • *Frei, Franz-Marc / Corbis:* 176 • *Fried, Robert:* v (t), xxii (l), 4 (b), 51 (D), 79 (b), 86, 106 (l), 113 (r), 156 (b), 166 (b), 197 (cr), 198, 203 (A, C), 204 (A), 210 (br), 211 (c), 251 (F), 252 (C), 263 (B), 271 (D), 343 (br), 346 (B), 373 (b), 379 (A), 386, 391, 407 (C), 408 (b), 409, 411 (l, r), 411 (r) • *Fuste Raga, José / Corbis:* ix (br), xiii (l), 245 (b), 424–25 • *Gendreau, Philip / Corbis:* 464 • *Glumack, Ben:* 152 (tl, tc, tr), 160 (tl, tc, tr), 170 (tl, tc, tr), 180 (tl, tc, tr), 196 (tl, tc, tr), 204 (tl, tc, tr), 214 (tl, tc, tr), 222 (tl, tc, tr), 290 (tl, tc, tr), 300 (tl, tc, tr), 312 (tl, tc, tr), 320 (tl, tc, tr), 338 (tl, tc, tr), 346 (tl, tc, tr), 354 (tl, tc, tr), 360 (tl, tc, tr), 380 (tl, tc, tr), 390 (tl, tc, tr), 400 (tl, tc, tr), 408 (tl, tc, tr), 428 (tl, tc, tr), 434 (tl, tc, tr), 444 (tl, tc, tr), 452 (tl, tc, tr) • *Goldberg, Beryl:* vii (bl), 83 (l), 83 (r), 109 (t), 125, 139 (r), 148–49, 181 (l), 183, 197 (tl), 201, 211 (l), 227, 244 (b), 252 (A), 254, 286 (l), 382, 400, 423 (l), 423 (r) • *GoodShoot / SuperStock:* 443 (B) • *Grant, Spencer / PhotoEdit:* 121 (E), 131 (F), 424 (l) • *Greenberg, Jeff / PhotoEdit:* xi (r), 361 (l), 365 • *Griesedieck, Judy / Corbis:* 416 • *Henley, John / Corbis:* 31 (t) • *Hernandez, Carlos / PhotographersDirect.com:* 35 (b) • *HIRB / Index Stock Imagery:* 278 • *Hodges, Walter / Corbis:* 79 (l) • *Horner, Jeremy / Corbis:* 42 • *Houser, Dave G. / Corbis:* 267 • *Hulton-Deutsch Collection / Corbis:* 232, 233, 234 • *Hurst, Jacqui / Corbis:* 373 (t) • *Hutchings, Richard / PhotoEdit:* 59 (B) • *I'Anson, Richard / Lonely Planet Images:* 313 (tl), 343 (tl) • *IFA Bilderteam / eStock Photo:* 460, 467 • *image100 / Alamy:* 353 (A), 389 (B) • *Images, Agence Photographique / eStock Photo:* 444 (D) • *Image Source / Alamy:* 306, 311 (E), 360 (b), 379 (F), 389 (A), 392, 407 (F) • *Image Source / Index Stock Imagery:* xii (l), 3 (E), 376–77 • *Image Source / SuperStock:* 3 (C) • *ImageState / Alamy:* 304, 311 (D), 461 • *ImageVault:* 251 (E) • *Ingram Publishing / Alamy:* 394 (r), 440 (b), 469 • *Instituto de Turismo Costarricense, San José:* 249 (map), 249 (travel guide) • *Janine Wiedel Photolibrary / Alamy:* 428 (D) • *JG Photography / Alamy:* 307 • *Jones, Spencer / PictureArts / Corbis:* x (r), 327 (l) • *Kaehler, Wolfgang:* 253 (r), 301 (l), 331 (l) • *Kaufman, Ronnie / Corbis:* v (b), 48–49, 57 (t) • *Kraft, Wolf:* 204 (B), 302 (b) • *Krist, Bob / Corbis:* vii (br), 165 (t), 189 (r) • *Lane, Dennis / Index Stock Imagery:* 320 (b) • *Lang, Thom / Corbis:* 309 (r) • *Lefkowitz,*

*Lester / Corbis:* 457 • *Lehman, Danny / Corbis:* 195 (D), 245 (t) • *Lewine, Rob / Corbis:* 72 (b) • *Lexington Herald Leader / Corbis Sygma:* 131 (D) • *Look GMBH / eStock Photo:* 256 • *Luxner, Larry / Luxner News Inc.:* 203 (D), 213 (B), 283 (cl) • *LWA-Dann Tardif / Corbis:* 31 (#3) • *Maass, Robert / Corbis:* 59 (C) • *MacDonald, Dennis / PhotoEdit:* 443 (F) • *Manning, Lawrence / Corbis:* 137, 161 (l) • *Mata, Hector / AFP Photo / Corbis:* 53 (t) • *Mays, Buddy / Corbis:* 88, 271 (C) • *Maze, Stephanie / Corbis:* 165 (b) • *McCarthy, Tom & Dee Ann / Corbis:* xi (l), 334–35 • *McVay, Ryan / Getty Images:* 71 (A), 81 (C) • *Moore, C. / Corbis:* 239 (l) • *Moos, Viviane / Corbis:* 73 • *Morsch, Roy / Corbis:* 314 • *Mullennix, Bryan / WireImageStock.com:* 379 (C) • *Muntada, Francesc / Corbis:* 138 • *NASA / Corbis:* 443 (C), 449 (space station) • *Neubauer, John / PhotoEdit:* 166 (t) • *Newman, Michael / PhotoEdit:* 71 (C), 103, 127, 160 (D), 375 (r), 449 (virtual reality), 459 • *Niiranen, Seppo / Alamy:* 363 (t) • *Nowitz, Richard T. / Corbis:* 181 (r) • *Odile, Montserrat / Corbis Sygma:* 350 (t) • *Opitz, Eugenio / Corpoimagen / Alamy:* iv (t), 40 • *Owaki-Kulla / Corbis:* 131 (C) • *Palmer, Gabe / Corbis:* 132 (C), 144, 147 (r) • *Pedersen, Carl / Alamy:* 229 (l) • *Pelaez, José Luis / Corbis:* 51 (F), 148 (l) • *Peterson, Chip and Rosa María de la Cueva:* 7, 19, 36, 56 • *Peterson, Lisa / Chip and Rosa María Peterson:* 41 • *Photick / Index Stock Imagery:* 311 (C) • *PhotoAlto / eStock Photo:* 427 • *Photodisc:* 121 (C), 147 (l), 157 (laptop, cellular phone), 221 (C), 222 (F), 375 (l), 444 (C) • *Photodisc / Creatas:* ix (t), 81 (F), 249 (passport), 251 (D), 393 (towels) • *Photodisc / Getty Images:* 25 (E), 60 (B), 179 (D) • *Pidgeon, Anthony / Lonely Planet Images:* 313 (c) • *Pollack, David / Corbis:* 65 (t) • *Prince, Michael / Corbis:* 75 (#3) • *Purcell, Carl & Ann / Corbis:* ix (bl), 17 (r), 240–41, 347 • *Ragazzini, Enzo & Paolo / Corbis:* 17 (l) • *Rangel, Francisco:* iv (b), viii (r), xxii-1, 3 (A), 55, 106 (b), 117 (l), 124 (b), 129, 157 (T-shirt), 164, 203 (B), 206 (t), 208 (b), 237 (t), 351 (r), 362, 363 (b), 385, 387 • *Raymer, David / Corbis:* 324 • *Ressmeyer, Roger / Corbis:* 448 • *Reuters NewMedia Inc. / Corbis:* 121 (D, F), 291 (tl) • *Rhinofilm / Alamy:* 75 (#1) • *Riddell, Emily / Photo Network Stock:* 253 (l) • *Roberts, H. Armstrong / Corbis:* 117 (b) • *Rogers, Martin / Corbis:* 269 (l) • *Rowin, Stanley / Index Stock Imagery:* 15 • *RubberBall / Alamy:* 389 (C, E) • *Sanger, David:* 308 (b) • *Savage, Chuck / Corbis:* 52 (b), 59 (D) • *Schafer, Kevin / Corbis:* 269 (r), 273 (r), 414 • *Schulz, Sören:* 302, 379 (D) • *Secretary of Tourism, Nequen Province, Argentina:* 271 (A) • *Seheult, Paul; Eye Ubiquitous / Corbis:* 37 • *Shelley, George / Corbis:* 71 (F) • *Sheridan, Lucas:* 53 (b) • *SIME s.a.s / eStock Photo:* 133, 339 (t) • *Simonis, Damien / Lonely Planet Images:* 109 (b), 145 (bl) • *Simson, David:* xv (cl, b), 6, 12, 51 (C, E), 59 (A), 81 (E), 101, 102 (2), 105, 157 (watch, CD player, boots), 180 (b), 206 (b), 208 (t), 213 (D, E), 226, 229 (r), 235, 240 (l), 246, 248, 249 (suitcase), 266, 277 (l), 311 (A, F), 355, 359, 367 (l) • *Stephenson, Mark L. / Corbis:* 167 (r), 263 (F) • *Stitzer, Barbara / PhotoEdit:* 65 (b), 119 • *Stockbyte:* 81 (D), 128, 428 (E), 439 • *Stockbyte / Creatas:* 407 (D) • *Stocktrek / Corbis:* xiii (r), 445 (b) • *Strewe, Oliver / Lonely Planet Images:* vi (r), 114 • *SuperStock:* 265 (t) • *Tapp, Nick / Lonely Planet Images:* 223 (r) • *The Image Bank / Getty Images:* 228 • *ThinkStock / SuperStock:* 59 (F), • *ThinkStock / Index Stock Imagery:* 76 • *Tom Stewart Photography / Corbis:* 25 (B), 31 (#5) • *van der Wal, Onne / Corbis:* 223 (l) • *Vanni, Gian Berto / Corbis:* 291 (c) • *Vargas Bonilla, Alejandro:* 171 (b) • *Vera Córdova, Andrés:* 326 • *Villaflor, Francisco / Corbis:* 187 • *Weinzierl, Maximilian / Alamy:* 393 (toaster) • *Wheeler, Nik / Corbis:* 361 (r) • *White, Dana / PhotoEdit:* 82 (r) • *Widstrand, Staffan / Corbis:* 215 (b) • *Willett, A. T. / Alamy:* 126 (t) • *Wilson, Doug / Corbis:* 213 (A) • *Young-Wolff, David / PhotoEdit:* 31 (#1), 131 (A), 455